Les cycles
de la vie conjugale

Cet ouvrage a été originellement publié par
RANDOM HOUSE, INC., NEW YORK
et simultanément au Canada par
Random House of Canada Limited, Toronto

sous le titre : INTIMATE PARTNERS

Publié avec la collaboration de
Montreal-Contacts/The Rights Agency
C.P. 596, Succ. «N»
Montréal (Québec)
H2X 3M6

© 1987, Maggie Scarf
© 1990, Les Éditions Quebecor, pour la traduction française
© 1991, Les Éditions Quebecor, pour la nouvelle édition

Dépôt légal, 1er trimestre 1991
Bibliothèque nationale du Québec
Bibliothèque nationale du Canada
ISBN : 2-89089-809-1

LES ÉDITIONS QUEBECOR
Une division de Groupe Quebecor inc.
4435, boul. des Grandes-Prairies
Montréal (Québec)
H1R 3N4

Distribution : Québec-Livres

Révision : Sylvie Massariol
Conception et réalisation graphique
de la page couverture : Manon Boulais
Illustration de la page couverture : The Image Bank
Photocomposition et montage : Les Ateliers C.M. Inc.

Impression : Imprimerie l'Éclaireur

MAGGIE SCARF

Les cycles
de la vie conjugale

TRADUIT DE L'AMÉRICAIN
PAR
RUTH MAJOR LAPIERRE

NDLT

Pour traduire *les Cycles de la vie conjugale*, j'ai utilisé certains ouvrages afin d'établir une terminologie aussi rigoureuse que possible.

Murray Bowen, *la Différenciation du soi. Les Triangles et les Systèmes émotifs familiaux* (1978), Paris, Éditions SDF, Coll. Sciences humaines appliquées, 1984, 196 pages (traduit par Neil Big, anthropologue, et Pierre Mainhagu, psychiatre).

Guy Maruani et Paul Watzlawick (direction), *l'Interaction en médecine et en psychiatrie*, Paris, Éditions Génitif, Atelier Alpha Bleu, 1982, 194 pages.

Jean Laplanche et J.-B. Pontalis, *Vocabulaire de la psychanalyse* (1967), Paris, Presses universitaires de France, Bibliothèque de psychanalyse, 1981, 523 pages.

William H. Masters et Virginia E. Johnson, *les Réactions sexuelles* (traduction de Francine Fréhel et Marc Gilbert), Paris, Robert Laffont, 1968, 383 pages.

Human Sexual Response (1966), New York, Bantam Books, 1980, 363 pages.

Jacques Cellard et Alain Rey, *Dictionnaire du français non conventionnel*, Paris, Hachette, 1980, 894 pages.

Shere Hite, *le Rapport Hite* (1977), France Loisirs, 1981, 558 pages.

Pour Herb

Présentation

Qu'est-ce que l'intimité? Que se passe-t-il dans les relations intimes? Dans cet irrésistible ouvrage, Maggie Scarf nous entraîne par-delà les apparences du mariage pour en explorer l'architecture fondamentale. *Les Cycles de la vie conjugale* nous présente une vision détaillée et captivante des problèmes complexes auxquels se butent les couples d'aujourd'hui.

Ces dernières années, nos idées quant à la nature des relations conjugales ont changé. Désormais, nous ne considérons plus d'abord le mariage pour les enfants, la sécurité ou la responsabilité; nous en attendons aussi le compagnonnage, l'amour, la sexualité et «l'unité». Nous exigeons beaucoup l'un de l'autre, et plus nous taxons nos relations intimes, plus elles se fragilisent et demandent du travail. Conséquemment, il n'est pas étonnant que le champ de la thérapie conjugale et familiale ait non seulement évolué au cours des dernières décennies, mais encore qu'il continue de prospérer.

Maggie Scarf possède la capacité unique de pénétrer l'existence des partenaires conjugaux qu'elle rencontre et d'introduire l'histoire de leur vie dans une présentation claire des importantes questions théoriques liées au mariage. Elle explore les interactions dans la relation du couple, et les manières qu'ont trouvées les histoires psychologiques et culturelles préexistantes des partenaires d'affecter ce qui se produit entre eux de façon subtile et cachée.

Les couples contemporains s'efforcent de faire face aux changements profonds et étendus des modèles sociétaires. Avec talent et sensibilité, madame Scarf s'attaque ici à la complexité des problèmes auxquels ils peuvent se heurter et qui se manifestent souvent dans les relations intimes. Elle examine l'habitude qu'ont les gens d'apporter dans un mariage différentes attentes et diverses valeurs, rêves et visions qui se fondent plus souvent sur les désirs et les fantaisies romantiques que sur ce que la réalité peut offrir. Plus important, elle dépeint l'habitude qu'ont les couples, dans le cadre de leurs relations courantes, de ressusciter les dilemmes irrésolus qu'ils ont ramenés de leurs familles fondatrices.

Dans cet essai vivant, captivant, madame Scarf aborde également la tendance des couples en détresse à attribuer leurs difficultés à un tiers, parent, membre de la famille, enfant, ami, amant ou même collègue ou patron. Non seulement passe-t-elle au crible les modèles problématiques susceptibles de se cristalliser dans les relations intimes, mais elle présente aussi des suggestions pratiques et fascinantes pour les transformer.

Maggie Scarf a capté l'essence de notre quête d'intimité; elle nous sensibilise aux problèmes imprévus et nous propose des solutions inattendues. Dans sa remarquable partie sur la sexualité, par exemple, elle souligne ce que l'on peut considérer évident, mais que néanmoins l'on ignore souvent: les changements au niveau du fonctionnement sexuel qui accompagnent le vieillissement normal. De nombreux couples, explique-t-elle, vivent plus ces modifications comme une défaite que comme une transformation humaine normale qu'escortent ses propres promesses et ses propres défis.

Tout conjoint, comme toute personne qui songe au mariage et tout intervenant dans le domaine de la thérapie conjugale profiteront énormément de la lecture de cet ouvrage exemplaire.

Carol Nadelson, M.D.,
ex-présidente,
American Psychiatric Association

Table des matières

Remerciements

Un jour de l'automne de 1981, tandis que je traversais le campus de l'université Yale, je suis tombée par hasard sur une vieille connaissance. Elle m'a demandé si je travaillais à un projet de livre, et j'ai répondu que je rassemblais du matériel pour un ouvrage sur le mariage.

«Connais-tu Stuart Johnson?» a-t-elle aussitôt répliqué.

J'ai secoué la tête. Stuart Johnson était quelqu'un, a-t-elle précisé, avec qui je devais absolument entrer en contact. Pendant plusieurs années, il avait dirigé la section de thérapie familiale de l'Institut psychiatrique de Yale; désormais, il pratiquait avec succès dans le privé, et on le considérait comme l'un des meilleurs thérapeutes conjugaux de toute la région de New Haven.

Elle a hésité, rougi légèrement, et ajouté qu'elle et son mari consultaient Stuart Johnson.

«Il n'y a personne comme lui, précisa-t-elle avec enthousiasme. Va le voir et parle-lui; tu verras.»

J'ai téléphoné à monsieur Johnson le lendemain matin. Nous avons convenu d'une brève rencontre plus tard au cours de cette semaine-là; mais la conversation que nous avons entamée n'a toujours pas pris fin. Et tout ça, parce que Stuart Johnson est tellement érudit, tellement bien documenté, tellement plein d'idées et d'informations que nous n'avons jamais pu épuiser notre répertoire de sujets de discussions intéressants. Peu après, nous avons commencé à enregistrer une série de conversations qui avaient lieu sur une base hebdomadaire, et souvent bihebdomadaire. Au fur et à mesure que les années passaient, les enregistrements augmentaient en nombre, passant d'un plein tiroir à deux, trois et presque quatre lors du recomptage le plus récent. Ces conversations avec Stuart Johnson ont grandement influencé mes réflexions et la rédaction de cet ouvrage.

Je lui dois des remerciements, pas seulement pour nos discussions fascinantes, mais aussi pour la possibilité qu'il m'a donnée d'assister à certaines séances thérapeutiques avec quelques-uns des couples de sa clientèle. Monsieur Johnson m'a aussi permis de participer au programme de maîtrise en thérapie familiale et conjugale du *Smith College School of Social Work*, dont j'ai suivi les cours à l'été de 1983. À mes yeux, le programme offert a pris l'allure d'un grand festin intellectuel; j'en suis sortie avec l'impression d'avoir reçu en un laps de temps bref, intensif et extrêmement précieux, tout un bagage de connaissances que j'aurais normalement dû mettre plusieurs années à acquérir.

Une autre personne encore a pris pour moi, tout au long de ce travail, une importance inestimable, et c'est mon amie de longue date, mon mentor, le docteur Carol Nadelson. Professeure et vice-présidente du département de psychiatrie de l'université Tufts et du Centre médical de Nouvelle-Angleterre, ex-présidente de l'Association américaine de psychiatrie, le docteur Nadelson a trouvé dans son horaire surchargé le temps de discuter en profondeur avec moi des différents couples que je me préparais à interviewer. Invariablement, je sortais de ces conversations intensives étonnée de la précision et de l'intelligence de ses considérations cliniques.

Qui plus est, c'est elle qui m'a présentée à nombre d'experts que j'ai été amenée à consulter au cours de mon travail en vue de ce livre. C'est elle qui m'a fait rencontrer le psychiatre Derek C. Polonsky, professeur de thérapie conjugale et sexuelle à l'université Tufts et au Centre médical de Nouvelle-Angleterre, qui exerce aussi dans le privé à Boston. Avec le docteur Polonsky, j'ai exploré plusieurs des questions spécifiquement *sexuelles* qui ont fait surface dans le cours de mes entrevues avec des partenaires mariés; immanquablement, je l'ai trouvé documenté, sensible et plein d'humanité.

Les autres sexologues avec lesquels je me suis entretenue incluent le docteur Helen Singer Kaplan, le docteur Avodah K. Offit, ainsi que Lorna J. et le docteur Philip M. Sarrel. Le docteur Anthony H. Labrum a lu et commenté les informations techniques des chapitres consacrés à la sexualité conjugale; le docteur Herant A. Katchadourian a ensuite revu tout ce matériel. Pour leur attention et leur intérêt, pour le don de leur temps si précieux, je tiens à exprimer ma reconnaissance à tous ces professionnels actifs et engagés.

Au tout début du processus de recherche, j'ai commencé à suivre des cours au *Family Institute* de Westchester, situé à Mount Vernon, New York. Les autres «étudiants» étaient tous des cliniciens qui fréquentaient l'institut pour acquérir de nouvelles compétences dans leur pratique auprès des couples et des familles en détresse. À l'institut, j'ai suivi des cours destinés à la fois aux étudiants de première et de deuxième année; j'ai aussi observé des séances thérapeutiques (autant sur vidéo qu'en salle) et j'ai assisté à des conférences et à des séminaires.

Plus essentiel à mon propre processus d'apprentissage a toutefois été le temps considérable que j'ai passé avec la directrice du *Family Institute*, Betty Carter, M.S.W., A.C.S.W. Les compétences de madame Carter étaient extraordinaires, son exubérance, contagieuse; son infaillible instinct pour ce qui se terre au coeur d'une interaction émotionnelle m'a beaucoup appris quant à ce qui arrive aux gens engagés dans des relations intimes.

Je dois à Kate Medina, mon éditrice, des remerciements d'un genre particulier. Kate, toujours pleine de tact, toujours gentille, a exercé une influence aussi importante que bénéfique sur la forme finale de ce livre; travailler avec elle est décidément une expérience formatrice et profondément gratifiante. Au cours de toutes mes années d'association avec elle, j'en suis venue à me fier aux remarquables talents de Kate et à son amitié merveilleusement positive et sensible.

Les Cycles de la vie conjugale a été terminé au cours d'un stage au *Center for Advanced Study in the Behavioral Sciences,* à Stanford, en Californie. Au personnel inlassablement disponible et secourable, à son bouillant directeur, le docteur Gardner Lindzey, je veux exprimer ma reconnaissance sincère.

Je tiens aussi à remercier Felicia Dickinson, mon assistante et amie de longue date, à qui je dois énormément pour sa compétence sans limites, sa compréhension et sa patience.

Finalement, aux nombreux couples mariés que j'ai interviewés, et à ceux qui m'ont permis d'écouter et d'observer tandis que d'autres les interviewaient durant les séances de thérapie, j'exprime ma profonde gratitude. Merci de votre courage, de votre franchise, de votre honnêteté, et, par-dessus tout, merci de m'avoir permis d'entrer dans vos univers intimes. J'ai conscience du grand privilège que vous m'avez octroyé, et c'est ce que vous m'avez appris qui, plus que tout le reste, apparaît dans ces pages.

Introduction

Récemment, on m'a demandé quand j'avais commencé à travailler sur le mariage. La réponse à cette question est que mes entrevues intensives avec des couples ont commencé à l'été de 1980. Moins officiellement toutefois, j'ai l'impression que mon exploration des relations intimes a débuté avec la disparition du chat.

Cela s'est produit beaucoup plus tôt, dans les années 1960, quand nos trois filles étaient très jeunes et que mon mari, un économiste, enseignait à l'université Stanford. Nous vivions sur le campus et nous avions un chat rayé comme un tigre, aux pattes d'un blanc pur qui ressemblaient à des mitaines. «Mitaines» était d'ailleurs le nom que nous lui avions donné.

Nos amis les plus intimes, à cette époque de nos vies, étaient les D. Ils avaient à peu près le même âge que nous, ils avaient à peine traversé la vingtaine et commençaient leur trentaine. J'avais l'habitude de passer beaucoup de temps avec l'épouse, Anne, et je m'étais tout à fait ouverte à la relation. Elle était travailleuse sociale à temps partiel et enseignait dans une école pour enfants autistiques. Le mercredi après-midi, je gardais sa fille de sept ans. Alors, en plus des autres visites, nous passions toujours un certain temps ensemble, que ce soit quand Anne venait chercher l'enfant ou la déposer.

Nos deux maris, qui étaient collègues à la faculté de Stanford, étaient aussi près l'un de l'autre qu'Anne et moi l'étions. En fait, l'amitié avait débuté avec les hommes. Même si leurs rapports différaient des nôtres (ils prenaient plaisir à entreprendre de longues discussions passionnées et abstraites), ils échangeaient de façon extraordinairement personnelle pour des hommes.

Bref, la relation entre nos deux familles semblait fonctionner sur tous les plans et quelle que soit la combinaison, c'est-à-dire entre les différents adultes, entre les quatre filles de la plus jeune génération, et entre les enfants et les parents respectifs. De temps à autre, bien sûr, nous connaissions des moments d'incompréhension et de tension, mais nous fonctionnions presque comme une famille élargie; des problèmes pouvaient surgir et ils faisaient leur apparition, mais notre attachement aux D. ne devait jamais être remis en question. Sortir le soir signifiait sortir avec Anne et Larry, ce que nous faisions aussi souvent que possible. Nous allions dans de petits restaurants, au cinéma, occasionnellement dans des boîtes de nuit et à des parties de baseball d'après-midi. Avec nos familles, nous allions en excursion, en pique-nique, à la plage, et parfois en camping dans les montagnes.

C'est au retour de l'un de ces voyages au parc national Yosemite que nous avons découvert qu'en notre absence Mitaines avait disparu.

En fait, j'avais commencé à m'inquiéter du chat durant le trajet de retour, je ne savais trop pourquoi. Avant notre excursion de cinq jours dans les montagnes, nous avions pourtant procédé aux arrangements habituels à son sujet. La fille de nos voisins, une fillette de 12 ans sur qui l'on pouvait compter, devait venir le nourrir chaque jour; elle devait aussi nettoyer sa litière. Comme à l'accoutumée, Mitaines avait l'autorisation de se promener durant la journée dans notre grand jardin clôturé. Cet arrangement n'avait jamais posé de problèmes par le passé. Mais pendant notre voyage de retour, j'ai commencé à me soucier de la possibilité que le chat se soit sauvé et qu'il ait eu un genre d'accident.

«Ridicule», me répétais-je, parce qu'il ne s'était jamais éloigné de la cour, pas même quand la porte de la palissade était restée grande ouverte. Je me sentais, quoi qu'il en soit, étonnamment mal à l'aise.

Peut-être que ça avait quelque chose à voir avec l'impression bizarre, ressentie dans les montagnes, que la situation avait changé vis-à-vis des D. Durant notre voyage de retour également, nous avions effectué un long détour dans les vieilles villes de la ruée vers l'or californienne. J'avais voyagé dans la jeep d'Anne et de Larry pendant un bout de temps. Au cours de la randonnée, je m'étais sentie quelque peu confuse, comme si une chose que je ne comprenais pas était en train de se produire.

Quelque chose clochait — ou bien est-ce que j'imaginais cette différence dans l'atmosphère? Je sentais chez Anne quelque chose de tendu et d'artificiel: ses grands yeux bleus étaient vitreux et vides. Ou bien était-ce Larry qui se comportait étrangement? S'étaient-ils querellés? Je les avais vus ouvertement furieux l'un contre l'autre; et pourtant aucun des deux ne me semblait fâché à ce moment-là. L'atmosphère était cependant subtilement toxique... ou bien mon imagination me jouait-elle des tours?

«Quelque chose *cloche*», confiai-je à Herb quand les gens des autres véhicules (nous étions quatre familles) nous ont finalement réunis dans notre propre voiture.

À ce moment-là, la jeep des D. nous a doublés, et j'ai hoché la tête dans leur direction.

«*Qu'est-ce qui ne va pas,* maman? fit entendre une petite voix depuis le siège arrière.

— Rien», répondis-je, en signalant à mon mari que nous en discuterions plus tard, quand l'attention des enfants se porterait sur autre chose.

Lorsque nous avons pu finalement aborder la question dans le privé, Herb m'a assuré qu'il n'avait rien remarqué d'étrange ou de déplacé chez les D. Il croyait que j'imaginais des problèmes là où il n'y en avait pas.

Je me suis laissé gagner à cette explication, même s'il y avait vraiment eu quelque chose de *différent,* chez Anne, en particulier, qui était là de corps, mais pas d'esprit. C'est dans le sillage de cette brève discussion (menée à voix basse) que j'ai commencé à m'inquiéter vraiment du chat.

À mesure que nous approchions de chez nous, je me souviens, je vivais ma prémonition — à l'effet que quelque chose était arrivé à Mitaines — de façon quasi physique, comme un malaise intensément angoissé. J'avais hâte de sortir de la voiture et de rentrer dans la maison pour me prouver que je m'étais trompée! À cette occasion pourtant, mes craintes ont pris l'allure d'une prophétie: notre chat n'était pas là pour nous accueillir, et nous n'avons pu le retrouver. Il n'était pas dans la maison ni dans le jardin; sa nourriture, intacte, séchait dans son assiette bleue et blanche.

Contrite, notre jeune voisine nous a avoué que le chat s'était échappé du jardin la veille et n'était pas revenu manger. Elle avait fouillé tout le quadrilatère, mais n'avait pas pu le trouver.

Personne, rapporta-t-elle, ne l'avait vu — ou ne l'avait remarqué — et elle n'avait pas la moindre idée de ses allées et venues. Elle était visiblement bouleversée, et nous avons dû la rassurer.

Ce n'était pas de sa faute, lui avons-nous dit; Mitaines était probablement tout simplement parti vagabonder et il finirait bien par nous revenir. En attendant, nous reprendrions nous-mêmes les recherches. Paroles raisonnables, prononcées d'une voix raisonnable; malgré tout, tandis que nous nous tenions sur la pelouse avant et que nous lui parlions, je ressentais un malaise, une impression de deuil épouvantable. Je ne pouvais pas comprendre d'où émanait cette impression. Après tout, un chat perdu figure bien bas sur la liste des tragédies potentielles de l'existence! J'étais malgré tout profondément, presque irrationnellement, troublée.

Plus tard, quand les enfants ont été couchées, j'ai abordé la question avec mon mari, qui a pu me donner l'explication que j'avais été incapable de trouver. Il m'a rappelé une histoire que je lui avais un jour racontée, mais que j'avais apparemment oubliée. C'était à propos d'un incident qui s'était produit le jour de la séparation de mes parents, séparation qui a mené à leur divorce éventuel.

J'avais 12 ans à l'époque, et les déménageurs emportaient les meubles de la maison. Pour moi, cependant, le plus terrible de ce qui se produisait c'était que le chat s'était pris le cou dans la grille du foyer à charbon. Il s'était tellement blessé que les deux hommes de l'animalerie, appelés à sa rescousse, avaient dû l'emporter avec eux.

«C'est vrai», dis-je à Herb en admettant qu'à mes yeux, le chat avait symbolisé la famille intacte.

Dans mon esprit, la perte du chat se rattachait à la vie familiale qui m'avait été enlevée.

À 12 ans, on est en partie un adulte, mais aussi, pour une grande part, un enfant, toujours capable d'accorder foi aux idées et aux pensées magiques. En y repensant, j'imagine que je persistais à croire que si notre chat revenait, la stabilité de mon univers reviendrait aussi. Peut-être aussi que ma préoccupation à propos de la perte du chat — tellement intense, qu'à côté d'elle la rupture de mes parents prenait l'allure d'un incident de parcours — venait du fait que je trouvais plus facile de faire face à la perte du chat de la famille et de le pleurer que de faire mon deuil de la perte *intolérable* qu'était celle du mariage de mes parents.

Dans le cas des D., l'histoire s'est répétée. Quelques jours après notre retour de voyage de camping au cours duquel j'avais perçu les D. «différemment», mon mari est inopinément revenu à la maison au beau milieu de l'après-midi, en m'avertissant qu'il avait des mauvaises nouvelles à me communiquer. À ce moment-là, les enfants écoutaient des disques sur leur tourne-disque jouet. Nous sommes allés dehors, et, rendus au bout du jardin, nous nous sommes assis en face l'un de l'autre à une table à pique-nique, sous une glycine en fleurs. Anne avait, m'annonça-t-il sans préambule, déclaré à Larry qu'elle voulait divorcer.

Tout au cours de la dernière année, elle avait, paraît-il, entretenu une liaison; et maintenant, elle quittait son mari pour son amant. Il — l'autre homme — voulait l'épouser et avait déjà abandonné sa propre épouse. Bouche bée, je restais assise là, faisant tout mon possible pour absorber cette montagne d'informations, mais j'avais un mal fou à me concentrer.

D'autres choses attiraient mon attention, comme le parfum des glycines en fleurs, et la vue d'une abeille bourdonnant paresseusement, à la recherche d'une possible source de nectar. Et puis, il y avait aussi les voix lointaines qui me parvenaient du tourne-disque tandis que les enfants écoutaient un conte de fées. La seule pensée qui arrivait à traverser mon esprit vide d'idées, c'était que le chat manquait toujours à l'appel.

«Reviendra-t-il un jour?» me suis-je demandé… avant de prendre tout à coup conscience que je ne m'en faisais pas vraiment pour le chat.

C'est à ce moment-là, je crois, que j'ai commencé à travailler sur le mariage.

DE LA PLACE POUR UN INTERPRÈTE

«Dans tout mariage, il y a de la place pour un interprète», écrit le poète Stanley Kunitz dans sa *Route six* lyrique. Quand j'ai entrepris l'exploration des relations intimes, je me suis demandé pourquoi il y avait si peu d'interprètes du mariage, et tant d'interprètes du divorce. J'avais l'impression de rouler dans une petite voiture sur la voie de service quasi déserte d'une superautoroute où la plupart des véhicules passaient à flots en sens inverse. On accordait tellement d'attention à la *fin* des liaisons, et tellement peu aux importantes questions de leur formation et de leur maintien.

Quand on parle de mariage, on suppose communément qu'il n'est pas nécessaire d'*apprendre* comment faire fonctionner une relation satisfaisante avec un partenaire intime: ou bien vous réussissez tout naturellement, ou bien vous échouez. Cette perception ressemble à celle qui prévalait à propos de la sexualité: vous y arriviez (bonheur absolu) ou vous n'y arriviez pas et vous étiez un incapable, un échec ambulant (désastre). De nos jours, la plupart des gens apprécient que les questions sexuelles fassent l'objet d'une information, d'une éducation, d'une mise en lumière. Mais il me semble qu'il n'existe pas la même conscience de ce que l'on peut *apprendre* pour faciliter la compréhension et la satisfaction dans les autres domaines de l'attachement intime engagé, même s'il se trouve un vaste entrepôt d'informations cliniques sur la question du mariage.

Si on les mettait à la disposition des partenaires intimes, ces informations pourraient améliorer incommensurablement la qualité de leurs relations. Dans cet ouvrage, mon but sera de rendre accessibles toutes ces informations à ceux qui en ont besoin et qui le désirent, aux couples mariés qui veulent que leur vie à deux soit aussi heureuse et valorisante que possible.

GÉNOGRAMMES

Chaque mariage commence avec le choix d'un partenaire, et avec la manière de choisir un partenaire particulier. Quels signaux inconscients passent de l'un à l'autre quand les partenaires deviennent amoureux? Plus précisément, qu'est-ce qui fait que chacun d'eux est pour l'autre «celui-là», le désirable, le «tout à fait spécial»?

Dans mes entrevues avec Laura et Tom Brett, le premier couple de ce livre, j'examinerai les puissantes influences du passé lorsqu'il est question de faire un choix matrimonial, et les manières qu'ont les aspects problématiques des relations antérieures de chacun des conjoints dans sa famille fondatrice de refaire surface au sein de l'univers intime que le nouveau couple crée.

En parlant aux Brett (et à tous les autres couples mariés que nous rencontrerons au fil des pages de ce livre), je me suis servie d'une méthode d'entrevue ou d'un outil que l'on appelle un génogramme, et avec lequel le lecteur n'est peut-être pas familiarisé. Le génogramme est une sorte de carte routière qui trace les attachements émotionnels importants de chacun des partenaires. Ces liens remontent dans le temps, ils vont jusqu'à la génération des parents et à celle des grands-parents, et reviennent à la génération actuelle, celle des enfants (s'il y en a) de l'union actuelle.

Comme on le verra, les génogrammes donnent accès à un contexte élargi dans lequel peuvent se voir les époux. Ce tableau de leur système familial étendu étale devant le couple une vue globale systématiquement élaborée des dilemmes, des mythes, des fantasmes, des loyautés et des lignes de conduite en regard des relations intimes que chacun des partenaires a apportées dans le mariage. L'élaboration de l'«arbre généalogique» du couple intime constitue pour chacun des partenaires une expérience profondément émouvante, une aventure pleine de reconnaissances et de surprises soudaines. Le génogramme sert, en effet, à focaliser l'attention des partenaires sur les modes de vie que leur histoire personnelle a imposés à leur relation. Ils peuvent littéralement *voir* comment certains aspects de leur univers intime relèvent de la génération précédente et ont été réactivés et répétés au cours de la génération actuelle.

TRIANGLES FAMILIAUX

Les génogrammes ont aussi une autre fonction: ils servent à clarifier les importants triangles émotifs dans lesquels peuvent être engagés ou enfoncés les partenaires. Au cours de la présentation suivante, j'aurai beaucoup à dire à propos du processus de «triangulation», c'est-à-dire la tendance automatique de deux individus dont la relation connaît la détresse à attirer un tiers dans l'échauffourée. On peut prendre en exemple un jeune couple de nouveaux mariés qui éprouvent du mal à concilier leurs différences individuelles en ce qui a trait à la fréquence de leurs relations sexuelles, à la répartition de l'argent, à la manière de passer le temps libre, ou à ce qui est dû aux anciens amis ou à la famille de chacun des époux. Pour arriver à concilier leurs points de vue divergents — ce que chacun des partenaires perçoit comme une menace à leur relation —, les partenaires peuvent réagir de manière à provoquer le bouc émissaire conjugal naturel, la belle-mère.

C'est alors que toutes les querelles susceptibles de surgir peuvent l'englober elle ou la prendre pour objet, au lieu de se concentrer sur les tensions entre les époux eux-mêmes. Aussi longtemps que subsiste ce triangle émotif, les dilemmes auxquels fait face le couple ne peuvent pas trouver de solution (on leur trouve une diversion), mais les partenaires n'ont pas l'impression qu'ils sont si dangereusement menacés.

Quand on étudie les génogrammes, ce qui frappe le plus, c'est la tendance qu'a un *genre de triangle particulier* à se répéter d'une génération à l'autre; par exemple, la fille qui s'allie à la dérobée à son père pour saboter l'autorité de la mère. Dans les familles, les triangles qui associent un parent et un enfant contre l'autre parent apparaissent communément. La plupart des couples sont sincèrement surpris quand ils constatent la récurrence de certains motifs, génération après génération, à mesure que le génogramme prend forme. C'est comme si l'encre rouge avec laquelle ils avaient ouvert leur livre de comptabilité conjugale était tout à coup devenue visible. Une nouvelle coalition père-et-fille-contre-la-mère figure déjà au registre et se destine à la répétition au cours de la génération suivante... si ce n'est déjà fait.

Ce motif particulier du deux contre un (précisément l'une des multiples formes que peuvent adopter les triangles imposés) se retrouve dans l'ensemble du système relationnel familial étendu et paraît naturel à ceux qui s'y conforment inconsciemment. C'est un projet d'existence avec lequel chacun des tenants du système émotif est familiarisé.

Le problème, c'est qu'il peut paraître tout à fait *artificiel* au conjoint qui vient, lui, d'un système émotif différent et qui ne comprend vraiment pas les règles non dites et non formulables qui président au jeu familial.

LES COUPLES

Qui sont les couples mariés prêts à m'ouvrir leur univers intime en participant à une série de longues entrevues sur leur vie privée? Étaient-ils jeunes, d'âge moyen, ou plus vieux? Vivaient-ils dans une aisance relative, ou provenaient-ils aussi de la classe ouvrière? Ai-je trouvé que la plupart des couples étaient passablement heureux, ou tout à fait malheureux? Dans les situations où transparaissait clairement le malheur des couples, quels semblaient être les problèmes majeurs? Se querellaient-ils à propos de la vie sexuelle, de l'argent, des tâches routinières, ou de la discipline imposée aux enfants? Par-dessus tout, qu'est-ce qui les avait d'abord poussés à prendre part à un projet si exigeant?

La réponse à cette dernière question est la seule dont je ne dispose pas; j'ai rencontré énormément de volonté à aider, mais je ne peux expliquer *pourquoi* elle était là. Tout ce que je peux dire, c'est qu'il y avait de nombreux volontaires — plus en fait que je ne pouvais en rencontrer — et que tous les couples que j'ai interviewés se montraient extraordinairement généreux de leur temps et courageux sur le plan individuel. La participation à ces sessions n'avait vraiment rien de facile.

Les couples mariés avec qui je me suis entretenue avaient suivi des routes et des itinéraires différents. Certains d'entre eux venaient des tournées d'étude et d'observation des participants au *Dartmouth Medical School* (en 1980) et au *Family Institute* de Westchester (à compter de 1981, et au cours des années qui ont suivi). Les autres couples étaient des patients de clientèle privée, qui m'avaient permis d'assister aux séances avec leur thérapeute. Durant cette période intensive d'apprentissage et de lecture dans le domaine du traitement matrimonial et familial, je me suis aussi entretenue aussi avec un certain nombre de *cliniciens* mariés et leurs conjoints.

Peut-être que la curiosité quant à ce que je faisais les a poussés à participer, ou peut-être était-ce le désir de se trouver pendant un certain temps de l'autre côté du divan! De toute façon, ces cliniciens-là et d'autres psychothérapeutes (psychiatres et travailleurs sociaux en psychiatrie) ont, très gentiment, continué de parler de mon projet à leurs clients. Quelques entrevues m'arrivaient régulièrement de cette façon. En général toutefois, les couples mariés avec qui je me suis entretenue ne me venaient pas d'une quelconque source clinique. Ils étaient recrutés par un processus que l'on peut au mieux décrire comme un «échange».

Le troc comportait une conférence (au sujet des femmes et de la dépression, thème de mon livre *Unfinished Business*) au profit d'environ vingt-cinq couples qui acceptaient que je les interroge en profondeur sur leur union. (Ce procédé, ai-je appris plus tard, avait déjà servi à Kinsey dans le but de localiser des répondants pour sa recherche sur la sexualité humaine; je croyais à l'époque en avoir conçu l'idée.) L'échange s'est révélé un moyen de recrutement des plus efficaces, et le premier groupe m'est ainsi venu de la Ligue junior d'une ville de moyenne envergure du Connecticut.

J'avais des doutes, je dois l'admettre, quant à la franchise et à l'honnêteté de ces couples, mais j'ai bientôt pris conscience que je n'avais pas à m'en faire à ce propos. Pour la plupart, ces partenaires intelligents et articulés se sont montrés dès le début de nos discussions étonnamment probes et ouverts.

D'autres couples volontaires sont venus de plusieurs autres genres de groupes, associations et auditoires, depuis l'assistance à une conférence que je donnais dans l'auditorium d'un grand magasin de Washington, jusqu'à divers temples et églises. Dans certaines de ces occasions, j'ai parlé de l'étude du mariage que j'effectuais et pressé les parties intéressées à communiquer avec moi. Un nombre remarquablement élevé de gens m'ont effectivement rejointe et je leur en ai été extrêmement reconnaissante.

Avec le temps, j'ai pu dresser une liste de partenaires mariés (plus de 200) à interviewer, vivant dans un certain nombre de localités différentes. Les couples que j'ai choisis pour ce livre ne composent qu'un petit échantillon (32) parmi ceux qui ont été interrogés en profondeur (un minimum de six séances d'une heure et demie chacune). Dans diverses circonstances, y compris dans des situations cliniques, je me suis entretenue avec (ou je l'ai observé) un plus petit groupe du peloton initial. C'est de tous ces partenaires liés, plus que de toute autre source experte consultée, que j'ai vraiment appris ce que je devais connaître des relations intimes.

CERTAINES RÉPONSES

Avant de poursuivre, permettez-moi d'aborder brièvement certaines des questions soulevées précédemment et pour lesquelles il est déjà possible d'apporter des réponses. Les couples que j'ai rencontrés incluaient des gens de tous âges; dans certains cas, leur mariage datait de quelques mois tandis que, dans d'autres, il durait depuis trente, quarante ans ou plus. C'étaient des gens intelligents, capables de s'exprimer, qui provenaient autant de la classe ouvrière que des classes moyenne ou supérieure; le groupe se composait majoritairement, mais pas exclusivement, de Blancs.

Des facteurs comme le revenu, l'occupation, la race, l'origine ethnique et la religion influencent évidemment de façon très marquée l'interaction dans chacun des couples. Les règles invisibles peuvent ainsi varier énormément d'un groupe à l'autre (des réglementations puissantes quant à la possibilité d'exprimer ses sentiments, par exemple, ou même quant à des questions aussi «individuelles» que l'expérience et l'approche de la douleur physique).

Comme l'a montré l'anthropologue Mark Zborowski dans sa remarquable étude datée de 1969, les patients irlandais et anglo-saxons ont tendance à se montrer stoïques devant les symptômes physiques, tandis que les patients juifs et italiens font preuve de beaucoup plus d'émotion et n'ont pas peur de se plaindre. Quand il est question de décrire la douleur elle-même, les Italiens deviennent mélodramatiques — et exhibent souvent leur ignorance tandis que les patients irlandais, tout aussi incompétents lorsqu'il s'agit de comprendre la véritable nature de leurs symptômes, tendent à minimiser et à amoindrir la douleur qu'ils ressentent. Quand il s'agit de douleurs physiques, les diverses lois culturelles varient énormément d'un groupe à l'autre.

Il en va de même pour les lois qui régissent l'expression des sentiments. Parmi les thérapeutes familiaux circule une blague qui veut que si vous demandez aux membres d'une famille irlandaise de parler de leurs réactions émotionnelles face à un événement particulier, un grand silence tombe sur le groupe. Par contre, si vous adressiez la même demande aux membres d'une famille juive, vous ne pourriez plus placer un mot! Les règles culturelles implicites servent généralement à structurer les expériences de vie des membres du groupe; elles fournissent des gabarits quant au mode de vie et au comportement, pour le meilleur et pour le pire.

Comme l'ont observé les auteurs Monica McGoldrick, John K. Pearce et Joseph Giordano, l'optimisme et l'entrain des Anglo-saxons mènent à la confiance et à la flexibilité dans des situations qui demandent de l'initiative, de la souplesse, de la rationalité et de la foi en l'efficacité de l'individu qui agit de lui-même. Ces caractéristiques pourtant peuvent aussi entraîner des difficultés dans des situations de deuil, quand il est nécessaire d'exprimer des sentiments douloureux. L'importance des présomptions culturelles d'un couple est indéniable, surtout lorsque les partenaires proviennent de milieux différents, et, dans les pages qui suivent, je parlerai plus à fond de l'existence de ces règles internes.

Dans le cours de ce projet, mon souci primordial n'était pas lié aux manières qu'ont trouvées les facteurs ethniques de s'exprimer dans l'environnement émotionnel du couple. Ce qui m'intéresse davantage, et que j'ai tenté d'explorer ici, ce sont les réalités fondamentales psychologiques relatives aux liens intimes qui transcendent les dimensions sociales et économiques et s'appliquent autant au neurochirurgien et à son épouse administratrice qu'à l'imprimeur et à son épouse serveuse (les occupations, en passant, d'Angela et de Robert Carrano, le troisième couple de ce livre). Cet ouvrage s'intéresse au tissu conjugal, aux matériaux qui servent à l'élaboration du couple et qui affectent la structure de la relation en développement.

Pour finir, un mot pour savoir si, oui ou non, la plupart des couples — du moins la plupart des couples que j'ai rencontrés — sont heureux. Il n'est pas facile de répondre à cette question. Assurément, aucun nuage ne porte ombrage à certaines rares relations, analysées en profondeur. Quoi qu'il en soit, il se trouvait des couples qui vivaient des relations beaucoup plus gratifiantes et satisfaisantes que d'autres, et des couples qui connaissaient des relations beaucoup moins gratifiantes et satisfaisantes. Dans ces derniers cas, quand l'insatisfaction régnait, on trouvait très souvent une lutte de pouvoir, un combat pour l'obtention de l'ascendant et de la domination dans le système émotif du couple.

Qu'est-ce qui motivait en général ces luttes de pouvoir? La sexualité et l'argent étaient les sujets conflictuels les plus explosifs et les plus fréquents. Ils avaient tendance à devenir l'arène où deux individus se livraient bataille, une lutte pour obtenir la maîtrise et le contrôle de la relation; ces arènes se muaient en quelque chose de réel et de tangible, quelque chose que l'on pouvait verbaliser et pour lequel on pouvait *se battre*. Contrairement à la lutte à propos de l'incapacité du partenaire de satisfaire les besoins de l'autre, la guerre à propos de l'argent en est une au cours de laquelle on peut subir et tolérer des pertes. Il est ainsi plus facile de se quereller à propos de choses qui ne menacent pas l'existence du système émotif lui-même.

La question de la discipline appliquée aux enfants ou à un enfant particulier s'est révélée une autre source de tension, un terrain sur lequel deux partenaires mécontents ont choisi de ne pas lâcher prise et de se battre. La nature des sujets de dispute toutefois avait tendance à apparaître dans le portrait de famille général. Les problèmes «épineux» de la génération précédente étaient souvent les mêmes que ceux avec lesquels les partenaires de la génération en cours se débattaient.

La véritable nature des luttes de pouvoir conjugal et la manière quasi réflexe d'y englober un tiers (enfant, parent, amant) pour former un triangle deviendront les sujets d'importance examinés dans le cadre des chapitres qui suivent. Je pourrai, heureusement, offrir quelques suggestions efficaces pour bloquer la lutte de pouvoir et sa continuité implacable, peu importent les objets de lutte ou les problèmes.

LE CYCLE CONJUGAL

Les cinq couples dont on explore à fond le mariage dans les pages de cet ouvrage (et que l'on doit distinguer des partenaires dont on étudie plus brièvement et en passant les relations) ont été choisis parce qu'ils semblaient personnifier et illustrer les tâches et les problèmes associés à une phase de la vie et à un stade particulier de la relation intime.

Ces couples liés émotionnellement, les Brett, les Kearney, les Carrano, les Gardiner et les Sternberg (pseudonymes destinés à préserver leur anonymat et leur vie privée), font face, jusqu'à un certain point, à des soucis et à des dilemmes relatifs à l'âge. Chaque épouse et chaque mari traversent en effet un processus individuel de croissance et de transformation adultes, rattaché au passage du temps et aux circonstances successives de la vie adulte, tandis que leur mariage connaît en lui-même des défis et des exigences périodiques similaires, dont l'adaptation requiert des changements. Une bonne manière de comprendre ceci est de penser en termes de *cycles* de vie: *son* cycle de vie à *lui, son* cycle de vie à *elle,* de concevoir le cycle conjugal comme une sorte de superentité, un tout qui est plus que la somme des deux partenaires intimes et qui en diffère. La *relation elle-même* franchit une série de phases séquentielles, possède sa propre dynamique interne et son propre rythme.

Les psychiatres Carol Nadelson, Derek Polonsky et Mary Alice Mathews ont défini les stades du cycle conjugal comme un mouvement qui va de l'«idéalisation» à la «déception et au désenchantement» et à la «productivité» (c'est-à-dire à l'éducation des enfants et au développement de la carrière) jusqu'à la «redéfinition et au départ des enfants» et, pour finir, à la «réintégration et à la période postéducative», moment où le couple se reforme et recommence à vivre pour lui-même.

Les couples dont il est question dans ce livre ont des âges différents et se situent à des stades différents du cycle relationnel décrit plus haut. Ils n'entrent pas toujours parfaitement dans ces catégories; Tom et Laura Brett, par exemple, s'étaient mariés depuis peu, mais ils ne connaissaient pas l'exaltation et ne s'idéalisaient pas mutuellement, même s'ils travaillaient tous deux aux tâches conjugales. Ces tâches ont trait au passage intime de la famille fondatrice à l'engagement vis-à-vis du nouveau lien en formation.

Les Brett étaient, je dirais, atypiques du début de la phase d'idéalisation, parce qu'avant leur mariage ils avaient consulté un thérapeute pour aborder certaines de leurs inquiétudes quant à leur relation. (La plupart des couples devraient faire de même; la majorité des divorces se produisent durant les deux premières années du mariage!) Ordinairement toutefois, durant cette période haute en énergie et en excitation, la Nature prend les choses en main pour stimuler l'accouplement. Les sentiments positifs règnent, tandis qu'on balaie allègrement les aspects négatifs sous le tapis de la relation. Des fantaisies merveilleuses de bonheur parfait dans un avenir béat garantissent l'accouplement et, éventuellement, la production d'une nouvelle génération. C'est durant le premier stade du mariage, quand l'amour est plus aveugle qu'il ne le sera jamais, que se tisse le lien intime entre les partenaires et que se négocient les règles non dites de la relation.

La chute dans le désenchantement et la déception se dessine cependant déjà dans les cartes, parce qu'avec le passage du temps il devient évident que la personne rêvée par l'un ne correspond pas au conjoint de la réalité. L'individu ressent cette désillusion comme une sorte de tromperie. (Le partenaire s'attend à compléter l'univers de l'autre, à combler tous ses besoins, à réparer les erreurs du passé; l'écart entre la réalité et ces notions et les autres fantaisies irrationnelles que bien des individus caressent est perçu comme une sorte de trahison.) L'admission de la *différence* essentielle de l'autre par rapport à l'image idéalisée qu'on avait de lui constitue justement la difficulté. La lutte pour l'obliger à se conformer à cette fantaisie désespérément chérie peut débuter à ce moment-là et mener à un combat sans fin, parce que l'autre veut être accepté pour ce qu'il est.

Combien de temps la plupart des mariages restent-ils dans la phase d'illusion, et à quel moment la déception s'installe-t-elle? La réponse à cette question veut qu'il y ait énormément de variabilité: la reconnaissance intime de certaines désillusions au niveau de la relation peut débuter le soir même du mariage. Ce postulat s'est révélé exact pour un couple que j'ai interviewé et dont la vie sexuelle avant le mariage s'était pourtant avérée merveilleuse. Lorsque la chape matrimoniale a recouvert les épaules de ces partenaires, c'est-à-dire au moment où il est devenu «mari» et où elle est devenue «femme», leur désir mutuel physique a connu une fin précipitée. Leur cas reste toutefois inhabituel; ordinairement, la phase idéalisante, glorifiante, romantique, perdure un, deux, trois ans ou plus. Elle peut persister jusqu'à la naissance d'un bébé (ou jusqu'à l'émergence d'efforts pour concevoir), ce qui crée des tensions inattendues dans la relation à deux. De fait, la transition entre l'état d'enfant et celui de parent, bien qu'heureuse et gratifiante sous certains rapports, peut aussi engendrer des sentiments d'anxiété, de crainte et de compétitivité. Le conjoint n'est plus un simple partenaire: il ou elle devient aussi le parent — ou le futur parent — d'un enfant. Ainsi Gordon Kearney, qui dépendait de sa femme quand il était question de prendre soin de lui, avait trouvé une autre femme pour l'aimer, précisément au cours de l'été où lui et son épouse tentaient de faire amorcer une grossesse.

Lors de nos rencontres, les Kearney en étaient au début de la trentaine et leur fille, Suzanne, avait sept mois et demi. Ils traversaient, sans erreur possible, la phase de déception et de désenchantement, un stade du cycle conjugal qui, pour des raisons évidentes, constitue une période idéale pour s'extirper des liens matrimoniaux. En effet, si le partenaire ne se conforme pas au fantasme originel — au rêve doré d'union parfaite, avec un conjoint qui sait tout et qui s'occupe de tout —, il peut encore y avoir, quelque part, quelqu'un qui correspond davantage à cet idéal.

Plus que toute autre chose, c'est la tension à l'intérieur du couple intime qui mène à la formation d'un triangle. Comme les autres triangles, les triangles amoureux apparaissent comme un moyen de faire face aux angoisses suscitées par le mariage que l'un des deux partenaires (ou les deux) trouve intolérables. L'«éternel triangle» constitue non seulement un moyen de trouver du réconfort auprès d'un autre partenaire, il introduit encore un tiers dans le dilemme relationnel. Les liaisons débutent et se présentent fréquemment comme des moyens d'éluder ou d'amoindrir certaines des tensions que la dyade intime connaît.

Les Carrano, le troisième couple de ce livre, franchissaient la phase de productivité de leur relation. Ils étaient mariés depuis quatorze ans et demi et avaient une fille de dix ans et un fils, âgé de presque sept ans. Cette période du cycle conjugal est habituellement une époque où l'on remise temporairement les problèmes relationnels irrésolus. Elle se caractérise par de l'occupation, de l'engagement sur le plan de l'éducation des enfants, l'élaboration d'une carrière; les tensions du stade de désenchantement ne se font ordinairement pas sentir avec autant d'acuité et de douleur. Durant cette phase du mariage, bien des conjoints connaissent un deuxième souffle dans leur engagement vis-à-vis de la relation. On dirait que le lien qui les unit, gravement mis à l'épreuve durant la période de désillusion, a passé le test et s'est révélé durable. On a alors affaire à des partenaires au travail, attachés l'un à l'autre par un investissement encore plus grand dans l'entreprise de vie que le couple a créée.

Pour bien des couples toutefois, cette impression de mutualité ne se concrétise jamais. Au lieu de faire place à l'intimité accrue qui émerge des assez bonnes relations durant la phase de productivité, cette période du cycle conjugal n'apporte rien d'autre qu'une frustration, une colère et une déception amplifiées. C'est comme si la relation était coincée et ne pouvait surmonter la phase de désenchantement. C'est aussi ce qui se produisait pour Angela et Robert Carrano qui, au moment de nos conversations (elle avait 35 ans et il en avait 37), s'enlisaient dans un mariage stable mais très insatisfaisant.

Leur couple s'était embourbé dans un genre de relation par trop reconnaissable et familier: ce lieu commun d'union entre une femme qui n'a jamais assez de chaleur et d'intimité et un homme peu démonstratif, superlogique et inaccessible émotionnellement. Ils s'étaient aussi engagés, comme on le verra, dans une lutte de pouvoir désespérée, une guerre pour obtenir le contrôle de la relation et qui avait lieu, dans leur cas, entre les draps. Le genre de difficultés sexuelles des Carrano m'a amenée à me demander si la question sexuelle constituait le problème fondamental du mariage ou bien si c'étaient les ennuis conjugaux qui avaient engendré leurs problèmes sexuels. Est-ce que les symptômes sexuels avec lesquels ils étaient aux prises relevaient d'une nature et d'une origine biologiques ou psychologiques? Selon les situations et les circonstances, on peut répondre de bien des façons à cette question.

La vie sexuelle d'un couple que j'ai interviewé avait, par exemple, été sabotée par un médicament prescrit qui avait rendu le mari impuissant. Le manque d'information à propos des effets du vieillissement sur les sexualités masculine et féminine avait affecté pendant longtemps un autre couple. Les mêmes partenaires, les Gordon, se débattaient aussi avec des questions de compétition par rapport aux directions diamétralement opposées qu'avaient prises leurs carrières, au moment même où leurs querelles

sexuelles commençaient à faire irruption et à menacer sérieusement l'existence de leur mariage.

On en connaît trop peu, à mon avis, sur la variété de problèmes sexuels qui accablent tant de relations conjugales. Nombre
de couples qui présument «savoir à quoi s'en tenir» se révèlent
de véritables ignorants quand il est question de comprendre ce
qui se produit durant un coït *normal*, qui plus est quand surgit
un problème sexuel. Les questions pour lesquelles il existe d'ores
et déjà des réponses rebutent souvent les partenaires intimes aux
prises avec un problème sexuel tels l'incapacité d'atteindre
l'orgasme, l'impuissance, l'éjaculation précoce ou tout autre motif
de récrimination.

Non seulement pourraient-ils trouver réponses à leurs questions,
mais leur vie sexuelle pourrait s'en trouver améliorée de façon
significative. À l'heure actuelle, il existe en effet des techniques
remarquablement efficaces pour résoudre les problèmes sexuels
de toutes sortes. J'ai inclus dans cet ouvrage bien des informations à propos de ces techniques ou exercices sexuels. Elles ne
se destinent pas qu'aux partenaires perplexes ou déconcertés. Au
contraire, les «tâches» érotiques décrites (formation de base dans
l'art de la caresse) devraient faire partie du bagage de connaissances fondamentales relatives à la sexualité humaine de tous les
couples.

LE CHANGEMENT

Les phases successives d'une relation engagée, intime, telles
qu'ébauchées par les docteurs Nadelson, Polonsky et Mathews,
correspondent étroitement aux «événements potentiels» de l'existence du cycle familial (le mariage, la naissance d'un enfant, la
puberté de l'aîné, etc.) qui comporte des tours de roue dans un
avenir inconnu et imprévisible. Dans un sens, on peut s'attendre
à ces transitions du cycle existentiel, et on peut les prévoir. Par
ailleurs, ces changements font peur. Comme tout clinicien le sait,
il est vrai que c'est durant les périodes de changements transitionnels — ceux qui induisent un stress adaptatif — que les crises
ont tendance à se manifester.

En soi, le changement soulève des angoisses profondes chez bien des gens même si, très souvent, les véritables pensées associées aux sentiments ne réussissent pas à remonter jusqu'à la conscience. Les seins qui se développent chez une fille, par exemple. Les parents intrigués peuvent s'amuser des seins bourgeonnants de leur fille pubescente, même si la poitrine naissante provoque également un frisson d'appréhension chez tous les membres de la maisonnée. Sa jeune sexualité, tel le son affaibli d'un cor dans le lointain, signale l'approche de la femme, de l'indépendance et du départ éloigné mais inévitable de la maison. Le phénomène pourtant normal et prévisible de l'apparition des caractères sexuels secondaires émet pour la famille deux signaux subliminaux relatifs à la séparation, à la perte et à l'abolition de l'univers tel qu'il existe à ce moment-là.

Les exigences de changement, même prévisibles et normatives, peuvent donner naissance à toutes sortes de craintes, parce que les règlements et lois en vertu desquels vivent les membres du système émotif (qu'est la famille) ne sont désormais plus fiables.

On réévalue et on teste dès lors les règles qui ne fonctionnent plus comme avant. Ce processus ravive des souvenirs pénibles datant d'époques où la vie semblait échapper à tout contrôle, de périodes où l'on se sentait impuissant et où des sentiments de rage émanaient de cette impression d'impuissance. Il fait aussi ressurgir des peurs d'être délaissé, abandonné et laissé seul dans un environnement hostile. Parce qu'elles sont reliées au primitif, à l'irrationnel et à l'infantile, ces craintes et ces impressions peuvent à leur tour donner lieu à des sentiments et à des comportements tout à fait incompréhensibles, voire destructifs. C'est ce qui arrivait au quatrième couple de partenaires intimes de ce livre, Katherine et Philippe Gardiner. Avec la perspective du départ de ses enfants adolescents, Philippe, au milieu de la quarantaine à l'époque, est en effet devenu obnubilé par l'idée qu'il devait lui aussi quitter la maison.

Durant cette phase du développement familial, les trois adolescents du couple vivaient le processus adolescent normal d'élargissement émotionnel des liens avec les parents. Inexorablement, ils pénétraient dans le monde de leurs pairs et — malgré les habituelles régressions périodiques dans la dépendance enfantine —

---

devenaient des êtres humains de plus en plus autonomes. Durant le cours de ce difficile processus de détachement toutefois, certaines des questions irrésolues de la génération précédente se sont vues réactivées: les chiens endormis de l'adolescence passée des parents s'étaient secoués et réveillés, vengeurs.

Durant la phase de «redéfinition et du départ des enfants» de leur longue relation (23 ans), les problèmes qui avaient surgi dans le mariage des Gardiner avaient tout eu à voir avec les défis de la croissance (le départ de la maison familiale et l'émergence d'une personnalité authentique, individuelle) auxquels ils n'avaient jamais — en tout cas, adéquatement — confronté leurs familles fondatrices. Au moment de nos conversations, Philippe remettait en scène les difficultés de sa propre adolescence, et Katherine s'efforçait de l'aider à ce faire pour des raisons qui la ramenaient elle aussi à des problèmes relationnels qu'elle croyait avoir depuis longtemps laissés derrière elle.

Les Gardiner traversaient le processus de «seconde séparation»; ils essayaient laborieusement de s'attaquer à certaines des questions évitées ou éludées durant la séparation normale d'avec la famille, qui se produit au moment de l'adolescence. Au milieu de sa vie, Philippe s'était persuadé qu'il devait quitter son mariage pour se trouver lui-même, pour découvrir son «moi» profondément enfoui et que les exigences de sa relation avec Katherine avaient emprisonné.

Pour lui, la réaffirmation du moi, de l'autre et de la relation, qui a tendance à se produire durant cette période, s'avérait une expérience extraordinairement pénible. Pour les Gardiner, cette époque de leur mariage se révélait la plus dure de toutes celles qu'ils avaient connues.

On remarque souvent, durant la phase subséquente du cycle matrimonial (celle de la réintégration et de l'après-éducation), un mouvement vers une plus grande empathie, vers un compagnonnage et un partage plus étroits. On reconnaissait assurément ce processus dans la relation tendre et mutuellement agréable qui unissait Nancy et David Sternberg. Au moment de nos entrevues, ils étaient mariés depuis 27 ans; David s'apprêtait à entamer la cinquantaine et Nancy le suivait d'un an. Leurs enfants, dont l'âge s'échelonnait entre le début et le milieu de la vingtaine, avaient tous quitté la maison familiale pour travailler et mener leur propre existence (aucun n'était cependant marié).

La période postéducative du mariage avait coutume d'être extrêmement brève au début du siècle. À cette époque en effet, l'un des deux partenaires, généralement le mari, mourait moins de deux ans après le mariage du plus jeune. Pour cette raison et comme le note la clinicienne Betty Carter, les problèmes conjugaux des partenaires arrivés à ce moment de l'existence se résolvaient souvent avec la mort de l'un des deux! Désormais toutefois, à cause d'une longévité accrue, la plupart des couples peuvent s'attendre à passer quelque 15 ans ensemble après le départ de leurs rejetons.

Pour les époux qui ont su maîtriser les tâches liées au développement qu'ont posé les stades antérieurs de leur relation en évolution constante, cette période peut s'avérer l'une des plus gratifiantes de leur vie. Nombre de ces tâches ont, de manière très nette, à voir avec la flexibilité qu'exigent les relations intimes. Au moment du mariage lui-même, les partenaires du couple ont dû compléter la transformation des liens émotionnels qui les rattachaient à leurs parents (établir avec eux des relations plus égalitaires) et tisser à deux un nouvel attachement qui passerait avant tous les autres pour chacun d'eux. Et puis, au cours des années suivantes, ils ont dû ouvrir leur monde intime aux enfants à qui ils ont donné le jour et, éventuellement, s'apprêter à les laisser quitter le nid pour aller fonder leur propre univers.

Selon leur capacité d'accepter et de faire face aux changements adaptatifs séquentiels, les partenaires pourront s'adapter aux nouvelles transformations de la période postparentale, ou période de réintégration. Bien des choses inédites leur arrivent. Ils examinent l'existence qu'ils ont menée jusque-là, d'abord en termes d'objectifs de carrière réalisés ou abandonnés; ensuite selon que la vie des enfants reflète la bonne ou la mauvaise atmosphère familiale; et en vertu de l'évidence croissante, inévitable, de leur propre vieillissement physique (pour ne citer que certaines des questions problématiques que soulève cette période). À ce point tournant, ils peuvent ou bien se réconforter l'un l'autre et se révéler de véritables compagnons, se retirer et prendre des distances émotionnelles l'un vis-à-vis de l'autre, ou encore s'injurier à la suite des déceptions et des ressentiments de toute une vie.

Pour les Sternberg, la perspective de se retrouver de nouveau seuls était à craindre, tellement, en fait, qu'ils en avaient entravé les progrès de leurs enfants vers l'autonomie. L'amertume de ce qui avait affecté leur relation les avait laissés tous deux angoissés et méfiants. Durant leur mariage et comme elle l'a admis, il y avait même eu une période au cours de laquelle Nancy avait souhaité la *mort* de son mari, et ce, malgré son amour pour lui.

Au moment de mes conversations avec les Sternberg, toutefois, leur relation avait changé radicalement. Elle s'était transformée, était devenue tout à fait autre. À mesure qu'ils sortaient de la phase du départ des enfants pour passer dans celle de la post-éducation, leur mariage avait cessé d'être un champ de bataille pour se faire refuge des plus sécuritaires. Dans cet abri émotif, chacun trouvait désormais qu'il était possible de régler certains problèmes pénibles, venus de leurs familles fondatrices, celles qui les avaient amenés jusqu'à l'âge adulte. Pour la première fois de leur vie, ils avaient commencé à identifier la véritable nature des questions qui avaient soulevé tellement de tensions entre eux et à incorporer leurs passés individuels dans leur vie commune. Ils avaient abandonné l'effort désespéré de reconstruire le passé en vertu de leur relation, et avaient modifié toute la structure de leur union.

PROCHES ET DIFFÉRENTS

Que ce soit en termes de décennie ou qu'il s'agisse d'une période plus déterminée, on ne peut pas vraiment situer certains problèmes du cycle conjugal dans une époque spécifique. En tant que souci réel ou latent, l'infidélité conjugale peut générer des tensions entre les partenaires au cours de n'importe quelle phase d'une relation sérieuse. Ce problème peut être horriblement douloureux quand le couple se doit d'y faire face; il peut sembler n'atteindre qu'eux, être unique et bouleversant, même si l'infidélité reste très commune au sein de la population en général.

Les relations sexuelles extraconjugales se produisent souvent. Le survol de 11 sondages importants révèle que 50 p. cent des hommes mariés vivent des liaisons avec des partenaires extérieures, et que le pourcentage des femmes qui en font autant s'en approche rapidement. Autre découverte essentielle en provenance du même examen des récentes données de la recherche: le motif communément invoqué par les conjoints infidèles est encore l'insatisfaction conjugale. Moins on estime la relation, moins les relations sexuelles avec le conjoint sont satisfaisantes et fréquentes, plus le risque de relations sexuelles extraconjugales est élevé.

Pour cette raison, même si on ne peut prévoir le moment où une liaison risque de se produire, la phase de désillusion et de désenchantement — celle où dominent la déception et le chaos — reste celle durant laquelle le psychodrame sexuel risque davantage de survenir. Non seulement l'infidélité reste-t-elle plus probable durant cette période, mais encore la trahison du lien se justifie-t-elle davantage à ce moment-là. À ce point de la relation, en effet, l'homme qui a épousé la «fille de ses rêves» est forcé d'accepter son «altérité» (le fait qu'elle est *autre*) fondamentale. Il se doit dorénavant d'admettre qu'il a rêvé, c'est-à-dire que son fantasme est sorti tout droit de sa tête de rêveur. Il peut, par ailleurs, blâmer sa partenaire parce qu'elle diffère de la personne qu'il croyait avoir épousée, laquelle correspondait davantage à la vision qu'entretenait sa propre imagination.

Durant cette période d'«adaptation», on lui demandera de pouvoir la reconnaître comme une personne de plein droit, comme un centre de motivation indépendant, avec ses propres besoins, ses propres désirs, ses propres opinions et ses propres préférences (possiblement différents des siens à certains moments). Pour certaines gens cependant, l'acceptation du partenaire en tant qu'être humain distinct et différent reste impossible. L'*altérité* du conjoint ressemble trop à une trahison, ce qu'elle est d'une certaine façon puisque le sujet a épousé plus le rêve que l'individu réel, le partenaire véritable.

Par rapport à l'image idéalisée, cette différence essentielle équivaut à une déception douloureuse, et la revanche peut prendre la forme d'une liaison. Une lutte pour obliger le — ou la — partenaire à se conformer davantage au fantasme peut aussi commencer et se poursuivre (sans qu'aucune activité sexuelle externe n'ait lieu) durant toute la phase de productivité et d'éducation. Et puis, à l'âge moyen, quand s'intensifient les sentiments relatifs à ce qu'on a dû mettre de côté pour rester avec *ce* — ou *cette*

— partenaire-là, dans le cadre de *cette* relation-là, la probabilité d'une liaison extraconjugale s'accroît dangereusement.

Si le — ou la — partenaire n'arrive pas à se confondre avec la fantaisie, quelqu'un d'autre peut réussir à le faire. Comme la phase de désillusion du cycle conjugal, celle de la redéfinition et du départ des enfants constitue une période de prédilection quand on songe au psychodrame sexuel. C'est le moment de la crise du «démon du midi». De ces deux phases difficiles et lourdement chargées de la relation émerge un affrontement qui a été mis de côté au profit de la relation (il comporte les facettes perdues du moi, alors perçues comme abandonnées à la relation et au partenaire qui est apparu si tristement différent du rêve doré).

Ce propos m'amène au problème de la différenciation, qui est la capacité essentielle de reconnaître la différence entre les qualités réelles du — ou de la — partenaire et les fantasmes (bons ou mauvais) que l'on entretient par rapport à lui, ou à elle. La question de savoir comment être soi-même (autonome) tout en demeurant un partenaire conjugal (intime) constitue, pour nous tous, le dilemme conjugal principal. La tension qui vient du fait d'être à la fois un «je» et une partie de «nous» reste celle qui se fait sentir le plus durant toutes les phases du cycle conjugal, et celle à laquelle on doit continuellement faire face.

Généralement, quand les couples connaissent une détresse, une confusion et une insatisfaction intenses, le conflit sous-jacent est justement que l'on s'efforce de maintenir une relation proche tout en restant un être complet, entier et autonome. Le désir de conserver ses propres centres d'intérêt et ses propres objectifs et celui de garder les intérêts et les objectifs que partage le conjoint semblent tout à fait incompatibles. On sent que l'on peut être tout à fait autonome *ou* proche du conjoint; mais il est impossible d'être *à la fois* autonome *et* proche.

Dans un partenariat troublé, comment fait-on face à la lutte secrète qui veut que l'on soit à la fois proche et différent? L'un des conjoints (l'épouse, la plupart du temps) prend ordinairement conscience qu'il veut davantage de chaleur et d'intimité et qu'il éprouve moins de besoins d'autonomie et d'indépendance. L'autre conjoint (plus communément, le mari) s'aperçoit qu'il a besoin de plus d'espace personnel et d'une plus grande distance émotionnelle, et pas de vulnérabilité ou de besoin d'intimité vis-à-vis du partenaire. Dans ces cas-là, aucun des conjoints n'a conscience que les désirs et les besoins irréconciliables d'être indépendant et d'appartenir à une relation intime *existent dans l'esprit de l'un et l'autre partenaires.* La confusion de soi avec l'autre, le pire genre de méprise qui soit, en résulte.

Les luttes autonomie/intimité auxquelles se livrent les couples mariés prennent, comme on le verra, une multitude de formes et d'aspects. Pour arriver à bien comprendre comment les partenaires se rencontrent pour établir une relation intime, le lecteur devra se familiariser avec le mode de fonctionnement d'un processus mental particulier (le nom technique qui le désigne est «identification projective»). À mon point de vue, il est essentiel d'acquérir une certaine connaissance de ce processus. On ne peut pas expliquer en un clin d'oeil le terme lui-même, dérivé d'une certaine approche psychanalytique. Une fois qu'on l'a compris cependant, on aura appris quelque chose d'une importance vitale à propos de la nature des liens intimes.

Au cours des présentations qui suivent, le sens de cette expression apparaîtra clairement. Pour l'instant, en guise d'explication préliminaire, je dirai que l'identification projective concerne l'individu, moi par exemple, qui voit en son partenaire intime exprimer ses désirs, ses besoins, ses émotions déniés et supprimés et qui ne conçoit pas que ces désirs et ces sentiments viennent de lui, de moi. Si j'étais quelqu'un qui ne se fâche jamais, je pourrais croire que la colère ne vient *que* de mon mari, et en réalité je le ferais agir de concert avec moi en lui faisant perdre patience et *exprimer ainsi ma colère à ma place.*

Si, pour prendre un autre exemple, mon partenaire n'arrivait pas à accepter sa vulnérabilité et sa détresse, je pourrais exprimer son bouleversement et son désespoir chaque fois qu'il me signale que c'est nécessaire. Parce que le processus se produit à un niveau inconscient pourtant, mon partenaire pourrait critiquer acerbement mes plaintes constantes; il pourrait voir, détester et *combattre* en moi les sentiments qu'il ne peut percevoir en lui-même.

L'un vis-à-vis de l'autre, les partenaires intimes exercent souvent cette fonction: ils vivent et expriment les émotions reniées et répudiées du conjoint. Quand, dans un couple, une personne est toujours en colère tandis que son conjoint ne l'est jamais, on peut présumer que le partenaire toujours furieux porte la colère du couple. De la même façon, quand l'un des deux se montre très compétent et l'autre dysfonctionnel (déprimé, par exemple), il existe d'ordinaire une entente inconsciente, une coalition quant à la propriété de tels ou tels sentiments particuliers.

Même au beau milieu des luttes féroces autonomie/intimité qui comportent habituellement une projection massive des conflits intérieurs sur le partenaire intime —, la plupart des couples n'ont pas la moindre idée de ce que sont en réalité leurs problèmes fondamentaux. (Ils ne savent pas davantage qu'il y a des manières très réalistes de faire face à ces dilemmes, comme on le verra au chapitre 11, «Les tâches».) À propos de la fin de son union de 12 ans, l'auteure Abigail Trafford écrit:

> Désormais seule, je me suis mise à haïr le grand lit, et je m'en suis débarrassée. J'ai rangé les photos de mariage et retiré mon anneau. Les enfants voulaient un chiot. J'ai dit que je ne m'en sentais pas capable. Il faisait toujours froid dans la maison. Nous vivions d'oeufs et de granola. Au lit, la nuit, surgissait ma douleur à la poitrine. Étendue, effrayée et les yeux grands ouverts, l'esprit tourné vers le passé et vers l'avenir, j'essayais de voir clair dans mon désespoir.
>
> Pour finir, trois pensées troublantes me hantaient et refusaient de disparaître: je ne connaissais pas vraiment la personne à qui j'avais été mariée pendant 12 ans. Je ne savais pas trop non plus quel genre de personne j'étais; en tout cas, je ne m'aimais sûrement pas ou bien je détestais certaines des choses que j'avais faites. Mais... par-dessus tout, j'ai réalisé que les raisons officielles de notre rupture n'étaient pas les vrais motifs. Quelque chose d'autre nous minait, quelque chose de tellement profond que nous n'aurions pas pu l'expliquer. Elle me mettait au supplice, cette chimère, ce soupçon à l'effet que la compréhension se cachait là, quelque part. Je sentais que si je parvenais seulement à saisir ce que c'était — ce qu'il y avait de mystérieux entre nous — je saurais non seulement ce qui avait cloché dans notre mariage, mais encore je pourrais passer par-dessus et recommencer ma vie.

J'ai aussi senti que ce mystérieux quelque chose pourrait bien être une sorte de clé qui me permettrait de savoir pourquoi fonctionnent — ou échouent — les relations en général.

C'est cette «chimère», cette étincelle de compréhension, que l'on cherchera dans ce livre.

PREMIÈRE PARTIE

DEVENIR UN COUPLE:
le pouvoir du passé

1

L'attirance

Les qualités qu'évoquent les partenaires intimes quand il est question de celles qui les ont attirés l'un vers l'autre sont habituellement justement *celles qu'ils ont plus tard identifiées comme sources de conflit*; c'est l'une des réalités de la vie conjugale, bien connue des experts dans le domaine. Avec le temps, les qualités d'attraction ont été réétiquetées: elles sont devenues ce qui est mauvais, ce qui accroche chez l'autre, les aspects de sa personnalité et de son comportement que l'on considère désormais comme problématiques et négatifs.

L'homme qu'ont attiré par exemple la chaleur, l'empathie et la sociabilité de son épouse peut, à un certain moment du futur, redéfinir les mêmes attributs, en faire du «tapage», de l'«intrusion», et une manière «superficielle» d'établir des contacts avec les autres. La femme qui a tout d'abord estimé un homme pour sa fiabilité, sa prévisibilité et le sentiment de sécurité qu'il lui procurait, peut, plus tard, condamner ces qualités devenues lourdeur, ennui et étroitesse. C'est que les traits admirables, merveilleux, du partenaire ont pris la forme des atroces et terribles défauts que l'on souhaiterait avoir relevés à temps! Même s'il s'agit en fin de compte des *mêmes* qualités, elles portent différents noms, selon que la relation en est à ses débuts ou qu'elle dure depuis un bout de temps.

Ce qui attire le plus chez le partenaire est souvent aussi ce qui est le plus chargé d'ambivalence. Pour cette raison, mes conversations avec les couples ont toujours commencé comme mon entrevue avec les Brett, assis côte à côte en face de moi.

«Dites-moi, demandai-je au jeune couple, ce qui vous a d'abord attiré l'un vers l'autre?»

Mon regard se déplaça depuis la sagement attentive Laura jusqu'au visage légèrement circonspect de son mari, Tom.

«Qu'est-ce qui a fait de vous — et de vous — quelqu'un de spécial?»

Même si les questions avaient l'air banales à mes propres oreilles, elles suscitèrent chez mes interlocuteurs la même réponse surprise, voire ahurie. Laura aspira vivement, saisit une mèche de ses longs cheveux châtains, la rejeta derrière son épaule. Tom eut l'air d'être prêt à bondir de son siège; au lieu de se lever pourtant, il s'adossa contre le vieux canapé marron. Ils se tournèrent l'un vers l'autre en souriant; Laura rougit, puis ils éclatèrent tous deux de rire.

Personne ne parlait. J'avais déjà dirigé suffisamment d'entrevues de ce genre pour savoir que je pouvais, sans dire un mot, choisir le partenaire qui répondrait. Si, à ce moment-là, j'avais regardé Laura droit dans les yeux, elle m'aurait répondu. De la même manière, si les yeux de Tom avaient croisé les miens, il aurait pris la parole en premier. Pour éviter de donner tout indice, j'ai porté mon regard sur une bibliothèque qui occupait presque tout le mur à la gauche du fauteuil à bascule dans lequel j'étais assise. Même si Laura Brett étudiait en théologie pour devenir ministre du culte et que Tom Brett travaillait comme reporter pour un magazine d'information d'envergure nationale, les ouvrages sur lesquels mon regard tombait étaient en général des romans.

Il y avait *Chambre obscure* de Nabokov, une édition de poche à la tranche usée; *le Pavillon des cancéreux*, à la jaquette impeccable; et deux romans de Henry James dans l'édition de la *Modern Library*. Quand j'y pense, l'un d'eux, *l'Américain*, racontait l'histoire d'une cour, qui se terminait dans le désastre pour les deux personnes concernées: le mariage n'avait jamais lieu.

Laura et Tom Brett avaient failli connaître la même situation un an et demi plus tôt; ils avaient changé d'idée peu avant l'annulation de leurs projets. Quand ils avaient consulté un thérapeute conjugal, à l'automne, quelques mois avant leur mariage (prévu pour Noël), c'était pour se faire aider à prendre la décision capitale: devaient-ils continuer de préparer leur mariage ou rompre leurs fiançailles et mettre un terme à leur relation?

C'était le thérapeute qu'ils avaient consulté à ce moment-là qui leur avait téléphoné beaucoup plus tard (juste après le premier anniversaire de leur mariage) pour leur parler de l'étude sur le mariage que je menais. Seraient-ils intéressés, demanda-t-il, à me parler? Les Brett aimèrent l'idée. Le couple s'était, je le savais, présenté à quatre séances cliniques, après quoi Tom et Laura avaient confirmé leur décision de se marier.

La cause de leur détresse préconjugale, m'avait-on dit, était une querelle qui s'élevait sans arrêt entre eux quant à la nature de la relation que Tom avait entretenue avec son ancienne petite amie. Leurs disputes à ce propos étaient devenues si âpres et si troublantes que le couple avait pris peur. S'ils se querellaient à ce point *avant* le mariage, qu'est-ce que ce serait après coup? Ils s'aimaient et ne voulaient pas se séparer, mais ils pensaient qu'ils devaient d'abord résoudre cette folle brouille... Interrompant mes réflexions, Tom Brett s'éclaircit la gorge.

«ELLE M'A DÉFIÉ»

«Pour moi, hésita Tom d'une voix étonnamment sonore et pleine d'effusions pour un homme si grand et si habitué au public; c'était... il y avait deux choses. Laura satisfaisait ce que vous pourriez appeler mes préalables en termes d'attrait, d'intelligence et d'humour, et elle me défiait aussi. J'imagine que j'ai connu d'autres personnes qui avaient ces qualités-là, qui étaient jolies, intelligentes, drôles, etc., ou qui présentaient diverses combinaisons de ces qualités, mais avec *elle*, il y avait un défi à relever. Un défi à cause de sa sincérité, je pense, et de son honnêteté aussi. Tout est là, ajouta-t-il avec un léger haussement d'épaules; dans son langage.

— Son langage?», demandai-je en le regardant d'un air perplexe.

Quant à Tom, il échangeait avec sa femme un regard entendu et tendre.

«Le langage de l'Église, expliqua-t-il en passant la main dans ses cheveux bruns bouclés. Quand vous écoutez Laura parler à ses amis, certaines expressions reviennent sans arrêt. Des choses comme «se laisser aller à la vulnérabilité», «s'engager dans une décision»… Une façon de parler et de penser qui va avec des idées de ce genre-là.»

Il s'arrêta comme s'il s'apprêtait à exprimer une autre idée, puis il secoua simplement la tête.

«Je trouvais ça mystérieux…, attirant, dit-il avant d'ajouter en se retournant vers moi; et même un peu, euh… dur à prendre.»

Il avala; j'attendis une élaboration, mais Tom ne dit rien de plus.

Pourquoi, me demandai-je, avait-il commencé à trouver des qualités comme la sincérité et l'honnêteté dures à prendre? Était-ce parce que, quand l'un des partenaires est honnête et sincère, ça semble exiger que l'autre agisse envers lui — ou envers elle — d'une manière aussi honnête et aussi ouverte du point de vue des émotions?

«D'accord, conclus-je après un silence quelque peu inconfortable; revenons à l'attirance, nous reparlerons plus tard de ce qui était embarrassant.»

En me tournant vers Laura, je lui demandai quelles étaient les qualités qui l'avaient d'abord attirée vers Tom.

«IL M'A MISE AU DÉFI»

L'indélébile sourire sage qu'elle arborait en permanence, un sourire en forme de V qui me faisait penser à celui des vieilles statues grecques ou de certaines Madones, n'avait pas un instant quitté le visage de Laura et n'avait pas changé le moins du monde.

«Oh! s'embrasa-t-elle; il me *fascinait* tout simplement! Et pour moi, ça s'est passé presque de la même manière… une attirance et puis, plus tard…, les choses qui deviennent difficiles à accepter. Pour moi aussi, c'était un défi. Il était… oh! je n'arrivais pas à le comprendre! Il ressemblait tellement peu aux gens qui avaient été mes amis et aux gens à qui je pensais comme à des amis *potentiels!* Sa façon de concevoir la vie — ses valeurs, je veux dire —, s'opposait tout à fait à la mienne. J'imagine que j'ai été prise de court par quelqu'un qui ne pensait pas du tout comme moi, mais que je *respectais*. C'était comme si, depuis des prémisses tout à fait différentes, depuis une autre route, quelqu'un en était arrivé aux mêmes conclusions que moi à bien des égards.»

Comme il est étrange, songeai-je, de constater à quel point il arrive souvent que des partenaires intimes utilisent des mots de passe comme «aventure», «sécurité», *«glamour»* ou «défi», des mots qui semblent faire beaucoup de sens pour les gens de la relation. Le dernier vocable — «défi» — était manifestement important pour les Brett. Je savais pourtant que si un autre couple (mon mari et moi, par exemple) passait cette entrevue, le mot aurait pu n'être jamais prononcé.

«En d'autres termes, dis-je, vous avez tous deux vu dans l'autre la possibilité de l'«altérité»? Une manière d'être tout à fait différente?»

En s'inclinant vers l'avant, Tom secoua la tête comme pour déclarer que les idées de Laura ne lui avaient jamais été tout à fait étrangères.

«Je pense que j'avais déjà songé aux notions d'honnêteté et de sincérité, de franchise l'un envers l'autre. Mais à mon travail, dans un environnement pas mal tendu, les gens n'opèrent pas à ce niveau. Je veux dire que ça pourrait vous créer toutes sortes d'ennuis... Et je ne fonctionnais pas non plus comme ça dans ma vie privée, j'imagine», affirma-t-il en terminant sa déclaration par un rire bref, quelque peu cynique.

Face à son objection, j'hésitai, puis je décidai de pousser de toute façon encore un peu plus avant l'idée d'«altérité».

«C'est peut-être, avançai-je sur un ton hésitant, parce que je n'avais qu'une intuition; qu'après avoir rencontré cette autre façon d'agir, vous avez cru tous les deux que l'autre avait un petit quelque chose d'étrange et d'intéressant... possiblement d'un peu dangereux, et alarmant... et même d'un peu désagréable à certains moments.»

Laura ne bougeait pas.

«Oui, répondit Tom en changeant de position; même si je ne crois pas que le côté désagréable me soit venu tout de suite à l'esprit.

— Le côté dangereux et angoissant m'est apparu», convint Laura dont le sourire serein tempérait ses paroles.

Il y eut un silence lourd, le sentiment que nous étions tout à coup allés très loin. J'essayai d'apaiser les choses en demandant à Laura si elle avait été attirée par la différence de Tom et, en même temps, si elle avait voulu le rendre plus *semblable* à elle. Elle secoua énergiquement la tête, un peu comme si elle entendait une accusation dans la question.

«Non, sa manière d'être avait l'air d'un *reproche*, expliqua-t-elle. Je veux dire parce que je traversais l'existence persuadée que les gens qui ne sont pas comme moi ne sont pas corrects, ajouta-t-elle précipitamment, comme pour prévenir tout malentendu entre *nous deux* quant aux valeurs sociales et religieuses. Ils pourraient devenir comme moi et ils seraient alors de bonnes gens au lieu de gens mesquins, insupportables; Tom, c'était un *défi* pour moi! Il pouvait voir les choses tellement différemment, en parler si différemment, et il avait une intégrité d'un autre type!»

Elle jeta un coup d'oeil rapide à son mari et puis se tourna vers moi pour ajouter, d'une voix fière:

«Il pouvait adopter des positions politiques compatissantes!»

Elle était assise bien droite sur le canapé, comme une écolière coopérative.

«Voulez-vous dire, m'enquis-je, que vous étiez surprise de constater que Tom pouvait faire montre de compassion sans éprouver de véritables convictions religieuses?

— Non seulement sans convictions religieuses, répondit Laura, mais sans idéal fondamental de quelque sorte que ce soit.»

La colère que je m'étais attendue à voir tonner en réponse au «dur à prendre» initial de Tom éclatait enfin. Une tache colorée empourprait maintenant chacune de ses joues à l'ossature large.

Je me demandais si j'étais tombée sur une querelle ou si, avec mes questions, je venais d'en déclencher une.

«Quelle sorte d'idéal fondamental manque à Tom? demandai-je directement à sa femme en m'efforçant d'avoir l'air neutre.

— Eh bien, *à cette époque-là* du moins, il n'en avait pas..., se troubla Laura; des choses comme l'ouverture émotionnelle...»

Elle paraissait presque confuse. S'adressant à son mari, elle s'enquit:

«Est-ce que je raconte la petite histoire, ou non?»

Ainsi, elle n'était pas confuse: ils savaient tous les deux de quoi elle parlait.

«IL NE S'OUVRE JAMAIS À PERSONNE»

Pour toute réponse, Tom haussa les épaules, comme l'individu qui se résigne à entendre l'histoire trop souvent racontée.

«J'y vais? le pressa-t-elle, la voix apparemment hésitante, comme celle d'un enfant qui demande une permission.

— Allez-y, coupai-je tandis qu'il hochait la tête.

— Quand Tom et moi apprenions à mieux nous connaître — je veux dire quand nous avons commencé une relation de couple, parce que nous nous connaissions déjà —, je lui ai raconté les moments pénibles que j'avais traversés depuis notre dernière rencontre fortuite... C'était en Afrique, le croiriez-vous, un an et demi plus tôt. Je lui décrivais la relation douloureuse, traumatisante que j'avais eue avec un homme qui s'est révélé n'être qu'un pauvre type, un individu qui s'était *servi* de moi tout le temps. Tom m'a répondu: «Eh bien, tu dois vraiment t'être ouverte à ce gars-là, n'est-ce pas?» Je lui ai dit que, bien sûr, c'était ce que j'avais fait; nous nous étions fréquentés toute une année, et c'était une relation *sérieuse!... Évidemment.*»

Elle haussa le ton.

«C'était en soi une question vraiment bizarre, poursuivit-elle; et puis Tom m'a confié que c'était quelque chose qu'il n'avait jamais vraiment fait. «Tu as *quoi*?», m'informai-je. Alors Tom m'a dit qu'en général il ne s'ouvrait pas aux gens, et qu'il ne l'avait jamais fait dans une relation, quelle qu'elle soit.»

Plusieurs fois de suite, Laura cligna rapidement des yeux en caricaturant sa propre réaction ébahie à cette déclaration.

«Pour moi, c'était étrange, renchérit-elle comme si elle cherchait mon approbation; il n'avait jamais montré ses sentiments à qui que ce soit! Et j'ai trouvé ça — je *l*'ai trouvé — impossible à comprendre!»

Tom avait, semblait-il, été attiré par des qualités comme l'«honnêteté», l'«ouverture», la «volonté de s'engager». Laura avait apparemment été «mise au défi» par l'homme qui prétendait ne s'être jamais ouvert à une partenaire intime par le passé; si tel n'avait pas été le cas, elle aurait évidemment pu le quitter. Mais à quel moment précis de leur relation Tom lui avait-il fait ce commentaire?

Les Brett s'interrogèrent du regard, s'efforçant tous les deux de se rappeler. Laura pensait que c'était lors de leur seconde sortie, mais Tom précisa que c'était lors de leur *première* soirée, parce qu'il se souvenait du party au cours duquel ils avaient eu cette conversation. Elle s'en souvint aussi et lui donna raison.

Ainsi depuis le début, lui fis-je remarquer, elle savait qu'elle entreprenait une relation avec un homme avare du partage de ses sentiments. Est-ce qu'elle pensait que ça avait fait partie de son attirance initiale?

Laura ouvrit de grands yeux bruns.

«Je ne sais pas», admit-elle doucement et clairement.

Comme s'il venait à son secours, Tom prit la main de sa femme.

L'OS D'UNE MÉMOIRE

Comme je l'ai signalé, Laura et Tom Brett avaient consulté un thérapeute conjugal l'automne précédent leur mariage. Ils devaient ou bien résoudre le conflit — Tom *s'était-il ou non* réellement engagé émotionnellement avec son ancienne petite amie (Karen) bien qu'il refusât de l'admettre? —, ou bien laisser tomber leur relation à cause de leur incapacité d'aplanir les difficultés.

L'escalade de leurs querelles fielleuses les déroutait terriblement tous les deux. En persistant à croire que Tom lui avait menti depuis le début, et qu'il avait entretenu une relation intime, engagée, avec Karen, Laura avait continué à exiger qu'il lui avoue (qu'il admette) la vérité. Instinctivement, elle sentait que s'il réussissait à se tirer de cette duperie à propos de Karen — chose qu'elle prenait à tout le moins pour de la fausse représentation —, la menace d'autres tromperies et d'autres fausses représentations continuerait de planer sur eux. Il lui serait impossible d'atteindre toute forme d'intimité réelle avec un partenaire qui gardait pour lui ses vérités secrètes et ses sentiments véritables; en effet, qui sait ce que cette personne pourrait penser ou faire en cachette? S'il gagnait la dispute «Karen», ce que Laura appelait «s'en tirer avec ses mensonges», elle aurait trop à perdre.

Dans cet interminable jeu, Tom non plus ne pouvait pas laisser sa partenaire gagner. Si Laura remportait la victoire et prenait le contrôle de sa vie passée, elle aurait accès à des parties de lui et de son passé qui lui appartenaient *en propre*. Perdre équivaudrait pour lui à être avalé tout rond: elle le posséderait en ce sens qu'elle se serait approprié son altérité et son autonomie. Comme elle, il avait trop à perdre: ils avaient tous deux intérêt à ce que la brouille à propos de l'ancienne petite amie de Tom ne se résolve jamais de manière satisfaisante. Les querelles au sujet de Karen n'avaient donc jamais pris fin sur la clarification de la position de l'un d'eux; elles ne se terminaient que lorsqu'ils étaient complètement épuisés.

Mais en fait, de quoi parlaient donc ces disputes suivies? Fondamentalement, de la peur que ressentait Laura à l'effet que Tom cachait ses sentiments véritables à propos de son ancienne amie parce qu'ils étaient encore extrêmement puissants, qu'il protégeait les tendres souvenirs de Karen parce qu'il tenait plus à cette ancienne relation qu'il n'était prêt à l'admettre. Par ailleurs, Tom pensait que, rétrospectivement, sa relation passée pouvait bien donner lieu à une nouvelle interprétation, mais qu'elle faisait tout de même encore partie de sa propre expérience sur laquelle Laura n'avait aucun droit. C'est ainsi qu'ils s'étaient battus tous les deux quant au sens de ce lien antérieur, comme deux chiens s'entredéchirent pour un os.

À un autre niveau cependant, l'intimité (elle en voulait plus) et l'autonomie (il en voulait plus) constituaient les motifs sousjacents de la querelle.

RÉSOUDRE UNE QUERELLE

Les disputes obsessives des Brett avaient été traitées au moyen d'une approche thérapeutique d'apparence bénigne malgré la puissance de son efficacité. Le clinicien avait proposé au couple de se conformer, pendant un certain temps, au «contrat» suivant: Laura avait le droit de se plaindre de l'ancienne petite amie de Tom — et de réaffirmer sa conviction selon laquelle Tom et Karen avaient vraiment connu une relation intime et engagée — pendant une heure un soir déterminé de chaque semaine. Non seulement Laura avait-elle le *droit* de se plaindre, mais encore devait-elle le faire: c'était un «devoir» thérapeutique. Elle devait faire des remarques continuelles à propos de Karen, s'en plaindre, rager, crier durant toute une heure (de 19 h à 20 h), chaque mardi, infailliblement.

Le «devoir» de Tom consistait à écouter. Il devait lui accorder toute son attention et garder le silence. Il devait rester assis, les yeux sur elle tandis qu'elle disait ce qu'il lui passait par la tête, et il ne devait *pas* répondre verbalement, peu importe la virulence de ses accusations.

C'était tout, à l'exception d'une autre clause de l'entente: Laura devait limiter toute remarque à propos de Karen *à cette heure hebdomadaire*. Sauf durant l'heure de son devoir, entre 19 h et 20 h le mardi soir, elle n'avait pas le droit d'aborder la question de l'ex-amante de son fiancé. À ce moment-là, et à ce moment-là seulement, elle pouvait laisser libre cours à sa colère quant à ce que Tom avait pu dire ou faire relativement à Karen (ou à ce que Laura craignait qu'il fasse ou dise un jour). À l'exception de cette heure hebdomadaire, quand elle *devait en parler* et qu'il *devait l'écouter*, Karen était un sujet tabou.

Une lutte pour le contrôle de la relation

Malgré leur apparence inoffensive, ces devoirs visaient à déjouer une impasse, une lutte pour le contrôle de la relation. En abordant le sujet de Karen, Laura avait pu se définir, définir son partenaire et déterminer la nature précise de leur attachement mutuel. Elle était de la sorte devenue la bonne personne trompée; il s'était transformé en menteur, en coupable. La relation s'était ainsi établie entre la femme indignée, moralement honnête, et l'homme coupable, mauvais et malhonnête.

Pour faire obstacle à cela, pour empêcher sa femme de s'emparer de la relation et de la diriger dans le but de satisfaire ses propres besoins et d'atteindre ses propres objectifs, Tom avait dû réagir de façon quasi réflexe chaque fois que la question de Karen avait fait surface. Il interrompait alors Laura, niait avoir dit ce qu'il lui avait effectivement déjà raconté; il palabrait et confondait sa fiancée; ses paroles donnaient à Laura l'impression qu'elle devenait folle. Il se sentait forcé d'agir de la sorte parce qu'il s'était aperçu, à un niveau inconscient, qu'elle tirerait autrement à elle la plus grande partie du pouvoir, ce qui revient à dire qu'elle aurait eu la capacité d'affirmer qui *il* était, qui *elle* était, et quelle était la nature fondamentale de leur relation.

Les accusations avaient pour effet de *définir* les parties interactives et la nature de l'interaction elle-même.

LE SCÉNARIO CONJUGAL

Comme l'ont fait remarquer les sociologues Peter Berger et Hansfried Kellner, le mariage est «un geste *spectaculaire* au cours duquel deux étrangers se réunissent et se redéfinissent». Pour chacun des partenaires, le mariage signifie la rupture avec sa réalité antérieure et l'élaboration d'une nouvelle sphère privée, d'un territoire spécial, particulier aux deux personnes engagées.

Comment le nouveau couple crée-t-il son propre univers émotionnel? Principalement, avancent Berger et Kellner, dans le cours des conversations conjugales qui se déplacent du lit à la table à déjeuner et supposent l'effort pour «amalgamer deux définitions individuelles de la réalité. En vertu de la logique de la relation, une définition globale commune doit s'implanter, autrement le dialogue s'anéantit et, de ce fait, la relation elle-même est en péril.»

Chacun des partenaires du couple doit toutefois se marier avec une autobiographie différente; les cultures familiales spécifiques dont ils sont issus ont imprimé en leur esprit certaines idées et certaines convictions. Chacun a intériorisé un jeu d'images de ce qu'est l'attachement intime, un jeu d'images que le psychiatre H. V. Dicks a appelé «modèles interactifs» ou «modèles de rôles relationnels», c'est-à-dire des attentes quant à son propre comportement et quant au comportement éventuel du (de la) conjoint(e). Ces images ne s'emboîteront pas à la perfection: chaque partenaire devra renoncer à certains éléments du passé pour «s'adapter» aux concepts et aux notions que l'autre chérit profondément.

Les scénarios intérieurs des relations intimes qu'entretiennent les époux devront être revus et réécrits. Au début du mariage, la lutte principale concerne les thèmes du nouveau scénario qu'ils élaborent. Parce que, s'ils n'arrivent pas à s'entendre sur la nature de la réalité qu'ils partagent, le dialogue conjugal prendra éventuellement fin. Ils appartiendront «à des univers différents» et n'auront plus rien à se dire. Conséquemment, l'effort pour réaliser une entente mutuelle sur la nature de la relation est terriblement sérieux.

Les partenaires se sont sûrement choisis parce que l'*écriture d'un scénario commun* leur semblait une possibilité viable (nous aborderons ce sujet plus en profondeur un peu plus loin). Ce qui ne veut pas dire que cela leur sera facile. La lutte de pouvoir qui s'engage dans nombre de liens intimes — surtout quand la nouvelle relation se cristallise — comporte souvent une dispute pour savoir *qui des deux* a les notions de la réalité les plus tenaces, les notions qui domineront le territoire émotionnel commun.

On peut ainsi voir les accusations lancées au partenaire comme des manoeuvres de pouvoir, des efforts pour obliger l'intrigue conjugale à suivre sa direction «adéquate» et naturelle. En glissant le nom de Karen dans la conversation conjugale, Laura Brett se définissait comme une femme innocente, vulnérable, ouverte émotionnellement, et liée à un homme froid et insensible.

Opposé à son portrait du mariage, Tom contre-attaquait avec ses propres accusations. Puisque son ancienne petite amie ne faisait depuis longtemps plus partie de sa vie — depuis qu'il était avec Laura —, la nature de leur attachement était à ses yeux à lui tout autre. Il était l'individu, fidèle, engagé, à qui une partenaire maladivement jalouse — une femme qui rivalisait férocement avec un fantôme — adressait des reproches. D'après lui, leur relation mettait en cause un homme raisonnable et logique et une femme irrationnelle et hystérique. C'est ainsi qu'ils se querellaient sans fin pour savoir laquelle de leurs versions du scénario correspondait le plus à la réalité objective.

LE PARTAGE DU POUVOIR

Le devoir thérapeutique avait permis aux Brett de comprendre que la seule manière pour l'un d'eux de prendre le pouvoir et de dominer la relation consistait à *partager* le pouvoir et le contrôle. Avec son heure du mardi soir, Laura pouvait exprimer (communiquer en toute intimité) ce qu'elle pensait de l'ancienne amante de son fiancé sans qu'il l'interrompe et sans qu'il se sauve. Du début à la fin, elle pouvait présenter son programme sans électricité statique et sans interférence. Ainsi ses appréhensions quant à la capacité d'honnêteté et d'ouverture de son futur mari (sa capacité de ne pas la tromper sur la question de ses sentiments antérieurs et actuels) pouvaient trouver une oreille attentive.

En échange de l'attention concentrée qu'il lui accordait, Tom obtenait l'assurance que le sujet empoisonné ne referait pas surface à un autre moment de la semaine. Laura n'avait plus le pouvoir d'allumer le feu sous ce bouilli émotif chaque fois qu'elle se sentait tendue. En conséquence, chaque partenaire gagnait l'impression de contrôler une partie spéciale de la relation. Tom n'avait pas à rester sur le pied de guerre, prêt à se défendre à tout moment, ou prêt à passer à l'attaque s'il soupçonnait sa femme de s'apprêter à le faire.

Le couple avait jusque-là oeuvré dans le cadre du système «si-tu-gagnes-je-perds-et-si-je-gagne-tu-perds». En d'autres termes, chacun avait dû s'emparer du contrôle parce que si elle — ou lui — ne l'avait pas fait, l'autre aurait pris le pouvoir. Il existait pourtant une alternative au «je-gagne-tu-perds»: dans la relation, chacun disposait de son territoire propre; ainsi la négociation leur permettait-elle de partager le pouvoir et le contrôle. En vertu des clauses de l'entente, chacun disposait de temps et d'espace qu'il n'avait pas à arracher à l'autre.

En fait, la tâche béhaviorale avait montré aux Brett qu'il existait un système de relation intime différent du «si-tu-gagnes-je-perds-et-si-je-gagne-tu-perds» sur lequel ils avaient travaillé. Avec ce système-là, ils avaient tous deux perdu parce qu'ils livraient un combat insoluble jusqu'au bout, puisque la fin ne pouvait survenir qu'avec l'anéantissement de l'un ou la mort de la relation. La tâche que leur avait assignée le clinicien les avait forcés à collaborer et les avait placés dans un tout autre genre de cadre relationnel — un type de relation où il était évident que gagner signifiait remporter la victoire *avec* le (la) partenaire — pas *contre* lui (ou elle). Dans les relations cependant, il n'y a jamais vraiment de gagnant ou de perdant: deux personnes gagnent — ou perdent — ensemble. Pour certaines gens toutefois (surtout pour les personnes engagées dans une relation amoureuse), c'est ce qu'il y a de plus difficile à comprendre.

LE DEVOIR DE THÉRAPIE

Comme elle me l'a raconté plus tard, Laura Brett n'avait fait son devoir en entier qu'une seule fois. C'était le premier mardi après qu'elle et son fiancé eurent accepté le marché bizarre du clinicien. Ce soir-là, le regard de Tom posé sur elle, Laura avait ragé et s'était lamentée pendant toute l'heure prévue. Comme il me l'a avoué, *il* avait eu bien du mal à se contenir! Parce qu'il avait réussi à entendre certaines des choses qu'elle avait besoin de lui dire, des choses qu'il n'avait jamais entendues parce que, jusqu'à ce moment-là, elle n'avait jamais pu franchir le cap des premières phrases sans interruption, sans qu'il lui déclare qu'il *savait* ce qu'elle allait dire et qu'elle se trompait du tout au tout! Comme il arrive souvent dans des situations trop chargées émotivement, il supposait *savoir* et pourtant, il ne savait pas, pas tout à fait. Parce que la situation était devenue si rapidement confuse et avait soulevé tant de colère, certaines parties de son discours — des choses qu'elle avait besoin de lui dire à propos de ses sentiments — n'étaient jamais parvenues jusqu'à lui.

Tom avait appris, au cours de la séance de ce premier mardi soir, comment les choses se passaient du point de vue de Laura, ce dont il n'avait pas encore pris conscience. De son côté, libre enfin de tout dire ce qui lui pesait, elle avait trouvé qu'elle avait moins de choses à dire la deuxième fois. Il lui était en fait difficile de se plaindre pendant toute une heure. Au cours de la troisième semaine, le devoir de thérapie était devenu un fardeau; Laura l'avait étiré pendant quarante-cinq minutes, après quoi elle n'avait rien pu trouver à ajouter. Le quatrième mardi, Tom et elle avaient tout à fait oublié leur devoir clinique: ils étaient allés au concert.

En cours de route, la question de la relation avec Karen s'était transformée: d'une incessante lutte sauvage et irrationnelle, elle était devenue une prise de bec occasionnelle et sans gravité.

LE FANTÔME DE KAREN

Dans le cours de mes conversations avec les Brett cependant, une figure à laquelle je songeais comme au «fantôme de Karen» a continué de hanter leur interaction. Cette figure était une présence nébuleuse, beaucoup plus une fantaisie qu'une personne réelle, une personne à l'existence propre. Mais elle existait pour la meilleure raison du monde, en vins-je à comprendre: les Brett avaient besoin d'elle. Karen leur permettait d'aborder certaines questions conflictuelles, reliées à leurs passés respectifs dans leurs familles fondatrices.

Jamais résolues de façon satisfaisante, ces questions tournaient autour de plusieurs thèmes qui les affectaient énormément tous les deux. Comme la plupart des gens qui deviennent amoureux, il n'y avait pas l'ombre d'une coïncidence dans le fait qu'ils avaient été mutuellement attirés par ce que l'autre avait de *familier*. Avertis par quelque sonar intérieur, nous savons, pour la plupart, quelle personne peut nous permettre de ressusciter, de réactiver nos conflits antérieurs et, c'est à espérer, de finir par les résoudre. C'est comme si, à un niveau inconscient, nous savions que l'autre peut nous aider à mener nos luttes pour laisser dans le passé les choses qui relèvent du passé. Dans le cas de Laura et Tom, la nature des questions sous-jacentes (parmi celles-ci, un partenaire excitant, disparu sans laisser de traces) apparut une fois entreprise l'élaboration de leur génogramme familial.

2

Quand le passé et le présent convergent: génogrammes

Tandis que je sortais mon grand bloc à dessin quadrillé et un jeu de crayons rouge, bleu et vert, les Brett m'observaient avec un amusement déconcerté. Est-ce que je m'apprêtais, voulaient-ils savoir, à esquisser leur portrait? Je souris et expliquai que j'allais tracer une sorte de diagramme, une vue d'ensemble, un plan des relations importantes de leurs vies respectives qui remonterait loin dans le temps.

«C'est ce qu'on appelle un génogramme, précisai-je; et ça ressemble à un arbre généalogique, sauf que ce que vous y verrez sera différent.»

Pour moi, la découverte du génogramme (lorsque j'étudiais au *Family Institute* de Westchester) a signifié un nouveau genre de connaissances, une façon d'appréhender la nature véritable des matériaux bruts que les couples apportent à leurs relations intimes. Les génogrammes tiennent compte systématiquement de l'environnement naturel de chacun des conjoints (la sous-culture familiale dans laquelle il — ou elle — a grandi) et permet d'identifier les thèmes, questions, mythes et comportements récurrents qui ont ressurgi du passé et repris forme dans le cours du mariage actuel.

Avant de se rencontrer et de décider de se marier, Tom et Laura Brett ne flottaient pas quelque part dans l'espace: ni l'un ni l'autre n'avaient vécu dans un vide social. Au contraire, chacun provenait de quelque part, d'un lieu qui était sa famille fondatrice.

Les familles, *toutes* les familles, sont des systèmes sociaux intensément émotifs (même celles qui semblent ne présenter aucune émotivité). C'est dans ce cadre hautement chargé d'émotivité que chacun d'entre nous acquiert un ensemble particulier de lois, de règlements et d'attentes vis-à-vis de notre comportement personnel et de celui des autres. Éventuellement, nous tenons cet ensemble pour acquis, nous le considérons comme *savoir universel*. Ce que nous apprenons ainsi inclut, entre autres, nombre de suppositions et d'idées sur ce que sont une femme et un homme adultes, et comment les deux sexes établissent des relations.

Cet apprentissage s'opère par l'observation du comportement des parents. Nous, humains, ne sommes pas que des mammifères; nous sommes des mammifères sociaux. Ce que nous devenons une fois adultes relève du milieu dans lequel s'est déroulée notre croissance, c'est-à-dire du monde social que nous avons habité durant notre enfance. Les gens avec qui nous interagissons sur une base quotidienne, les personnes importantes à qui nous sommes liés, que ce soit par le sang ou par choix, contribuent énormément à faire de nous ce que nous sommes. L'interaction des générations d'une famille est soigneusement enregistrée sur le graphique du génogramme pour que l'on puisse ensuite identifier clairement l'héritage qu'elles ont laissé.

Je trouve inévitablement *logiques* la structure des expériences infantiles et les choix conjugaux qui ont été posés plus tard. Maintes et maintes fois en effet, je me suis aperçue que le passé cherche obstinément son expression dans le présent!

Le schéma que je m'apprêtais à dresser avec les Brett était simple, rien d'autre qu'un plan des deux systèmes familiaux qui s'étaient réunis au moment du mariage de Tom et Laura. Cette carte routière émotive comprendrait, une fois complétée, des gens, jeunes et vieux, morts et vivants, malades et bien portants, aimés et haïs et, par ailleurs, des gens à qui ils ne pensaient pas très souvent.

Ce qui éveille toujours ma curiosité, c'est la rencontre de deux individus qui ont émergé de familles où dominaient des codes relationnels, comportementaux et même *philosophiques* différents pour élaborer un système de leur cru. Cela englobe non seulement la fusion de deux modes de perception et de compréhension, mais aussi, très souvent, une coalition en bonne partie inconsciente, une entente non dite dans le but de remettre en scène quelque version d'un drame familial qui porte pour les partenaires un sens particulier. En traçant la première ligne dans un carreau de la feuille posée devant moi, je savais déjà que tout un univers (les passés respectifs des Brett et le monde qu'ils avaient construit ensemble) apparaîtrait autour de ce coup de crayon.

Le génogramme, expliquai-je, était un outil qui me permettrait de les connaître tous les deux très vite.

«Ça m'aidera à apprendre rapidement et méthodiquement certaines choses à propos de votre famille, Laura; et à propos de la vôtre, Tom», dis-je.

Ils hochèrent la tête, échangèrent un sourire et me regardèrent avec l'air d'attendre quelque chose, comme si je leur avais proposé un jeu intéressant. Souriant aussi, je les avisai qu'ils pourraient trouver cette expérience surprenante. Et puis, désignant la ligne que j'avais déjà tracée, je précisai que cette marque horizontale symbolisait leur relation.

«Maintenant, demandai-je, la pointe de mon crayon bleu tendue, prête à écrire, au-dessus de la feuille, depuis combien de temps...

— Six ans», coupa Laura au moment où son mari répliquait «Un an».

Nous nous mîmes à rire. Mon crayon toujours suspendu en l'air, j'attendis. Tom expliqua qu'ils s'étaient croisés à Princeton où ils étudiaient tous les deux, mais qu'ils se connaissaient «techniquement» depuis 1974.

«Je ne crois pas que l'on nous ait présentés l'un à l'autre avant 1976», précisa Laura d'une manière guindée.

Le chiffre que je voulais, renchéris-je, c'était le nombre de mois ou d'années qui s'étaient écoulés depuis leur mariage. Un peu moins d'un an et un mois.

J'inscrivis «un an» juste au-dessus de la ligne, et j'ajoutai un petit signe «+». À la droite de la ligne horizontale, je dessinai un petit cercle sous lequel j'écrivis «Laura»; à la gauche, je traçai un petit carré, que j'appelai «Tom».

Ce dernier objecta tout de suite qu'il n'aimait pas être représenté par un carré. J'offris d'utiliser une autre désignation, et expliquai que les génogrammes sont des outils standard qu'on utilise en recherche et en thérapie familiales; ainsi, le symbole dont on se sert d'ordinaire pour désigner un homme est un carré. Tom se mit à rire, haussa les épaules et déclara que ça le laissait indifférent.

Je me demandai: est-ce que Tom avait peur d'être «vieux jeu»[1], dépassé, de manquer de virilité?

Je laissai le début du plan comme il était:

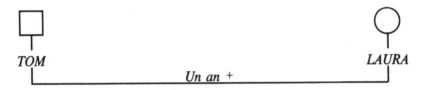

Sur cette page blanche, toute seule, la relation de Tom et Laura avait l'air d'un phénomène solitaire, d'une planète unique dans un ciel vide. À mesure que nous bâtirions le génogramme apparaîtrait pourtant tout autour un firmament familial: aucun mariage n'existe sans les personnes importantes et les questions chargées du passé de chacun des partenaires. Je levai les yeux sur Laura au moment où je lui disais que je voulais lui poser quelques questions à propos de sa famille, mais elle fronçait les sourcils et arborait une expression préoccupée.

TROMPERIE

«As-tu pu dire tout ce que tu avais à dire à propos de ce dont nous discutions tout à l'heure? demanda prestement Laura à son mari. À propos de ce qui nous avait attirés l'un vers l'autre au début?»

Son regard attentif, intelligent, s'était posé sur lui, mais il détourna les yeux, fixa un moment la fenêtre panoramique à notre gauche et finit par dire: «Non».

---

1. N.D.L.T.: en anglais, *square* veut aussi dire «vieux jeu», rétrograde.

«Vas-y alors», le pressa-t-elle.

J'ai été retenue à ce moment-là, non seulement par l'évidence de leur système privé de connaissance (un aspect mystérieux de l'univers individuel des couples), mais aussi par la rapidité avec laquelle Laura avait pris la responsabilité de la rencontre.

«Je suis sorti de cette discussion, prononça lentement Tom en s'adressant à moi, avec l'impression que Laura avait été *attirée* par l'idée que j'aurais vécu une longue relation avec quelqu'un sans jamais... eh bien, sans jamais m'ouvrir à cette personne du point de vue des émotions.»

Laura semblait le défier de s'exprimer et de se montrer vulnérable dans leur relation, se plaignait-il, alors que l'homme qui l'avait d'abord attirée se définissait comme inaccessible. Quel genre de personne *voulait* Laura en fait? Il ne pouvait être à la fois ouvert et mystérieusement hors d'atteinte.

«Si c'était ce qu'elle aimait chez moi, en premier lieu, ça me donne mal au coeur, continua Tom, l'air anxieux, ça me rend...»

Il s'arrêta, ne dit pas le mot qui aurait complété sa phrase. Il en commença plutôt une autre.

«Parce que toute cette idée qu'elle s'est faite de moi, le gars renfermé, inaccessible, est devenue, avec nos discussions et nos querelles, de la *fausse représentation.*»

Le solitaire insensible qui avait séduit Laura, craignait Tom, était justement le genre d'hommes qui l'excitaient. Dans sa voix, il n'y avait pas que de l'angoisse, il y avait aussi de la colère. La virulence de l'expression qu'il avait employée «ça me donne mal au coeur» m'étonnait, et je le dis.

«C'est une façon pas mal carrée de présenter les choses, commentai-je; pourquoi une affirmation si violente?»

Les joues de Laura avaient rosi d'émotion, mais elle garda le silence.

«C'est juste parce que ça me rend nerveux», réitéra son mari avec brusquerie.

Je le regardai, intriguée.

«Qu'est-ce qui vous rend nerveux; pouvez-vous le dire?»

Tom se tourna vers Laura et *lui* répondit, comme si elle avait posé la question.

«Que notre relation ait débuté sur des fausses prémisses», dit-il.

Il lui racontait qu'il avait craint qu'elle n'ait été séduite par l'idée qu'il était un homme insensible, qui ne s'était jamais ouvert à quiconque dans le cours d'une relation intime, et qu'elle était, dès lors, tombée amoureuse d'une personne qui n'était donc pas vraiment *lui*. Était-il vraiment l'homme fermé, cynique, qu'il avait décrit, ou bien était-ce un rôle qu'elle l'obligeait à jouer en vertu de leur scénario conjugal?

La conversation vacilla, s'arrêta. Il y avait le compagnon, Tom, qui, au début des fréquentations, avait été perçu comme un être insensible, émotivement fermé, comme n'ayant jamais partagé son univers intérieur avec une partenaire intime. Et puis il y avait la compagne parfaitement complémentaire, Laura, dont les valeurs les plus précieuses étaient la «sincérité», l'«honnêteté», la «capacité de se montrer vulnérable» et une volonté proche du sacrifice de s'engager à fond. C'était comme si chacun d'eux avait trouvé en l'autre la pièce dont il était dépourvu.

«Parce que tu as dit que tu ne t'étais jamais ouvert dans ta relation avec Karen, dit Laura, brisant la tension du silence; je n'ai pas l'impression que je suis tombée amoureuse d'une *illusion*!»

Elle le fixa un moment, et se mit en frais d'expliquer, en se tournant vers moi, que leur couple éprouvait beaucoup de mal à cause des descriptions de Tom.

«Je ne veux pas dire qu'il s'agit de notre *seul* problème, lança-t-elle d'une voix fervente; mais c'en est un gros.»

Je hochai la tête. Je ne croyais pas qu'elle avait été attirée vers Tom *par erreur*. Il y a trop de communication et de métacommunication entre amants. Ils se lisent mutuellement à un niveau conscient et à un niveau inconscient et savent parfaitement ce qui conviendra — ou ne conviendra pas — au jeu spécifique des besoins, des souhaits et des désirs, cet amalgame de l'étrange et du familier qui fait de l'autre la personne qui nous sied. On ne peut pas faire porter à une simple affirmation mal comprise le fardeau d'une telle responsabilité; elle n'avait pas pu constituer la seule source d'intérêt pour sa femme. C'était pourtant, je le savais, ce qui effrayait Tom.

Il y avait malgré tout quelque chose que Laura essayait d'articuler, quelque chose qui concernait la relation de son mari avec cette ancienne petite amie (ou, du moins, qui concernait la *description* qu'il en avait faite). Je pensais que ça avait à voir avec sa capacité d'honnêteté et d'ouverture, ce qui réveillait peut-être en elle certaines de ses craintes fondées. Je me suis alors souvenue de quelque chose qu'elle avait raconté avoir dit à Tom lors de leur première sortie, quelque chose à propos d'une sale période qu'elle venait à ce moment-là de traverser avec un homme sans pudeur qui l'avait trahie tout au long de leur vie de couple.

«D'une certaine manière, lui déclarai-je, vous me semblez inquiète, disons soucieuse, des valeurs ou des qualités qui relèvent de la «sincérité», de la «volonté d'être ouvert émotionnellement», etc. Ces choses prennent, selon moi, un sens particulier pour vous. L'honnêteté, dans les relations intimes, fait l'objet d'un grand souci chez vous. Ça me fait penser à quelque chose que vous avez dit plus tôt... Avant votre rencontre avec Tom, vous aviez vécu une longue relation avec quelqu'un qui vous avait trompée... *«qui s'était servi de vous»*, avez-vous dit.

Laura cligna des yeux, hésita avant de parler, et puis hocha la tête.

«Oui, et c'est aussi arrivé dans *une autre* relation avant celle-là. Cette fois-là, ça a duré trois ans et demi» fit-elle, au bord des larmes.

THÈMES DE L'ENFANCE

Le début de la construction d'un génogramme familial ressemble au commencement du travail sur un casse-tête compliqué ou au point de départ d'un roman policier. La ligne horizontale que j'avais tracée et qui reliait Tom et Laura Brett était, pour le moment, la seule pièce du puzzle ou le seul indice dont je disposais et pourtant, comme l'expérience me l'avait appris, bien d'autres éléments viendraient encore se greffer à ce morceau-là durant la description. Le fond se remplirait à mesure qu'on me fournirait les éléments du passé de chacun des partenaires. Le questionnement de l'adaptation des deux partenaires d'un couple vis-à-vis l'un de l'autre (comment les besoins, les dilemmes et les problèmes irrésolus de leurs passés individuels ont *modulé* leur affinité) constitue toujours un processus qui donne beaucoup à réfléchir.

Le niveau d'intimité atteint par les partenaires dans le cours de leurs relations émotionnelles actuelles, le travail pour recréer et la lutte pour dominer les vieilles difficultés et les anciens problèmes familiaux sont des phénomènes qui nous affectent tous profondément et dont nous ne comprenons périodiquement que des bribes. Les séquences et les thèmes émotifs que l'on rencontre dans une génération ont tendance à faire surface dans les autres générations. On dirait que les dilemmes familiaux qui n'ont jamais trouvé de solution satisfaisante ont besoin de revenir hanter le monde réel des générations suivantes pour que différents individus puissent y retravailler.

La tendance (ou même le *besoin*) qu'ont les gens de reproduire plus tard, dans le contexte de leurs relations intimes, les thèmes de leur enfance a fait l'objet de l'étude de bien des théoriciens et de maints cliniciens. Comme l'ont fait observer la travailleuse sociale Lily Pincus et le thérapeute familial Christopher Dare, fondateur de l'institut Tavestock sur les études conjugales:

Nous sommes tous portés à répéter le type de relation que motive la persistance des désirs inconscients dérivés de la satisfaction des besoins infantiles. L'aspect répétitif de certaines séquences relationnelles qui troublent parfois le mariage est remarquablement littéral, comme lorsqu'une femme, dont l'enfance a été marquée par un père alcoolique, a elle-même épousé un homme qui s'est révélé aussi alcoolique, a divorcé pour se retrouver une fois de plus dans la même situation. Ou encore un homme dont l'enfance a été dominée par la maladie cardiaque de sa mère et qui épouserait une femme au coeur malade.

Les «séquences répétitives de partenariat» auxquelles ces cliniciens font référence vont comme suit: à l'enfant de l'alcoolique (ou de la cardiaque) correspond, chez l'adulte, le conjoint alcoolique ou cardiaque.

Le retour des expériences familiales marque souvent la relation d'un couple. Les partenaires, habituellement inconscients du fait que leur problème reprend un dilemme qui a existé plus tôt et ailleurs dans le système familial étendu, s'étonnent quand on leur montre, génogramme familial à l'appui, la charge particulière que porte cette question. Ce qu'il y a parfois de plus étonnant, c'est que le parallèle entre «ce qui a été» et «ce qui est» n'a jamais été remarqué! Je donnerai deux exemples de situations où un problème familial a été ressuscité et ramené à la surface de façon criante et dramatique tandis que les partenaires en cause restaient inconscients de tout rapport entre le passé et le présent.

RELATIONS FAMILIÈRES

Le couple du premier cas traversait, au moment de nos rencontres, une crise conjugale majeure et les partenaires maintenaient le fragile lien émotif qui les unissait pour des raisons qui semblaient avoir plus à faire avec leur dépendance hostile mutuelle qu'avec l'amour, la satisfaction ou l'affection. En général, ils se comportaient l'un vis-à-vis de l'autre comme un parent fâché (la mère) avec un enfant agressif. Il était le conjoint-incorrigible-mauvais-garçon.

L'épouse avait eu un père qu'elle avait beaucoup aimé, mais qui avait rendu la vie familiale difficile et pleine d'anxiété. C'était un homme qui changeait sans cesse d'emploi à cause de sa nervosité et de son insatisfaction ou de celle de ses employeurs. À un moment donné, il avait été musicien, à un autre, professeur de musique. Il avait dirigé un organisme communautaire (et connu des difficultés avec le conseil d'administration), avait tenté de lancer une école et avait occupé nombre d'autres emplois très différents. Le bouleversement émotif qu'entraînaient tous ces va-et-vient (parce que, chaque fois que le père perdait — ou décidait de quitter — son travail, la famille avait tendance à déménager dans une nouvelle communauté) avait été aussi grave que douloureux pendant toute la croissance de cette femme-là. Au moment de nos discussions, elle avait 43 ans et elle et son mari administrateur étaient mariés depuis 18 ans.

Quand elle l'avait épousé, son mari avait une solide formation professionnelle: il détenait une maîtrise en administration et gravissait allègrement l'échelle d'une importante institution financière. Consciemment, l'épouse avait fait tout ce qu'elle avait pu pour éviter la répétition de ses problèmes antérieurs: elle avait déniché un compagnon que tout préparait à la stabilité, qui était non seulement bien rémunéré, mais qui s'*intéressait* aussi à sa vie professionnelle.

Comme nous l'avons constaté au cours de nos entrevues, ce couple avait pourtant reproduit, dans le cadre de sa propre existence, ce qui s'était produit plus tôt, dans la famille de l'épouse. Cinq ans avant que n'aient lieu nos conversations, le mari s'était lassé de son travail, il s'était fatigué de n'être qu'un rouage dans la grosse machine industrielle. Il s'était senti «enfermé dans l'organigramme de la compagnie» et avait décidé de se lancer en affaires. Ça ne fonctionnait pas. Récemment, il était devenu évident que son effort (dans un domaine qui n'avait rien à voir avec son ancien travail) se destinait à l'échec. Il était maintenant, comme il le disait lui-même, «au milieu de son andropause», sa crise du démon du midi. Au moment où leur fille aînée s'apprêtait à entrer à l'université, il avait utilisé une bonne partie des économies familiales et n'apportait plus d'argent à la maison. Le mari se comportait comme le père de son épouse: il agissait en enfant récalcitrant et irresponsable. Avait-elle, à un niveau inconscient, *demandé* que se répète le passé?

On ne peut pas savoir. Comme l'ont remarqué Pincus et Dare, nous avons une propension à entreprendre des relations qui nous sont déjà familières. Comme sa mère avant elle, cette épouse-là *savait* sûrement comment être la femme forte et compétente d'un homme qui manque de maturité et de compétence. Lors de nos discussions, toute la famille (deux adultes et deux adolescents) vivait du maigre salaire de l'épouse. Encore une fois se reproduisaient là les circonstances passées: la famille de l'épouse avait déjà vécu, à un certain moment, du salaire de secrétaire de la mère. Ainsi se trouvait-elle, au milieu de sa vie adulte, confrontée au même douloureux problème qui l'avait marquée durant toute son enfance.

Comment avait donc pu se répéter cet ensemble de circonstances particulières? On aurait dit que la même situation fâcheuse — presque comme une phrase musicale — avait été prélevée dans une génération pour être transportée dans l'autre. Comme peut le dire tout clinicien qui travaille avec les génogrammes familiaux ou avec les familles en général, la répétition de thèmes et de situations problématiques tend à se reproduire sans arrêt. Alors qu'on s'attendrait à voir se répéter les styles ou les systèmes *relationnels* (c'est-à-dire la relation entre la femme hautement fonctionnelle, par exemple, et l'homme impuissant, incapable de fonctionner), cette remise en scène totale d'une situation familiale toxique défie l'explication rationnelle.

Il est encore plus étrange de voir des couples répéter des problèmes familiaux dont ils n'avaient aucune connaissance particulière. C'est pourtant ce qui est arrivé dans le deuxième exemple que je vais rapporter, exemple issu d'une série d'interviews que j'ai menées auprès d'un couple dans la cinquantaine (il avait 55 ans à l'époque, et elle en avait 50). Ces partenaires avaient entrepris leur vie conjugale 32 ans plus tôt en se sauvant pour se marier en cachette. Bien des années plus tard, le mari avait appris que ses propres parents s'étaient aussi mariés en cachette et pour des raisons bizarrement similaires!

Les conjoints avec qui je m'entretenais avaient décidé de se marier en secret parce qu'ils étaient persuadés qu'ils n'obtiendraient jamais l'approbation de leurs familles. Ses parents à elle diraient qu'elle était trop jeune pour convoler (elle avait 18 ans à ce moment-là, et elle commençait l'université) et ils ne *le* trouveraient pas suffisamment ambitieux parce qu'il n'envisageait pas de carrière lucrative. (Il deviendrait éventuellement professeur au niveau secondaire, et ils s'installeraient à Washington, D.C.)

Pendant plusieurs années, ils n'ont pas su que ses parents à lui avaient fait exactement la même chose. Ses parents ne lui avaient jamais raconté leur histoire et ils avaient semblé profondément ébranlés par le mariage de leur fils. Ils avaient pourtant continué de garder pour eux le secret de leur mariage.

Ce n'est qu'après la mort de son père et de sa mère que le mari a appris que sa soeur aînée était une enfant illégitime: ses parents s'étaient enfuis et s'étaient mariés parce que sa mère était enceinte. Cette information lui était parvenue par hasard: il avait lu la date du mariage de ses parents et celle de la naissance de sa soeur en parcourant certains documents familiaux. C'est à ce moment-là qu'il avait pris conscience de ce qui s'était passé.

Dans la famille, on lui avait dit que le clan maternel avait d'abord désapprouvé son prétendant; les parents considéraient que leur fille était trop jeune pour se marier; ils trouvaient en outre que son soupirant manquait d'ambition, qu'il n'avait pas de mobiles sociaux ascendants. (Ils ne considéraient pas que son père, un commerçant, égalait les hommes de la famille de sa mère, des universitaires et des hommes de droit.) Son soupçon, confirmé par des bribes d'informations qu'il avait jusque-là ignorées, voulait que sa mère se soit mariée en cachette des membres de sa famille parce qu'elle était déjà enceinte. Mais il n'arrivait pas à se souvenir d'avoir entendu une histoire de ce genre-là durant son enfance et s'étonnait d'avoir fait la même chose plus tard. Ainsi et malgré tout, la même chaîne événementielle apparaissait-elle dans le génogramme familial.

C'est étonnant. Comment était-il possible qu'un problème familial, en l'occurrence un mariage secret, contracté sans le consentement ou la bénédiction familiale, se représente dans la génération suivante, sans que quiconque n'ait eu connaissance de l'existence de ce même problème dans le passé? Les réponses à ces questions ne sautent pas aux yeux. Est-ce que les problèmes psychologiques et les soucis familiaux passent dans le lait maternel que nous buvons?

C'est encore probablement ce qui s'approche le plus de la vérité. Les familles sont de petits systèmes sociaux tellement chargés d'affects que les gens qui y vivent peuvent «connaître» quasi magiquement les secrets des autres: ils peuvent savoir sans qu'on leur ait jamais dit. Parce que ce sont les premières expériences de la vie auxquelles nous sommes exposés, ces vérités sont gravées en nous et, dans nos vies, elles luttent pour se faire découvrir.

UNE MANIÈRE D'ÊTRE DANS UNE RELATION AMOUREUSE

Les exemples que je viens de rapporter comportent, bien sûr, la réplique d'expériences brutes vécues par l'une des familles fondatrices des partenaires (ou par les deux). Beaucoup plus subtile — et beaucoup plus fréquente qu'on ne l'admet généralement — est la récurrence d'un *système de relations intimes* qui fait retour, depuis le passé jusqu'au présent, chez l'un des membres du couple (ou chez les deux).

Disons que le père d'un mari a échoué en affaires ou que ses espoirs professionnels ont été déçus. Supposons maintenant que le mariage qu'elle a fait ait manifestement dépité la mère. L'homme, une fois adulte, aura peut-être besoin de répéter *ce qu'il connaît des relations entre un homme et une femme* (ce qu'il connaît bien parce qu'il l'a appris avant quoi que ce soit d'autre), c'est-à-dire comment être le mari inadéquat d'une femme qu'il déçoit pour quelque raison et de quelque façon. Ce savoir quant aux relations entre les hommes et les femmes peut, ajouterai-je, rester imperméable aux succès que l'homme peut obtenir dans le monde réel.

Ce qu'il n'aura pas appris, durant ses premières années, c'est comment se conduit le partenaire bien aimé d'une femme qui se soucie de lui et est heureuse d'être son épouse. Il peut s'évertuer très assidûment, même si c'est inconscient, à recréer la situation passée au moyen de toutes sortes de stratégies, y compris la stratégie suprême qui consiste à être un partenaire sexuel inadéquat et frustrant. Cela démontre la grande puissance hypnotique des expériences du passé sur les événements quotidiens de la vie présente.

De près ou de loin, quand nous atteignons l'âge adulte, la plupart d'entre nous n'ont pas relégué aux oubliettes les expériences de l'enfance. Dans le choix de nos partenaires, dans le fait d'être choisis comme partenaires, et dans l'élaboration d'une vie commune que nous créons à deux à partir de nos vies individuelles, séparées, les modèles de comportement (que nous avons observés et appris très tôt dans la vie et qui nous trottent dans la tête) nous influencent énormément. Le fait qu'il existe peut-être d'autres *choix*, d'autres types de relations intimes, ne nous vient pas souvent à l'esprit, parce que nous n'avons pas conscience d'agir en vertu d'un système que nos familles fondatrices ont intériorisé. Ce qui a été et ce que nous avons connu semble être notre destinée, la réalité elle-même.

Pour cette raison peut-être, «comme c'était» équivaut, pour bien des gens, à «ce que ça devrait être». Peut-être est-ce aussi pour cette raison qu'en traçant un génogramme familial le clinicien rencontre tant de coïncidences redondantes. Quand on les remarque, on se demande s'il s'agit d'une coïncidence quand un homme dont la mère était hypochondriaque et dépressive a épousé une femme chaleureuse et sociable pour se retrouver, dix ans plus tard, mécontent de son mariage à une femme gravement dépressive et quelque peu suicidaire. Est-ce de la malchance, ou bien est-ce que le présent se plie à la volonté du passé?

L'UNIVERS RELATIONNEL FAMILIER

Il se peut que la tendance universelle à «reprendre les modèles relationnels répétitifs», pour citer une fois de plus les cliniciens Dare et Pincus, se fonde, plus que sur toute autre chose, sur nos besoins de rester dans un monde relationnel avec lequel nous sommes familiarisés.

Une jeune femme chic que j'interviewais, par exemple, m'a raconté que sa mère avait été une femme forte, efficace et colérique que le sexe dégoûtait. Son père, à son point de vue, n'avait pas de «colonne vertébrale» et elle l'avait toujours considéré comme un homme sans droits que sa femme avait «écrasé».

Quand j'ai commencé à rencontrer cette femme et son mari, ils avaient tous deux 33 ans. C'était le gentil et bel héritier d'une affaire de famille; ils avaient un fils de trois ans et étaient affectés par une dysfonction sexuelle marquée. En grandissant, cette femme s'était juré de ressembler aussi peu que possible à sa mère. Maintenant pourtant, après six ans de mariage, on pouvait à peine distinguer son comportement de celui de sa mère.

C'était elle qui prenait toutes les décisions familiales (les grandes autant que les petites comme le choix d'un restaurant ou d'un film); elle dominait son mari et n'éprouvait pas de désirs sexuels — seulement une profonde anxiété — chaque fois qu'il s'approchait d'elle. Dans son propre mariage, elle reproduisait clairement le système relationnel de ses parents, même si, consciemment, elle voulait à tout prix l'éviter.

En passant, ce que je trouvais remarquable dans l'histoire de ce couple, c'était que le mari et la femme avaient tous deux joui de leurs relations sexuelles jusqu'au moment de leur mariage. On aurait dit qu'une fois mariés, une fois qu'ils avaient mis fin à leur liaison, ils avaient commencé à mettre en scène leur compréhension des relations entre mari et femme, une remise en scène qui demandait sûrement, pour des raisons qui relevaient de la problématique de sa propre histoire antérieure, la coalition avec le mari. Chacun d'eux avait entrepris un genre de relation avec lequel il (ou elle) était familiarisé(e); notons que la plupart des gens ont peur, n'en doutez jamais, de ce qui leur est étranger et inconnu.

Pour cette raison, on préfère souvent ce qui est douloureux et familier à ce qui est nouveau. Cela explique en grande partie pourquoi plusieurs d'entre nous s'identifient à ce que Pincus et Dare appellent des «modèles relationnels répétitifs»: cela nous permet de conserver le monde que nous connaissons.

On peut ainsi comprendre le cas de la fille d'un alcoolique qui épouse elle-même un alcoolique (cas que donnent en exemple Pincus et Dare) comme celui d'une femme qui reste dans le seul genre d'univers qu'elle connaît. Elle *sait* ce que c'est que de vivre avec un alcoolique. Elle ignore ce à quoi ressemble le fait de vivre autrement. Quand il s'agit de la manière de se comporter avec un partenaire qui éprouve des problèmes d'alcool, elle sait ce qu'elle doit faire: elle connaît bien ce démon-là.

Ce qu'elle sait est peut-être déplaisant, voire franchement indésirable à un niveau conscient, mais ce qu'elle ignore est étrange (l'inconscient fonctionne ainsi) et peut s'avérer beaucoup plus menaçant. Pour des raisons comme celles-là et parce que la répétition est une façon de rester psychologiquement lié au passé, les gens endurent des scénarios émotionnels inconfortables, mais bien connus.

Je ne veux pas dire que chaque génération est une copie conforme de la précédente. Ce n'est évidemment pas le cas. Ce que je veux dire par contre, c'est qu'il y a énormément d'émotivité à l'intérieur des familles et que l'interconnexion puissante entre chaque génération et les gens des générations précédentes n'est souvent pas suffisamment considérée.

Comme l'a écrit la thérapeute familiale Patricia Meyer dans *The Family Life Cycle* (Le Cycle de la vie familiale), le «cours de la vie familiale de la majorité des gens s'enracine dans un semblant d'opposition au cours de la vie familiale des parents. En d'autres termes, l'individu adopte les modèles comportementaux qu'il a connus, ou sanctionne ceux qui *s'opposent* aux comportements qu'il a connus en grandissant.»

La connaissance fondamentale qui guide nos comportements se base sur ce que nous avons appris dans nos familles fondatrices. En général, nous agissons comme nous avons vu agir, ou *en réaction* à ce que nous avons connu. Cette tendance à réagir *à l'opposé* apparaît particulièrement clairement dans certaines circonstances très chargées d'émotivité. La fille qui avait, par exemple, une mère colérique et dure peut, à cause de ce qu'elle a connu enfant, se jurer de ne jamais montrer de colère ou d'hostilité à ses propres enfants. On pourrait prédire, dans ce cas-là, que la fille de cette fille-là adoptera un jour une attitude critique et tyrannique, qu'elle deviendra quelqu'un qui ressemblera beaucoup à sa grand-mère. Le comportement tout à fait opposé, la réaction à un parent ou aux parents, correspond souvent à l'exploration totale de ce comportement. La génération suivante fait exactement le contraire, et à la génération subséquente apparaît l'effet boomerang.

Pourquoi? C'est que le passage d'un extrême à l'autre, c'est-à-dire le passage inapproprié de la tyrannie à la soumission, ne résout pas le problème fondamental, qui a rapport avec la manière appropriée de faire face à la colère: il ne fait que le retourner. La relation mère/fille ne diffère pas de la relation mari/femme, mais elle place la femme la plus jeune en position de marquer le pas.

Dans certains cas, il peut arriver qu'une question familiale particulièrement chargée disparaisse pour refaire surface deux générations plus tard. Nombre de théoriciens conjugaux et familiaux ont remarqué, en procédant à l'étude du génogramme familial, que le problème qui affectait les grands-parents s'estompe tout à fait pour réapparaître chez les petits-enfants. Le fils d'un alcoolique qui a vu, par exemple, les ravages causés par l'abus d'alcool, peut devenir un farouche ennemi de l'alcool et ne jamais laisser entrer une bouteille chez lui. Mais parce que l'alcoolisme est un sujet dont on ne parle peut-être jamais ouvertement, ses propres enfants risquent fort d'éprouver des problèmes avec l'alcool durant leur vie d'adultes. Ce que l'on observe, avec une curieuse fréquence, c'est qu'une difficulté familiale ne s'évanouit pas au beau milieu d'une génération: elle s'est tout simplement terrée, dans une sorte de rémission béhaviorale, pour ainsi dire.

Quand le problème réapparaît mystérieusement dans la génération des petits-enfants toutefois, cela veut dire qu'il était là tout ce temps et qu'il est resté un sujet empoisonné, réactif, pour tout individu à l'intérieur du système émotif général de cette famille.

Les familles ont toutes leur chant propre, leurs questions problématiques, que ce soit l'«alcoolisme», la «colère inconsidérée», l'«attachement trop important entre un parent et son enfant», la «dépression», la «difficulté à faire face aux séparations et aux pertes»; différents individus entonnent ce chant à différents moments, depuis des perchoirs différents de l'arbre généalogique. Quand on s'arrête pour considérer l'arbre dans son entier, ce qui étonne, c'est que certains passages, certains refrains reviennent sans cesse. Le chant passe d'une génération à l'autre, repris ici et là, et recommencé.

On dirait presque qu'on peut parfois palper ces soucis familiaux, ces mythes, ces fantaisies: héritages aussi réels que le tapis de famille, les photographies, les chaises et les autres biens. Comme les autres legs, ajouterai-je, ils ne sont pas toujours répartis équitablement; dans bien des cas, un enfant particulier reçoit la part du lion du fardeau émotionnel familial.

Pour quelque raison — peut-être parce qu'il ressemble à quelque figure du passé qui manque terriblement ou qui a été farouchement détestée, ou peut-être parce qu'il participe au triangle du mariage de ses parents (c'est-à-dire parce qu'il est devenu le tiers sur qui se reportent leurs déceptions) —, cet enfant peut éprouver des sentiments trop intenses. Quoi qu'il en soit et quelle qu'en soit la raison, parce que cet enfant particulier hérite du poids de la difficulté (ou qu'il l'assume), les autres enfants de la famille restent relativement libres.

Il est vrai que plus une personne a été soumise au service émotionnel de sa famille fondatrice, plus elle aura tendance à remettre en scène les relations problématiques passées dans le cadre du partenariat intime qu'est le mariage. Mais pourquoi? Je pense que c'est parce que nous avons une propension à rejouer sans cesse les mêmes scénarios en y cherchant des conclusions différentes, des *solutions*. Comme on ne peut pas faire tomber le rideau tant qu'on n'a pas trouvé la véritable résolution, se répètent les efforts pour museler et pour résoudre les problèmes.

LES RELATIONS DE L'OMBRE

Dans sa famille, Laura Brett était la quatrième de cinq enfants. Cette information m'étonna. Elle avait tendance à adopter une position de leader qui correspond d'ordinaire à celle de l'enfant qui a dû s'occuper des plus jeunes (l'aîné) ou de celui dont la suprématie n'a jamais été mise en doute (l'enfant unique). En inscrivant le nom de ses deux frères et de sa soeur aînée sur le génogramme, j'ai remarqué que deux ans séparaient chacun des quatre premiers enfants, mais que dix ans éloignaient Laura de son frère cadet; il avait une bonne décennie de moins qu'elle.

Ainsi, tandis que Laura était en un sens la cadette d'une famille de quatre enfants, elle était par ailleurs l'aînée d'une famille de deux. Elle avait dix ans à la naissance de son frère — la bonne petite mère adjointe.

La mère de Laura, Harriet, avait presque 60 ans (au moment de notre rencontre); son père, Nicholas, en avait 70: 11 années les séparaient. Ils étaient mariés depuis 34 ans et c'était, de l'avis de leur fille, un mariage «stable, mais frustrant». Il n'y avait, au dire de Laura, que très peu de communication entre ses parents.

«Mon père ne participe tout simplement pas à la relation», rapporta doucement Laura.

J'esquissai rapidement, au-dessus de la ligne d'union reliant ses parents, une autre ligne, faite de tirets, symbole des relations distantes du point de vue des émotions. Le génogramme que je dessinais avait à ce moment-là l'air de:

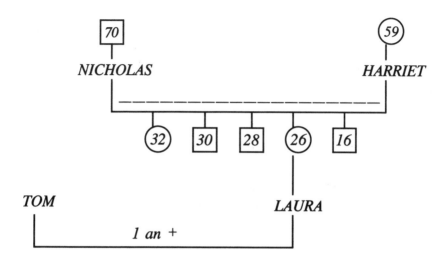

Je demandai à Laura de me dire comment était sa mère.

«Comment décririez-vous votre mère, en tant que personne?»

Pour dépeindre sa mère, les termes qui vinrent aux lèvres de Laura furent «facile à vivre», «agréable» et «raisonnable».

«Elle n'est pas raisonnable au point d'être sèche et ennuyeuse, elle est juste capable. Elle est un atout en situation de crise; elle travaille comme secrétaire, à temps plein maintenant. Mais elle ne travaillait pas du tout quand nous étions petits.»

Sa relation avec sa mère, précisa-t-elle, avait toujours été facile et bonne. Laura sembla pourtant retirer cette affirmation en ajoutant que, d'aussi loin qu'elle pouvait se rappeler, elles ne s'entendaient pas sur nombre de sujets.

Quels sujets particuliers marquaient leurs désaccords?

Elle rit.

«Ma mère a toujours trouvé que je n'agissais pas de manière orthodoxe. Récemment, nous avons pu en parler ouvertement et sans la tension habituelle.»

Elle haussa les épaules.

«Ma mère a toujours souhaité que je marche droit et que je me protège un peu plus que je ne le fais. Ou que je me frise les cheveux, ou que je porte du maquillage.»

Sa voix n'avait pourtant pas d'accent amusé: elle était mélancolique.

«Voulez-vous dire qu'elle désirait que vous soyez plus féminine, plus femme?»

Une expression confuse traversa le visage de Laura qui secoua la tête.

«Pas seulement ça, plus ambitieuse. Vous savez, faire mon droit au lieu d'entrer au séminaire... Sortir de la médiocrité sous tous les rapports... Je pense que je rends ma mère nerveuse, ajouta-t-elle après avoir aspiré profondément.

— Est-ce que sa nervosité *vous* rend nerveuse? m'enquis-je.

— Rarement», répliqua-t-elle vivement avant d'admettre que, lorsqu'elle était au secondaire, elle n'avait pas seulement peur de sa mère, elle s'effrayait aussi un peu *elle-même*.

Tom arborait une expression indéchiffrable en suivant intensément cette discussion. Je me demandai à quoi il pensait.

Quant à moi, je songeais que si une jeune femme en pleine croissance rend sa mère nerveuse, elle ne peut pas manquer de ressentir *elle-même* de la nervosité face à ce qu'elle est: les sentiments maternels sont des miroirs tellement puissants. Je demandai à Laura si on pouvait dire que sa mère était une femme qui montrait son affection.

Au lieu de répondre, elle se tourna pour regarder Tom. Au beau milieu d'une gorgée de café, celui-ci déposa sa tasse sur la table basse en verre dans un fracas sonore.

«Pas très, dit-elle en revenant à moi.

— Alors, elle n'est pas affectueuse?», fis-je en souriant.

Me rendant mon sourire, Laura secoua la tête.

«Elle est ce que vous pourriez appeler une «affectueuse limite». Mais mon père n'est définitivement pas affectueux. Ce sont là les termes de la comparaison.»

Je jetai un coup d'oeil au nom de son père (Nicholas) sur le génogramme au moment où elle faisait observer:

«C'est leur second mariage.

— Oh!»

J'inscrivis ces premiers mariages sous le tableau familial tandis que Laura me fournissait l'information suivante:

«Chacun d'eux avait été marié pendant environ un an et demi; ni l'un ni l'autre n'avaient d'enfants.»

Un regard étrange, mi-curieux, mi-effrayé, apparut sur son visage.

«Je ne sais pas ce qui s'est passé dans ces relations. Peut-être une désillusion trop rapide.»

Quel bizarre parallèle, songeai-je, entre un premier triangle actuel (Laura, son mari et l'ex-petite amie de son mari, Karen) et deux triangles similaires (mère, père et ex-conjoint de la mère; et père, mère et ex-conjointe du père). Laura se demandait-elle si son mariage passerait le cap fatidique de la première année et demie?

«Avez-vous déjà interrogé vos parents à propos de leur premier mariage? demandai-je.

— Ce qu'il y a de bizarre et que je ne savais pas jusqu'à ces dernières années, répondit Laura de sa voix aérienne, pétillante, c'est que mon père avait déjà été marié! On n'en parlait pas dans la famille! Et puis un jour, quelqu'un, je ne sais plus qui, a parlé de Lorraine. Je demandai qui était Lorraine, et c'est alors que l'un de mes frères, ou ma soeur, a déclaré: «Tu ne savais pas que papa avait déjà été marié?»

Elle ouvrit de grands yeux.

«J'ai ressenti une sorte de choc.»

Quand je l'en ai priée, Laura n'a pu se souvenir du scénario entourant cette découverte. Ça s'était passé quelques années plus tôt seulement et pourtant les circonstances de cette découverte laissaient un vide dans son esprit.

«Ma mère... je pense..., hésita-t-elle en luttant pour retrouver les éléments encore présents à sa mémoire. En fait, elle me l'a dit. Je pense que j'avais trouvé un formulaire d'assurance sur lequel se lisait «L. C.» au lieu de «H. C.» — Lorraine Constantine au lieu de Harriet Constantine —, il se peut que je lui aie demandé et qu'elle m'ait répondu. Ce que je me rappelle toutefois avec le plus de netteté, c'est la fois suivante, parce que c'était vraiment étrange.»

UN PROBLÈME SYSTÉMIQUE?

Visiblement énervée, Laura inspira et expira.

«Nous étions dans la salle à manger... Un ami m'accompagnait, quelqu'un que je connaissais à peine. Je ne sais trop comment l'autre mariage de mon père est venu sur le tapis, je pense que ma soeur a amené le sujet. Il a commencé à en parler, à dire comment il s'était marié juste avant la guerre, pour s'engager tout de suite. À son retour, Lorraine s'amusait bien... et ça été la fin du mariage.»

Elle s'arrêta, prit une mèche de ses cheveux qu'elle entortilla autour de son doigt.

«C'est bizarre.»

«Voilà notre première duperie dans cette génération-là», notai-je en examinant le génogramme.

Et puis, pour souligner mon commentaire, j'écrivis le mot juste au-dessus du nom de son père.

Les craintes de Laura d'être trompée ne posaient pas problème pour son mariage seulement: avant son mariage avec Tom, la «tromperie» avait été un élément majeur de deux importantes relations antérieures qui avaient pris fin tragiquement. Je laissai entendre que la duperie ressemblait à une question familiale récurrente, un thème qui n'apparaissait pas que dans sa vie à elle, mais qui se manifestait aussi dans le système familial étendu.

L'idée sembla l'étonner.

«Je n'ai rien su du premier mariage de mon père avant d'avoir 23 ans, déclara Laura comme si elle protestait; et tout ce que j'en sais encore *maintenant*, c'est ce que papa m'a raconté! À propos de son intelligence, de sa ruse pour prouver que Lorraine lui était infidèle!»

Se penchant en avant sur son siège, elle se mit tout à coup à rire.

«Il paraît qu'elle se conformait tout le temps à des rituels compulsifs quant à la manière de faire les choses. Alors, un jour, avant que papa parte travailler, il a fait un pli dans le couvre-lit à un certain endroit; rien de bien voyant. Ce jour-là, elle devait aller travailler et ne devait en principe pas rentrer avant une certaine heure, mais papa est arrivé avant l'heure et le lit était fait et le pli avait disparu.»

Il y avait du triomphe dans la voix de sa fille.

«Il y avait aussi autre chose, ajouta Laura; quelque chose à propos du fait qu'elle portait sa fourrure à un moment où elle n'aurait vraisemblablement pas dû. Il a mis au point un système de vérification pour remarquer les moments où elle portait sa fourrure et pour relever les kilomètres supplémentaires à l'odomètre de l'automobile... Un genre de pointage... Je n'arrive pas à me souvenir... hésita-t-elle, en fronçant les sourcils. Il y a plus... une autre partie.»

Je lui demandai comment elle s'était sentie ce soir-là en entendant son père raconter ces histoires-là.

Laura eut l'air stupéfaite.

«La réaction dont je me souviens le plus, c'est d'avoir été ébahie devant la *jovialité* qu'il montrait en rapportant cela!»

Elle baissa tout à coup le ton; elle s'exprimait maintenant dans un murmure quasi respectueux.

On aurait dit qu'elle n'établissait pas le rapport entre «l'ombre de la relation» de son père avec une autre femme (sa première épouse) et la femme que Tom avait fréquentée avant de la rencontrer, son ancienne petite amie, Karen.

Laura ne remarqua pas non plus que les deux hommes — son père et son mari — avaient tous deux décrit leur liaison sexuelle antérieure comme quelque chose de bénin, et s'étaient tous deux dépeints comme des hommes qui s'en souciaient peu ou pas du tout. Au cours de la conversation au sujet de son premier mariage, son père avait parlé de la figure nébuleuse de Lorraine de telle sorte (Laura avait employé les mots «désinvolte» et «jovial») qu'on aurait dit qu'elle n'avait aucune importance.

Mais *en avait-elle?* Toute la question était là. Est-ce que la partenaire actuelle était vraiment celle qui était aimée, ou bien était-ce la femme qui avait disparu?

Je reportai mon regard spéculatif sur Tom.

3

Autonomie et intimité

Ce qui émergea, à différents moments des entrevues, fut le fait que les Brett se percevaient comme des individus très différents à bien des égards, comme des pôles opposés.

«Si quelqu'un de votre connaissance, leur demandai-je à la fin de notre première rencontre, un ami disons, ou un membre de votre famille, décrivait votre relation à un tiers, qu'est-ce que vous croyez qu'il dirait?

— Improbable, glissa tout de suite Tom en souriant.

— Improbable... pourquoi? demandai-je encore.

— Oh! (il haussa les épaules); journal et religion; cynisme et foi... Je suis plutôt logique et réservé, tandis que Laura est tout le contraire.»

Il hésita, regarda Laura qui hochait la tête, avec une expression tout à la fois chagrine et amusée.

«De nous deux, tu représentes le calme et la passivité, admit-elle; tandis que je suis marginale à propos de tout et de rien, pour le meilleur et pour le pire.»

Il hocha la tête et me dit:

«Nous sommes très différents sous tous les rapports...»

Comme bien des couples qui ont, dans le mariage, l'apparence de l'opposition, ils faisaient alors face au plus envahissant des problèmes conjugaux: ils s'efforçaient respectivement de distinguer quels sentiments, quels désirs, quelles pensées appartenaient à l'un et quels sentiments, quels désirs, quelles pensées appartenaient au partenaire intime.

Ce problème relève de l'établissement de limites personnelles. La cause première de la détresse dans les relations proches, engagées, se fonde en fait sur la confusion quant à ce qui se passe dans sa propre tête et à ce qui se passe dans la tête du partenaire.

Comme les Brett, bien des couples ont l'air d'occuper des pôles opposés: ce sont des gens *tout à fait différents.* Ils font penser aux marionnettes du guignol: chacun interprète un rôle très différent sur la partie du plateau qui s'offre au regard objectif de l'observateur, même si, au-dessus de la scène, leurs fils s'emmêlent. En deçà du niveau de conscience de chacun des partenaires, ils se retrouvent profondément enchâssés l'un dans l'autre, émotionnellement fondus l'un à l'autre. Chacun d'eux incarne, porte et exprime en effet *pour l'autre* les aspects que cet autre a désavoués, son être secret.

Si l'on se penche, par exemple, sur la relation des Brett, on semble distinguer une nette division du travail émotionnel. On dirait que ce couple a pris un certain nombre de désirs, d'attitudes et d'émotions, de comportements et de communication — toute une batterie de sentiments et de réponses qui peuvent relever de parties du répertoire intégré d'un individu — pour que les partenaires se les partagent à la «un-pour-toi-et-un-pour-moi».

Ils avaient réussi ce partage, comme les couples le font souvent, en vertu d'une entente inconsciente inarticulée mais néanmoins puissamment efficace. Dans leur relation, Laura prit l'optimisme et Tom, le pessimisme; elle était toute confiance, il était toute méfiance; elle exigeait l'ouverture émotionnelle, il voulait se préserver pour lui-même; elle le poursuivait et il se sauvait, il fuyait l'intimité. En fait, ils formaient ensemble un organisme bien structuré, bien ajusté, sauf que Laura devait faire toutes les inspirations et Tom, toutes les expirations.

Malgré tout, si Laura semblait vouloir l'intimité, l'honnêteté, l'intégrité et l'unité totales, en réalité elle avait conclu une entente avec Tom. Chaque fois qu'elle tentait de se rapprocher de lui, la ficelle de son autonomie se tendait et il était forcé de manière quasi réflexe de prendre immédiatement ses distances. Elle se fiait sur lui pour maintenir entre eux l'espace nécessaire.

Laura, comme tout le monde, avait en effet besoin d'autonomie, elle avait besoin d'un territoire bien à elle où elle pouvait être un individu à part entière, chercher à satisfaire ses propres besoins et à atteindre ses propres objectifs. Laura percevait pourtant la poursuite de ses propres besoins comme quelque chose de mal, de dangereux, comme quelque chose qu'évitait la bonne femme adulte. Le rôle qui lui incombait, en tant que femme, consistait à veiller à maintenir la *proximité* dans la relation; elle ne pouvait pas admettre l'existence d'un besoin d'autonomie en elle, et pourtant elle voulait être indépendante. Elle n'avait conscience que des besoins du moi (le moi différencié, indépendant, auquel elle se butait chez son partenaire, qui, lui, exprimait ces besoins clairement).

De la même manière, Tom ne concevait pas son propre désir d'intimité; il le retrouvait surtout *chez Laura*. Il percevait le besoin de proximité du partenaire au sein d'une relation de confiance où les membres du couple se révèlent l'un à l'autre comme un besoin *de Laura*; Tom n'avait jamais pris conscience qu'il éprouvait lui-même ce besoin ou ce désir. À son point de vue, il était autonome, c'est-à-dire qu'il se suffisait à lui-même.

Comme Laura avait besoin que Tom s'enfuie à son approche, Tom attendait que Laura tente des rapprochements pour se sentir indispensable et voulu, intime.

Au lieu d'exprimer clairement son désir ou son besoin d'intimité (ou même *d'en prendre conscience*, d'en accepter la responsabilité), Tom devait en éloigner sa conscience. Ces pensées et ces désirs-là lui procuraient une trop menaçante impression de nudité et de vulnérabilité! Quand il éprouvait un désir d'intimité, il devait sentir que ce désir-là émanait de sa femme. Sans le reconnaître consciemment, il devait s'assurer que la ficelle «intimité» avait bien été tirée. L'une des manières de ce faire consistait peut-être à se donner un air songeur et distrait pour que Laura se demande s'il pensait à Karen. Laura le poursuivait alors anxieusement pour obtenir l'échange dont il avait lui-même besoin.

LE PARTAGE DU CONFLIT

Ce qui se passait dans ce couple se rencontre très fréquemment au sein des mariages en général. Le conflit que vivaient les deux partenaires (la lutte entre l'assouvissement de ses propres besoins et la volonté de satisfaire ceux de la relation) avait été partagé équitablement entre eux. Au lieu d'admettre qu'ils avaient tous deux besoin d'intimité et qu'ils avaient tous deux besoin de poursuivre leurs propres objectifs (donc plutôt que d'admettre que le conflit autonomie/intimité existait bel et bien en chacun d'eux), les Brett avaient conclu une entente inconsciente coalisée.

Ainsi, Laura ne revendiquerait jamais la propriété consciente de son besoin d'espace personnel et Tom ne s'avouerait jamais ses désirs d'ouverture émotionnelle, de confiance et d'intimité. Pour eux deux, elle s'occupait des besoins d'intimité (les besoins de la relation) et, pour eux deux, il prenait charge des besoins d'autonomie (les besoins qu'éprouvait chacun d'eux de viser des objectifs personnels). De cette manière, Laura avait toujours l'air de vouloir se rapprocher un peu plus, et Tom semblait toujours vouloir plus de distance et d'espace.

Au lieu de rester un conflit interne (c'est-à-dire un combat qui se livre dans le monde subjectif de chaque personne), le problème s'était mué en conflit *interpersonnel*, en une guerre qu'ils pouvaient se livrer sans fin.

Le déplacement d'un problème intrapsychique (c'est-à-dire un problème dans l'esprit de chacun) *en un conflit interpersonnel* (c'est-à-dire en la difficulté qu'éprouvent deux personnes l'une vis-à-vis de l'autre) se produit à cause d'un processus dont nous avons parlé plus tôt, celui de l'identification projective.

L'IDENTIFICATION PROJECTIVE

Ce terme renvoie à un mécanisme mental aussi pénétrant que complexe qui comprend la projection des aspects niés et désavoués de la vie d'une personne sur son partenaire intime, et la perception subséquente que ces sentiments dissociés se *retrouvent chez l'autre*. Non seulement les pensées et les sentiments non désirés sont-ils perçus comme des attributs du partenaire, mais encore le conjoint est-il poussé, au moyen de signes et de provocations, à se comporter comme celui qui les *possède vraiment*! L'individu peut à ce moment-là identifier par procuration chez son partenaire l'expression des pensées, des sentiments et des émotions répudiés.

L'un des meilleurs exemples du fonctionnement de l'identification projective est celui de l'individu qui manque tout à fait d'agressivité et qui ne se fâche jamais, et dont il a été question plus tôt. Totalement dénuée de colère, cette personne ne peut prendre conscience des sentiments de colère que lorsqu'ils se manifestent chez quelqu'un d'autre, de préférence chez le partenaire intime. Quand quelque chose de bouleversant arrive à l'individu qui ne se fâche jamais, il éprouve des sentiments de colère, mais il n'en a pas conscience. *Il ne sait pas qu'il est furieux, mais il réussit à merveille à provoquer chez son conjoint une expression d'hostilité et de furie.*

Le partenaire, qui n'éprouvait pas nécessairement de colère avant l'interaction, peut rapidement devenir la proie de la rage; sa colère, qui semble relever d'une tout autre question, est en fait le sentiment qu'il exprime *pour* son conjoint. Dans un certain sens, le conjoint protège l'individu de certains aspects de lui-même qu'il est incapable de revendiquer et d'admettre.

La personne qui ne se fâche jamais peut dès lors s'identifier avec l'expression de la rage supprimée du partenaire intime sans même avoir à prendre la responsabilité, sans même avoir à prendre conscience que c'est elle-même qui était d'abord furieuse. Souvent les sentiments de colère si nettement répudiés font l'objet de critiques acerbes quand l'autre les exprime. En situation d'identification projective, le partenaire qui ne se fâche jamais trouve fréquemment horrible les moyens d'expression et le comportement emportés, impulsifs et incontrôlés de son partenaire!

De la même manière, la personne qui n'est jamais triste peut n'apercevoir ses humeurs moroses que chez son partenaire (que l'on peut alors considérer comme celui qui porte la tristesse et le désespoir des deux).

De façon générale, la projection se veut un *échange*, un troc pour ainsi dire, des parties niées du moi, sur lequel se sont entendus les deux membres du couple.

Un certain soir, au tout début de la relation, Tom a convenu (sans parler) avec Laura que cette dernière porterait ses propres désirs supprimés d'ouverture émotionnelle, de vulnérabilité, d'unité, désirs qu'il avait complètement désavoués parce que, à une époque donnée de sa vie et pour des raisons d'ordre défensif, il avait cru nécessaire de le faire.

L'autre partie de ce marchandage, effectué dans l'inconscient, veut qu'une personne comme Laura n'extériorise tous ses désirs inacceptables — désirs de distance émotionnelle peut-être, et même de méchanceté et de duperie (grâce auxquels elle pouvait s'identifier avec la première épouse de son père) — et ne les perçoive que par son partenaire intime.

Cet échange coalisé des territoires internes est une entente convenue entre deux parties intéressées. En dépit de toutes les preuves du contraire, il n'y a dans le mariage ni victimes ni bourreaux: il y a une entente. Dans les relations conflictuelles, ce qui s'approche le plus de la vérité, c'est qu'une entente tacite des aspects désavoués des moi des partenaires a eu lieu. En conséquence, chacun voit dans le partenaire ce qu'il est incapable de percevoir en lui, et il lutte interminablement pour changer les choses.

LA RÊVEUSE

La porte de l'appartement s'ouvrit presque instantanément quand je sonnai lors de ma seconde visite aux Brett. Sur le seuil se trouvaient Laura et Tom. Nous restâmes tous là un moment, sans parler: dans un sens, nous étions des intimes et, dans un autre, j'étais une étrangère.

«Voudriez-vous un café?» finit par me demander Laura, brisant enfin le silence.

Ils m'invitèrent à entrer dans leur appartement qu'illuminait, en cette fin de matinée d'un clair samedi du début de février, un chaleureux rayon de soleil à travers la fenêtre panoramique.

Laura disparut dans la cuisinette tandis que Tom me conduisait au salon, juste à la gauche du carré de ciel bleu sans nuage. Je m'assis dans la vieille berceuse que j'occupais la dernière fois, juste en face du canapé. À ma grande surprise, il s'assit dans l'autre fauteuil; quand elle se joindrait à nous, Laura devrait s'asseoir seule dans leur immense canapé marron. Est-ce que, pour cette seconde entrevue, son mari avait besoin de plus de distance?

C'est ce qu'il semblait dire, non pas verbalement, mais en langage comportemental.

Ouvrant ma grande tablette à dessin, je repérai la page sur laquelle figurait le génogramme des Brett puis je la plaçai entre nous, bien à la vue, sur la table basse en verre. Tom et moi la regardâmes silencieusement.

L'expression favorite de la mère de Laura: «Le mariage vaut ce qu'on y apporte» avait été écrite sur la feuille, juste à la droite du nom de Harriet. Durant sa croissance, Laura avait souvent entendu sa mère dire cela. La mère avait aussi déclaré qu'elle croyait que son premier mariage aurait bien pu fonctionner si son premier mari et elle avaient consenti à y mettre un petit effort supplémentaire. Au moment de nos rencontres, affirmait Laura, son père *n'*apportait *rien* à leur mariage. Il se montrait inaccessible, colérique, et il n'avait pas de contacts avec la famille, à moins que ce ne soit pour laisser exploser sa colère à l'endroit de quelqu'un.

Bien d'autres notes et maints commentaires gribouillés maculaient le côté des Constantine, sur la page. Lors de notre dernière rencontre, nous avions parlé des grands-parents paternels de Laura (des immigrants venus de Grèce) et de ses grands-parents maternels («des fermiers des montagnes» de la Virginie de l'Ouest, dit-elle). Nous avons aussi abordé ses relations avec ses frères et sa soeur, et le rôle qu'elle et ses frères et sa soeur avaient tendance à jouer dans le scénario familial.

Les étiquettes familiales (les rôles) — comme «la bonne fille», le «fauteur de troubles», «le génie» ou «l'enfant gâté», etc. — constituent des raccourcis qu'on utilise pour personnifier les membres du groupe familial. Ce qu'elles dénotent en général, c'est qu'elles ne correspondent pas tellement aux individus à qui on les appose, mais qu'elles leur assignent une place au sein du système émotif familial. Ce qui revient à dire que le *«génie»* n'est peut-être pas plus génial que les autres, mais qu'il a été choisi pour porter le flambeau intellectuel de la famille: c'est le rôle qu'il a à jouer au sein du groupe.

Les étiquettes ne sont peut-être pas justes, elles ont tout de même des effets puissants sur les gens qui les portent: la fille «trop portée sur le sexe» et le fils «maladroit, stupide» peuvent lutter pendant des années pour se libérer du joug de la représentation familiale. L'enfant qui est l'«ange» de sa mère ou son «sauveur» peut avoir de plus en plus de mal à déployer ses ailes, et peut éprouver de plus en plus de difficultés à sauver une femme, en jouant ce même rôle plus tard, dans sa vie adulte.

Laura Brett pensait que le rôle familial qu'on lui avait assigné était celui de «rêveuse».

«Ils me voient comme une folle, une idéaliste, une intellectuelle, et toutes ces choses inutiles. Mais je pense que, dans les moments cruciaux, je suis aussi capable qu'eux tous.»

Elle se percevait elle-même comme un «mélange»: d'un côté comme l'héritière d'une longue tradition de femmes sensibles, indépendantes (des femmes comme sa mère et comme ses deux grands-mères) et d'un autre, comme une femme qui était aussi, à certains égards, extraordinairement nécessiteuse et émotionnellement fragile.

D'où venait donc, me demandai-je, la femme nécessiteuse en elle, celle qui avait si peur de la duperie et de l'abandon?

Durant nos entrevues, Laura oscillait entre ces deux visions d'elle-même: l'une, vigoureuse et fiable, et l'autre, qui avait constamment besoin d'être soutenue et rassurée. Elle était à la fois une personne admirable et compétente et une femme craintive qui vivait dans l'expectative de la révélation d'un secret menaçant qui relevait de sa crainte de devenir la victime d'une infidélité sexuelle dont elle ignorerait dangereusement tout.

À ce moment-là, le côté de la page dévolu à Tom était presque vide. Lors de la précédente rencontre, nous n'avions pas passé le stade du nom de sa mère (Diana). Comment, me demandai-je, s'inscrivait-il lui-même dans le tableau? Comment sa propre famille fondatrice l'avait-elle façonné pour qu'il trouve naturelle et familière la peur de Laura à l'effet que la relation antérieure de l'un des partenaires affecterait un couple émotionnellement lié?

Tom se râcla la gorge et je pris conscience — je devins aussi consciente que s'il avait tout à coup crié — qu'il était épouvantablement nerveux.

L'OBSERVATEUR

Nous commençâmes à travailler sur la partie du génogramme qui appartenait à Tom. Sa famille, appris-je, était à moitié anglaise, à moitié un mélange d'Écossais, de Hollandais et d'Allemands. L'aînée de la famille de Tom approchait de la quarantaine, et elle était suivie de trois autres enfants (un garçon et deux filles) rapprochés. Tom lui-même, six ans plus jeune que le cadet, avait sur le génogramme l'air d'une réflexion familiale après-coup.

En termes d'ordre de naissance, Laura et lui se situaient, remarquai-je, dans des positions qui leur étaient familières. Il était le beaucoup plus jeune frère d'une soeur qui était elle-même la cadette d'un groupe d'enfants; cette soeur était donc et de loin, en termes de sagesse et de nombre d'années, à la fois l'enfant la plus jeune et l'aînée de son frère. Dans sa propre famille, Laura avait occupé une place complémentaire.

Le psychologue allemand, Walter Toman, dans son ouvrage à propos des effets de l'ordre de naissance *(Constellations fraternelles et Structures familiales: Leurs Effets sur la personnalité et le comportement,* Paris, E.S.F., 1987, 197 pages), laisse entendre que la soeur aînée d'un frère cadet adopte d'ordinaire le rôle nourricier. «Elle doit prendre soin du petit, écrit Toman; elle doit veiller sur lui et le protéger, et les parents la rendront responsable de lui. Mais elle en sera un peu récompensée: il la respectera. Il l'apprécie, l'aime et apprend rapidement à lui rendre des services et à lui faire plaisir...» En aidant au soin de son petit frère, la jeune «mère» façonne en d'autres termes un disciple adorateur.

Le rôle qu'adopte le petit frère d'une soeur aînée diffère totalement, note Toman: «On lui permet d'ordinaire d'accéder librement, parfois égoïstement ou même avec incohérence, à ses propres désirs et à ses propres intérêts. On le traite avec plus de tolérance et plus de générosité que sa grande soeur et, souvent, que le frère cadet d'un grand frère. Le jeune frère d'une soeur apprend graduellement à mieux connaître sa soeur, mais il le fait à son propre profit. Il a tendance à tenir pour acquis les soins et l'aide qu'elle lui dispense. S'il ne peut pas obtenir ce qu'il veut, il trouve des moyens de persuader sa soeur ou d'autres femmes à agir pour son compte.» Le jeune frère d'une soeur aînée manipulera en conséquence probablement les femmes de sa vie.

Du point de vue de Toman, c'est l'ordre de naissance, la position au sein de la famille, qui affecte non seulement le développement de la personnalité — autant de façon directe que spécifique — mais encore la possibilité que deux individus trouvent le bonheur dans le cadre d'une relation engagée, à long terme. On considère, par exemple, les aînés comme des risques conjugaux: ils ont tous deux l'habitude de prendre les choses en main, et ils lutteront vraisemblablement pour savoir lequel des deux sera, comme le pape, «le premier des premiers», le tout-puissant. Selon le professeur Toman, deux enfants uniques affronteront le même genre de difficultés.

Je connaissais bien les textes à propos des effets de l'ordre de naissance, et j'en suis toujours restée perplexe; pourtant, le comportement de Laura et de Tom l'un envers l'autre a toujours eu un petit air grande soeur (petite maman)/mauvais garnement. Quand je lui ai demandé de me parler de sa vie dans sa famille fondatrice, la première chose que Tom m'a dite, c'était: «Ce qu'il y a de plus important, c'est que six années me séparaient de ma soeur aînée. Ma mère avait fait une fausse couche entre nous deux.»

Il s'arrêta, avant d'ajouter:

«C'est, je crois, ce qui m'a intéressé au journalisme et à la photographie; je passais mon temps à observer les autres.»

Je ne voyais pas très bien le rapport entre le vide de six ans et l'impression d'être un observateur, quelqu'un qui semblait vivre quelque part en marge de la famille (comme le père de Laura).

«Regarder vivre les gens, osai-je en tentant d'éclaircir la teneur de ses propos; au lieu de vivre soi-même. Est-ce que c'est ce que vous voulez dire?

— Jusqu'à un certain point, répondit-il prudemment; c'est ce que j'ai fait.

— Pourquoi avez-vous adopté cette stratégie-là?»

Il avait été très seul, expliqua-t-il. Ils n'avaient pas de télévision à l'époque, et Tom passait son temps dans la cour, à faire des bottés de placement.

«Tout seul?» demandai-je.

Il hocha la tête et acquiesça d'une voix triste.

«N'y avait-il pas d'autres enfants dans le voisinage? m'informai-je.

— Bien sûr qu'il y avait d'autres enfants dans le voisinage, mais même quand j'étais très jeune...»

Il s'arrêta avant de déclarer:

«Je jouais avec eux, mais j'étais différent.»

Je me souvins de la contrariété qu'il avait montrée quand, pour les besoins du génogramme, je l'avais représenté par un carré. Il raconta comment, dans sa petite enfance, des enfants plus âgés du voisinage l'avaient cerné un après-midi et lui avaient attaché les mains derrière le dos. Ils l'avaient ensuite pendu à une branche d'arbre, et il était resté là, suspendu par les pieds. Laura chercha sa respiration.

Je me tournai vers elle et lui demandai:

«C'est la première fois que vous entendez cette histoire?

— Oui!» s'exclama-t-elle d'une voix stupéfaite.

Est-ce que cette histoire avait été exclue de leurs échanges intimes parce qu'elle parlait de la vulnérabilité de Tom et parce que, dans leur relation, Laura était celle qui avait droit à la vulnérabilité?

«Dans un certain sens, coupa froidement son mari, c'était amusant.»

Amusant? Étonnées, Laura et moi le fixâmes. Et je dis, sur le ton de la plaisanterie, que ça avait l'air follement amusant! Toujours d'une voix morne, il admit que ça avait été un incident humiliant.

«Mais ce n'était pas sans plaisir; le plaisir physique, vous savez... celui qu'on a à se balancer à un arbre. Combien de gens ont la chance de se balancer pendus par les pieds?»

Il était, réalisai-je, parfaitement sérieux; il avait du mal à répondre avec ses émotions à ce qui avait dû être un événement extrêmement douloureux.

«Une occasion rêvée, pour le moins!» ironisai-je.

Il sourit, hocha la tête et admit que, dans le sillage de cet événement, il avait en quelque sorte été marqué dans le voisinage.

«Les enfants riaient et s'esclaffaient: «Hé! c'est le gars qui a été pendu par les pieds!»

— Le plus difficile, c'était donc l'humiliation?

— Oui, reconnut Tom; c'était ça.»

Sa mère, professeure, rentrait à la maison aux environs de quatre heures et demie tous les après-midi.

«Vous étiez alors, m'enquis-je, un enfant isolé qui plaçait des bottés tout seul dans la cour, après l'école?

— Pas toujours, répondit-il; mais la plupart du temps. Les autres fois, j'étais avec des amis du quartier...»

Pourquoi ne jouait-il pas toujours avec les autres enfants, poursuivis-je.

«Parce que, supposément, riposta-t-il, j'étais meilleur qu'eux. Ils étaient peut-être plus forts, mais ils n'étaient sûrement pas plus fins. Notre famille était mieux placée, nous étions plus intelligents... C'est ce que ma mère pensait, de toute façon. Et nous avions tendance à penser de la même manière.»

Diana, la mère de Tom, avait 42 ans au moment de sa naissance; son père, Martin, avait le même âge. Diana avait 70 ans, au moment de nos entrevues; Martin était mort: il était décédé subitement d'une crise cardiaque l'année où son plus jeune fils avait eu 14 ans.

Les hommes de Laura, notai-je en jetant un regard rapide à la carte familiale que je construisais, avaient été privés de leur père tôt dans leur vie; son grand-père paternel était même mort quand son père était au berceau.

D'autres similarités constellaient l'environnement de ces partenaires: tous les deux avaient, par exemple, des pères relativement âgés (qui étaient au début de la quarantaine lors de la naissance de ces enfants tardifs); la mère de Tom avait été bien «vieille» pour devenir une jeune mère. Laura et Tom provenaient aussi d'assez nombreuses familles: dans les deux cas, il y avait cinq enfants et une grand-mère. La grand-mère paternelle de Tom et la grand-mère maternelle de Laura vivaient avec leurs familles respectives.

À ce moment-là, le génogramme des Brett ressemblait au tracé de la page suivante.

Anglais/Écossais/Hollandais/Allemands

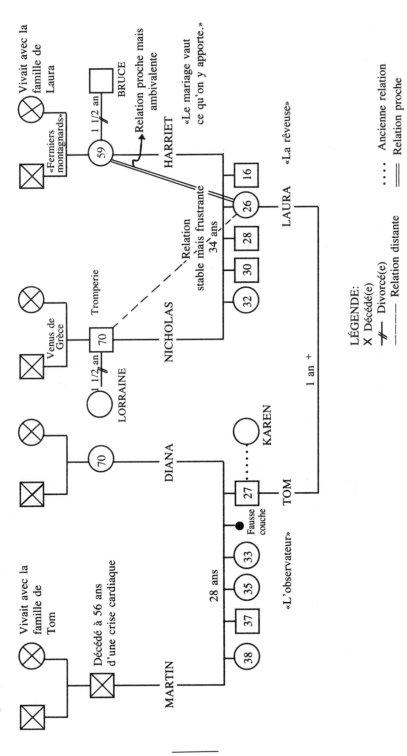

LÉGENDE:
X   Décédé(e)
━╫━   Divorcé(e)
━━━   Relation distante
· · · ·   Ancienne relation
═══   Relation proche

Les étranges parallèles entre leurs deux côtés de la feuille du génogramme familial était, en vertu de mon expérience, très fréquents. Chaque fois que j'en rencontrais ainsi — ce qui arrivait souvent —, je devais m'arrêter et réfléchir... Quand ils tombaient amoureux, les partenaires du couple *savaient-ils*, par exemple, à un niveau inconscient, qu'ils avaient tous deux souffert d'asthme durant leur enfance? Avaient-ils *conscience* que les mères de leurs deux familles fondatrices avaient souffert de dépression qui avait pris la forme d'hypochondrie chez l'une et de symptômes franchement dépressifs chez l'autre?

Il arrive très souvent que des problèmes similaires (comme l'alcoolisme, la perte d'un parent, ou même le temps passé dans un orphelinat) surgissent des deux côtés de l'arbre familial! Nous, les humains, devons, je crois, posséder de puissants moyens de connaître l'autre; c'est ce savoir qui nous attire de manière inexorable, quasi hypnotique, vers la personne qui deviendra notre partenaire. C'est en quelque sorte la reconnaissance de ce qui nous est familier. Après tout, les termes «familier» et «famille» dérivent de la même racine.

Ce qui m'intrigua, à ce moment-là, fut comment le père de Laura (en marge de la famille, à moins d'être fâché contre quelqu'un) et son mari (l'observateur de la vie de ceux qui l'entouraient, plutôt que le participant à la vie commune) avaient été perçus comme des «étrangers».

À quoi ressemblait la relation de Tom avec sa mère? demandai-je. Petit garçon, comment s'entendait-il avec elle; comment avait-il perçu cette relation; et comment la percevait-il maintenant? Le visage sans expression, la voix moqueuse, Tom répondait que la relation avait été «filiale».

Je souris.

«Filiale, répétai-je avant de me mettre à rire. Voilà une réponse sans émotion... mais je ne pense pas que vous m'ayez, en fait, révélé quoi que ce soit.»

Dans un haussement d'épaules prolongé, il élabora:

«Elle m'a toujours semblée très matrimoniale.»

Je le regardai sans rien dire: il n'avait pas l'air de se rendre compte de ce qu'il venait de déclarer. Bouche bée, Laura le fixait aussi.

«*Matrimoniale*?» répétai-je bien vite, avant que Laura ne lui fasse remarquer son lapsus. Que voulez-vous dire au juste?»

J'eus à ce moment-là l'impression qu'il comprenait l'erreur qu'il venait de commettre, mais il ne retira pas le mot et n'admit pas qu'il avait voulu dire «*maternelle*».

«Ma mère m'a donné *Le Prophète* de Kahlil Gibran, et Laura m'a raconté que les amants se donnent ce livre-là.»

La voix de Tom restait neutre, détachée de toute teinte émotionnelle. Ajustant le ton de ma voix au sien, je reconnus que *Le Prophète* était certainement un poème amoureux. Et puis le silence retomba.

Au lieu d'admettre son étonnant lapsus, Tom en rendait sa mère responsable: c'était *elle* qui avait tenté de le séduire en lui donnant un présent «que les amants s'offrent l'un à l'autre». Toute ambiguïté quant à la nature de leur relation venait, en d'autres termes, du comportement ambigu de *sa mère*, pas de lui.

Tom reprit le cours de son récit après quelques instants, comme si rien ne s'était produit.

«Elle et moi sommes très différents. Elle est tout de même de compagnie très agréable, on peut rire du monde entier avec elle; et elle est très intelligente. Elle a quand même une façon de faire l'idiote, de prétendre que les hommes sont supérieurs, qui *nous* lance, qui nous fait plaisanter, elle me sert de faire-valoir.»

Il parlait vite et sur le ton relativement neutre qu'on utilise pour discuter avec une vague connaissance.

Il avait, me semblait-il, contourné de façon défensive ce qui avait semblé être une question très chargée d'émotion. Laura paraissait de mon avis, parce qu'elle se tourna vers moi et lança, avec irritation:

«Est-ce que je peux ouvrir une parenthèse à propos, je pense, de ce qui se dit ici? Tom et sa mère n'ont pas tout à fait réalisé — et même, n'ont pas réalisé *du tout* — qu'ils ne compléteraient jamais l'un et l'autre leurs mondes respectifs. C'est pourquoi, je crois, sa mère lui garde une brosse à dents dans son nouvel appartement. Les enfants sont tous partis — *sans exception* —, mais elle garde quand même une brosse à dents chez elle, juste pour Tom! Même s'il n'a jamais vécu là!»

Tom objecta tout de suite qu'il avait déjà vécu avec sa mère dans ce nouvel appartement pendant trois mois, mais il reconnut qu'elle lui avait acheté récemment une nouvelle brosse à dents. Son travail devait l'amener à Boston — où elle vivait — une nuit par semaine au cours des quelques prochains mois.

«J'avais d'abord prévu, précisa Tom d'une voix raisonnable, passer cette nuit-là avec elle, chez elle, ce qui est pratique, puisque...

— Ça m'a rendue *furieuse*, coupa Laura. Et j'ai dit non, il ne pouvait pas faire ça! Je n'ai pas dit ça: j'ai crié! «Non, tu ne feras pas ça: ce n'est pas une bonne idée de retourner à la maison et de vivre avec maman!»

Son teint s'était empourpré, et ses joues avaient pris tout à coup une couleur rose foncé.

«À cette époque-là, ajouta-t-elle en se tournant vers son mari, toi et moi avons commencé à parler beaucoup de la brosse à dents. J'ai l'impression que ta mère et toi n'avez pas vraiment renoncé l'un à l'autre; tu ne t'es pas encore aperçu que tu ne rentreras pas chez toi un de ces jours pour lui appartenir!»

J'étais stupéfaite. Le triangle Laura-Tom-Karen se présentait comme les membres du couple et l'ancienne partenaire du mari. Mais voilà qu'apparaissait la réplique de cette figure, avec des partenaires identiques, sauf que l'«attachement antérieur» de Tom était en réalité le premier attachement de sa vie.

4

L'amour en soi

Qu'est-ce que l'amour?

Qu'est-ce qui rend une certaine personne «spéciale», désirable, «correcte» et aimable aux yeux de quelqu'un d'autre? Sur quoi se fondent nos choix émotionnels, ces attachements amoureux qui, une fois formés, serviront à organiser et à régir tellement d'aspects de nos existences?

Sous certains rapports les réponses à ces questions sont tellement évasives qu'on a même l'air naïf quand on les pose! Et pourtant, on *peut* dire que chacun de nous porte un ensemble de convictions profondément ancrées en lui, un modèle de relations intimes, un genre de patron, une sorte d'hypothèse à propos de ce qu'on ressent quand on aime et qu'on est aimé. Ce projet intégré de relations intimes (qui inclut assurément l'image pas tout à fait articulée, très rudimentaire et malgré tout puissante de celui ou de celle qui devrait un jour être notre partenaire intime) fait partie de ce que les psychologues britanniques comme Murray Parkes ont nommé le «monde hypothétique» de l'individu.

Ce monde hypothétique, écrit le docteur Parkes, «c'est le seul monde que nous connaissions qui inclut tout ce que nous savons, ou pensons savoir. Il comprend notre interprétation du passé et nos espérances, nos projets et nos préventions.» Nous anticipons ce qui nous arrivera en vertu de ce qui *s'est produit*, non seulement en vertu de ce qui s'est vraiment passé, mais également en vertu de l'interprétation que nous avons faite de ces expériences.

Quand vient le temps de former des relations amoureuses adultes, nous partons dans une large mesure des hypothèses que nous avons émises très tôt dans le cours de notre histoire individuelle. Tout acte amoureux de la vie adulte trouve son prologue originaire dans l'enfance, à une époque perdue pour la conscience de la personne adulte et où le premier attachement passionné de la vie s'est lentement formé et installé.

L'ÉVEIL À L'AMOUR

Imaginons un nourrisson de deux mois, blotti entre les bras de sa mère qui le nourrit. En buvant, il pose la main sur la poitrine nue de sa mère. Et puis, repu, il s'écarte du mamelon et se recule pour considérer le sein.

Quand saura-t-il que la petite main posée là lui appartient et que la poitrine appartient à sa mère? Quand pourra-t-il distinguer son «je» de tout le reste, de tout ce qui n'est pas son «moi»? Abandonné au monde océanique, intemporel et éternel de la petite enfance, son être et celui de celle qui en prend soin ne font qu'un.

Avant que le jeune bébé ne se développe suffisamment pour se faire une idée de son monde — une réalité psychique personnelle que son être inclut et contient —, sa mère et lui, espaces intérieurs et extérieurs, se confondent, fusionnés. La douleur de la faim qui vient du dedans et le soulagement de cette douleur qui vient du dehors ne font aussi qu'un: la vie est pour lui une série fortuite de sentiments intenses, correspondant à ce qui arrive à l'intérieur et à l'extérieur. L'enfant n'a pas encore intégré ces notions: il ne les a pas encore organisées pour en faire un modèle de compréhension; ainsi la source du besoin qu'il ressent (c'est-à-dire la faim intense qui émane du dedans) et l'origine du soulagement (c'est-à-dire le lait, dispensé depuis le dehors) restent pour lui indifférenciées.

Depuis cet état psychologique primitif (de symbiose émotionnelle totale avec un Autre, affectueux, intuitif, compréhensif, qui satisfait nos besoins), nous nous éveillons doucement au monde des humains. Dans la foulée de cet éveil, nous commençons à poser des hypothèses quant à la définition de l'amour intime. À mesure que nous apprenons à connaître et à reconnaître ceux qui prennent soin de nous — particulièrement notre mère — se développent en nous des sentiments d'attachement si impérieux qu'il ne serait pas exagéré de prétendre qu'il s'agit là de la «première grande passion de la vie humaine».

Plutôt que toute autre personne, le bébé considère sa mère comme un être qui lui est tout à fait nécessaire et irremplaçable. Durant la première année de leur vie, les enfants passent de la simple reconnaissance de la mère en tant que personne spéciale à la découverte «qu'elle est la source de la joie, qu'elle est celle qui soulage les faims corporelles, celle qui console, qui protège, qu'elle est la personne la plus indispensable du monde», pour citer l'experte en développement de l'enfant, Selma Fraiberg.

En soi, sa présence engendre les sentiments de sécurité, de satisfaction et de contentement chez l'enfant. «Tout amour, écrit la psychologue Fraiberg, même à la fin de la vie, commence par un sentiment d'exclusivité. «Tu es la seule qui compte, la seule.» Ce cercle d'amour magique inclut aussi, durant la petite enfance, le père et quelques personnes triées sur le volet; il n'englobe cependant pas encore les étrangers.»

LES SENTIMENTS DE SÉCURITÉ ET DE SÛRETÉ

Tôt dans la vie, les sentiments les plus puissants sont ceux que le bébé ressent à l'endroit de celle qui le soigne: la mère. Dès l'aube de la conscience, les sentiments de sécurité sont liés au pouvoir de posséder, d'avoir proche de soi et disponible cette autre personne. La mère devient pour son enfant ce que les scientifiques ont convenu d'appeler une «figure d'attachement», c'est-à-dire une partenaire aimante avec qui l'enfant peut former un lien émotionnel intense.

Si, à cause d'une situation malheureuse, le bébé ne trouve pas de figure d'attachement, l'être humain en pleine croissance montrera des déficits mentaux et physiques étendus avant la fin de sa première année de vie. En d'autres termes, il n'est pas question pour la mère de se contenter de nourrir ou de soigner convenablement un bébé. Les nourrissons ont besoin d'établir une relation émotionnelle avec une soignante aimante et protectrice. Chaque individu connaît ce besoin psychologique qui se manifeste très tôt dans l'existence. (Ce postulat ne se vérifie pas qu'avec les humains; il s'applique aussi aux groupes de primates de la même famille, comme nos cousins les plus proches, les chimpanzés, chez qui se forment aussi des attachements mère/enfant forts et durables.)

Une étude portant sur les enfants trouvés placés en hospice, un classique des écrits en psychologie, a prouvé cet état de fait de manière saisissante, bien que cruelle. Dans le cadre d'une recherche menée au milieu des années 1940, le docteur René Spitz a démontré que les bébés placés dans un environnement hygiénique isolé (huit enfants pour une nurse) manifestaient, à la fin de la première année de vie, les signes d'un profond retard, autant mental que physique. Ils pleuraient souvent, ne souriaient jamais, et aucun d'eux n'avait commencé à parler.

Ils étaient aussi apathiques, ne réagissaient pas et attrapaient facilement des infections; le taux de mortalité chez ces nouveau-nés (qui avaient tous été séparés de leurs mères prisonnières au moment de la naissance ou peu après) était, en fait, étonnamment élevé. Avec une surprenante netteté, le travail du docteur Spitz a prouvé que la disponibilité d'une partenaire aimante est une condition essentielle au développement normal du nourrisson, et parfois même à sa survie.

L'AMOUR PRÉPROGRAMMÉ

Le besoin qu'a le nouveau-né d'aimer profondément le soignant est probablement inné chez l'espèce humaine, comme le démontrent bien des preuves scientifiques rassemblées au cours des quelques dernières décennies. Il semble que nous, humains, soyons faits pour développer des liens émotionnels forts avec nos parents, tout comme ils sont psychobiologiquement préparés («préprogrammés», pour ainsi dire) pour aimer, pour protéger et pour soigner. En d'autres termes, l'amour qui croît entre les bébés et les parents n'apparaît pas de façon gratuite ou par chance. Au contraire, du point de vue de la biologie évolutionniste, la tendance quasi universelle à former des attachements émotionnels potentiels relève de la logique de l'adaptation. Ces liens favorisent la *survie* du nouveau-né, une manière pour le moins étrange, il faut le reconnaître, de concevoir l'amour!

Le nouveau-né humain dépend, en effet, totalement, de la protection et des soins de ses parents. Les bébés humains sont, en réalité, les nouveau-nés les plus démunis de la nature. Les liens émotionnels profondément ressentis, perçus comme *le besoin de se trouver près de l'être aimé*, encouragent et le nourricier et l'enfant nécessiteux à rester proches l'un de l'autre. Cet état de fait stimule l'émergence d'une situation dont bénéficient les deux parties, parce que le bébé ne peut évidemment pas survivre sans la protection attentive, sans l'éducation et parfois même sans le sacrifice des parents. C'est l'étendue de leur propre attachement, jointe à l'investissement émotionnel qu'ils placent en leur enfant, qui vaut la peine.

Pour cette raison, le lien qui s'établit entre nourriciers et nouveau-nés produit des effets sur le comportement de chacun: il parle de la vie aux «professeurs» et de la nécessité de rester proches aux «apprentis», il les oblige à constater leur proximité mutuelle et à considérer le bien-être comme essentiel du point de vue émotionnel. L'individu qui se développe conserve ainsi un sentiment de sécurité relative pendant une longue période, un avantage du point de vue de l'adaptation, parce que les leçons compliquées que l'enfant doit apprendre, avant de pouvoir survivre indépendamment, comportent des difficultés énormes, subtiles et prolongées.

LA RÉALITÉ HUMAINE

Le besoin psychologique de la présence de la mère que ressent le bébé (un besoin prévisible durant les premiers mois de la vie) donne inévitablement lieu à des sentiments d'anxiété et de peur. Pour le nourrisson qui grandit, qui sort d'un état de subjectivité pur, commence l'appréhension de sa différence et de son individualité par rapport à la personne nourricière. La reconnaissance naissante du «moi» (lui-même) et de «tout ce qui est extérieur à moi» (ce qui ne comprend pas seulement la nourriture et les soins attentifs de la mère, mais aussi la mère elle-même) s'accompagne d'une conscience inconfortable et originale: maman, en tant qu'individu distinct, peut s'en aller et le petit peut être tout à fait abandonné.

En commençant à différencier son moi de l'union symbiotique avec le soignant, le bébé qui grandit a découvert sa solitude ultime et y répond avec crainte et protestation. Dorénavant, avec toute l'information primitive dont il dispose, il montrera tous les signes de son atroce dépendance et de son amour. Il fera tout ce qu'il peut pour garder sa mère à proximité.

À mesure qu'ils émergent de la symbiose mère-enfant, les jeunes bébés font montre d'un certain nombre de réponses prévisibles, que l'on appelle des «comportements d'attachement». Entre un et trois ans, de manière attendue, ils s'opposeront au départ de leur mère, ils pleureront et s'accrocheront à elle; si la chose leur est possible, ils tenteront de la suivre. Si elle quitte tout de même les lieux, l'enfant l'accueillera d'un air extasié au retour (en bref, par son comportement, il punit les départs et récompense les retours).

S'il joue près de sa mère et s'éloigne, l'enfant se précipitera vers elle à la seule pensée d'une menace possible. Il trouve dans ses caresses la sécurité et le confort; elle incarne, pour son enfant, la sécurité. En passant, le comportement du bébé ne diffère pas de celui de nos cousins primates dans la nature: les bébés singes et gorilles s'attachent à leurs mères et associent la sécurité à la présence de la mère à proximité.

Pour les primates comme pour les humains, la réalité est que les jeunes bébés tombent désespérément amoureux. Même s'il est évident qu'il existe d'autres personnes importantes dans le monde humain, au début de l'existence, une bonne partie du comportement amoureux a la mère pour objet. Les études ont montré que les sourires des bébés (et le sourire est le signe d'accueil universel chez les humains) s'adressent plus souvent à la mère qu'à toute autre personne et qu'ils sont plus importants et plus heureux que ceux qui se destinent à tous les autres.

CHAGRINS PRÉCOCES

Non seulement les bébés tombent-ils amoureux, mais encore expriment-ils une détresse sans nom lorsque le parent aimé n'est pas disponible. Ils traversent en fait une période de deuil, un chagrin intense que le psychanalyste britannique John Bowlby (dans son ouvrage, *Soins maternels et Santé mentale*, Organisation mondiale de la santé, 1954) a comparé à celui de l'adulte dont le conjoint est décédé, est parti ou a divorcé. Telles qu'elles sont décrites par le docteur Bowlby, les réactions du petit enfant passent de la «protestation» au «désespoir» puis au «détachement».

Au premier stade de la séparation (la protestation), le bébé manifeste son refus: il pleure, il hurle, il s'évertue frénétiquement à se sauver et à rejoindre sa mère. En même temps, il existe en lui une attente excitée: il s'attend à son retour immédiat. Il refuse — farouchement — qu'on le console, parce que sa mère elle-même le fera. Selon Bowlby, cette réaction s'étendra sur une période qui va de quelques heures à plus d'une semaine.

Le désespoir succédera à la protestation. Désormais, le petit enfant sera plus tranquille: il pourra renifler et même sangloter de temps à autre, mais il aura l'air de plus en plus désespéré. Son apparence abattue ressemble à celle de l'adulte victime d'une catastrophe émotionnelle quasi inimaginable. Finalement, surviendra la troisième phase de la réaction à la séparation: le détachement.

À ce moment-là, l'enfant devient plus sociable. S'il est hospitalisé ou s'il vit en famille d'accueil, il établira des relations avec les infirmières et les employés. Si sa mère lui rend visite toutefois, le comportement d'attachement normal inhérent à cette période de la vie n'apparaîtra pas: l'enfant se détournera tout simplement, avec indifférence, du parent qu'il avait déjà aimé passionnément. Il se conduira comme s'il s'en fichait éperdument.

Si la séparation n'a pas duré très longtemps cependant, sa froideur apparente ne fera pas partie de la personnalité du petit qui se développe. Après un certain temps, la froideur surseoira et cédera le pas à une période de pleurnicheries, d'affolement et d'enlacements frénétiques (ce que la mère ne trouvera pas nécessairement facile à tolérer!). Même si, durant son absence, il a été traité affectueusement et qu'on s'est bien occupé de lui, il laissera savoir à sa mère — au moyen de ses étreintes fougueuses — que son sentiment de sécurité est irrémédiablement lié à sa présence désespérément chérie et nécessaire.

LA DÉTERMINANTE FIGURE CHÉRIE

«L'anxiété inhérente à la séparation semble faire partie de l'être humain, et constitue un mécanisme instinctif», écrit le psychiatre

Michael Liebowitz dans *la Chimie de l'amour. Le Cerveau commande-t-il à l'amour?* (Montréal, l'Homme, 1984). Elle a pour fonction, note-t-il, d'empêcher le petit être sans défense de s'éloigner de ceux qui en prennent soin. «Plus l'espèce est sophistiquée, plus l'angoisse de séparation semble apparaître tard dans la vie. On dit que les bébés singes rhésus s'élèvent contre l'absence de leur mère environ deux semaines après leur naissance, tandis que nous ne remarquons pas cette manifestation chez les bébés chimpanzés avant l'âge de trois mois.»

Le moment où apparaît l'angoisse de séparation chez le nourrisson humain n'est pas clairement établi, fait encore remarquer le docteur Liebowitz:

> Certaines études rapportent l'occurrence de pleurs au départ de la mère, et de tentatives pour la suivre chez des enfants dont l'âge varie de quatre à six mois. À neuf mois, nombre de bébés expriment de la détresse au départ de leur mère, et manifestent du plaisir en souriant, en tendant les bras et en émettant des gazouillis heureux à son retour. La détresse qui suit le départ d'une personne particulière, les signes évidents de confort au retour de cette personne et la résistance aux efforts des autres pour le réconforter indiquent tous que l'enfant a établi un lien spécifique avec cette personne. En fait, ces signes soulignent également l'attachement chez l'adulte.

Les sentiments d'attachement donnent naissance à l'impression que la sécurité émotionnelle (le sens de l'appartenance, le sentiment d'être chez soi) se trouve auprès de l'être chéri. Pour le jeune bébé, la mère devient une figure déterminante; elle est le foyer de l'enfant dans le monde. Elle est son premier partenaire intime que remplacera un jour, comme le rapporte Michael Liebowitz, la figure déterminante de l'amant ou du compagnon. C'est à partir de cette première relation amoureuse de l'existence toutefois que le petit humain se construira un gabarit, un modèle rudimentaire de relation amoureuse.

Pour le très jeune enfant (entre six et quinze mois), le passage de la conviction que le parent fait partie de lui à la réalisation qu'il est un individu distinct et différent représente un exploit du point de vue du développement. Le prix à payer pour cette prise de conscience est cependant extrêmement élevé: le rêve paradisiaque, la vision d'unité, d'enfouissement dans un Autre, aimant et intuitivement perceptif, s'est perdu. Quelque part au fond de l'enfant subsistera une quête à peine perceptible d'union totale: le jardin d'Eden qui survit par-delà la mémoire, quand la réalité de la séparation humaine et de la solitude n'existait pas.

LE FANTASME DORÉ

En amour, c'est cette vision édénique-là qui, je crois, reprend vie. L'amour équivaut à la perception d'une mélodie fantasmatique, d'une série de notes autrefois familières que l'on retrouve chez l'Autre. «Quelle est donc l'image que l'amant perçoit?», demande le psychiatre Theodore Lidz dans son livre *Le Schizophrène et Sa Famille* (Paris, Navarin, 1987).

Certains traits de caractères produisent l'écho du modèle parental amoureux primitif. La ressemblance peut être évidente, ou, à cause de la crainte de l'inceste, se dissimuler derrière des caractéristiques remarquablement distinctes, comme la différence marquée dans l'apparence physique, la race ou la religion.

La personne amoureuse ne fait pas seulement «écho» à quelque chose qui lui rappelle l'être cher originel, elle revit aussi une partie de cette relation. Ce qu'on a appelé la «fantaisie dorée», le désir de fusion à l'Autre dans le bien-être et dans l'unité, s'est réveillée. Comme le note le docteur Lidz, quand elle regarde son partenaire intime, elle «perçoit en conséquence un admirateur et elle trouve dans les yeux de l'Autre l'attirance dévouée qui se rapporte à la fixation du nourrisson sur les yeux de sa mère aimante et *admirante*».

Quand vient le temps de choisir un partenaire intime, ce qui convient est, jusqu'à un certain point, ce qui a déjà été et ce qui est familier. C'est ce qui «fonctionne» en vertu du gabarit intérieur quant à la définition du partenariat intime. «Les raisons qui motivent la soudaineté et l'intensité du sentiment amoureux, écrivent Lily Pincus et Christopher Dare dans *le Patient et le Psychanaliste* (Paris, Presses universitaires de France, 1975), appartiennent d'ordinaire à l'inconscient. Le choix d'un partenaire conjugal, qui semble souvent très rapide, fondé sur relativement peu de connaissance consciente de l'Autre, démontre éventuellement une grande précision quant à la complémentarité des personnalités et même des expériences de vie des partenaires. Les couples présentent souvent des similitudes surprenantes en termes d'expériences enfantines, ce qu'ils ne découvrent qu'une fois mariés ou qu'après avoir pris la décision de le faire.» (Cela explique peut-être les curieuses similitudes entre le côté masculin et le côté féminin du génogramme des partenaires!)

Dans un partenaire, nous avons tendance à trouver (ou bien nous cherchons) la personne susceptible de nous aider à entrer en contact avec les aspects archaïques à peine perçus et pourtant puissamment significatifs de notre moi intérieur. Le partenaire conjugal est l'individu qui, pour des raisons obscures, nous met en contact avec des parties de notre être tout à fait supprimées, oubliées, dont on se souvient cependant bien à un niveau presque cellulaire.

L'amour convoque les sentiments frustes de ravissement, d'enfouissement dans un univers d'intimité et de sécurité, un univers où deux personnes ne font plus qu'une, atteignent la compagnie parfaite, source du nourrissement idéal. L'amour rappelle les visions d'Éden enfouies loin, par-delà la perception de la solitude humaine. Il fait aussi appel à l'expulsion de cet état quasi onirique. Les visions et les fantaisies ainsi réveillées entraînent inévitablement dans leur sillage les souvenirs de la déception et les vieilles peurs: crainte de la séparation, terreur de la perte et, la pire de toutes les frayeurs humaines, la menace cauchemardesque de l'abandon.

Comme l'a dit le psychiatre H. V. Dicks, le mariage «équivaut chez l'adulte à la relation originelle parent-enfant». Dans le mariage, nous ramenons aussi à la vie, non seulement l'intensité de nos premiers attachements, mais aussi la suite des anciennes frustrations et des haines réprimées. Ce que l'on cherche si fréquemment chez un partenaire — et *ce que l'on combat avec ce partenaire* —, c'est un problème irrésolu par rapport à un parent.

En recréant dans le cadre de la nouvelle relation les questions conflictuelles de la famille fondatrice, certaines personnes s'organisent pour quitter la maison familiale sans jamais vraiment s'en aller.

«JE N'ÉTAIS PAS LÀ»

L'élaboration d'un génogramme familial est un processus très simple. Les questions posées sont évidentes; elles ne posent pas de menaces, elles semblent inoffensives. Tout ce dont on a besoin, c'est de la cueillette systématique d'informations historiques et factuelles à propos des relations importantes de chaque partenaire, dans sa famille fondatrice. Pour toute personne, répondre à ces questions ne devrait pas être plus complexe que de remplir un formulaire de déclaration de revenus. Et pourtant, en demandant tout simplement à un conjoint de fournir le nom d'un parent et de parler de lui pendant un certain temps, on peut ouvrir une véritable boîte de Pandore de souvenirs, de fantasmes, de rêves, de colères, de réflexions et d'angoisses. À un certain moment surgit l'information qui n'a jamais été partagée avec quiconque auparavant, y compris avec le partenaire intime. Le processus qui provoque cette réaction n'a jamais été parfaitement clair pour moi: il reste jusqu'à un certain point mystérieux. J'imagine que la pertinence et la tension se cachent dans le souvenir des premières relations et dans la perception qu'on en a.

Je demandai à Tom de me dépeindre son père, Martin. Se classait-il parmi les «observateurs» ou parmi les «participants»? Étaient-ils proches l'un de l'autre avant la mort de Martin, alors que Tom était encore adolescent? D'une voix objective de reporter, le jeune époux répondit que son père avait été un «drôle de gars». Ils n'avaient pas été proches l'un de l'autre, «du moins, précisa-t-il affectueusement, avec sensibilité, j'imagine que nous étions aussi proches que le sont habituellement les mâles américains». Tom avait l'air d'en douter.

«Et comment décririez-vous le mariage de vos parents?

— *Il* n'en parlait jamais; *elle* prétend maintenant que le mariage était extraordinaire.» Il haussa les épaules comme s'il voulait signifier que tout le monde avait droit à son opinion, y compris moi.

«Vous viviez vous-même dans la maison, fis-je remarquer; j'aimerais donc avoir votre impression personnelle?»

Il répliqua qu'il ne les avait jamais vus se disputer. Il ne lui était, en conséquence, jamais venu à l'esprit qu'il pouvait exister d'autres genres de mariage que celui de ses parents, il ne pouvait concevoir qu'il puisse y avoir des relations différentes. «Mon frère aîné m'a tout de même demandé pourquoi, si leur mariage était si extraordinaire, chaque soir, au cours des dernières années qu'ils ont passées ensemble, ils avaient besoin de vider un gallon de vin avant de souper.

— C'est ce qu'ils faisaient?» m'enquis-je.

Il hocha la tête pour acquiescer.

«C'est ce qu'ils faisaient quand j'étais derrière la maison, occupé à faire des bottés de placement.»

En tout cas, songeai-je, ça allait contre l'opinion de sa mère à l'effet que leur mariage avait été extraordinaire; pourquoi autrement avaient-ils eu besoin de s'anesthésier tous les soirs?

«Pensez-vous que vos parents vivaient des tensions pour boire de la sorte? Un gallon de vin, c'est une grande quantité chaque soir.»

Tom hocha la tête, fronça les sourcils.

«Mon frère aîné a parlé à quelqu'un — un psychologue — des problèmes d'alcool de ma mère, et il a pensé qu'elle devait être une alcoolique limite.

— Diriez-vous qu'elle avait l'air déprimée?»

— Oui... oui, acquiesça-t-il encore. Elle était très déprimée; peut-être pas au sens clinique du terme, mais je pense qu'elle l'était tout de même aux yeux du profane... Après avoir bu, elle se mettait souvent à pleurer sans relâche. Elle se plaignait du fait que ma grand-mère — la mère de mon père — vivait à la maison avec nous. Et ma mère détestait franchement ça.

— Et où se trouvait votre grand-mère à ce moment-là?»

Je me demandai si la vieille femme entendait sa bru se plaindre de sa présence.

«Elle se trouvait à l'étage, hors de portée de voix, je pense» fit Tom en réponse à ma question muette.

Je baissai les yeux sur le tracé des familles des Brett. De chaque côté, un triangle empiétait sur la génération précédente. Sous la famille fondatrice de Tom, j'esquissai un triangle dont les pointes s'appelaient «père», «mère» et «grand-mère paternelle». Sous la famille de Laura, le triangle portait les étiquettes suivantes:

«mère», «père» et «grand-mère maternelle». Le génogramme ressemblait alors à celui de la page 116.

La mère de la mère de Laura avait vécu avec la famille jusqu'à sa mort (quand Laura avait huit ans). Avec son mari, la grand-mère «fermière» avait quitté les Appalaches pour s'installer à Chicago, peu avant la naissance de sa fille (la mère de Laura); durant son déménagement, elle avait intentionnellement détruit toutes les archives et toutes les photos de famille.

«Ma grand-mère les a tout simplement sorties, elle les a brûlées et a déclaré que nous ne serions plus jamais des habitants! m'avait raconté Laura au moment où nous bâtissions son côté du génogramme. Et puis, nous n'avions pas besoin de photos de tout ce pauvre monde! Ses enfants, disait-elle, n'auraient pas à se préoccuper de ça!

— Et adieu le passé!», m'écriai-je.

Le visage tout à coup marbré par l'émotion, Laura hocha la tête. Comme Tom, appris-je, elle s'était sentie proche de sa grand-mère. «Elle me lisait beaucoup d'histoires, rapporta Tom; surtout à l'époque où je me suis cassé la jambe...» Sa grand-mère avait, raconta-t-il, quitté précipitamment la maison familiale le jour de la mort de son père.

Dans la famille fondatrice de Tom, personne, selon lui, ne s'était vraiment querellé. Mais sa mère et son père avaient ingurgité des quantités impressionnantes de vin tous les soirs, tandis qu'il plaçait des bottés dans la cour.

«Quand vous avez vu pleurer votre mère à cause de la présence de votre grand-mère à la maison, j'imagine que vous vous êtes senti... écartelé? Parce qu'on dirait que vous étiez proche de votre grand-mère, mais que sa présence rendait votre mère malheureuse.

— Je ne voyais pas de conflit!» répliqua imperturbablement Tom. Manifestement, son père n'avait rien fait pour apaiser la mésentente entre les deux femmes.

«Quand il était question de ce qui se passait, son commentaire favori était: «Hmmmmph!» Il marmonnait «Hmmmmph», il donnait une tape sur la table et puis il s'amusait à claquer le fermoir de son étui à lunettes... pour passer le temps, je suppose. Il ne

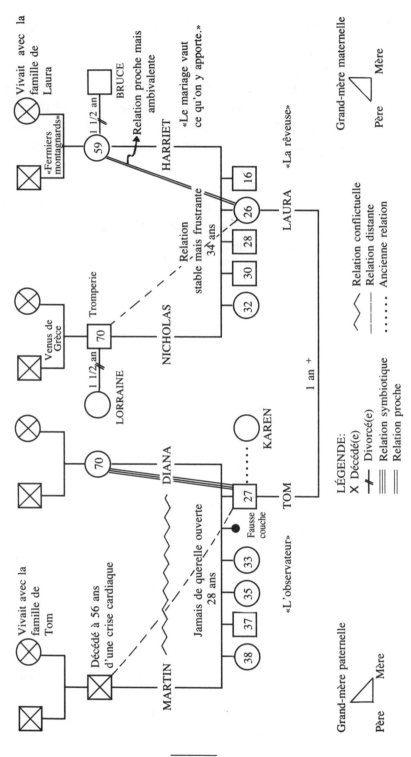

Anglais/Écossais/Hollandais/Allemands

116

répondait jamais de manière à s'engager», continua Tom en haussant les épaules.

Est-ce que son père avait été proche de sa propre mère, voulus-je ensuite savoir.

«Il l'appelait «mère», et il lui apportait un verre de vin à l'étage... J'imagine qu'elle savait donc ce qui se passait... En réalité, je me souviens qu'elle avait l'habitude de dire: «Eh bien, je vais monter et m'enfermer toute seule, comme d'habitude!»

Il se pencha en avant, comme si le contact avec sa mémoire lui avait subitement donné de l'énergie.

«Alors, ils se saoulaient tous les deux au rez-de-chaussée, tonna Laura avec indignation; et ta grand-mère buvait son verre de vin toute seule?»

Quand Tom acquiesça, son seul commentaire fut: «Fiou!»

Je lui demandai à ce moment-là comment il se sentait quand sa mère avait pleuré, que son père avait refermé et rouvert son étui à lunettes, et que sa grand-mère s'était assise toute seule à l'étage.

«Je ne m'en mêlais pas, répondit-il brusquement. Je n'étais pas là. Je n'en sais pas beaucoup là-dessus parce que mes souvenirs restent fragmentaires... des choses que j'ai entendues en passant dans le corridor, soit en rentrant de la cour, soit en sortant.»

Il parlait vite, comme s'il essayait de me faire oublier ma question suivante, ou comme s'il tentait de passer outre.

On aurait dit qu'il s'était assuré de n'être pas vraiment là, de ne pas faire partie de cette scène familiale; c'est ainsi, méditai-je, qu'un «étranger» avait été mis au monde. Baissant les yeux sur le génogramme des Brett, je songeai que les triangles grand-maternels des deux côtés de la feuille présentaient des similitudes avec ceux qui avaient d'abord causé tant de désarroi chez Laura et Tom. Une fois de plus, la configuration prenait l'allure de l'attachement antérieur de l'un des partenaires — qui générait de la sorte de l'angoisse et beaucoup d'émotions — et d'un couple qui s'éloignait, qui se querellait ou qui se querellait et s'éloignait.

QUAND L'AVENIR EST PLUS TENTANT QUE MENAÇANT

Remarquant tout à coup que Tom reluquait avec inquiétude son propre côté de la carte routière familiale, je m'arrêtai pour lui poser une question. Qu'est-ce qu'il aimerait voir se produire dans la maison qu'il avait fondée avec Laura et qu'il n'avait *pas* vu se produire dans la maison où il avait grandi?

«La discussion claire du conflit, affirma-t-il sans hésitation, apparaîtrait bien haut sur ma liste; avec ça, j'aimerais que l'on admette sans détour que l'on s'aime.»

Tom souhaitait connaître ce qu'il n'avait pas connu en tant que personne: un accès facile à ses propres émotions et une aisance à les communiquer. En général, il admettait davantage son sentiment quand il le percevait chez Laura.

Assise bien droite sur le canapé, Laura nota que, dans sa famille à elle, les individus avaient pu montrer leur colère, mais qu'ils avaient fait preuve de timidité quand il s'était agi d'exprimer leur amour.

«Quand je pense à ce que j'attends d'une famille, déclara-t-elle, je réalise que l'*engagement* vis-à-vis de Tom compte beaucoup pour moi! Je tremble à l'idée que quelqu'un pourrait ressembler à mon père et prétendre que je n'existe pas, sauf peut-être pour saloper. Je veux dire que mon père ne participait tout simplement pas! Et c'est quelque chose qui me rend folle! J'ai peur à la seule pensée que quelqu'un puisse tourner le dos et dire: «Je ne suis pas là», ou «Je ne suis pas responsable», ou «C'est pas mon problème: je ne m'en mêle pas!»...

Il y avait de la crainte dans sa voix; quand je levai les yeux, je vis la terreur peinte sur ses traits. Les déclarations du type «Je ne suis pas là», «Ce n'est pas mon problème» ou «Je ne m'en mêle pas» constituaient évidemment le genre de propos que s'était répété Tom pour se distancer émotionnellement de la situation qui prévalait dans sa famille fondatrice.

«Comme je sais à quel point ça t'effraie, dit-il doucement à sa femme, je prends peur... j'ai peur de tomber là-dedans.»

Laura poursuivit, indifférente.

Elle avait levé les yeux et les gardait fixés sur un coin de la pièce, comme si ce bout de plafond avait contenu le «futur».

«Je voulais avoir une maison, ou un foyer... Je veux dire les deux... En tout cas un endroit où les gens n'ont pas besoin de brûler les images du passé! Je ne veux pas que ça arrive, et c'est déjà *arrivé:* il y a tellement de façons de ne pas savoir dans ma famille, tellement de manières de se sentir mal dans sa peau, de ne pas savoir où nous allons, ou de ne pas savoir ce qu'il y a de honteux!»

Deux cercles rouges empourpraient les joues de Laura.

«Toute l'angoisse qu'il y avait chez moi, je n'en veux pas dans *notre vie à deux.*»

Le large geste du bras que fit Laura englobait aussi bien Tom qu'elle-même.

«Je trouve désormais l'avenir plus excitant que terrifiant, ajouta-t-elle avec ferveur. J'apprécie plus le passé qu'il ne me pèse... Tu peux vivre de cette façon-là, tu n'as pas besoin de te sauver! Le passé a le droit d'exister, et l'avenir aussi et oh!... — elle exhala un soupir de soulagement — bon dieu! que ça me fait du bien de penser ainsi!»

Ce jeune couple pouvait bien traverser des problèmes sérieux, songeai-je, les aspects positifs et plein d'espoir de la relation subsistaient toujours, ils étaient toujours maintenus. Laura ajouta cependant d'une voix quelque peu craintive:

«Je ne sais toujours pas si c'est possible... si ça se produira comme ça... Je ne sais pas, mais ça a l'air tellement bon...»

Elle acheva sur une note d'incertitude, et je me tournai vers Tom.

Est-ce que sa propre famille avait aussi semblé fuir le passé?

«Non, nous sommes de grands collectionneurs de photos, fit-il en secouant la tête. J'en étais un aussi, avant ma rencontre avec Laura. Mais j'ai bien du mal à faire face à... à mon histoire. Je veux dire à la réinterpréter... À tel point que j'ai dû jeter certaines de mes photographies, ce que je n'aurais d'ordinaire pas fait.»

Il était impossible d'ignorer l'irritation et la violence contenues dans sa voix.

«De quelle partie de votre passé avez-vous dû vous défaire? demandai-je.

— De mes relations avec les autres femmes» répondit-il de manière prévisible.

Nous en étions là où nous devions nous rendre, à l'endroit où nous devions nous buter sans cesse: la conviction de Laura — une sorte de destinée inéluctable — qu'elle serait toujours trompée par un menteur insensible dont les désirs véritables se porteraient vers quelqu'un d'autre, vers une figure du passé plus aimée, plus regrettée.

Je me demandai si une partie d'elle croyait que si Tom *ne brûlait pas* les photos de Karen, il maintiendrait une quelconque relation avec elle dans la privauté de ses pensées et de ses fantasmes, sinon dans la réalité. Les antécédents de la grand-mère de Laura pouvaient avoir laissé à sa petite-fille l'idée à peine articulée que la seule façon de s'occuper du passé et de chasser pour toujours une personne dont il ne serait plus jamais question consistait à détruire complètement toute preuve de son existence.

Par ailleurs, l'inquiétude obsessive de cette jeune femme au sujet de la nature de l'engagement antérieur de son mari non pas vis-à-vis d'elle mais vis-à-vis d'une figure du passé (Karen? sa mère?) convoquait peut-être certaines définitions de leur réalité mutuelle. Si c'était le cas, elle pourrait le poursuivre interminablement sans jamais l'attraper, parce que, psychologiquement, il n'était pas libre de l'aimer.

De plus, si c'était le cas, elle s'était vraiment liée à l'homme qui pouvait lui faire l'amour sans l'aimer, ce «monstre» sans coeur qui pouvait établir une relation intime sans s'ouvrir jamais à sa partenaire. Cet homme qui, dans un certain sens, la trompait, parce qu'elle n'était pas du tout la personne qu'il aimait. Le cauchemar de Laura menaçait en quelque sorte de prendre forme.

5

Heureux, jusqu'à la fin des temps

Quand ils se marient, la plupart des couples s'attendent à vivre heureux jusqu'à la fin des temps. L'espoir et les attentes dominent ordinairement les relations de *tout* couple lié. La confiance et l'optimisme flottent sur la relation, mais le doute et la peur nagent souvent juste sous la surface. Le lien profond de l'alliance conjugale dont nous attendons l'amour, l'amitié, la sexualité et, en temps et lieu, le partage de l'éducation des enfants, tend à susciter non seulement nombre d'attentes magiques et irrationnelles, mais aussi de la méfiance et de l'incertitude quant à la satisfaction de nos besoins et à la réalisation de nos désirs personnels.

Rares sont les couples qui, au moment du mariage, songent qu'un grand bouleversement (encore moins une rupture) peut *les* affecter. La majorité des couples que j'ai interrogés (y compris ceux qui s'étaient mariés dans des circonstances très inhabituelles) s'attendaient à trouver le bonheur après la cérémonie. Une femme, enceinte d'un autre amant, par exemple, a déclaré à l'homme qu'elle s'apprêtait à épouser, un étudiant de Princeton, qu'*il* était le père de l'enfant. Et pourtant, durant nos conversations, elle a admis qu'elle pensait trouver le bonheur avec son mari, que leur relation serait probablement bonne une fois qu'ils seraient mariés.

Les gens *s'attendent à être heureux* une fois qu'ils ont convolé, qu'ils ont franchi le seuil du mariage et refermé la porte derrière eux. Mais à l'instar de Laura et Tom Brett, lorsqu'ils connaissent des problèmes sérieux avant le mariage, ils mettent autant que faire se peut les augures problématiques de côté. En effet, symboliquement, le mariage réalise un vieux rêve, tient une promesse vague, celle de vivre heureux jusqu'à la fin des temps dans un embrasement romantique absolument lisse.

Voilà donc l'illusion qu'entretiennent obstinément la plupart des gens quand ils se marient. Non seulement espèrent-ils «être heureux», mais encore souhaitent-ils l'être plus que leurs parents, veulent-ils faire mieux qu'eux, sont-ils persuadés de réussir là où ceux-là ont échoué et devenir éventuellement de meilleurs parents eux-mêmes. Les partenaires croient qu'ils enseigneront au monde entier comment on bâtit une relation et comment on conserve l'amour vivant et essentiel. Ils créeront ce que Christopher Lasch a appelé «un refuge dans un monde sans coeur», un abri pour l'âme, un endroit où être soi-même dans un environnement de plus en plus aliéné, froid et indifférent.

Comme l'indiquent les statistiques sur le divorce (et il faut se rappeler que ces chiffres ne tiennent évidemment pas compte des mariages malheureux), les choses ne se passent pas très souvent de cette manière. Les partenaires qui se sont mariés dans l'espoir de vivre heureux jusqu'à la fin des temps s'enlisent fréquemment dans des problèmes qui ressemblent étrangement aux expériences familiales antérieures de l'un des deux (ou des deux). Le passé, c'est-à-dire ce qui appartient à l'histoire personnelle de chacun des conjoints dans sa famille fondatrice, a sa manière bien à lui de surgir dans le présent et de prendre part à la nouvelle relation matrimoniale.

On dirait que les vieux problèmes, comme des diables à ressort, se voient constamment repoussés dans les tiroirs de la mémoire et reparaissent à tout propos au coeur de la vie des partenaires. Les ennuis que l'un des conjoints a connus avec un parent (ou auquel l'un des conjoints s'est buté par l'intermédiaire des conflits de ses parents) deviennent les difficultés auxquelles se heurtent à leur tour les relations avec le partenaire. La colère qui a déjà bouillonné entre un père et son fils (ou entre deux frères, ou entre un petit-fils et son grand-parent) renaît dans la relation avec l'épouse ou peut-être avec l'enfant. Bien qu'on refuse d'ordinaire de l'admettre, on accepte à moitié que ce qui se passe *maintenant* relève de ce qui s'est passé, même si le rapport entre ce qui a *été* et ce qui *est* tend à demeurer inintelligible, voire désavoué pour ceux que ça touche le plus.

C'est dans nos relations intimes que ces choses-là se produisent «pour le meilleur et pour le pire»; c'est dans le contexte des liens émotionnels proches que ce qui est le plus secret, le plus personnel, le plus vulnérable et le plus irrationnel menace de faire surface. Plus nous sommes près d'un autre être, plus nous sommes près de nous-mêmes; pour nombre d'entre nous, cet état de fait présente un danger. Nous pouvons apprendre ainsi des choses que nous ne voulons pas du tout savoir. On pourrait nous voir comme nous sommes et nous abandonner.

À un certain niveau, quand nous nous marions, nous sommes subjugués par les espoirs irrationnels, comme celui de dispenser et de recevoir la gratification idéale. À un autre niveau, le besoin pressant de ressusciter les vieux modèles et les anciens conflits qui existaient dans la famille fondatrice de chacun des partenaires entraîne la peur inconsciente que «quelque chose de neuf» se mette tout à coup à ressembler à «quelque chose de vieux», à quelque chose qui nous est très familier. Le partenaire qui devait nous aider à nous *améliorer en regard du passé* se révèle très fréquemment l'individu qui nous ramène au système familial trop bien connu et qui fait ressurgir les fantômes des vieilles guerres.

«MOINS ON EN DIT, MIEUX ON SE PORTE»

Durant toutes nos conversations, le sujet de l'ancienne petite amie de Tom Brett continua à se manifester de temps à autre. Tom et Laura ne se disputaient plus interminablement à propos de Karen; jusqu'à un certain point, le sujet avait été banalisé à la suite de leur bref passage en thérapie pré-matrimoniale. Mais Karen, en tant que sujet explosif, n'avait pas tout à fait disparu de la relation des Brett.

Au début de nos rencontres, j'avais interrogé Laura pour savoir ce qui avait d'abord suscité sa jalousie. Sans poser la question à voix haute, je me demandai si elle croyait que Tom avait continué à voir Karen après le début de leurs fréquentations.

Dans les discussions au sujet des anciennes relations de l'un des partenaires d'un couple (ou d'une liaison, qu'elle soit actuelle, qu'elle ait pris fin récemment, ou qu'elle soit censée avoir pris fin), je trouve que le partenaire le plus réaliste est encore celui des deux qui se montre le plus méfiant, le plus circonspect. Je n'ai jamais tenu — et je ne tiendrai jamais — pour acquis que les pires appréhensions de l'un des conjoints ne peuvent pas correspondre à la réalité. Dans le cas de Laura: la crainte que Tom ait continué de voir son ancienne amie pendant un certain temps, ou même qu'il le faisait encore.

Elle ne semblait toutefois pas croire que c'était le cas, parce que, tandis que Laura admettait d'un bref hochement de tête qu'elle *avait été* jalouse, elle ajoutait aussitôt qu'elle n'avait pas été autant jalouse qu'«offensée». «*Offensée* — elle répéta le mot — parce qu'on ne lui avait pas dit la vérité.»

Le calme sourire de Madone flottait toujours sur ses lèvres. Malgré tout, j'eus l'impression de voir scintiller ses yeux: était-ce de la colère?

«À un moment donné, je ne savais pas exactement *contre quoi* je luttais», expliqua-t-elle d'une voix aiguë et pourtant parfaitement dominée.

Était-elle toujours son amie? N'avait-elle jamais été plus qu'une simple passade? Qu'est-ce que Karen était pour Tom, après tout?

Elle se tourna vers Tom assis près d'elle dans le canapé, et elle le regarda un instant comme on regarde un étranger. Puis, en revenant à moi, elle ajouta:

«Je ne sais pas s'ils avaient toujours l'occasion de se rencontrer durant les fins de semaine, de coucher ensemble... n'importe quoi!... Il y a eu une période où ça me rendait complètement folle, poursuivit-elle comme je ne disais rien; tellement que je ne pouvais plus faire face! Chaque fois que son nom revenait sur le tapis, il me fallait demander: «De qui parlons-nous au juste? De quelqu'un que tu *as aimé*? De quelqu'un que tu *aimes encore*? De quelqu'un qui n'a jamais compté à tes yeux? Ou de quelqu'un qui compte pour toi *en ce moment*?»

Apparemment à la fois indignée et impuissante, elle haussa lentement et désespérément les épaules.

«Mais qu'est-ce qui a bien pu vous mettre dans la tête qu'il la voyait toujours? demandai-je.

— Le fait qu'il avait couché avec elle peu auparavant, fit-elle en jetant un long regard courroucé à son mari; juste avant que nous ne commencions à nous fréquenter! Il n'était pas du tout évident que tout était fini entre eux! Des mois et des mois après qu'il m'eût rassurée à son sujet, qu'il m'eût répété sans cesse que c'était ridicule, que leur liaison ne voulait absolument rien dire, que tout était bel et bien terminé, sa carte d'anniversaire est arrivée. Tout ce qu'elle avait écrit sur la carte, c'était: «Tu me manques.» En d'autres mots: «Tu es le bienvenu dans mes bras n'importe quand, et je m'attends à ce que tu *passes aux actes*.» Ça voulait dire qu'il y avait beaucoup plus entre eux que ce qu'il m'avait raconté. Et le plus effrayant, c'est que lorsque Tom et moi nous sommes rencontrés et avons commencé à parler des relations...

— Le fameux premier soir? interrompis-je.

— Oui, j'imagine que c'est au cours de cette première soirée, rougit-elle en me jetant un regard interrogateur, que nous avons abordé le sujet de Karen. Tom m'a dit qu'il n'avait jamais eu de relations vraiment intimes avec quiconque auparavant, mais qu'il y avait dans sa vie une femme avec qui il couchait de temps en temps. Quelqu'un qui ne l'avait jamais vraiment intéressé du point de vue amoureux, une personne qu'il connaissait depuis un laps de temps qu'il ne pouvait pas préciser, depuis des années en tout cas, et avec qui il avait fait la noce en ce sens qu'*ils* avaient mêlé amitié et sexe... Mais que le sexe n'avait rien à voir avec *faire l'amour*... Et puis, j'apprends la vérité!»

Se tournant vers son mari d'un air sinistre, Laura continua de me parler.

«Nous étions chez sa mère, et nous regardions un album de photos. Et puis tout à coup *elle était là...*»

J'en suis restée interdite: l'ancienne petite amie de Tom avait été découverte dans un album de photos! Ça me fit soudain penser aux albums de famille que la grand-mère de Laura avait détruits. Dans la famille fondatrice de Laura, le passé s'était révélé si dangereux qu'on ne lui avait pas donné le droit d'exister! Parce qu'il y avait conflit entre le passé mort et enterré et le passé bien vivant, dans l'album de Tom, l'apparition de Karen avait dû déclencher une tempête d'anxiété chez sa nouvelle partenaire.

Je songeai ensuite à son père à elle et à son ancienne femme, l'infidèle — je parcourus le génogramme et vis le nom de «Lorraine» —, à qui il avait été marié pendant tout juste un an et demi. Habituellement distant ou furibond, le père de Laura avait paru ambivalent dans sa «jovialité» et sa fougue, quand il avait parlé de sa ruse pour étaler au grand jour les activités extraconjugales de cette femme.

«Elle était là», reprit Laura en tenant un album imaginaire qu'elle regardait avec des yeux ronds, grands ouverts comme si elle interprétait pour moi le choc qu'elle avait ressenti devant le cliché de Karen. Elle cligna des yeux plusieurs fois de suite.

«Et il y avait toutes ces prises: «Tom et Karen à l'Action de Grâces dans la famille de Tom», «Karen et Tom chez Karen, la veille de Noël»; je... J'étais décontenancée! Ce n'était pas du tout la relation dont tu m'avais parlé, tu sais!»

Elle s'adressait maintenant à Tom.

Quand elle reposa les yeux sur moi, des zébrures roses marbraient ses joues.

«Il l'avait fréquentée toute une année; il lui avait parlé de *se marier*: c'est une autre affaire à mon point de vue!»

Sarcastiquement, Laura fit observer qu'on pouvait à peine considérer cela comme une relation fortuite, qui s'était produite à une époque indéterminée.

Assis à son côté, face à moi, Tom se taisait. S'il est possible qu'un être se sauve sans même avoir l'air de bouger le petit doigt, c'est bien ce qu'il fit à ce moment-là. Sa femme le fixa pendant quelques minutes avant de reporter les yeux sur moi.

«Tom a une habitude, prononça Laura, que je qualifierais de familiale et qui veut que «moins on en dit, mieux on se porte», qui vise à «garder l'ordre» et à «garder les choses pour soi»; par-dessus tout, en vertu de cette habitude, il ne faut jamais dire ce qui est susceptible de fâcher les gens, même si c'est la vérité!»

«ÇA FAIT MAL»

Ses propres souvenirs de ses révélations à propos de Karen, se défendit Tom, différaient considérablement des évocations de Laura.

«Je ne reconnais toujours pas… je veux dire, elle et moi en avons discuté ferme, et je ne reconnais toujours pas les mots qu'elle dit que j'ai employés. Depuis le début, la description qu'elle fait de mes propos au sujet de Karen et moi inclut pas mal plus de dénégation de ma part que je ne pense en avoir fait! C'est vrai que ma philosophie colle à «moins on en dit, mieux on se porte», mais je n'ai jamais dit que Karen n'avait rien signifié pour moi!… Ce que je *t'ai dit*, précisa-t-il en croisant le regard de sa femme, c'est qu'elle était juste une amie, quelqu'un avec qui je couchais, mais qu'il n'y avait pas de romantisme là-dedans.

— C'est précisément, ce que je t'ai demandé, s'indigna Laura, parce que les choses que tu avais dites m'avaient profondément choquée! De plus, je ne me souviens pas que tu en aies parlé autrement que comme une personne qui n'avait pas de rapport avec nous, comme de quelqu'un qui ne comptait pas du tout! Mais maintenant, tu admets que ce n'était pas vrai!

— J'ai une question à poser, m'interposai-je en m'adressant à Tom. Quel était le statut de votre relation avec Karen, une fois que vous avez commencé à fréquenter Laura?

— De toute évidence, le statut avait changé, brusqua Tom. D'«indéfini», il était devenu «amoureusement impossible».

À la vérité, déclara-t-il, Laura n'avait pas de raison de se montrer jalouse de l'éventualité de sa rencontre avec Karen, ou de craindre qu'il couche avec elle. Elle était devenue quelqu'un qu'il aimait bien, et avec qui il avait eu des relations sexuelles, mais envers qui il ne s'était jamais engagé.

«Après que vous avez commencé à fréquenter Laura, qu'est-il arrivé entre vous et Karen? demandai-je.

— La semaine après ma rencontre avec Laura, commença Tom après s'être éclairci la gorge, j'ai écrit à Karen. Elle avait essayé de s'organiser pour venir me rendre visite et elle m'avait envoyé une lettre pour me prévenir qu'elle pourrait venir trois semaines plus tard. À ce moment-là, j'avais commencé à voir Laura, et j'ai répondu en lui disant que j'avais rencontré quelqu'un d'autre. J'ai dit quelque chose comme: «Ne pourrions-nous pas remettre cette visite à plus tard?», et je ne l'ai pas revue depuis lors.»

Après qu'il eut cessé de parler, j'attendis des objections de la part de sa femme, mais rien ne vint. Je l'interrogeai du regard, et elle hocha la tête comme pour dire: «Oui, je crois que c'est ce qui s'est produit.»

«Ainsi, fis-je à Tom, vous avez en réalité mis un terme... vous avez remis à plus tard la visite de Karen... et qu'est-ce qui s'est produit ensuite? Lui avez-vous expliqué que vous n'alliez plus la revoir, et lui avez-vous expliqué pourquoi?

— Non, dit-il en secouant la tête, mais je lui ai téléphoné un mois et demi plus tard, et je l'ai mise au courant. Ensuite, la carte d'anniversaire est arrivée, alors je lui ai écrit pour lui annoncer que notre... (il se retourna pour regarder Laura dans les yeux) relation se poursuivait, que nous étions sérieux et que nous songions à nous marier... Après nos fiançailles, je lui ai téléphoné et je le lui ai dit, poursuivit-il à mon intention.

— Ainsi la réaction de Laura face à votre comportement vous semble complètement irrationnelle?

— Ça fait mal», annonça-t-il.

«IL AIMERAIT MIEUX ÊTRE LIBRE»

Avant son mariage, Laura Constantine Brett avait entrepris toute une série de relations avec des hommes qui se sont mystérieusement toutes terminées de la même manière. Chaque fois, elle avait découvert qu'elle avait été incroyablement crédule, trop confiante, et qu'on l'avait trompée. Elle s'était d'abord intimement et longuement attachée à un compagnon de classe qui avait cessé d'être un ami pour devenir un amant. Le couple s'était engagé dans ce qui semblait être une relation durable et importante, qui avait duré trois ans et demi.

«J'ai même habité avec sa famille tout un été; c'était un relation heureuse, se rappela Laura; sa famille, en passant, était beaucoup plus heureuse que la mienne.»

Une expression mélancolique envahit ses traits.

«Mais ça ne s'est jamais cristallisé. En fait, quand est venu le temps de prendre une décision, il a dit non. Il a dit: «Eh bien! c'est merveilleux nous deux, mais il faut que je sorte, que je voie du monde, que je fasse mes propres expériences, que je vive ma vie.» Ça a toujours été... c'est comme ça que ça s'est passé... J'ai fait de mon mieux, mais ça ne suffisait pas, soupira-t-elle. Je ne sais pas pourquoi, mais on n'avait pas besoin de moi.»

Elle n'avait plus l'air mélancolique: elle paraissait dévastée. Je regardai Tom, mais il baissait la tête. Il examinait ses mains, jointes au bout de ses doigts, suspendues juste au-dessus de ses genoux.

«Après ça, poursuivit Laura, j'ai eu une relation avec un homme qui était... oh! remarquablement fourbe! C'était quelqu'un qui pouvait me faire sentir coupable chaque fois que j'étais possessive ou suspicieuse *de quelque façon que ce soit*! Chaque fois que j'essayais de lui poser une question, il répondait: «Je ne te comprends pas. Comment peux-tu être aussi jalouse?», ou «Comment se fait-il que tu n'arrives pas à comprendre que j'ai des amies femmes?»... J'ai mis un an à apprendre qu'il couchait avec des femmes à droite et à gauche derrière mon dos!»

Sa voix s'était faite méprisante. Il avait, ajouta-t-elle, essayé d'obtenir son pardon et de regagner sa confiance.

«Il voulait que je recommence à l'aimer et que je *l'épouse*», gronda Laura.

Un instant plus tard, déprimée une fois de plus, elle se lamenta: «Ainsi, c'est vrai, je reconnais que je me suis fait avoir tout le temps. Je me sens... je pense... sensible à ça d'une certaine façon...?»

Elle me regarda comme si elle attendait une réponse à ce qui avait commencé par une affirmation pour se terminer sur une question.

«Peut-être, répondis-je tout de même, d'une voix hésitante; que la version que Tom vous donne de ce qui s'est passé est exacte et qu'il n'est pas un autre menteur sans coeur. Il est possible que vous tentiez de lui imposer ce rôle... pour que vous puissiez vous-même souffrir ensuite de jalousie. Il se peut qu'il n'y ait pas d'autre vérité à chercher.

— Il *n'y en a pas d'autre*, admit-elle tout de go. Et pourtant, étrangement, j'y crois.»

Il y avait tout à coup des larmes dans ses yeux.

«Je *le* crois aussi, fit-elle en tournant la tête vers son mari. En même temps, je suis vraiment jalouse et furieuse. Il y a un petit quelque chose en moi, poursuivit-elle en portant la main à sa poitrine comme pour localiser ce «petit quelque chose», qui me dit qu'il aimerait mieux être libre, du moins être avec quelqu'un d'autre que moi.»

Aussi subitement qu'elles avaient fait leur apparition, les larmes disparurent comme si le contrôle qu'elle reprenait les avait aspirées.

«C'est juste une supposition», reconnut Laura en s'essuyant le coin de l'oeil du bout du doigt.

Qu'est-ce qui la rend si à l'aise quand elle croit que celui qu'elle aime en aime une autre davantage? M'adressant à Tom, je lui demandai s'il comprenait à quelle question elle se butait pour répondre elle-même.

Il parut aussi surpris qu'un étudiant qui écoute l'exposé d'un cours et qui est tout à coup appelé à répondre à une question.

«Quelque chose à propos de la duperie, tenta-t-il avec un léger tremblement dans sa voix profonde de basse.

— Comme je l'entends, ajoutai-je après avoir acquiescé; sa question semble dire: «Jusqu'à quel point suis-je importante pour toi? *Suis-je* bien la personne qui compte à tes yeux? Est-ce bien moi ton numéro un? Ou bien ta relation passée a-t-elle tellement de prix à tes yeux que tu me la cacherais?» En d'autres termes, continuai-je en m'adressant à Laura, la question que je pense que vous posez à Tom est la suivante: «Quelle est ma valeur réelle à tes yeux?»

— Est-ce que je compte suffisamment, s'embrasa Laura, pour que tu me laisses savoir ce qui se passe réellement? Quand tu revois ses vieilles lettres, par exemple, et que tu t'*ennuies* de cette relation comme tu l'as fait après nos fiançailles, tu ne me trompes pas quand tu prétends que ça n'a jamais été important pour toi!»

Je demandai alors à Laura si elle sentait que Tom *gardait* Karen ou se souvenait d'elle comme quelque chose qui lui appartenait et à laquelle elle n'avait pas droit?

«C'est ce qu'il a fait dans le passé» répliqua-t-elle, mais elle ne chercha pas à s'expliquer davantage.

En faisant observer que Laura semblait croire qu'il protégeait l'intimité de Karen, je m'adressai à Tom:

«Non! coupa brusquement Laura: *son* intimité, pas celle de Karen. Je suis persuadée qu'il chérit cette relation-là comme quelque chose qu'il peut encore vivre et à quoi je n'ai pas accès!»

On aurait dit qu'elle avait été privée de toute intimité réelle avec son mari — exclue de la possibilité même —, parce que son attachement le portait vers les femmes qui l'avaient précédée dans sa vie.

LA PEUR, ENTRE LES DEUX

J'observai Tom et je lui demandai d'un ton léger, presque causeur, s'il aimait Laura ou non.

«Oui!»

Donnée sans la moindre hésitation, la réponse paraissait fervente et assurée. Je m'adressai à ce moment-là à Laura, et je lui demandai pourquoi elle était si convaincue du contraire.

«Ça en prendrait énormément pour persuader certaines personnes qu'elles ne sont pas aimées, précisai-je en croisant son regard mouillé; mais pour vous (j'usai de gentillesse), c'est tout à fait le contraire, n'est-ce pas?

— Je vais vous dire ce que je pense, commença-t-elle en laissant les larmes courir sur ses joues. Je pense que ça dit à quel point je ne suis pas aimable, pas *aimable*! Je m'en fais tellement pour savoir si je suis ou non quelqu'un qu'on peut vraiment aimer!… Comment peux-tu aimer quelqu'un qui met toujours ton amour en doute?», implora-t-elle en se tournant vers Tom et en ramenant ses jambes entre eux sur le canapé, à l'indienne, face à lui.

Il garda le silence.

«Je n'aime pas être comme je suis, et je ne sais pas... je ne comprends pas pourquoi.

— Qu'est-ce qu'il pourrait faire pour vous convaincre que vous passez avant tout, Laura? demandai-je après quelques instants.

— Petit à petit, je m'en persuade, reprit-elle, comme hypnotisée, les yeux fixés sur son mari. Et Tom fait preuve de beaucoup de patience et d'énergie; il m'aide à prendre conscience des moments où je suis en colère et des moments où j'ai peur. Et il m'écoute, et il pose des tas de questions... ce qui me change beaucoup. Comme le fait de vivre avec moi, comme le fait de m'épouser, et le reste.»

Elle haussa les épaules, et puis prit une longue inspiration vacillante, comme quelqu'un qui vient de pleurer et qui soupire de soulagement.

«Mais je n'en pense pas moins que quelque chose ferait une *grande* différence, insista Laura; ce serait que nous soyons capables de parler de la peur, entre nous deux. D'en parler ouvertement, au lieu de la cacher. Parce que dès qu'on sent...»

Était-ce l'effet produit par sa tête inclinée, ou bien arborait-elle désormais une expression coquine, séductrice?

«De toute évidence, nous aimerions tous les deux être célibataires d'une certaine façon, fit-elle d'un ton farceur. On ne peut pas tout avoir, vous savez!... On peut souhaiter connaître un million d'aventures amoureuses, ou en vouloir une seulement; ce qui compte, je crois, c'est de pouvoir en parler honnêtement et ouvertement.»

«LE MARIAGE LIBRE»

Laura avait mis la conversation sens dessus dessous. Percevait-elle les doutes de son mari au sujet de leur relation aussi bien que les siens propres? Était-ce *elle* qui voulait récupérer un ancien ami, qui mourait d'envie pour un fourbe sans coeur?

Le fourbe était, quoi qu'il en soit, une figure très érotisée.

On aurait dit que, d'une certaine manière, Laura en était venue à s'identifier à la partenaire déloyale du passé de son père. Celle-ci n'avait pas été abandonnée (comme la mère de Laura): *elle* avait plutôt été celle qui avait réussi à abandonner l'autre. Cette autre femme semblait en outre (du moins dans les fantasmes de Laura) avoir fait l'objet des pensées et des désirs secrets de son père.

Pour Laura, la trahison était quelque chose de sexy, du moins quelque chose de nécessaire dans une relation intime. À cette époque-là, elle semblait s'évertuer à remettre en scène du vieux matériel conflictuel. Ni elle ni Tom n'avaient pu, semblait-il, se détacher complètement du lien émotionnel intense qui les rattachait respectivement au parent du sexe opposé. Manifestement toujours très chargés, leurs liens antérieurs avaient repris vie au sein de leur relation commune, ce qui n'est pas surprenant étant donné qu'ils venaient de quitter la famille, le nid où ils avaient été éduqués.

Je demandai à Laura si elle tentait d'*obliger* Tom à partager son désir de liberté.

«Parce que, fis-je remarquer, il se peut que ça ne corresponde pas à la réalité, vous savez.»

Bizarrement, ils gardèrent tous les deux le silence. Alors, je m'adressai directement à Tom pour savoir s'il tenait tant que cela à sa «liberté». Préférait-il l'engagement relationnel? Il reçut apparemment un signal convenu et secret de sa femme: il devait se distancer émotionnellement d'elle pour qu'elle puisse continuer à le poursuivre.

«Je préfère l'engagement amoureux, admit-il gentiment; mais en même temps, il est très important pour moi d'être libre.»

Je souris parce que, paradoxalement, il voulait manifestement une chose (l'engagement intime) et son contraire (la liberté d'établir d'autres relations).

«Comment arrivez-vous à concilier ces deux désirs irréconciliables? m'enquis-je.

— En profitant de ma liberté *à l'intérieur* de la relation, expliqua-t-il consciencieusement; de cette façon, j'obtiens les deux. Nous avons parlé de mariage libre, ajouta-t-il, ce qui revient à dire que nous restons libres sexuellement, dans le cadre d'une relation engagée.

— Et il a bien du mal à me convaincre! s'exclama Laura avec une modestie affectée en se rasseyant face à Tom. Mais ce n'est pas impossible.

— C'est bien ce que vous aimeriez, un mariage libre? continuai-je en reportant mon attention sur Tom.

— Non, fit-il, mal à l'aise; mais j'aimerais que la possibilité existe, si nous en convenons... Si *je* décide que c'est ce que je veux faire!»

Pourquoi cette déclaration avait-elle tellement l'air d'une bravade qui manquait de naturel? Pourquoi avait-il l'air d'être forcé à jouer un rôle quelque peu inconfortable?

«Je vois, prononçai-je tranquillement, que c'est là que le bât blesse; je pense en effet que votre femme est en train de dire qu'elle ferait une épouse jalouse...

— Mais je ne veux pas être comme ça, interrompit Laura tout à coup.

— Et je pense, Tom, que vous ne savez pas si vous voulez que quelqu'un vous envie, est-ce exact?»

Il renchérit qu'ils avaient essayé d'inverser les rôles, de prétendre que c'était Laura qui voulait établir une relation externe. Ils avaient fait cela, expliqua-t-il, pour connaître leurs réactions à une telle situation; Tom avait trouvé l'expérience extrêmement bouleversante.

«Quand j'ai entendu Laura dire des choses comme: «Je t'aime encore, mais je veux ouvrir un peu plus mes horizons, et explorer d'autres relations», j'ai eu une réaction instinctive, admit-il. Une réaction à l'idée qu'elle sorte et qu'elle couche avec quelqu'un d'autre.»

En d'autres termes, si elle prenait ses distances, il la poursuivrait.

S'ils inversaient les rôles, le chasseur et la proie seraient différents, mais le système relationnel resterait le même.

Du point de vue psychologique, pour contourner un problème fondamental, les Brett avaient élaboré un mécanisme à la Rube Goldberg, un problème d'autonomie et d'intimité. Comment être intime sans s'exposer aux épouvantables possibilités de rejet et d'abandon? Laura répondait en montrant qu'on pouvait réussir en recherchant la proximité émotionnelle, et en s'assurant qu'elle lui échappait tout le temps.

Par ailleurs, comment être soi-même et être proche de l'autre personne? L'intimité n'ouvre-t-elle pas la porte au danger d'être dévoré vivant? La réponse de Tom disait qu'on ne peut pas être soi-même et proche au sein d'une relation intime; alors, il résolvait le conflit en se sauvant après s'être assuré que sa partenaire intime n'était pas loin derrière.

LE TROMPEUR SANS COEUR

Tom n'était pas, appris-je, le premier homme significatif de ce nom dans la vie de sa mère. Je trouvai absurde cette information obtenue au milieu de notre dernière rencontre (la sixième).

C'est Laura qui la dévoila. Elle avait considéré les deux triangles (représentant ses parents et chacun de leurs propres conjoints antérieurs) que j'avais tracés sur le génogramme familial des Brett.

Ces triangles semblaient la troubler.

«Puis-je ajouter quelque chose?» demanda-t-elle.

Elle s'était assise sur le bout du canapé, et examinait mon dessin depuis son point de vue, à l'envers. Je pris la tablette et je la retournai pour qu'elle et Tom puissent la voir plus facilement. J'acquiesçai à sa demande d'un hochement de tête.

Cet après-midi là, les Brett s'étaient habillés pour sortir. L'entrevue avait débuté à 16 h et devait durer une heure et demie; ils s'en allaient à une soirée donnée chez le patron de Tom aussitôt après mon départ. Dans son habit gris, sa chemise rayée et sa cravate marron peinte, Tom avait l'air inhabituellement compassé. Laura, dans une robe de soie bleu marine à mi-jambes, avait quant à elle l'air légèrement intimidée, gênée; on aurait dit une écolière pas tout à fait à son aise dans ses atours de femme adulte.

«Avant le mariage des parents de Tom, expliqua-t-elle avec empressement, son père, pendant plusieurs années, avait demandé à sa mère de l'épouser.»

Après cette déclaration, toutefois, Laura hésita et jeta un regard insistant à son époux. Dans un bref hochement de tête, Tom reprit ce qu'elle avait dit:

«Mon père avait fait sa demande à ma mère, répéta-t-il d'une voix aussi monocorde et catégorique que celle d'un animateur radiophonique.

— *Pendant des années*, coupa Laura en haussant le ton, et même avant ses fiançailles à Tom Garrison! Et elle — sa mère — persistait à refuser!

— Ma mère *était fiancée* à quelqu'un d'autre, reconnut Tom. C'était deux ans au... deux ans et des poussières... avant qu'elle et mon père ne se marient. C'est lui — l'autre personne — qui a rompu.

— Oh! m'exclamai-je, avant de me borner à attendre.

— Ma mère en rit maintenant, continua-t-il, et elle dit que c'est une chance qu'*il* ait rompu, parce que Tom Garrison possédait tout ce qu'elle recherchait chez un homme!»

Il s'arrêta tout à coup de parler, comme si l'énormité de ses propos venait de le saisir.

«Je ne sais pas si c'était avant ou après, ajouta-t-il sans cohérence, mais je sais qu'ils — ma mère et mon père — sortaient ensemble.»

Je ne comprenais pas ce qu'il voulait dire. Parlait-il des fiançailles de sa mère à Tom Garrison ou de son refus d'épouser son père?

«Ses parents se sont fréquentés pendant *10 ans*, intervint Laura avec empressement, en revenant dans la conversation. Au beau milieu de cette période de temps, m'expliqua-t-elle, sa mère s'est fiancée à ce type d'école privée, à ce Tom Garrison, un gars riche, je pense. Tom Garrison a rompu les fiançailles, et deux ans plus tard, elle épousait Martin, le père de Tom.

— C'est ça.»

Tom accepta son compte rendu de ce qui s'était passé comme s'il était juge et qu'il admettait une preuve dans cette cause.

«Ainsi — du moins *c'est ce qu'on m'a raconté* — on pouvait se demander si elle avait échoué avec un deuxième choix! C'est comme ça que le frère aîné de Tom, qui y a beaucoup réfléchi, voit la situation ces temps-ci.

— Oui, c'est ainsi qu'il voit les choses», reconnut Tom.

Ni le ton de sa voix ni son expression ne laissaient deviner sa propre perception des choses.

Je demandai à Tom à ce moment-là pourquoi sa mère lui avait donné le même nom que celui de son ancien fiancé.

«Mon grand-père s'appelait Thomas — le père de mon père —, répliqua-t-il avant de cligner des yeux plusieurs fois comme si la lumière de la pièce s'était tout à coup intensifiée.

— Mais Tom était aussi le nom de son perfide fiancé», fis-je observer.

Il ne répondit pas.

«Je me demande, dis-je pensivement après quelques instants, si votre naissance avait été prévue?»

La question resta en suspens jusqu'à ce que les traits de Tom se durcissent et prennent une expression ou bien méfiante ou bien colérique.

«Par «prévu», je veux dire, comme le fantôme du Tom passé, comme le rêve du passé. Comme celui qui améliore les choses, celui qui apporte une fin heureuse à l'histoire. La personne qui, au sens de la fantaisie, aime votre mère comme elle a besoin d'être aimée par l'homme qu'elle admire.»

Pour toute réponse, Tom haussa les épaules.

«Ton frère Bart, s'emporta Laura en se tournant vers lui, est allé à Oberlin, comme ton père, et ta mère trouvait ça très bien! Mais quand ton tour est venu, ce n'était plus pareil: *tu* devais aller à Princeton, il n'y avait pas à sortir de là.

— C'est intéressant, concéda Tom, un sourire indéchiffrable sur les lèvres.

— C'est ce qui importe! insista Laura, l'air anxieux. Souviens-toi de ce que tu m'as dit à propos de toute l'histoire que ta mère avait faite quand tu pensais aller à l'Université de Chicago!»

Le souvenir parut l'amuser parce qu'il se mit à rire et s'adressa à moi pour raconter:

«J'avais songé à l'Université de Chicago, mais ma mère m'a dit: «Eh bien! tu peux faire ce que tu veux, mais elle ne figure pas sur la liste des meilleures universités du pays.» Elle est même sortie pour acheter le *Guide Barron* pour me prouver qu'elle avait raison. L'université que je choisirais devait figurer sur la liste des universités les plus prestigieuses: elle avait pour cette raison une dent contre l'Université de Chicago! Peut-être était-ce tout bonnement trop loin, mais ce n'est pas la raison qu'elle m'a donnée... Finalement, je lui ai dit: «Bon, d'accord, mais paie-moi le transport, ou paies-en 80 p. cent pour que je puisse aller à Chicago regarder les parcs à bestiaux, les trains et la ville.» C'est ce que je voulais voir. Si elle faisait ce que je lui demandais, promis-je, je ne poserais même pas ma candidature à cette université-là.»

Il gloussa, profondément ravi.

«Elle a payé! s'exclama-t-il. Je disais justement à Laura l'autre soir, ajouta-t-il comme s'il poursuivait logiquement sur le même sujet, que j'incarnais peut-être la vengeance de ma mère pour Tom Garrison.

— Ce qui veut dire? m'informai-je.

— Ce qui veut dire que je suis sensé me balader dans la vie en brisant le coeur des femmes.»

Pour devenir, songeai-je, le fourbe sans coeur que Laura attendait et craignait tout à la fois.

DEUXIÈME PARTIE

AMANTS ET TIERS:
les triangles émotifs

6

Le mariage en tant que système

La seule idée qu'un couple rende visite à un psychothérapeute, comme les Brett l'avaient fait avant leur mariage, aurait été inconcevable au début du siècle. En effet, de 1900 jusqu'au milieu des années 1950, la plupart des cliniciens pensaient *a priori* que la détresse émotive relevait des problèmes *inhérents à l'individu*. En conséquence, si les partenaires mariés étaient incapables de faire face à leurs difficultés, ils avaient tendance à en imputer la responsabilité à l'un ou à l'autre des conjoints — à l'épouse, le plus souvent. Elle se faisait alors traiter pour la détresse émotive dont *elle* souffrait.

L'avenue clinique qui menait à la compréhension de la perturbation conjugale semblait recouvrir les relations *entre les membres du couple* et conduisait directement à la psyché individuelle. L'appréhension psychologique dominante (freudienne) voulait à l'époque que le monde intérieur d'une personne soit le lieu de son problème, et qu'on puisse approcher ce lieu pour améliorer les choses. La difficulté résidait *en* l'individu, pas dans sa relation intime.

Les gens les plus proches de la personne en détresse représentaient, selon Freud, un danger potentiel, un danger auquel on ne savait comment faire face. Le partenaire et les autres membres de la famille entravaient, souvent de façon pernicieuse, prétendait-il, l'amélioration de l'état du patient.

On devait chasser autant que possible les proches de la personne affligée — époux y compris — de la scène thérapeutique, conseillait le fondateur de la psychanalyse.

Quiconque connaît un peu les dissensions courantes de la vie familiale ne s'étonnera pas de remarquer que ceux qui sont les plus proches du patient montrent souvent moins d'intérêt à sa guérison qu'à son maintien dans la situation... Les proches ne devraient pas opposer leur hostilité aux efforts professionnels de l'analyste. Mais comment parviendrez-vous à convaincre ces gens qui vous sont inaccessibles d'adopter cette attitude?

UNE BIEN CURIEUSE RÉALITÉ

Mais comment, en fait?

Pendant des années, le partenaire et les autres membres de la famille ont été écartés du processus thérapeutique et considérés comme la *cause* potentielle des problèmes, jamais comme partie de la solution éventuelle. Idéalement, du point de vue du thérapeute, les proches de l'individu souffrant renonceraient à faire de l'interférence et finiraient par rester relativement cois. Le conjoint du patient et les autres membres de la famille correspondaient à une sorte d'arrière-scène, de fond (le contexte constant et inchangé de sa vie), tandis que le malade était lui-même une figure d'avant-plan. En théorie, on s'attendait à ce que le patient change et s'améliore sans se heurter à de la résistance ou sans subir la contre-attaque de son entourage.

En pratique pourtant et comme Freud et nombre de ses disciples l'ont remarqué, le partenaire, les parents, les frères et soeurs, les grands-parents, les enfants et les autres membres de la famille montraient une propension à agir de manière puissante et imprévisible sur la thérapie du patient et sur les progrès qu'il accomplissait ou qu'il n'accomplissait pas. Qui plus est, une bien curieuse réalité qui n'échappa assurément pas à l'observation clinique apparut: l'amélioration du bien-être psychique et du fonctionnement général d'une personne paraissait très souvent entraîner des réactions pathologiques chez un autre individu proche, fréquemment chez le conjoint.

L'exemple typique de cette occurrence (l'un des nombreux cas rapportés par la documentation psychiatrique) est celui d'un avocat en droit des affaires de 42 ans, admis à l'hôpital psychiatrique pour le traitement de son alcoolisme et de sa dépression de plus en plus profonde. On devrait ajouter que le patient n'avait accepté d'entrer à l'hôpital que parce que sa femme brandissait la menace du divorce. Une fois sur place, toutefois, il répondit extrêmement bien à la thérapie. À mesure que son état s'améliorait, sa femme réagissait avec joie et soulagement.

Beaucoup mieux portant, le mari finit par obtenir son congé et reprit sa pratique et sa vie familiale. Il continua de s'abstenir d'alcool, de se bien porter et garda un bon moral. À mesure que les mois passaient, cependant, et comme il continuait de se montrer confiant et en bonne santé, l'état d'esprit de sa conjointe se détériora. Graduellement, *elle* manifesta des symptômes de dépression clinique et dut être admise au même hôpital, après une tentative de suicide.

Des situations aussi récurrentes que celle-là semblaient indiquer que le bien-être de l'un des partenaires conjugaux dépend mystérieusement de la maladie de l'autre.

Certaines familles paraissaient ressembler au marteau et au panneau alvéolé jouets d'enfant en ceci que l'enfoncement d'une belle cheville colorée en fait sauter automatiquement une autre. Quand l'état d'un patient s'améliore, d'autres perturbations graves affectaient un autre membre de la famille, qui fonctionnait pourtant bien auparavant, et qui ne présentait pas de symptômes.

LE MOI ET LE SYSTÈME

Il est encore un autre phénomène troublant qui n'a jamais été étudié avant le milieu des années 1950: certains patients schizophrènes deviennent calmes et rationnels à l'hôpital; à leur retour à la maison et en très peu de temps (une journée ou une fin de semaine), ils régressent au point de redevenir aliénés. Y avait-il des familles, comme commençaient à le soupçonner quelques experts travaillant avec les jeunes schizophrènes adultes, qui «exigeaient» que l'un de leurs membres soit sérieusement troublé, ou franchement fou, pour maintenir la stabilité et l'équilibre des autres membres du groupe?

Si tel était le cas, cela donnerait lieu à une nouvelle approche de la santé et de la maladie mentales. Dans l'approche classique freudienne, on percevait la dysfonction du patient comme une per- turbation de sa psyché et non comme un bouleversement du petit système social qu'il habitait, c'est-à-dire la famille. Mais si on en était venu à considérer les difficultés auxquelles se butait une personne comme liées aux réactions, aux expériences hâtives, sur- venues dans sa famille, on continuait toujours de croire que ses symptômes provenaient *surtout des conflits intrapsychiques de son monde intérieur*. À l'origine, ses symptômes n'étaient pas *inter*- personnels, mais bien *intra*personnels. En conséquence, c'était toujours le patient lui-même qui avait besoin d'aide.

Pour autant que les relations proches de l'individu étaient con- cernées, on croyait que la reconnaissance et le travail sur les pul- sions sexuelles et agressives (les besoins et les désirs infantiles qui existent hors du conscient et qui créent pourtant des problè- mes pour l'individu) mèneraient inévitablement à un fonctionne- ment amélioré et plus raisonnable dans son univers interpersonnel contemporain. En d'autres termes, à mesure que l'individu per- turbé et affligé prendrait du mieux, la nature de ses relations avec ses intimes suivrait la même voie.

Ce que l'approche individualiste n'arrivait toutefois pas à expli- quer, c'était la fréquence des sabotages du traitement par les mem- bres de la famille de la personne. La théorie psychanalytique ne pouvait pas expliquer non plus pourquoi, si le patient allait mieux et que son état maintenait une courbe ascendante, le conjoint ou les parents proches réagissaient souvent en développant eux-mêmes des symptômes aussi débilitants.

UN SACRIFICE HUMAIN

Au milieu de ce siècle, quelques cliniciens et quelques cher- cheurs dissidents, dont le brillant anthropologue Gregory Bate- son, violèrent la convention psychiatrique établie qui décrétait le bannissement des membres de la famille de la scène thérapeuti- que. Presque de concert (dans une large mesure, ils ignoraient tout de leurs activités respectives), les experts de centres de santé hospitaliers universitaires aussi renommés que Stanford et Yale, et ceux du *National Institute of Mental Health* de Washington ouvrirent les portes des salles de consultation tout grandes: ils invitèrent les familles de patients schizophrènes à participer aux séances de thérapie.

Même s'ils n'en avaient pas conscience au début, ces précurseurs du domaine de la recherche familiale commençaient ce qu'on a plus tard appelé «une révolution tranquille» dans la pensée psychiatrique.

La nouvelle idée en jeu voulait en effet qu'on puisse atteindre une meilleure compréhension du langage mystérieux et du comportement étrange du schizophrène en examinant le patient dans son environnement naturel, dans son milieu familial. L'arrivée des familles dans les séances de thérapie a tout à coup ressemblé à ce qui se passe quand on retourne des jumelles: au lieu de se concentrer sur le matériel relatif aux pulsions et à l'enfance du patient pour satisfaire ses besoins, les chercheurs observaient désormais l'individu *dans le contexte de son propre terrain familial*. Quand on retourne des jumelles, on voit l'individu plus flou, moins détaillé, mais cela permet aux experts d'étudier tous les autres danseurs du plateau, c'est-à-dire d'examiner les séquences répétitives et distinctes, les aspects intrinsèques de la chorégraphie familiale.

Les pionniers de la recherche ont tôt fait de remarquer que le schizophrène était le porte-parole de ce qui était, en fait, un trouble familial. Le membre «malade» et dépendant au sens psychiatrique avait souvent pour fonction sous-jacente de garder en santé le reste de la famille et de maintenir la cohésion entre les membres du système qui demeurait ainsi opérationnel.

Le schizophrène préservait la stabilité de la structure sociale pathologique dans laquelle il vivait: son comportement lui permettait d'assumer, seul, l'expression du *trouble général du système*. C'était précisément pour cette raison, postulèrent les pionniers de la théorie familiale, que les parents proches du patient sabotaient si souvent son amélioration ou lui résistaient farouchement.

Certains experts commencèrent à prétendre qu'il était futile de ramener un schizophrène transformé et guéri dans une famille affectée et dysfonctionnelle. Le système lui-même était «malade»: il avait besoin qu'un de ses membres endosse le rôle pathologique. En interprétant la folie et la méchanceté de tous les membres sains de la famille, le schizophrène soulageait une partie des pressions internes qui menaçaient de faire éclater tout le système émotif.

LE TRAITEMENT DU «SYSTÈME»

À partir de cette hypothèse, on conclut qu'on n'avait pas tant besoin de traiter l'individu que le système familial auquel appartenait le malade. On devait altérer le système dysfonctionnel lui-même pour que la victime sacrificielle (ou le martyr par choix, selon le point de vue que l'on adopte) ne représente plus la stabilité générale de la famille. Pour les premiers chercheurs cliniciens, le système émotif était devenu le «patient»; il restait désormais à trouver une manière de le traiter. En effet, comment modifier les modèles interactifs familiaux qui avaient tendance à engendrer des problèmes, des difficultés et des troubles chez les membres?

En cherchant des réponses à ces questions, les experts découvrirent de nombreuses approches (de nouveaux concepts théoriques, de nouvelles techniques), ce qui donna naissance à la théorie et à la thérapie familiales contemporaines. Actuellement, presque trois décennies après la première incursion dans le territoire inconnu de la famille, les spécialistes disposent d'une grande variété d'outils cliniques sophistiqués, et on en met continuellement de nouveaux en chantier.

Le devoir de thérapie donné aux Brett n'était, par exemple, que l'une des nombreuses «tâches» béhaviorales largement utilisées en clinique. (Laura, on se rappellera, avait pour mandat de fulminer contre Karen, l'ex-petite amie de Tom. L'efficacité de cette tâche a été démontrée puisqu'elle a banalisé les problèmes que le couple vivait.) Bien d'autres solutions et stratégies générales se retrouvent désormais sur le marché thérapeutique.

La tâche particulière assignée aux Brett est spécialement efficace dans des situations de liaison extraconjugale, que l'aventure soit réelle ou, comme dans le cas de Laura, purement imaginaire. Elle permet au partenaire «trahi» d'exprimer posément sa colère et d'accroître ses chances d'être écouté. Cette tâche vise aussi à empêcher la colère et la violence, qui menacent de faire irruption à tout moment, de contaminer les autres domaines de la relation. Finalement, en ordonnant au partenaire innocent de donner la parole à sa furie, à sa confiance perdue, à son sentiment de dévastation pendant une période de temps spécifique, on soulève aussi la possibilité que *ce partenaire refusera de faire son devoir*. Une fois qu'il a eu l'opportunité de dire ce qui lui pesait pendant quelques séances (ou pendant un certain nombre de séances), le partenaire est d'ordinaire plus apte à abandonner la partie la plus virulente de sa colère et de ses sentiments négatifs pour commencer à améliorer les aspects les plus sains de sa relation.

Comme on l'a dit, cet outil thérapeutique donne un rendement supérieur dans les cas de liaisons. On applique par ailleurs de façon générale toute une série d'exercices béhavioraux d'une efficacité remarquable; ils visent à placer les partenaires intimes dans différentes situations et à leur faire connaître diverses expériences (voir à ce sujet le chapitre 11, «Les tâches»). Les couples ne devraient toutefois pas tenter de pratiquer ces exercices avant d'avoir compris le but qu'ils visent et la direction que prendra inévitablement la relation dans leur sillage.

LE PATIENT, C'EST LE MARIAGE

À mesure que croissait l'intérêt clinique pour «l'autre côté des lunettes d'approche», non seulement un assortiment de nouveaux concepts et de nouvelles techniques faisait-il son apparition, mais encore plusieurs modèles familiaux importants furent-ils mis au point. L'un de ces modèles précurseurs, que l'on appelle le système familial Bowen, examine comment les expériences passées du système étendu affectent au présent la vie des membres de la famille. Durant les années 1950, décennie explosive du point de vue intellectuel, le psychiatre Murray Bowen a mis au point le génogramme, cet outil thérapeutique puissant, cette approche multigénérationnelle de la compréhension et du traitement des familles.

Il existe maintenant plusieurs écoles importantes (et nombre d'écoles moins importantes) de théorie et de thérapie familiales. Même si elles diffèrent les unes des autres, elles ont tout de même une chose en commun: toutes les théories systémiques sont des théories portant sur les relations intimes. En conséquence, si un couple vient consulter un thérapeute familial, c'est l'unité conjugale elle-même qu'il considérera comme «patient», pas l'épouse ou l'époux séparément, mais bien la relation qu'ils ont créée ensemble. *C'est le système interpersonnel*, pour les individus engagés, qui a besoin d'aide.

LE TROUBLE DU SYSTÈME

Ainsi, quand toute une famille qui subit un traitement systémique présente ce que ses membres considèrent comme une plainte «individuelle» au sujet du comportement de l'un des siens (comme la délinquance ou la phobie d'un enfant par rapport à l'école, ou la dépression d'un parent), le thérapeute tient pour acquis que la personne affligée du problème n'est pas la seule à présenter un problème. Au contraire, le thérapeute voit le malade ou le membre du groupe atteint comme le porte-parole choisi pour exprimer la douleur que ressent chacun dans la maisonnée.

Les cliniciens systémiques conçoivent les difficultés et les problèmes qui amènent un couple ou toute une famille en thérapie comme quelque chose qui se produit au sein d'un réseau intime, transactionnel. Comme le fait remarquer le professeur Froma Walsh, la plainte individuelle présente souvent un sens poétique métaphorique qui sert à symboliser un souci inhérent à l'ensemble du système.

«La mère qui s'inquiète de la promiscuité sexuelle de sa fille de 16 ans peut en grande partie déplacer sur elle son angoisse au sujet d'un problème qui affecte son propre mariage, écrit le docteur Walsh. Ou bien, ajoute-t-elle, cette inquiétude peut signaler la réactivation des problèmes irrésolus dans la famille fondatrice des parents, comme lorsqu'on apprend que la mère est devenue enceinte à l'âge de 16 ans alors qu'elle était célibataire. Il se peut même que la grand-mère, à 16 ans, ait donné naissance à la mère, et qu'un motif multigénérationnel d'attente soit à l'oeuvre.»

ÉLARGIR LE CONTEXTE

En résumé, l'approche thérapeutique familiale des problèmes individuels consiste à élargir le contexte, à écarter le faisceau lumineux de l'individu et à chercher quelle fonction — quel rôle — jouent ou jouaient les «symptômes» ou les comportements perturbateurs de cet individu dans le système élargi. Qu'arriverait-il par exemple à la famille du délinquant ou de la jeune fille si ceux-ci n'exprimaient *pas* les problèmes à sa place?

L'un des parents souffrirait-il de dépression? Le mariage lui-même serait-il compromis? Quand les symptômes ont un rôle à jouer dans une famille, affirme Froma Walsh, «toute modification chez le porteur de symptômes produira un impact sur le reste du système. À mesure que le patient prend du mieux, les membres de la famille réagissent pour préserver l'homéostasie. Avec la déstabilisation du système, la famille peut résister à l'amélioration ou l'entraver, ou bien un autre membre du clan familial peut commencer à présenter des symptômes.

«Ce genre de complémentarité matrimoniale se déclare, poursuit-elle, quand la femme d'un alcoolique en voie de guérison essaie, par exemple, de le pousser à boire, se déprime devant son amélioration, ou demande le divorce.» Les problèmes psychologiques ou comportementaux propres à un individu (dans le cas qui nous occupe, l'alcoolisme du mari) dépendent très souvent du contexte. Ce sont des troubles qui existent plutôt dans un système relationnel d'interdépendance intime que dans le psychisme de l'individu affligé.

Si les lois du système décrètent que le mari alcoolique doit continuer à boire ou courir le risque de voir son épouse devenir folle, le mari saura, à un niveau subliminal, qu'elle n'a vraiment pas besoin de le voir devenir sobre. Dans le cadre de leur relation, il exprime à la place de son épouse *tout ce qu'elle n'est pas*: l'indiscipline, la méchanceté, l'impulsion incontrôlable, la dépendance, etc. Elle peut voir en lui les aspects louches de son moi qui ne se manifestent pas chez elle: sa fiabilité, sa «bonté», son bon sens, et sa discipline. S'il change, elle devra assumer ces aspects réprimés de son être. Pour cette raison, inconsciente de ce qu'elle fait, elle devient la gardienne du système.

L'ESPACE DANS LE SYSTÈME

Cela ne signifie pas que les changements nécessaires dans un mariage ne puissent commencer qu'à un niveau relationnel et que ce qui ne se situe pas à ce niveau ne puisse donner lieu à une amélioration. Au contraire: dans un cycle sans fin, le changement individuel (comme la restauration de l'estime de soi et de la capacité de fonctionner efficacement) mène invariablement à la transformation matrimoniale qui conduit elle-même à des changements plus sensibles chez les deux époux. Ce qu'il faut retenir toutefois, c'est que le système relationnel *permet le changement*.

Quand le système interdit la transformation, la capacité dont chaque partenaire dispose de croître, de chercher à atteindre ses propres objectifs et d'élaborer sur ses propres thèmes, sa croissance, comme celle des bonsaïs japonais, s'altère, se réduit, et s'arrête. Quand on fournit au système l'espace dont il a besoin (l'espace pour changer, pour croître, pour être différent pendant un certain temps), le mariage peut s'avérer la plus thérapeutique des relations, le terrain fertile qui permet aux deux partenaires de prendre de l'expansion, de prospérer et d'atteindre leur plein potentiel individuel.

7

Un système intime:
le soignant et l'oiseau blessé

La maison revêtue de bardeaux jaunes s'élevait loin de la rue. La pelouse, qui poussait dru, était bien entretenue, et comme je montais l'allée de ciment courbe, je sentis le lourd parfum des roses avant d'apercevoir le gros buisson fleuri à la droite de la porte d'entrée. À l'intérieur, dans la salle familiale des Kearney, il y avait aussi des roses: un plein vase, placé au petit bonheur, traînait sur une table en érable de style colonial près d'une lampe de cuivre aux reflets vert pâle.

On retrouvait également les mêmes fleurs en abondance dans un grand vase de verre, sur la table basse en cuir et en érable, devant un canapé recouvert de chintz. En m'asseyant, je ramassai sans y penser un pétale de rose. Il avait gardé tellement intact son parfait rouge foncé que sa chute même était étonnante. Il y avait brusquement, réalisai-je, une tension quasi insupportable dans l'atmosphère.

Je sortis lentement et méticuleusement ma grande tablette à dessin, mon magnétophone, des cassettes vierges, et plusieurs crayons de différentes couleurs. Les Kearney, qui m'observaient tous les deux avec un intérêt nerveux, gardaient le silence, mais leur bébé, une fillette gazouillant dans son parc, semblait heureusement inconsciente de ce qui se passait entre ses parents (mon imagination me jouait-elle des tours?). Elle roucoulait à l'intention de ses jouets.

Il était près de 19 h, et le crépuscule naissant de cette soirée de juin faisait diminuer la luminosité de la pièce. Comme je m'apprêtais à faire débuter l'entrevue, JoAnn Kearney alluma la lampe. La scène qu'elle illumina était belle. Un très riche tapis vert océan s'étirait dans toutes les directions.

Je pris conscience que j'aurais à faire un choix dès le début de la discussion. Ou bien je poserais une question qui susciterait une conversation au sujet de la colère et de la douleur que je croyais contempler dans l'expression de Gordon, dans sa mâchoire crispée, et dans les yeux agrandis et suppliants de JoAnn, ou bien, pour utiliser le jargon de la thérapie familiale traditionnelle, j'aurais à «refroidir le système» au début de notre conversation en dirigeant notre attention ailleurs. J'optai pour cette dernière possibilité. Même s'il y avait, à mon avis, des sujets qui réclamaient de toute urgence de l'attention, il me parut plus important de faire la connaissance de ces deux personnes en tant qu'*individus* avant de faire celle de la dispute qui les opposait.

Nous passâmes la première heure à travailler au génogramme; au cours de cette heure-là, les Kearney se détendirent quelque peu, même si on ne pouvait pas dire qu'ils s'étaient tout à fait calmés (surtout Gordon). Les réponses de sa femme (et puis les siennes) aux questions relatives au génogramme, semblaient l'absorber. L'expression dure, furibonde, de ses traits s'adoucit à mesure que progressait notre conversation à propos de leur existence et de leurs familles fondatrices.

Comment se fait-il que l'on puisse si souvent passer outre au lien organique entre les relations contemporaines des partenaires d'un couple et l'histoire individuelle de chacun d'eux? JoAnn Kearney, née Farrell, avait adoré son père; ce dernier était décédé alors qu'elle entamait son adolescence. C'était l'un des événements les plus marquants de son existence; je l'appris comme il se doit peu après que nous ayons commencé à recueillir des informations en vue de constituer le génogramme familial.

JoAnn m'avait déjà raconté de sa voix calme et pourtant étrangement plaintive qu'elle et Gordon étaient mariés depuis huit ans. Leur enfant unique, Suzanne, avait à peine sept mois et demi. JoAnn était infirmière et exerçait sa profession dans un petit hôpital à proximité de la banlieue où ils habitaient. Elle avait pris quelques mois de congé après la naissance du bébé. Désormais elle *devait* travailler parce que son mari avait quitté son emploi de technicien en psychiatrie pour faire son droit.

UN MARIAGE MODÈLE

Dans sa famille fondatrice, JoAnn était la deuxième de trois filles.

«J'ai aussi des demi-soeurs, fit-elle, mais je n'ai jamais vécu avec elles après le remariage de ma mère. J'étais moi-même mariée à l'époque.»

Il y avait, remarquai-je avec un sourire, bien des femmes dans la famille où JoAnn avait grandi.

«Avant de continuer à parler du nouveau mari et des nouveaux enfants de votre mère, ajoutai-je, dites-moi donc comment était son mariage avec votre père? Vos parents ont-ils divorcé?

— Mon père est mort», souffla-t-elle dans un murmure, en secouant la tête.

Je lui demandai alors quel était son nom; elle répondit doucement «Michael». Il était décédé depuis 18 ans des suites d'un cancer, d'une tumeur au cerveau. Qu'est-ce que son père faisait comme travail avant de devenir malade. JoAnn dit qu'il avait été chimiste.

«Et où travaillait-il? poursuivis-je, adaptant le ton de ma voix au sien.

— J'essaie de me souvenir, soupira-t-elle en passant la main dans sa chevelure blond clair. Le dernier emploi qu'il a occupé, c'était pour une grande compagnie chimique de Stanford — j'oublie le nom — mais il est tombé malade peu après notre déménagement au Connecticut.»

La famille avait quitté la Pennsylvanie, expliqua-t-elle, pour venir s'installer au Connecticut et ne connaissait pas la région quand la maladie avait frappé son père.

La mère s'appelait Elizabeth.

«Je dirais qu'elle a environ 56 ans», rit sarcastiquement la jeune épouse quand je lui demandai l'âge de sa mère. En haussant les épaules, JoAnn se tourna vers Gordon qui sourit pour la première fois, d'un sourire cynique.

Je m'enquis ensuite de l'âge et de la situation des soeurs et des demi-soeurs de JoAnn. Puis je lui demandai l'âge qu'elle avait au moment de la mort de son père.

«J'étais en septième, répondit JoAnn, et je ne sais pas au juste quel âge ça me donnait.»

Elle s'arrêta et compta à reculons, à partir de son âge actuel — 32 ans —, pour s'apercevoir qu'elle allait avoir 14 ans à l'époque.

Je poursuivis: à quoi ressemblait sa relation avec son père?

«Nous étions proches l'un de l'autre, répondit-elle aussitôt en se penchant en avant dans son fauteuil. Son visage avait pris une expression rêveuse. Les meilleurs moments que j'ai passés avec lui, c'est quand il était déjà malade. J'ai bien du mal à me rappeler les années d'avant; je ne me souviens pas de beaucoup de choses, sauf que ma mère et lui se disputaient énormément. À ce propos, je me rappelle seulement que je prenais toujours son parti à lui dans les querelles...»

C'était là, songeai-je, un exemple du modèle matrimonial que JoAnn (Farrell) Kearney avait intériorisé durant les années d'apprentissage de son enfance.

Je me demandai si la question avait un rapport avec l'expression blessée qui s'attardait sur son front, dans ses yeux et avec la colère froide que j'avais observée sur le visage de Gordon à mon arrivée dans la maison ce soir-là. À ce moment-là, rien ne me paraissait encore évident.

«Ainsi, murmurai-je, vous étiez beaucoup plus proche de votre père que de votre mère?

— Très proche, fit-elle.»

Il y eut un nouveau silence que je rompis en demandant à JoAnn à quoi ressemblait sa mère en tant que personne.

«Dominatrice, ironisa-t-elle en riant. Je dirais un peu autoritaire.»

UNE COALITION
TRANSGÉNÉRATIONNELLE

«À votre point de vue, votre mère menait votre père par le bout du nez, et vous preniez le parti de votre père?», m'enquis-je.

JoAnn acquiesça.

Il me vint à l'esprit qu'il pouvait y avoir eu ce que l'on appelle une «coalition transgénérationnelle» dans sa famille fondatrice.

Dans la «coalition transgénérationnelle», des individus de générations différentes (ici, un père et sa fille), tous deux en proie à des sentiments d'impuissance, unissent leurs forces contre une troisième personne qu'ils sentent trop puissante (la mère, dans ce cas-ci).

L'alliance de ce genre comprend bien entendu le bris psychologique des limites générationnelles. Le partenaire adéquat et naturel d'un parent est l'*autre* parent: les conjoints se situent au sommet, au niveau «administratif» de la hiérarchie familiale, à un niveau où l'accès, à titre de pair, devrait être interdit à tout membre de la génération des enfants. Comme l'ont noté plusieurs experts en psychologie d'approche systémique, l'union non dite d'un parent et d'un enfant *contre* l'autre parent mène au trouble et à la dysfonction de l'organigramme familial dans son entier.

On assiste alors en fait au classique jeu de pouvoir du deux contre un, une partie au cours de laquelle deux individus moins forts, agissant de concert, peuvent emmagasiner suffisamment de forces pour supplanter l'individu qui serait le plus fort, si chacun d'entre eux lui faisait face isolément.

Au sein du microcosme émotif qu'est la famille, il n'est pas rare de voir un partenaire conjugal et un enfant (qui est par définition un membre du groupe plus nécessiteux et plus dépendant) unir leurs forces contre le partenaire conjugal — le parent — qu'ils perçoivent comme celui à qui a échu la part du lion du pouvoir familial.

Cette coalition, qui comprend des membres de deux générations différentes, conduit évidemment au sabotage de l'autorité légitime du parent initialement plus fort. L'autorité du parent complice dépend quant à elle du support constant de l'enfant allié.

«Est-ce que vous vous disputiez beaucoup avec votre mère? demandai-je à JoAnn après une pause.

— Je me souviens de querelles avec elle après la mort de mon père. Tout le temps de ma croissance, pour être honnête... mais après la mort de mon père, elle travaillait dur; elle occupait deux emplois et nous, les enfants, nous nous arrangions pas mal tout seuls. Il y avait bien des disputes à propos des restrictions qu'elle nous imposait. Elle n'est pas du genre à lâcher son bout... Lâcher son bout vis-à-vis de ses enfants, je veux dire, fit-elle d'une voix plus dure, plus amère... Même maintenant que je suis mariée, elle ne veut pas lâcher prise... Mais il y avait bien des querelles dans ce temps-là à propos des restrictions, à propos de son manque de confiance quant à ce que nous faisions pendant qu'elle travaillait. Or, elle travaillait la plupart du temps. Nous ne la voyions vraiment pas très souvent.»

LE TRIANGLE PERVERS

«D'une certaine façon, fis-je observer, on dirait que vous avez perdu vos parents en même temps.»

JoAnn pivota sur sa chaise; elle avait replié ses jambes sous elle. Elle soupira, déclara que oui, elle était bien d'accord, c'était aussi son impression. Je voulus savoir qui s'était occupé des enfants.

Sa soeur aînée, la plupart du temps. Cette dernière était au milieu de la trentaine, et était divorcée.

«Ma soeur aînée était aussi très proche de mon père; mais maintenant qu'il n'est plus là, elle s'est alliée à ma mère... définitivement... Je dirais pourtant qu'elle avait des liens encore plus étroits que moi avec mon père.

— Avant la mort de votre père, était-elle plus proche de lui que de votre mère?»

JoAnn le croyait. Je remarquai que durant sa maladie, toutes les filles s'étaient senties très proches de leur père.

«Oui, répondit rêveusement JoAnn; et pourtant, vous savez, c'était une relation bien étrange. À un moment donné, pendant sa maladie, nous avons pris soin de lui — physiquement, je veux dire — parce qu'il était devenu évident qu'il ne pouvait plus le faire lui-même. Ce lien, en soi, était extrêmement puissant: je pense que nous le sentions toutes. Avant qu'il ne tombe malade, je ne me souviens pas bien. Je suis persuadée que ma soeur aînée était proche de lui, mais nous ne parlons pas beaucoup de cette époque... quand il était si malade, je veux dire.»

Elle semblait légèrement confuse. Sa peau, aussi douce et blanche que de la porcelaine, s'était soudain presque magiquement empourprée.

«Vous ne vous en souvenez pas?

— Non.

— Pourquoi donc?, demandai-je.

— Je ne sais pas, répondit JoAnn en secouant la tête; je pense que sa mort nous a donné un coup terrible, et que nous avons simplement mis tout ça de côté.»

Elle avait, poursuivit-elle, écarté tout ça, repoussé tout ça derrière elle. Pourtant, il ne me semblait pas du tout étrange qu'elle ait choisi de devenir infirmière.

Je voulus savoir quel était le principal motif de dispute entre ses parents. Elle ne le savait pas vraiment.

«Je me souviens de querelles; quant à savoir à quel propos ils se chicanaient... je ne le sais pas. Au sujet de l'argent, je pense: ma mère est une femme très exigeante. Probablement l'argent. Ce n'est pas très clair dans ma tête.»

Enfant, insistai-je, elle devait avoir émis certaines hypothèses à propos des querelles de ses parents. JoAnn hésita momentanément, regarda dans le vide, et puis déclara:

«Oui. Il était question d'argent, c'est sûr, parce qu'on l'avait mis à pied à un moment donné. Je ne pense pas qu'elle l'ait jamais trouvé suffisamment ambitieux, mais il faisait toujours ce qui devait être fait, sauf quand il a perdu son travail.»

JoAnn continuait pourtant à ce moment-là de défendre son père.

«Pensez-vous que, quelque part, votre père ne correspondait pas au genre de personne qu'elle voulait qu'il soit?

— Non, lança-t-elle d'une voix furieuse. À son point de vue, il aurait dû faire plus de lui-même. J'imagine qu'elle aurait dû l'aimer à la folie!»

Le ton aigu de la voix de JoAnn avait dû faire sursauter le bébé, parce qu'elle se mit tout à coup à pleurer. Coupable, la jeune mère se leva, se pencha sur le parc et souleva la petite fille. Quand elle se retourna, tapotant le dos de Suzanne, l'expression furibonde figeait toujours ses traits.

Ce triangle familial, que le clinicien Jay Haley a appelé «le triangle pervers» (l'alliance dérobée entre deux membres appartenant à deux générations différentes *contre* un tiers parti) continuait d'exister dans l'esprit de JoAnn Kearney. Elle prenait le parti de son père, adoptant sa position dans la bataille qui l'opposait à sa femme exigeante et dominatrice. Pourtant, sa mère s'était remariée, et son père était mort depuis 18 ans!

Qui plus est, JoAnn elle-même n'était plus une adolescente de 14 ans, mais une femme mariée au début de la trentaine, qui avait elle-même une petite fille. Pour autant que le très important triangle de sa jeunesse était concerné, le temps semblait être resté parfaitement immobile.

Comme l'ont fait observer plusieurs cliniciens versés en thérapie familiale, les triangles émotifs inébranlables maintiennent curieusement les gens qu'ils affectent dans les vieilles situations familiales, même quand les circonstances entourant leur formation n'existent plus.

LES ENFANTS DU MILIEU

Comme son épouse, Gordon Kearney était l'enfant du milieu d'une famille de trois. Il avait un frère aîné et une soeur cadette; Gordon lui-même avait 33 ans. Son frère et sa soeur étaient mariés; son frère John et sa femme avaient un enfant.

Les enfants du milieu, note Walter Toman dans *Constellations fraternelles et Structures familiales: Leurs Effets sur la personnalité et le comportement* (Paris, E.S.F., 1987) se sentent souvent ignorés, exclus, même quand ils habitent avec la famille. «Ils croient avoir remarqué que, parmi les frères et soeurs, ils sont ceux qui comptent le moins. En conséquence, il est possible qu'ils veuillent quitter la famille plus tôt dans leur existence que leurs frères et soeurs. Ils peuvent quitter la maison, partir au loin, ou choisir une carrière radicalement opposée à celle du reste des membres de la famille.»

Dans sa thèse de doctorat intitulée *Birth Order and Life Roles* (Ordre de naissance et Rôles existentiels), la psychologue Lucille Forer considère aussi l'enfant du milieu comme celui qui occupe la position la moins enviable dans la famille. «Dans des circonstances ordinaires, écrit-elle, depuis qu'il est au monde, il doit partager les bonnes choses de la famille avec un autre enfant, ou avec *d'autres* enfants. Il n'a pas tendance à développer aussi souvent le sentiment d'omnipotence de l'aîné. Il n'a jamais l'impression de posséder ses parents, et sa relation avec eux n'est habituellement pas aussi proche ni aussi intense que la relation de l'enfant unique, de l'aîné ou du cadet de la famille. Ce n'est pas que ses parents l'aiment moins que les autres. Le contact quotidien avec eux est tout simplement ordinairement partagé entre les enfants.»

Selon Forer, quand l'enfant occupe la position du milieu, qu'il n'y a qu'un seul enfant plus vieux que lui et qu'un seul enfant plus jeune, l'ordre de naissance est encore moins enviable. «Sur la base des informations que j'ai pu obtenir, déclare-t-elle, j'affirmerais que l'enfant du milieu, quand il est le deuxième de trois enfants, semble occuper la position la plus précaire du point de vue du bien-être et du développement. J'ajouterais que la difficulté relative à sa position s'accroît lorsque les trois enfants sont des filles.»

Même si la documentation disponible sur l'ordre de naissance et son influence sur l'adaptation ultérieure à la vie fourmille de généralités, comme l'ont fait remarquer à juste titre certains détracteurs, j'aime toujours noter la position qu'occupait chacun des partenaires conjugaux dans sa famille fondatrice.

À voix haute, j'observai que les Kearney étaient tous deux des enfants du milieu dans leurs familles fondatrices. L'air un peu étonné, ils reconnurent qu'ils ne l'avaient jamais remarqué.

«Dans mon cas cependant, fit Gordon à la suite de mon commentaire, ce qui fait une différence, c'est que nous avons tous été adoptés. Apparemment, ajouta-t-il, ma soeur est, génétiquement parlant, ma demi-soeur. Mon frère est un frère au sens habituel du terme. Pour autant que ma croissance est concernée, ça n'a fait aucune différence. Je n'ai rien su à propos de ma soeur avant l'âge de 25 ans. J'ai toujours cru que nous étions tous les deux du même sang.»

Il me fournissait ces informations sans la moindre trace d'émotion dans la voix.

UN FILS ADOPTIF

J'étais stupéfaite. Que s'était-il produit pour que trois enfants de la même famille aient été adoptés en même temps? Quel était le «secret» entourant la naissance de sa soeur (sa demi-soeur)? Je regardai Gordon, un petit homme costaud à la moustache et aux cheveux bruns fins.

«Croyez-vous que vous ayez tous été adoptés en même temps?, fis-je.

— Je *sais* que nous l'avons été, répondit-il. Tous en même temps. Selon toute vraisemblance, ma soeur a un autre père que mon frère et moi.»

Je l'interrogeai pendant un certain temps sur la nature des relations qu'il entretenait avec son frère et sa soeur quand ils étaient enfants, et depuis qu'ils étaient adultes.

«Nous ne nous voyons pas très souvent, déclara Gordon.

— Pas très souvent, coupa JoAnn qui berçait le bébé installé sur ses genoux, mais je parle régulièrement à Kathleen, sa soeur.

— J'avais l'habitude d'être très proche de mon frère quand nous étions plus jeunes, reprit Gordon, mais il est policier et il a des horaires de travail bizarres. J'en avais aussi quand je travaillais comme technicien en psychiatrie: chaque semaine, je travaillais trois jours et deux soirs, et aussi toutes les deux fins de semaine. Alors, nos relations ont commencé à s'effilocher. Par ailleurs, nos façons de penser s'étaient beaucoup éloignées l'une de l'autre. En politique, mon point de vue se situe probablement du côté libéral radical, tandis que mon frère a de plus en plus opté pour la droite: il est devenu de plus en plus un policier.»

Gordon rit d'un rire moqueur, détaché.

La mère de Gordon s'appelait Irène, et elle avait 60 ans.

«Non. Pas 60, s'objecta JoAnn. Elle a 58 ou 59 ans.»

Il ne riposta pas; haussa nonchalamment les épaules.

Quand je demandai à Gordon quel genre de personne était sa mère, il haussa encore une fois les épaules et me dit qu'au baccalauréat, sa matière principale était la psychologie, comme s'il voulait me présenter ses compétences avant d'émettre son opinion.

«Je dirais que c'est une mère traditionnelle. Fille aînée typique d'un père prospère qui a réussi dans la vie par ses propres moyens. Très autoritaire, dominatrice... elle est tout cela. Allemande d'origine. Une femme très forte.»

Il parlait d'une voix assurée. Ses réponses étaient claires, mais ce qu'il disait exprimait un mépris glacé.

«La fille d'un homme qui s'est fait lui-même, commentai-je; mais pas la fille qu'il a réprimée ou qu'il a retenue?»

Il répondit que sa mère dirigeait la maison et que son père — son grand-père — avait dirigé l'entreprise; sa mère avait pris en main les tâches qui auraient dû échoir naturellement *à sa propre mère*.

«Ma grand-mère ne s'intéressait pas à la routine quotidienne; elle n'avait pas envie de s'occuper des comptes. Ma mère a assumé cette tâche parce que sa propre mère n'était vraiment pas douée pour les chiffres.»

Au lieu de l'alliance typique de cette époque du début du siècle entre un mari et sa femme (il s'occupait des affaires, elle dirigeait la maison), la division des tâches s'était opérée entre le père et sa fille.

Était-ce le même genre de triangle que du côté du génogramme de JoAnn, c'est-à-dire une coalition exiguë entre un père et sa fille, et une mère (incompétente et «pas douée pour les chiffres») repoussée jusqu'à l'exclusion? De toute manière, on aurait dit que, dans la hiérarchie familiale, la mère de Gordon avait été promue à un poste administratif, tandis que sa grand-mère subissait une rétrogradation.

Gordon rappela que ses ancêtres adoptifs venaient d'Allemagne, et qu'ils s'étaient installés en Amérique en tant que travailleurs spécialisés. Ils y étaient devenus énormément prospères.

«À 26 ans, mon grand-père avait déjà gagné son premier million de dollars. D'ancien travailleur d'une usine de textile, il était devenu propriétaire de plusieurs manufactures.»

Il y avait moins de fierté que de distance et de désaffection sur son visage relativement figé. Se considérait-il comme un membre de la famille adoptive où il avait grandi?

Comment était son père adoptif en tant que personne?

«Mon père est décédé. Il est mort il y a environ 12 ans, fit Gordon.

— Quel âge aviez-vous?

— Vingt et un, vingt-deux ans. Quelque chose comme ça.»

Son père s'appelait Russell, et il était mort de leucémie.

«Vos pères sont tous les deux morts du cancer», fis-je observer.

Sans trace d'émotion, Gordon répondit que son père était mort moins d'un mois après le diagnostic, et qu'il n'avait jamais été proche de lui durant l'agonie.

«Je suivais mon entraînement dans l'armée. J'ai appris le diagnostic, je suis rentré à la maison, je l'ai vu une fois, et puis — même pas deux semaines plus tard — j'ai reçu un téléphone et j'ai su qu'il était mort. Alors, on peut dire que je n'étais pas beaucoup là.»

Le petit garçon qui, pour des raisons mystérieuses, avait passé de la tutelle d'un couple de parents à celle d'un autre, avait bien appris à nier tout sentiment de douleur.

MÈRES

«Que savez-vous de vos parents naturels? demandai-je à Gordon.

— Rien, se borna-t-il à répondre.

— Rien? répétai-je. Avez-vous déjà tenté d'en apprendre sur leur compte?

— Non, lança-t-il en s'agitant nerveusement sur son siège. Je sais où je suis né; je sais comment je m'appelais avant mon adoption. Mais je n'ai jamais été intéressé à savoir quoi que ce soit au sujet de mes parents biologiques.

— C'était la même chose pour votre frère et votre soeur?

— Ils ne m'en ont jamais parlé, fit-il en secouant la tête, après avoir cligné des yeux de surprise. J'avais quatre ans dans ce temps-là, et mon frère en avait six. Ma soeur avait un an et demi.»

Il n'avait, m'assura-t-il, aucun souvenir datant d'avant l'âge de son adoption par les gens qu'il considérait comme ses parents.

Trouvait-il qu'il avait été proche de ses parents?

«Je dirais que j'étais plus près de mon père que de ma mère, mais je ne pense pas avoir été vraiment proche de l'un d'eux», déclara-t-il impassiblement.

Sa voix semblait froide malgré la discussion: son adoption, la mort de son père, le manque de liens réels entre lui et ses parents.

«Mon père était certainement moins menaçant, ajouta-t-il avec un sourire dédaigneux.

— On dirait que vous avez eu des mères plutôt menaçantes, fis-je en les regardant l'un après l'autre.

— Ma mère est un dragon, dit en riant Gordon.

— Est-ce que votre mère est un dragon aussi? demandai-je en me tournant vers JoAnn.

— On pourrait presque croire que nous parlons de la même femme, s'étonna-t-elle; mais ce n'est pas le cas. Elles sont bien différentes. *Sa* mère est tout simplement insupportable. La mienne...

— *Sa* mère manipule tandis que la mienne vous frappe de plein fouet, coupa Gordon, toujours en riant. Elles ont des styles tout à fait différents. (Il se tourna vers JoAnn.) Ta mère utilise des armes émotives et s'arrange pour que tout le monde s'apitoie sur elle. La mienne fait plus cube de glace.

— Manipulation... répéta-t-elle en le regardant. Oui... c'est une bonne manière de présenter les choses.»

UNE MÈRE

À ce moment-là, je demandai à Gordon de se représenter à l'âge de 10 ou 12 ans. S'il se posait la question: «Qui m'aime?», quelle réponse trouverait-il?

«Probablement mon père, annonça-t-il. Je me souviens surtout de ma mère comme d'une figure d'autorité. Très très froide. J'ai un souvenir d'enfance typique: j'avais perdu le contrôle de ma bicyclette, j'avais passé sur un remblai et j'en étais sorti égratigné et coupé. J'étais rentré à la maison pour me faire dire par ma mère de ne pas saigner sur le tapis!»

Nous nous mîmes à rire; je l'accusai d'avoir inventé cette farce!

«Non, fit-il, avec du sérieux dans ses grands yeux gris derrière la monture sans cadre de ses lunettes. Mais *elle* pourrait déclarer, en y repensant, que c'en était une. C'est une femme très froide et très distante, qui n'a jamais appris à communiquer. Elle a grandi dans une maison très autoritaire.»

Au contraire, son père avait été un homme facile à vivre. C'était un optimiste qui avait de bons revenus.

Gordon et JoAnn avaient donc occupé la même place dans la structure familiale: chacun d'eux était précédé et suivi d'un enfant, et l'aîné était du même sexe qu'eux. Ils avaient tous les deux connu des relations difficiles avec leurs mères, et des relations doucement inexistantes ou tendres avec leurs pères.

«J'imagine, déclarai-je aux Kearney tandis que nous examinions le génogramme que je traçais, que tout le monde dans la famille s'attend que la mère devienne une virago ou un dragon. Et vous voilà *mère* à votre tour, JoAnn. Avez-vous quelquefois peur de devenir aussi une virago comme ces autres femmes?

— Suis-je en train de devenir comme ma mère? demanda-t-elle, les yeux grands ouverts.

— En tout cas, tu dis que c'est ce qui te fait peur, ajouta Gordon.

— Oui, admit-elle.

— Tu en parles, continua-t-il comme s'il l'accusait.

— J'ai demandé maintes et maintes fois à Gordon, articula-t-elle doucement, de m'arrêter net si je commençais à agir comme elle.

— Je veux dire: Gordon, précisai-je après lui avoir demandé s'il s'en inquiétait, est-ce que cela vous préoccupe de voir une femme se transformer tout à coup en quelqu'un qui ressemble à votre mère?

— Je ne le tolérerai pas, brusqua-t-il au moment où l'expression qu'il arborait à mon arrivée revenait marquer ses traits. Je ne le tolérerai de qui que ce soit, *sauf* de ma mère! De temps à autre, je dois faire remarquer à JoAnn qu'elle se conduit exactement *comme ma mère*!»

À quelle occasion sa femme lui avait-elle rappelé sa mère, voulus-je ensuite savoir. C'est à ce moment-là que j'ai entendu parler de la liaison extraconjugale.

LE SOIGNANT ET L'OISEAU BLESSÉ

Rétrospectivement, Gordon Kearney pensait qu'il avait probablement «frôlé la psychose» durant l'été de sa rencontre avec JoAnn.

«Je venais d'être évincé de Villanova où j'étudiais, à cause de mon radicalisme politique. Pour aggraver les choses, j'avais déjà fait un mauvais voyage au LSD. Je veux dire... quand j'y repense... je sais que j'étais psychotique, mais personne ne semblait s'en rendre compte. Ça me dérangeait vraiment beaucoup d'avoir pris conscience que j'étais fou et que personne d'autre que moi ne s'en était aperçu.»

Durant tout cet été-là, il passait ses journées légèrement ivre, parce qu'il avait découvert que l'alcool constituait un bon médicament antipsychotique.

«Je voulais juste maintenir ce niveau-là de..., dit Gordon avant de s'arrêter pour ajouter stupidement, c'était très agréable... Il s'agissait sans doute d'une réaction de peur, précisa-t-il un instant plus tard, à l'épisode psychotique que j'avais eu après le LSD.»

Selon toute apparence, un ami et lui avaient consommé la même dose, mais il y avait réagi de manière tout à fait différente.

«J'ai poursuivi mon voyage jusqu'à en devenir fou huit heures après qu'il eut été se coucher pour s'endormir paisiblement. Ça m'a rendu pas mal nerveux. Je vivais un phénomène de dépersonnalisation en regardant ma photo sur ma carte d'identité et en me demandant qui j'étais par rapport à cette identité-là.

— Ça a dû être terrifiant, convins-je, en songeant à l'étrangeté de cette histoire dans le cadre de la pièce où nous nous trouvions, au plancher recouvert de tapis et aux meubles de style colonial.

— Ça l'était, et puis c'était tout aussi épouvantable d'en revenir juste assez pour savoir qu'il n'y avait absolument personne au monde avec qui en parler. J'étais à Hartford, et je ne pouvais pas rentrer chez moi à Wallingford où vivaient mes parents, qui ne savaient même pas que je me trouvais à Hartford! Au lieu de leur présence, j'ai dû m'accommoder de celle de mon ami et faire de l'auto-stop jusqu'à Philadelphie — plus de 320 kilomètres! C'était une expérience pas mal bizarre, décousue... impossible à décrire.»

Je voulus ensuite savoir en quelle année d'université était Gordon à ce moment-là. Il me répondit qu'il était en première.

Il avait, me vint-il à l'esprit, réagi à la séparation d'avec sa famille.

Gordon arborait le sourire contraint, froidement rebelle, qui disait: «tu ne peux pas m'attraper ni me blesser»; c'est sans doute ce masque-là qu'il devait porter en permanence à cette époque.

Manifestement, il avait été un adolescent plein de rage.

«Je réagissais aussi aux deux années passées dans un collège catholique très restrictif», expliqua-t-il d'un ton catégorique.

Il avait quitté la maison pour entrer au pensionnat dès sa première année de secondaire. C'était l'année de la mort du père de JoAnn (un coup d'oeil au génogramme des Kearney confirma mon soupçon). Ils étaient devenus tous les deux des «enfants abandonnés» à peu près au même moment de leur existence.

En décrivant l'expérience du pensionnat et à mesure que croissait sa colère par rapport à ce qu'il racontait, Gordon parlait sur un ton de plus en plus sec et de plus en plus vide de toute émotion.

«Mon frère y est allé avant moi; il a été pensionnaire pendant quatre ans. En fait, l'école était remplie de jeunes comme mon frère et moi: la direction garantissait aux parents qu'en sortant de là vous seriez admis au collège même si cinq écoles secondaires vous avaient mis à la porte, narra-t-il en riant. C'était une école pour délinquants riches, et on y était aussi dur que dans l'armée.

— C'est ainsi que, lorsque vous êtes arrivé au collège, il n'y avait plus de restrictions et vous vous êtes défoncé?

— C'est en plein ça, répliqua-t-il.

— Et vous, fis-je, en m'adressant à JoAnn, qu'est-ce qui vous a attirée vers ce gars radical et anticonformiste?

— Je ne crois pas, dit-elle d'un air quelque peu piteux et d'un ton de plus en plus sérieux à mesure qu'elle parlait, avoir eu conscience de son problème de drogue quand je l'ai rencontré. Mais quand tu m'as raconté ton comportement à Villanova, ajouta-t-elle en s'adressant directement à son mari, j'avais du mal à y croire: je ne voyais pas ça *chez toi!*»

Je leur demandai combien de temps s'était écoulé entre le moment de leur rencontre et le moment où Gordon lui avait parlé du problème qu'il éprouvait à la suite de son mauvais voyage au LSD. Une période relativement courte; probablement moins d'une semaine, convinrent-ils.

Gordon avait, croyait-il, été attiré par l'équilibre et la stabilité de JoAnn.

«Je savais que je me sentais fou cet été-là et que personne d'autre n'avait l'air de le remarquer. J'avais besoin de quelqu'un qui avait toute sa tête, sur qui je pouvais compter, et qui ne faisait pas partie du monde de la drogue ou des gens marginaux.»

En d'autres termes, il était l'oiseau blessé qui avait désespérément besoin de soignant.

LE RÔLE DE SOIGNANT

Je demandai à JoAnn pourquoi elle s'était empressée d'accepter cette tâche particulière, c'est-à-dire la responsabilité de quelqu'un de si mal en point, de si incapable de prendre soin de lui-même. Elle hésita longtemps et finit par balbutier quelque hypothèse.

«Je savais qu'il faisait bien des choses que j'aurais souhaité faire moi-même. Si vous vous souvenez, les temps étaient difficiles à la fin des années 1960 et au début des années 1970... beaucoup de drogue dans les écoles... Et j'ai rencontré quelqu'un qui pouvait le faire, qui pouvait en prendre, ajouta-t-elle après avoir jeté un coup d'oeil respectueux à son mari; j'ai voulu en savoir plus, j'imagine.»

En d'autres termes, sa première hypothèse voulait qu'elle ait été une bonne fille qui avait eu besoin d'entrer en contact avec ce qu'il y avait de mauvais dans le monde, de rencontrer le mauvais qu'il y avait chez quelqu'un d'autre qui pouvait porter et exprimer à sa place la partie désavouée de sa réalité secrète. En regardant Gordon, elle pouvait dire: «le drogué, le rebelle est en lui, pas en moi». En vivant à travers lui les aspects projetés de son propre monde interne, elle pouvait affirmer: «Voilà ce que je ne suis pas!» *au lieu* de devoir avouer: «Voici ce que je suis.»

Gordon était l'être rebelle, incontrôlable, que JoAnn était consciemment tout à fait incapable d'assumer.

En conséquence, elle ignorait que ce genre de pulsion existait en elle.

«C'était aussi, poursuivit-elle d'une voix interrogative, quelqu'un *dont je pouvais prendre soin*, quelqu'un que je pouvais aider... J'aimais bien ça; j'aimais bien pouvoir faire ça, précisa-t-elle sur un ton rêveur. Mais à mesure que le temps passait, cet aspect de notre relation s'est envolé en fumée... Parce qu'il n'en avait plus besoin... Après son...»

Elle s'arrêta et je ne pus compléter mentalement la phrase qu'elle avait à l'esprit.

La seconde hypothèse voulait que JoAnn se soit sentie à l'aise à prendre soin de quelqu'un de «troublé», de «bouleversé», de «malade».

Elle avait après tout été formée très tôt à s'occuper d'un homme malade. Elle avait de l'expérience: elle savait comment établir une relation avec un homme dysfonctionnel.

UNE ENTENTE ÉMOTIVE

Au moment de leur mariage, JoAnn et Gordon Kearney avaient conclu ce qu'on pourrait appeler une entente émotive, un de ces contrats conjugaux inconscients qui ont fait l'inspiration du psychiatre Clifford Sager. Elle serait la soignante, la mère nourricière qui donne sans compter, et il serait l'inepte petit oiseau blessé.

Dans ce genre de situation, le «docteur», l'«infirmière» (JoAnn était infirmière!) convient de faire montre de patience, de tout endurer, et de prendre soin de l'autre aussi longtemps qu'il — ou elle — garde le contrôle de la relation. Il — ou elle — sera aussi, doit-on le dire, le — ou la — partenaire qui se révèle le moins à l'autre, il — ou elle — sera celui qu'on ne connaît pas.

LE SERMENT DE JOANN

Si JoAnn avait dû verbaliser les termes de cette entente durant la cérémonie de leur mariage, elle aurait dit: «Je promets de prendre soin de toi, mon partenaire mésadapté, drogué et troublé, aussi longtemps que tu resteras dans le besoin et aussi longtemps que tu seras malade émotivement. De ton côté, tu devras accepter *que je prenne soin de toi*, et convenir de ne jamais devenir suffisamment compétent pour chercher qui prend vraiment soin de l'autre.»

Pourquoi la soignante de l'oiseau blessé ne désire-t-elle pas être vue? Cruciale à la compréhension de la dynamique sous-jacente du couple, la réponse veut que l'estime de soi du nourricier soit si faible qu'il est intimement persuadé que, dans le monde entier, aucun partenaire intime ne saura l'aimer pour lui-même s'il exhibe son moi secret et ses manques ainsi que ses déficiences épouvantables.

Le partenaire soignant vend sa sensibilité (sa marchandise émotionnelle) aux besoins et aux points faibles de son conjoint.

Ce marché exige par ailleurs que le conjoint n'aille jamais assez bien pour reluquer la soignante de près.

Le contrat qui lie le parent nourricier à la personne interminablement nécessiteuse se rencontre fréquemment chez les gens pour qui l'aide apportée aux autres est une profession, et chez les psychiatres et leurs conjoints.

LE SERMENT DE GORDON

Si Gordon Kearney avait prononcé sa part du serment conjugal, il aurait dit quelque chose comme: «En échange de ton amour et de ton attention, je promets de toujours rester le gars à moitié fou qui consomme des drogues potentiellement dangereuses pour la santé mentale, le gars qui ne pourra probablement jamais mener une vie normale et garder un emploi décent.»

Paradoxalement, la personne nourricière travaille souvent tellement bien que le conjoint malade devient de plus en plus fonctionnel, et c'est ce qui menace le système relationnel du soignant et de l'oiseau blessé, ce qui met en danger le fondement même de la relation du couple. En d'autres termes, l'oiseau blessé guérit et la stabilité interne du système émotif des partenaires disparaît. Le rocher sur lequel se fonde la convention matrimoniale commence à se désagréger sur ses assises et menace de s'effondrer, entraînant avec lui l'édifice entier de la relation.

En effet, si le soignant n'a plus d'oiseau blessé à soigner, il n'a plus de raison d'exister. Pour lui, le dilemme est le suivant: «Si je ne peux plus prendre soin de cette autre personne, pourquoi voudrait-elle de moi? (Pourquoi quiconque voudrait-il de moi?)» La capacité de soigner est, croit-il (ou croit-elle) son seul attrait.

Pour l'oiseau blessé, la question qui se pose se situe à l'opposé: «Si je ne suis pas blessé, pourquoi aurais-je besoin d'un soignant?»

«LE COMMENCEMENT DE L'UNE DES PIRES ANNÉES DE NOTRE MARIAGE»

En réalité, durant l'été de 1980, Gordon Kearney s'est senti beaucoup mieux qu'au cours des dix années précédentes. Toute une décennie s'était écoulée depuis qu'il avait consommé du LSD, et JoAnn et lui étaient mariés depuis sept ans.

«L'idée que je me faisais de moi-même n'avait pas été aussi bonne depuis bien longtemps, conta Gordon. C'était le dixième anniversaire de cette horrible expérience, et je n'étais pas devenu fou. Tout allait bien: j'avais été accepté en droit, et j'avais obtenu mon diplôme collégial *magna cum laude*. Je m'étais enfin ressaisi. Au moment même où je m'aimais le mieux, commençait l'une des pires années de notre mariage.»

C'était l'époque de sa rencontre avec Nina, et le début de leur liaison.

8

L'infidélité conjugale

À la fin des années 1940 et au début des années 1950, quand Kinsey et ses collègues ont publié leurs découvertes qui ont fait époque (dans *Comportement sexuel de l'homme* et *Comportement sexuel de la femme*), les statistiques relatives à l'infidélité ont pris la plupart des gens par surprise. Durant cette période de «cohésion», bien avant la mise au point de méthodes contraceptives efficaces et relativement sûres, bien avant la révolution sexuelle et le mouvement de libération de la femme, les expériences extraconjugales étaient, selon toute apparence, chose fort rare. Les informations de Kinsey indiquaient qu'un mari sur deux, soit 50 p. cent des hommes mariés interrogés, avait eu au moins une relation sexuelle avec une autre partenaire que sa femme avant l'âge de 40 ans. La même situation prévalait chez 26 p. cent des femmes, ce qui revient à dire qu'une femme mariée sur quatre interrogées avait vécu une expérience sexuelle extramatrimoniale avant le même âge.

Même si on trouvait honteux et déshonorant le fait de s'engager dans une liaison (les sondages récents indiquent que l'opinion de la plupart des gens n'a pas changé à ce sujet: ils désapprouvent l'adultère), bien des conjoints semblaient passer outre et le faire *de toute façon*. Comme l'ont démontré toutes les études sur l'infidélité sexuelle suivantes, la relation sexuelle avec une personne autre que le conjoint ne constitue pas une occurrence rare ou isolée: les rapports sexuels hors mariage *se produisent très souvent*.

La recherche contemporaine sur les RSEC (relations sexuelles extraconjugales) montre que la proportion des mariages qui risquent d'être affectés par ce phénomène est en fait très élevée. Non seulement le taux d'infidélité chez les hommes s'est-il accru dans les décennies qui ont suivi la publication du rapport Kinsey, mais encore a-t-il également augmenté *de manière significative* chez les femmes. Dans un récent panorama de la recherche sur les relations sexuelles extramatrimoniales, le psychologue Anthony P. Thompson remarque que l'incidence de coït extraconjugal semblait être de l'ordre «d'au moins 50 p. cent chez les hommes mariés»; «le nombre de femmes mariées approche dangereusement le même pourcentage.» Quand on considère le taux d'infidélité chez les femmes du début des années 1950, et que rapportaient les collègues de Kinsey, ce pourcentage représente un accroissement brusque.

Qui plus est, toutes les estimations relatives à l'activité sexuelle extraconjugale tendent à se ranger du côté conservateur parce que les statistiques sont notoirement difficiles à élaborer, étant donné la nature secrète des comportements adultères. La plupart des experts s'entendent toutefois à accepter les suppositions des chercheurs G. D. Nass, R. W. Libby et M. P. Fisher (à l'heure actuelle, de 50 à 65 p. cent des maris et de 45 à 55 p. cent des femmes auraient eu des relations sexuelles extraconjugales avant 40 ans), qu'ils trouvent relativement sensées et raisonnables.

Quand on songe que dans bien des cas, *un* seul des partenaires est un coureur, le nombre de relations conjugales affectées par ce phénomène est tout simplement énorme, de l'ordre de deux mariages sur trois, au minimum! Étant donné l'ampleur de l'infidélité conjugale et le fait qu'elle constitue la «norme» statistique plutôt que l'exception, on comprendrait que les couples prévoient l'émergence de ce type de problème dans leurs relations. En général toutefois, ils ne le font pas.

Quand l'un des partenaires découvre que l'autre s'est engagé dans une liaison, il perçoit ce qui lui arrive comme une catastrophe tout à fait inattendue. C'est un désastre, c'est comme un décès — et dans un sens, c'en est un: c'est la mort de l'innocence du mariage, la mort de la confiance, la mort d'une appréhension naïve de la relation amoureuse elle-même.

LA CRISE EXTRACONJUGALE

Le voeu d'exclusivité émotionnelle et sexuelle a été rompu, et le partenaire trahi ressent un choc, de la colère, de la panique et de l'incrédulité. Comme il ou elle le connaissait et le comprenait, le mariage n'existe plus. Subitement, le «refuge dans un monde sans coeur» devient épouvantablement dévasté et incertain. Une conflagration d'émotivité intense fait rage dans la relation: accusations et colère de la part du partenaire fidèle, culpabilité et protestations d'innocence de la part du partenaire adultère.

De loin, la plus grande part de l'activité extraconjugale se déroule à la dérobée, dans le secret et la violation de l'entente émotionnelle entre les conjoints, fait remarquer le sexologue chercheur R. N. Whitehurst, dans le résumé des résultats de son étude portant sur 982 maris et 1 044 femmes. Les liaisons «produisent des conflits intérieurs et des sentiments de culpabilité chez celui qui s'y engage, et des éclats et de la rage chez celui qui découvre la vérité».

Dans le sillage de la découverte de l'activité extraconjugale du partenaire, la crise que subit le mariage se caractérise, comme toutes les autres crises, par une tension psychologique aiguë et par un déséquilibre émotif profond. Bien des gens ont énormément de mal à se concentrer et même à penser; ils ruminent, se laissent distraire par des réflexions par rapport à la liaison et à la trahison. Une femme que j'interviewais a raconté, par exemple, que durant la semaine qui a suivi sa découverte de l'infidélité de son mari, elle s'était retrouvée au beau milieu d'un grand magasin sans avoir la moindre idée de la raison qui l'avait emmenée là ou de ce qu'elle avait l'intention d'acheter!

«J'avais l'impression que le plancher sur lequel je me tenais, rapporta-t-elle, bougeait, ondulait et gauchissait sous mes pas. C'était comme si le monde qui m'entourait — et moi aussi — étions devenus complètement irréels.»

Selon l'expert Anthony Thompson, le stress subi durant une crise extraconjugale entraîne «des changements physiques et comportementaux... La vie quotidienne et la routine de travail se brisent; des troubles du sommeil et de l'appétit peuvent survenir, et la dépression et le suicide menacent les personnalités fragiles.»

Notre culture peut bien avoir connu la révolution des moeurs sexuelles, la plupart des conjoints continuent de se sentir profondément affligés ou troublés par la violation des limites de la relation conjugale par le partenaire. Cela se vérifie même quand le partenaire trahi a lui-même été le traître de la relation un peu plus tôt.

«J'étais furieux, je me sentais trahi, dénonça un mari qui avait pourtant vécu une longue liaison plusieurs années avant de découvrir que sa femme s'était engagée dans une relation extraconjugale. Je sentais que je ne pouvais plus *lui faire confiance*! J'avais l'impression que quelqu'un que je ne connaissais pas savait tout à mon sujet et avait, pour cette raison, *gagné la bataille*! Même si je ne le connaissais pas, il m'avait *battu*, il m'avait pris quelque chose qui m'appartenait exclusivement!»

Cet homme était plus fâché contre l'amant inconnu que contre sa femme. Il avait été défait dans une lutte qui l'opposait à l'autre homme de cette relation à trois, et cette réaction est très fréquente. Comme l'a montré une étude de J. L. Francis, dans le triangle émotif, les hommes ont tendance à associer leurs sentiments de jalousie et de colère au rival masculin. Par ailleurs, les femmes ont une propension à associer leurs sentiments de jalousie à une perte plus globale, généralisée: celle de l'attention, de l'amour et du souci du partenaire.

Bêtement, la liaison a transformé la relation à deux en un système relationnel à trois. La tension qui émane de la troisième personne à entrer dans le mariage et à en faire partie affecte ce triangle. «L'identité du partenaire extraconjugal, la qualité de l'engagement émotionnel et la nature des pratiques sexuelles produisent un impact majeur», rapporte le sexologue chercheur Anthony P. Thompson.

«Il y a souvent, écrit Thompson, un intérêt tenace à la révélation interminable de détails, et plusieurs conjoints se donnent bien du mal pour tout connaître. Cette façon de faire stresse les deux partenaires puisque les points d'interrogation et les divulgations affecteront vraisemblablement les points les plus sensibles et les plus menaçants pour le couple marié...» Le partenaire trahi peut souffrir énormément de faire la paix: il a *besoin de savoir* et pourtant, il trouve intolérable d'entendre ce qui s'est passé.

Dans le sillage de la révélation de la liaison, le gabarit comparatif des deux partenaires matrimoniaux change inévitablement. Jusqu'à un certain point, le partenaire adultère est encore celui qui occupe la position de pouvoir. En effet, tandis que sa conjointe se sent atterrée, désespérément enragée, bouleversée, il se sent, concurremment aux sentiments de culpabilité qu'il peut connaître, victorieux et séduisant.

La relation a pu rehausser son estime de soi, a pu lui donner l'impression qu'il est plus aimable et plus confiant, tandis que l'idée que sa partenaire se fait d'elle-même sera diminuée; elle se sentira abattue à la suite de la révélation. Parce qu'elle se sent blessée, l'épouse infidèle sera donc déprimée et connaîtra une impression d'inadéquation, de désavantage du point de vue du pouvoir dans la relation. En fait, cela peut même avoir constitué l'un des motifs du conjoint adultère.

POURQUOI EST-CE ARRIVÉ?

Quand l'infidélité de l'un des partenaires s'étale au grand jour, l'une des plus grandes difficultés du couple est de chercher à savoir ce qui a «causé» la liaison. Était-ce forcé d'arriver? Si oui, lequel des partenaires est à blâmer? Les deux partenaires s'efforcent de répondre eux-mêmes à ces questions épineuses, et ils se livrent souvent d'interminables batailles à ce sujet dans le temps incertain qui suit la tempête de la révélation de la liaison extraconjugale. «Mon partenaire est-il un individu malade, perturbé, ou bien suis-je inadéquate du point de vue sexuel?», se demande le partenaire fidèle. Il — ou elle — se demande aussi à quel point son conjoint aimait (ou, pis encore, *aime*) l'autre personne du triangle émotif.

Il est encore plus éprouvant de faire face à l'incertitude fondamentale relative *aux raisons* qui ont d'abord conduit à la liaison. Que se passait-il dans le mariage qui ait rendu l'attrait de l'extérieur si impérieux?

Pour expliquer leur comportement adultère, les motifs qu'invoquent les époux infidèles foisonnent dans leur multiplicité et leur grande variété. Comme le rapporte le sexologue Frederick Humphrey, ils vont de la «conquête» à la «rébellion», de la «lutte à la dépression» à la «promotion», de l'«ivresse» ou de la «drogue» au besoin de «créer de la jalousie et d'attirer l'attention», pour ne citer que quelques-unes des explications données pour rationaliser l'infidélité matrimoniale.

Parmi les causes multiples citées toutefois, certains termes courants tendent à émerger et à dominer les autres. Dans une étude portant sur 750 histoires de cas, les cliniciens Bernard L. Greene, Ronald R. Lee et Noël Lustig ont remarqué que la frustration sexuelle, la curiosité, la vengeance, l'ennui et le besoin d'acceptation et de reconnaissance constituaient le plus souvent les motifs donnés pour expliquer la liaison.

Dans son survol des textes portant sur les relations extraconjugales, le chercheur Anthony Thompson condense encore davantage les explications de l'adultère. En cette matière, fait-il remarquer, les révélations les plus persistantes ont trait au peu de cas fait du mariage, au manque et à la piètre qualité des rapports sexuels. Chez les gens les moins satisfaits de leurs relations conjugales, commente-t-il, on trouve beaucoup plus de fantasmes relatifs à l'engagement extramatrimonial.

«Il est possible, conclut Thompson, que les satisfactions conjugale et sexuelle constituent les deux variables majeures, et que l'influence de maintes caractéristiques conjugales secondaires relève en fait de ces évaluations fondamentales générales.» Bref, si on considère les relations sexuelles comme une monnaie d'échange dans le cadre de la relation, le fait de trouver un autre partenaire devient une manière de dévaluer le cours du conjoint, et peut-être même de l'invalider tout à fait. C'est exactement ce que fait le partenaire insatisfait quand il sort de la relation, *parce que l'adultère est une forme de communication avec le conjoint.* L'infidélité envoie un message dans le langage codé du comportement: «À mes yeux, notre mariage ne fonctionne pas.»

INTIMITÉ ET INFIDÉLITÉ

On pourrait penser à la liaison comme à un régulateur de distance émotionnelle. La seule présence d'une tierce personne au sein du système conjugal indique que le couple éprouve des problèmes d'altérité et d'intimité qu'il n'arrive pas à résoudre. Selon la psychologue clinicienne Betsy Stone, généralement, quand l'un des partenaires vit une liaison externe, l'autre rêve *aussi* de connaître des relations extramatrimoniales.

Cela signifie qu'il n'y a pas vraiment d'«innocente victime», ni de «méchant coupable»; celui des deux qui sort du mariage le premier a dû compter avec l'occasion et avec le bon moment. Les deux membres du couple rêvent d'un autre partenaire ou en désirent un parce qu'ils se sentent profondément aliénés et déçus.

En ce sens, la liaison n'est pas quelque chose qui arrive *à* quelqu'un: c'est plutôt quelque chose qui se produit *entre deux personnes*. Qui plus est, la plupart du temps, c'est le plus faible des conjoints qui passe d'abord aux actes; il — ou elle — entreprend un coup de force en s'alliant au partenaire extraconjugal. Pour cette personne, l'engagement externe prend l'allure d'une manoeuvre d'adaptation, une manière de faire face aux problèmes de la relation. La liaison est un symptôme du trouble conjugal général, elle n'est pas le problème lui-même.

La réalité d'une liaison indique cependant que, dans le système émotif du couple, l'intimité se trouve en état de déséquilibre. Quelqu'un a peur d'être trop proche, ou quelqu'un est trop frustré du manque d'intimité. Précisons tout de suite que le terme «intimité» ne renvoie pas à un éclairage aux chandelles, à une table pour deux dans un petit bistrot, à un violoniste qui joue des airs tziganes tandis que le couple est engagé dans une conversation intense, romantique, fascinante. L'«intimité» est quelque chose de différent, quelque chose de plus proche de la réalité quotidienne de chaque personne. Comme je l'appréhende, l'intimité est la capacité individuelle de *parler de soi*, de *faire part de ses désirs et de ses besoins*, et d'*être entendu par le partenaire intime*.

Cela signifie, par exemple, que la personne intime peut confier à son partenaire ses sentiments moches et frustrés au lieu de prétendre dominer toujours la situation et se sentir aussi compétent. Ou bien, pour prendre un autre exemple, l'intimité veut que l'on puisse exprimer clairement ses besoins sexuels et ses choix d'amitié, plutôt que de rester dans le vague à leur propos et avoir l'impression qu'on est exploité par le partenaire à qui l'on finit par en vouloir.

Quand la peur de la proximité (être si proche de son partenaire qu'il voit et condamne sa faiblesse et ses manques) vient du mari, la liaison apporte un semblant de solution. En effet, s'il cache une autre partenaire, c'est qu'il n'est pas aussi proche de sa femme qu'il ne le craint: elle ignore quelque chose de très important à propos de sa *véritable identité*. Qui plus est, le secret, la clandestinité et le temps limité qui contraignent la relation extraconjugale fixent certaines limites au degré d'intimité qu'il peut tirer de la relation extérieure.

L'ÉPOUSE ADULTÈRE

Par ailleurs, quand c'est l'épouse qui s'engage dans une relation extramatrimoniale, c'est assurément (même si ce n'est pas toujours le cas) parce qu'elle *rêve* davantage d'une intimité émotionnelle qu'elle ne souhaite l'éviter. En ce sens, l'épouse est la personne qui a continuellement — et désespérément — été distancée dans sa quête émotionnelle, qui a abandonné la lutte, et qui est sortie du mariage pour trouver ce que son mari refuse de lui donner: l'acceptation, la confirmation de sa valeur, l'empressement à l'écouter dire *qui elle est en tant que personne* et à connaître *ses désirs et ses besoins*.

Pour elle, comme pour celui qui détermine la distance émotionnelle, la sexualité n'est pas le motif premier de la liaison. Tout comme il s'engage dans une relation extramatrimoniale pour échapper aux exigences d'intimité réelle, elle a recours à la liaison pour mettre fin à sa quête d'intimité. Avec son amant, elle peut obtenir au moins la sensation physique du toucher, de la caresse: on peut *prendre soin d'elle*. Elle peut, par la même occasion, abandonner la poursuite, toujours frustrante, de son partenaire, interminablement frustrant.

Quand l'intimité est un objectif irréalisable du mariage, quand il est impossible de parler à son partenaire de ses craintes, de ses besoins, de ses désirs et de ses exigences sexuelles, la personne qui n'est pas entendue commence à se sentir impuissante, aliénée et résignée. La liaison extraconjugale est en ce sens une manière de trouver du réconfort et un allié.

La mise en échec de la confiance, de l'intimité, de l'attention aux besoins et aux désirs mutuels donne inévitablement lieu à une lutte désespérée entre les partenaires, à une quête de pouvoir et de contrôle. Ce que les conjoints ne peuvent se donner mutuellement par le biais d'une collaboration et d'une négociation satisfaisantes, chacun essaie de *l'arracher* à l'autre par la force et par la manipulation. C'est comme si le manque d'intimité avait créé un vide au centre de la relation, et que la lutte de pouvoir venait occuper toute la place.

MÈRES ET AMANTS

La maîtresse de Gordon Keaney avait huit ans de plus que lui (cette nouvelle ne m'étonna pas), et elle était mère. Nina avait deux petits enfants, et son mariage était en voie de désintégration très rapide. (Elle et son mari ont fini par divorcer.) Je soupçonnai fortement le jeune mari d'avoir cherché la tendresse, la sagesse, la chaleur et le réconfort chez l'autre femme, la mère qui avait disparu de la vie du petit garçon, et à propos de qui il niait toujours éprouver du désir, des sentiments de deuil ou de désespoir.

Je ne m'étonnai pas qu'un enfant dont la «vraie mère» avait tout à coup été remplacée par une «mère substitut» commence à un moment donné à reproduire un drame similaire avec une épouse réelle et une épouse de remplacement. Pour Gordon, dont la mère naturelle avait disparu de façon si déroutante quand il avait quatre ans à peine, tout lien intime devait sembler provisoire. La mise en scène de la répétition des circonstances était pour Gordon, scénariste et réalisateur, une manière de prendre le contrôle d'une situation qu'il trouvait, inconsciemment, extrêmement dangereuse.

Il était celui qui abandonnait l'Autre; il pouvait en outre choisir lui-même le successeur. Il pouvait en conséquence se sentir rassuré quant à la satisfaction de ses propres besoins: il ne dépendait pas de JoAnn et pouvait très bien survivre sans son attention vigilante.

C'était néanmoins dans le cadre de nos discussions au sujet des similitudes qu'il percevait entre sa mère adoptive et JoAnn que l'histoire de la liaison de Gordon fit subitement surface.

D'une voix sèche et quelque peu pédante, il fit remarquer que sa femme, comme sa mère, «était capable d'autoritarisme». Voulait-il dire, lui demandai-je, qu'elle se fâchait facilement? Au lieu de répondre, il se contenta de sourire. Je reformulai la question en l'adressant cette fois autant à lui qu'à sa femme.

«Quand quelqu'un doit se mettre en colère dans cette famille, qui sera le plus vraisemblablement cette personne?

— Si vous parlez de se mettre franchement en colère, répliqua JoAnn, l'air tendu, j'ai l'impression que c'est moi. Gordon ne dit pas qu'il est furieux; bien des fois, je ne sais même pas qu'il est fâché. *Moi*, je le montre!»

Je me demandai alors si elle exhibait sa propre colère, ou si elle exprimait celle du couple.

On aurait dit que j'avais posé la question à voix haute, parce que Gordon y répondit froidement.

«Je ne me mets pas en colère très souvent... mais quand il m'arrive de me fâcher, précisa-t-il après un instant de silence, je deviens fou furieux.

— Et qu'est-ce qui peut bien vous rendre fou furieux?

— L'invasion de ma vie privée», déclara-t-il.

C'est à ce moment-là que l'histoire commença à sortir, l'histoire d'une liaison avec une étudiante qui avait, raconta Gordon, éclaté au grand jour sept ou huit mois plus tôt. La fin de la liaison s'était trouvée précipitée par une indiscrétion: JoAnn l'avait apprise à la lecture du journal quotidien que son mari tenait à l'époque.

Le fait qu'elle avait lu son journal l'avait mis en furie: c'était son territoire personnel, et elle n'avait pas le droit d'y mettre le nez.

Je me demandai ce qui avait rendu JoAnn assez suspicieuse pour croire qu'elle y trouverait quelque chose d'inquiétant.

«Qu'est-ce qui vous a poussée à lire son journal?», demandai-je à JoAnn, parce que je voulais savoir ce qui s'était passé entre eux qui avait pu l'amener à cette découverte. Lui avait-il transmis des signaux subliminaux, ou bien lui avait-il indiqué plus nettement la voie à suivre?

«Eh bien, ce n'était pas,... non, ce n'était pas intentionnel, avoua-t-elle, l'air coupable. Il l'avait laissé sur la table, sur le dessus d'une pile de livres, et je suis allée prendre l'un des bouquins...

— La table, c'était mon bureau! ricana son mari pour montrer son refus de l'explication.

— Oui, son bureau. Oui... non... Je n'allais pas prendre un livre, j'allais chercher ma calculette qui était coincée sous la pile. Et quand j'ai tiré, tous les livres sont tombés. En les ramassant, j'ai aperçu la photo d'une femme... Le journal s'était ouvert à cette page-là à cause de la photo, et je ne la connaissais pas. Je ne pouvais plus le refermer, le remettre à sa place et me contenter de dire: «Je vais oublier ça.» Alors, je l'ai lu», expliqua-t-elle, tendue et profondément embarrassée.

À mon avis, elle n'aurait pas été humaine si elle ne l'avait pas fait, étant donné les circonstances.

«Gordon est d'avis, poursuivit-elle, que j'aurais dû fermer le livre, et le remettre à sa place.

— Supposons,... fis-je en me tournant vers lui.

— Et moi, je dis, coupa sa femme avec insistance, que si ça se produisait encore, je referais exactement la même chose!

— Imaginons, repris-je, que la même chose vous arrive? Je veux dire, supposons que le journal de JoAnn soit tombé ouvert, et que vous y ayez vu tout à coup la photo d'un homme que vous ne connaissez pas. Auriez-vous refermé le cahier? L'auriez-vous repoussé? Auriez-vous oublié ce que vous y aviez vu?

— Oui, répondit-il sans hésiter, avant de s'expliquer. J'ai des souvenirs d'enfance... Ma mère ouvrait parfois mon courrier... La notion de vie privée est tellement profondément ancrée en moi qu'*il ne me viendrait jamais à l'esprit* de lire le journal de quelqu'un d'autre. JoAnn laisse son journal traîner un peu partout dans la maison. J'ai parfois dû le déplacer, et je n'ai jamais eu l'envie de l'ouvrir... encore moins après que mon propre journal ait été lu. Je ne ferais jamais ça!

— Vous tenez tous les deux un journal?

— Je ne le fais plus, prononça lentement JoAnn, depuis cette affaire... Parce que ça fait trop mal, ajouta-t-elle après que je lui eus demandé pourquoi. Je n'arrive tout simplement pas à l'écrire.

— Et moi, je ne tiens plus de journal, renchérit Gordon d'une voix outragée. J'ai même brûlé l'équivalent de dix années de journal intime! Et je n'en tiens plus maintenant, même si je souhaiterais souvent pouvoir le faire, parce que ça me permet de planifier mon cours et de voir comment je réagis à ce qui se passe dans ma vie. Maintenant, je ne le fais plus — je ne peux pas —, parce que j'ai trop peur qu'elle le lise encore!»

Une pointe de panique ou d'hystérie rendait sa voix plus aiguë.

Jusqu'à quel point, me demandai-je, sa rage à l'endroit de sa «vraie mère» (dont l'abandon ne semblait ni troubler ni intéresser le Gordon adulte, désormais marié et père) s'était-elle déplacée sur sa «vraie femme» dans sa relation actuelle?

LA PARTIE LÉSÉE

La conversation avait pris, me semblait-il, une tournure bizarre et inattendue. Au lieu de discuter de la trahison conjugale de Gordon et de ses effets sur chacun des partenaires, nous parlions de l'invasion de la vie privée commise par JoAnn! Et de son incapacité subséquente de tenir son journal! Tout était sens dessus dessous, comme dans *Alice au pays des merveilles*.

«On dirait, poursuivis-je avec un sourire forcé, que vous êtes aussi blessé par le fait qu'elle a lu votre journal qu'elle peut l'être par votre infidélité...

— J'*étais* aussi furieux», cingla-t-il sans avoir l'air de remarquer mon dépassement, d'une voix chargée d'émotion.

Techniquement, JoAnn était bien la «partie lésée», mais il semblait avoir subi plus de dommages qu'elle.

Je regardai sa femme — du moins, c'est ce que je tentai de faire —, mais je ne pu croiser son regard baissé.

Même si Gordon avait transgressé leur loi, on aurait dit qu'ils avaient tous deux convenu qu'*elle* était responsable de ce qui s'était produit. Comment était-il possible que la culpabilité et le blâme qui appartenaient à Gordon soient moins lourds à porter que le fardeau de culpabilité et de blâme que devait porter JoAnn en raison de sa découverte?

SOIGNANTS ET OISEAUX BLESSÉS

Je ne connaissais pas la réponse à la question, mais je crus qu'elle devait relever du statut de soignante de JoAnn. Les soignants, après tout, ne font que cela: *ils soignent et engagent leur responsabilité*, y compris celle des situations qui échappent à leur contrôle. En acceptant le blâme pour tout ce qui n'allait pas dans son monde, JoAnn Kearney maintenait l'illusion de son emprise sur ce qu'elle ne dominait pas. Les soignants pensent que rien ne se produit sans leur consentement ou sans leur provocation, et ils se sentent facilement coupables. Les oiseaux blessés, par ailleurs, tendent à faire porter le blâme sur quelqu'un d'autre. Au lieu de se sentir coupables, ils accusent les autres. La relation où l'un des partenaires prend une trop grande part de responsabilité et où l'autre n'en assume que trop peu trouve ainsi une sorte d'équilibre de guingois, fort inconfortable.

«J'AI TOUJOURS L'IMPRESSION QU'IL CONTINUE DE LA VOIR»

Ce premier soir, ma conversation avec les Kearney se poursuivit inhabituellement longtemps, et devint, à un moment donné, douloureusement brutale.

JoAnn décrivait alors sa découverte de la liaison de Gordon.

«J'avais appris deux semaines plus tôt que j'étais enceinte et c'était ce que nous avions voulu — nous avions même consulté un spécialiste à ce sujet — avec le plus d'acharnement au cours des deux années précédentes. Bien des émotions tournicotaient dans ma tête. Après ma découverte, l'une de mes premières impressions, je pense... (Elle s'arrêta tout à coup au beau milieu de sa phrase, puis poursuivit, après avoir inspiré et expiré profondément.) Après avoir découvert l'autre relation de Gordon, ma première idée a été de sortir à mon tour et d'avoir moi-même une aventure, par esprit de revanche plus que par envie! Mais j'étais enceinte et je n'arrivais pas à m'imaginer en train de faire ça dans cet état-là! Et puis, j'ai pensé mettre un terme à ma grossesse... En tant que catholique, je ne sais pas jusqu'à quel point j'étais sérieuse à propos de l'avortement. Mais j'y ai vraiment songé!... Parce que, murmura-t-elle comme avec une arrière-pensée, je ne savais pas si je voulais que le mariage continue après cet épisode. J'ai fini par dire: «Ou bien tu romps avec cette femme, ou bien je pars. Il n'y a pas d'autre solution!»

Gordon avait apparemment prié sa femme de l'autoriser à poursuivre sa relation avec Nina «du strict point de vue de l'amitié», mais JoAnn n'avait pu se faire à l'idée.

«Je ne pouvais tout simplement pas faire face à cela», persista-t-elle.

JoAnn avait décidé que si leur mariage devait durer, Gordon devait complètement cesser de voir Nina, condition qu'il a fini par accepter.

«Et pourtant, toute l'année qui a suivi, j'ai continué d'avoir l'impression qu'il la voyait toujours. C'était... oh! de toutes petites choses qui traînaient. Je continuais aussi à l'accuser, mais, après nos éclats, je finissais toujours par me sentir coupable: j'étais désolée d'avoir soulevé la question, et puis... (JoAnn s'arrêta pour aspirer encore une fois goulûment), après *toute une année*, je me suis aperçue *que je ne m'étais pas trompée*. Et cette fois-là, j'avais un nourrisson de trois mois. Je me sentais tout à fait perdue.»

Il y eut un silence lourd, prolongé.

«Quels sont donc vos sentiments pour Nina maintenant?, fis-je en me tournant vers Gordon; en ce moment, je veux dire?»

Il me regarda, me fixa, mais ne répondit pas.

Changeant de tactique, je lui demandai de me dire à quoi ressemblait Nina en tant que personne. Il répondit comme à un sondage, répétant les détails, en ajoutant quelques autres: elle avait divorcé; elle avait 41 ans et deux enfants et l'un d'eux connaissait des troubles d'apprentissage sérieux, une dyslexie grave.

«Elle travaille à sa maîtrise en administration des affaires et s'intéresse tout particulièrement à la psychologie organisationnelle, précisa chichement Gordon. Je ne sais pas ce que vous voulez savoir de plus.»

Je répétai que je voulais savoir comment elle était en tant que personne.

«C'est une personne exceptionnelle, très douée pour l'empathie, fit-il après un silence, d'une voix changée, plus vivante; très intelligente, raffinée, une très belle femme.»

Je jetai un regard rapide à sa femme adossée dans son fauteuil, le visage blanc, comme si elle avait reçu un coup. Nous passâmes quelques secondes terribles avant que je me risque à demander doucement mais sans détour à Gordon quels étaient ses sentiments par rapport à cette relation.

«Est-ce que c'est du passé, ou est-ce que je me trompe quand j'ai l'impression que cette question-là occupe toujours votre esprit?»

Au lieu de me répondre, il expliqua qu'au moment où JoAnn avait découvert la poursuite de la relation, Nina avait quant à elle entrepris de demander le divorce.

«Elle — Nina — s'est mise à m'en vouloir de mon insouciance, parce qu'elle craignait qu'elle ait un impact sur sa demande de garde des enfants. Alors je... eh bien! ça m'a laissé un mauvais goût dans la bouche qu'une amitié si longue en dépit des problèmes de toutes sortes se termine sur une note si amère.»

La seule chaleur que contenait sa voix provenait de la petite flamme de rage qui brûlait dans sa gorge.

Par un sortilège des plus étranges, il était redevenu une victime.

«EN QUOI N'ÉTAIS-JE PAS À LA HAUTEUR?»

Je ne dis rien, je restai assise sans bouger, en attendant que sa femme réponde. Quand elle le fit cependant, il était évident qu'elle n'avait rien entendu après la description de son ex-maîtresse.

Comme en transe, elle regardait fixement Gordon.

«Les mots dont tu t'es servi pour la décrire tout à l'heure, je veux dire «exceptionnelle», «intelligente», «belle», sont exactement ceux dont tu t'es déjà servi pour *me* décrire!»

Ce n'était pas tant une déclaration qu'un cri de protestation.

Gordon la regarda en silence; d'un seul coup, son expression était devenue à la fois moqueuse et apeurée.

«Je me demande..., poursuivit JoAnn d'une voix plus basse et plus étouffée, je me sens confuse. Si nous sommes tellement semblables, en quoi n'étais-je pas à la hauteur? En quoi étais-je incapable de satisfaire tes besoins émotifs? Qu'est-ce qui ne va pas chez moi? En quoi est-ce que je ne te suffisais pas?»

Le ton de sa voix continuait de baisser à mesure qu'elle parlait, et je dus me pencher en avant pour entendre.

«J'éprouve aussi beaucoup de colère, ajouta-t-elle en se détournant de lui pour m'adresser la parole, comme si la partie suivante de son message devait venir de quelqu'un d'autre. Je me sens moins femme en quelque sorte, puisqu'il a dû sortir du mariage et se trouver quelqu'un d'autre.»

Je la crus quand elle affirma qu'elle était furieuse, mais je réalisai que la force, l'énergie positive qui procède d'ordinaire à l'expression des émotions hostiles manquait dans sa posture, dans son expression, et dans le ton de sa voix. Elle avait plus l'air honteuse que furibonde.

LA PARTIE FAUTIVE

En revenant en voiture chez moi beaucoup plus tard ce soir-là, je repensai à leur manière de faire face à la culpabilité et à la responsabilité: il le lui remettait, et elle s'en emparait tout à fait. Il ne lui avait pas été nécessaire, dans l'échange à propos de qui devait au juste être blâmé pour la liaison de Gordon, de demander à sa femme d'être la fautive: elle avait elle-même offert ses services.

Mais ce n'était pas surtout cela qui me préoccupait: c'était plutôt l'image figée du salon de style colonial des Kearney, l'expression dévastée du visage de JoAnn quand Gordon avait décrit son ex-amante. Obsédée par cette image, j'eus soudain une épiphanie: je sentis de manière irrationnelle que Gordon Kearney et sa maîtresse continuaient de se fréquenter.

Pour des raisons que je n'arrivais pas à comprendre, je le savais, même si j'espérais me tromper.

9

Les triangles émotifs

Comme chacun sait, un triangle est une forme géométrique simple à trois côtés. Pour ceux qui étudient le fonctionnement des petits systèmes émotifs cependant, cette figure revêt une importance particulière. Lorsqu'il a été question du triangle pervers, j'ai décrit un *type* spécifique de triangle; il est désormais temps d'aborder le processus de triangulation dans son ensemble.

Le triangle émotif est un cycle actif, répétitif et interactif qui contient trois personnes. Comme ont pu l'observer nombre de théoriciens de l'approche systémique, les triangles se manifestent quand *deux personnes* éprouvent un problème dont elles ne peuvent parler (qu'elles peuvent encore moins résoudre), et qu'elles doivent reporter leur attention ailleurs, sur un objet extérieur à leur propre relation tendue. En allant chercher un tiers parti (ami, enfant, membre de la belle-famille, ou même thérapeute), les deux personnes détournent leur attention et *abaissent l'intensité* du conflit primaire.

Les triangles émotifs doivent leur existence aux couples malheureux dont l'amour a tiédi: ils leur permettent de faire face aux problèmes, aux décisions que l'un d'eux (ou les deux) craint trop de prendre, aux pensées qui font trop mal quand elles sont dites à voix haute. En ouvrant suffisamment le conflit pour lui permettre d'englober *trois personnes*, tous les individus opposés peuvent souvent réussir à faire disparaître les tensions du conflit qui devient alors invisible à leurs yeux. Même si la triangulation mène inévitablement le couple à une interminable série d'escarmouches, elle leur évite aussi la querelle ouverte, qui pourrait fort bien signifier l'anéantissement total pour l'un des deux, ou encore la dissolution du système émotif lui-même.

LES TRIANGLES FAMILIAUX

Quand il est question de triangle, nous évoquons d'ordinaire le «triangle éternel», le trio romantique qui comprend un couple et un autre intime (que l'on considère habituellement, une fois seulement qu'il — ou qu'elle — a fait son apparition, comme la cause des problèmes qui secouent la relation d'origine). Mais les triangles amoureux, comme je l'ai dit plus haut, ne représentent que l'une des nombreuses figures que prennent les situations triadiques. Moins remarquables, moins dramatiques et tout aussi répandus sont pourtant les triangles émotifs qui se développent au sein des familles ordinaires, entre les mères, les pères et les enfants, par exemple.

Parce que les relations duelles sont si essentiellement difficiles à saisir et à maintenir en état d'équilibre, le docteur Murray Bowen a postulé que les triangles émotifs se manifestent dans tout système émotif (comme la famille). À son point de vue, il existe dans toute situation triangulaire deux joueurs très engagés et un individu pris à contrepied, l'*outsider*.

«Les motifs peuvent bien varier, écrit le docteur Bowen, le facteur commun reste la tension fondamentale entre les parents, alors que le père occupe la position de l'étranger — on dit d'ailleurs qu'il est distant, passif et faible —, abandonne le conflit à la mère et à l'enfant.» Ainsi, même si le problème résidait à l'origine dans la relation entre les parents, le père peut se retirer du combat pour observer ce qui se passe, tandis que sa femme et son enfant se battent entre eux.

Le docteur Bowen décrit le modèle de relation triangulaire comme le «processus de projection familiale». La difficulté a été supprimée de l'arène de la relation du couple, et se trouve désormais, à cause de la projection et du déplacement du conflit, considérée comme de la friction, de la dissension et de la dispute entre un parent et un enfant.

Pendant des années, la famille rejoue sans cesse le même jeu triangulaire, comme si le vainqueur éprouvait des doutes, malgré la pérennité du résultat final. Avec le temps, l'enfant accepte plus facilement l'inévitable défaite même s'il continue de se porter volontaire. Il existe aussi une variation sur ce thème: le père finit par attaquer la mère et par céder à l'enfant la position externe. Dans ce cas-là, l'enfant apprend comment gagner la position en opposant ses parents l'un à l'autre.

POURQUOI LES TRIANGLES SE FORMENT-ILS?

Quel avantage caché trouvent donc les partenaires conjugaux déçus et éloignés l'un de l'autre à s'enfermer dans un triangle? On peut répondre à la question en disant que lorsque l'angoisse paraît dans une relation à deux, la nature des réponses potentielles du couple est fort limitée. Les partenaires peuvent a) résoudre leur problème en s'affrontant et en faisant face au conflit qui les oppose; ou b) à cause de la pression émotionnelle accrue qui va jusqu'à dépasser le seuil de leur tolérance, mettre un terme à la relation. Quand ils entraînent une troisième personne dans le conflit, ils suscitent une variété de réponses à ces deux extrêmes (on règle nos différends ou on se quitte).

Le triangle permet un certain nombre de coalitions différentes. Tout duo peut s'unir secrètement ou ouvertement contre le troisième membre du triangle. Les triangles pervers réunissant ainsi secrètement un parent et un enfant alliés pour miner le pouvoir et l'autorité de l'autre parent ne sont, en ce sens, que l'une des configurations triangulaires potentielles. L'une des autres formes que peut prendre le triangle est justement celle que l'on vient de voir: le conflit d'origine entre les parents opère un tel virage qu'il prend l'allure d'une querelle continuelle entre la mère et l'enfant. Lorsqu'elle est détournée à ce point, la détresse matrimoniale trouve à s'exprimer dans des querelles qui ne menacent pas l'existence du mariage lui-même.

PARENTS CONTRE ENFANTS

Dans un autre triangle père-mère-enfant, les partenaires conjugaux parviennent à s'unir pour faire face aux problèmes que leur pose leur enfant «incorrigible». Dans ce genre de situation familière à la plupart des thérapeutes, le couple se perçoit

d'ordinaire comme très uni: les partenaires n'ont d'autres problèmes que ceux qu'ils éprouvent avec leur rejeton indiscipliné.

«On pourrait repérer, écrit la clinicienne Lynn Hoffman, un
modèle parfaitement répétitif dans le comportement indésirable
d'un enfant.» Hoffman schématise ainsi le cycle répétitif: «Stade
1: la mère ordonne; l'enfant refuse d'obtempérer; la mère menace
de rapporter au père ce qui se passe (père et mère contre enfant).
Stade 2: à l'arrivée du père, la mère raconte à quel point l'enfant
s'est mal conduit; le père envoie l'enfant dans sa chambre sans
souper.» Et puis, après que le père a quitté la table, la mère se
faufile pour apporter à l'enfant un peu de nourriture sur un plateau. Cette seconde et nouvelle configuration du triangle, note
Hoffman, oppose désormais la mère et l'enfant au père. Elle poursuit avec le stade 3: «quand l'enfant revient un peu plus tard, le
père, pour se faire pardonner, offre à l'enfant de jouer à un jeu
que la mère a expressément interdit parce qu'il excite trop le petit
avant l'heure du coucher (le père et l'enfant contre la mère).» Finalement, au stade 4, la mère réprimande le père tandis que l'enfant
«surexcité pique une crise et doit aller se coucher en larmes pour
que se reforme le triangle originel (père et mère contre enfant)».

Dans l'exemple qui précède, la mère et le père peuvent peut-
être sembler unis, il existe néanmoins une dissension entre eux,
à laquelle ils ne font face que par le biais des conflits qui les oppose
à leur «incorrigible» enfant. Le couple *parental*, dois-je dire, n'a
pas besoin de faire dévier sur l'enfant un conflit, quel qu'il soit:
le couple *matrimonial* peut quant à lui avoir à le faire, à cause
des sentiments sous-jacents de futilité et d'appauvrissement émotionnels qui habitent chacun d'eux. De son côté, chacun peut avoir
l'impression que la mort guette leur relation; chacun peut craindre d'aborder la question ou même d'y songer en toute lucidité.
La triangulation aide le couple à soulager certaines de ces émotions latentes, à s'exprimer sans trop s'approcher de la boîte de
Pandore des besoins qui n'ont pas été satisfaits, ou sans faire directement face aux sentiments d'éloignement. La dispute avec l'enfant
ajoute également une certaine excitation à une atmosphère autrement inerte et ennuyante, parce que l'indicible et le non-dit vident
le couple de toute l'énergie et de toute la vitalité dont il dispose.

Pendant un certain temps, la triangulation avec l'un des enfants permet aux partenaires conjugaux de museler leur incertitude et leur angoisse. À cause des pressions biologiques et psychologiques qui amorcent la séparation et l'individuation propres à la maturité, l'enfant qui grandit lutte pour sortir de ce jeu répétitif à trois. Les autres parties, qui ont détourné le conflit sur l'enfant, prennent peur et réagissent souvent en tentant de bloquer ses efforts de différenciation. Ce phénomène ne fait pas partie d'un plan concerté de manipulation: il est plutôt une réaction automatique.

En effet, si le troisième membre du triangle réussissait à quitter le champ de bataille, les problèmes et les difficultés antérieures du couple reviendraient, inévitablement amplifiés. Le conflit des partenaires, jusque-là caché par la triangulation, doit désormais trouver sa solution ou bien le système familial lui-même pourrait sombrer. C'est à ce moment-là que le jeune, dont la pulsion naturelle, constamment contrée par le besoin qu'ont ses parents de le maintenir dans cette position, le pousse de plus en plus vers l'indépendance, commence à présenter des «symptômes» manifestes, d'un genre ou d'un autre.

L'enfant du triangle développe alors des comportements ou bien destructeurs, ou bien autodestructeurs. En conséquence, ce ne sont pas les époux, mais bien leur enfant qui est profondément troublé et perturbé! Qui plus est, les partenaires réussissent souvent à s'unir pour soigner l'enfant devenu déprimé, phobique ou anorexique, ou à rassembler leurs forces pour s'opposer fermement à leur enfant confus, drogué, voleur ou délinquant. Le problème conjugal, quel qu'il soit, demeure alors bien caché, hors de la vue de tous.

L'existence du triangle permet au couple d'éluder les questions capitales qui le touchent; c'est d'ailleurs sa raison d'être. Pour les partenaires conjugaux, il est souvent plus facile de discuter du comportement intolérable d'un enfant (ou de leur crainte à ce propos) que d'aborder les sentiments de rage, de deuil, de dissension et de mécontentement relatifs à la relation qu'ils partagent. Parce qu'on sent habituellement qu'ils menacent tout le système émotif, parce qu'on les trouve épouvantablement dangereux, on a tendance à éviter justement de regarder ces sentiments en face.

TRÉPIEDS

On peut considérer le triangle comme un réflexe d'autodéfense de la part du système émotif lui-même, ce système qui lutte pour maintenir son intégrité et son équilibre. Stuart Johnson, le thérapeute conjugal, m'a suggéré de voir les triangles comme des trépieds. De toute évidence, il est plus facile de garder une table à trois pieds en équilibre qu'une table à deux pieds — ou une relation —, beaucoup moins stable de nature. Le trépied a une base beaucoup plus solide et beaucoup plus sécuritaire.

C'est quand la détresse s'accroît dans un couple que le troisième pied constitue une solution compréhensible. Le processus de triangulation fait partie de l'effort naturel de préservation du système émotif tel qu'il est: il vise à contrer les changements qui sont susceptibles de le menacer ou de le mener à sa mort éventuelle. Les triangles empêchent cependant le système de prendre *quelque* direction *que ce soit;* ils préviennent autant l'amélioration que la détérioration.

TRIANGLES ÉPHÉMÈRES

Les triangles éphémères abondent dans notre existence quotidienne. Si la relation de deux amis connaît des tensions, par exemple, s'ils préfèrent ne pas aborder la question, ils peuvent toujours discuter d'une *troisième* personne, grâce à laquelle ils sont capables d'exprimer tous leurs sentiments négatifs et toute leur angoisse. Ils ajoutent de la sorte un «troisième pied» à la table de leur relation, qu'ils stabilisent en se rapprochant sur le compte de ce troisième individu étranger. Ce qu'ils ne réussissent pas cependant à trouver, c'est une résolution ouverte des problèmes qui ont surgi entre eux, et qui les affligent.

PARATONNERRES FAMILIAUX

Le triangle qui contient les parents et un enfant est extrêmement commun. De manière réflexe du point de vue émotionnel — et tout comme la belle-famille —, les enfants deviennent les petits partenaires qui attirent sur eux toutes les charges électriques de l'environnement familial.

Parmi les triangles problématiques pour le couple, écrit la thérapeute familiale Monica McGoldrick, celui qui contient un mari, sa femme et la belle-mère reste probablement le plus connu.

La belle-famille sert souvent de bouc émissaire aux tensions familiales. Il est toujours plus facile de détester sa bru sous prétexte qu'elle empêche votre fils de vous montrer son amour que d'admettre que votre fils ne répond pas à votre amour comme vous le souhaiteriez. Il est plus facile pour une bru de haïr sa belle-mère pour ses intrusions intempestives que de demander directement à son mari des comptes pour n'avoir pas suffisamment défini les limites matrimoniales qui ont justement permis l'interférence de sa mère. Les relations avec la belle-mère constituent le ring naturel où déposer les tensions d'un couple ou de la famille fondatrice de chacun des époux.

Le triangle qui se développe entre le couple parental et le couple nouvellement formé peut entraîner des problèmes chez les couples plus âgés, les couples plus jeunes, ou chez les deux couples.

L'AMANT STABILISATEUR

Il peut sembler étrange de penser à l'«éternel triangle» dans les mêmes termes que les triangles dont il vient d'être question. Les choses ne sont pourtant pas fondamentalement différentes. On introduit souvent l'*autre femme* ou l'*autre homme* dans une situation pour faire face à des tensions autrement insupportables et déjà inscrites dans la relation conjugale elle-même.

Même si on n'a pas l'habitude de percevoir sa présence sous cet angle, l'amant introduit vise à *préserver un couple* en danger de rupture. En établissant une relation avec un étranger, on ajoute en quelque sorte un troisième pied à la table qui menace de tomber dans un fracas retentissant. La troisième personne fournit une alternative moyenne: une manière de faire face aux difficultés autre que les choix radicaux qui consistent à faire directement face aux problèmes ou de mettre fin au mariage.

Curieusement, l'amant sert de stabilisateur (au moins au début de la liaison). L'engagement maintient la relation du couple en diluant son intensité émotionnelle. Psychiquement, la troisième personne, invisible à l'un des partenaires, a fait son entrée dans la pièce. La personne qui entretient la relation extérieure a désormais conclu une entente secrète avec l'amant, et cela lui permet de s'éloigner des fort douloureuses tensions qu'elle vit dans sa relation avec son conjoint.

Peu importe la problématique de l'interaction avec le partenaire, il peut se consoler à l'idée de son alliance cachée. Il peut se dire: «Je n'ai pas à me préoccuper de ce qui se passe ici», et: «Je ne suis pas vraiment engagé». Il peut ainsi éviter ou retarder le moment où l'on devra faire face directement aux problèmes qui menacent son mariage. La tierce personne a rendu tolérables les difficultés, parce que le conjoint n'importe alors plus autant. Même si l'un des participants n'est pas au courant, l'existence du triangle permet à la relation troublée, où l'on évite scrupuleusement les questions fondamentales, de gagner du temps.

AVANT NINA

Dans le cours de nos discussions, Gordon Kearney remarqua que l'effet secondaire le plus immédiat du début de sa liaison avec Nina fut de calmer les pressions croissantes qui assaillaient sa relation avec JoAnn. Toujours dans le cours de nos conversations, il admit avec JoAnn que leur «communication s'était avérée extrêmement dysfonctionnelle» (c'est-à-dire qu'ils avaient cessé de se parler) bien avant l'entrée de Nina dans leur vie. La maîtresse de Gordon représentait à la fois un problème pour le jeune couple, et un effort pour circonvenir les problèmes existants. La situation triangulaire rendit possible la discussion à propos «du problème de la relation» (sa liaison avec Nina) sans aborder «les problèmes dans leur relation» qui, eux, venaient de l'intérieur et existaient avant l'apparition de Nina.

La tâche la plus difficile pour eux, me semblait-il, consistait à faire disparaître la maîtresse de Gordon du centre de leur relation: les Kearney devraient alors faire face directement à leur problème, une idée qui paraissait les terrifier tous les deux.

«IL N'ASSUMERA JAMAIS SES RESPONSABILITÉS»

Quand je rencontrai ensuite JoAnn Kearney, ce fut par un chaud après-midi d'été, et nous étions seules. Suzanne dormit dans sa chambre durant la première partie de l'entrevue, et Gordon n'était pas à la maison (à la suite d'un arrangement préalable). Sans le magnétophone posé sur la table basse, il aurait pu s'agir d'une aimable rencontre entre deux voisines: en discutant nous sirotions de grands verres de café glacé. JoAnn avait revêtu des shorts et un t-shirt blancs, comme si, même en congé, son temps de loisir devait faire état de sa profession d'infirmière.

L'un des problèmes de son mariage, me raconta-t-elle, était que bien des tâches domestiques quotidiennes lui incombaient.

«C'est surtout cet été que le problème a pris cette acuité; j'ai bien du mal à suivre le rythme. Il se peut que Gordon trouve du travail... c'est dans l'air. Mais ça me dérange qu'il ne travaille pas et que je porte l'essentiel du fardeau financier. Il a de l'argent, il se *fie* à son fonds en fidéicommis: il en retire des allocations régulières; quant au sens de la responsabilité, je ne sais pas s'il pourra jamais l'acquérir! Je veux dire, pourra-t-il jamais garder un emploi quand il obtiendra son diplôme de droit?»

Elle serra les lèvres en signe de désapprobation, et haussa les épaules pour montrer que son homme était un enfant impossible.

«Qu'est-ce qui vous donne cette impression? demandai-je tandis qu'une expression inquiète traversait son visage.

— Il remet tout au lendemain, et je ne pense pas qu'il puisse jamais...»

Elle s'arrêta, haussa encore une fois les épaules.

«Il veut se lancer en affaires et s'il le fait, je ne pense pas qu'il arrive à grand-chose à cause de sa tendance à tout remettre à plus tard.»

Je pris une gorgée de café et je me demandai si elle craignait (ou espérait?) de le voir devenir un adulte compétent.

«Il adorerait étudier toute sa vie, continua-t-elle après un court instant; si seulement il le pouvait! Il compte beaucoup sur l'argent de sa famille, dont il finira, je le suppose, par hériter. Mais en ce qui a trait à la responsabilité financière de la maisonnée — le budget et tout ça —, tout retombe sur moi: il n'en a pas la moindre idée, fit-elle en riant. Si j'étais hospitalisée pendant toute une semaine et qu'il doive s'occuper des finances, il serait *coincé*, il ne saurait pas quoi faire!»

Elle rit encore, mais cette fois son rire sonnait faux.

«Alors, fis-je, vous devez vous montrer extracompétente, et il doit se montrer fort incompétent; c'est bien comme ça que votre relation s'est organisée?

— Il laisse tout aller à la va-comme-je-te-pousse, admit-elle.

— Vous ne pouvez pas faire la même chose?»

Elle secoua la tête: il lui était impossible de laisser aller les choses. Ils se querellaient souvent, autant à propos de l'argent qu'à propos de la liaison de Gordon.

Relevant sa dernière remarque, je lui demandai si elle pensait que Gordon était toujours amoureux de Nina.

«Je pense que oui, agréa-t-elle; j'imagine que je ne peux pas lui demander d'oublier tout cela. Ça ne s'est terminé qu'il y a deux ou trois mois à peine, et ça m'inquiète beaucoup. Je le soupçonne (ses yeux apeurés rencontrèrent les miens un court instant)... je pense qu'il continue toujours de la voir. Mais j'imagine (elle secoua la tête comme pour chasser sa pensée) que pendant quelque temps encore, je serai sujette à toutes sortes de soupçons de ce genre-là...»

Sous son bronzage, elle avait les joues en feu.

«SON EMPRESSEMENT À ÉCOUTER»

Nous gardâmes toutes deux le silence quelques minutes. L'air que déplaçait le ventilateur portable jouait dans ses cheveux, puis dans les miens.

«Ça fait du bien» dis-je.

Je songeais à certaines des choses que nous avions dites durant notre première — et fort longue — rencontre. Quand il avait été question des qualités qui l'avaient attirée vers Gordon, elle avait parlé de sa «classe» et de son «empressement à écouter sans porter de jugement».

«Porter des jugements sur quoi? avais-je demandé.

— Oh! sur rien de particulièrement épouvantable», avait-elle répliqué.

Mais elle avait aussitôt ajouté qu'elle lui avait rapporté tout ce qui s'était passé chez elle durant la terrible maladie de son père, ce dont elle n'avait jamais discuté avec aucun homme avant lui.

«C'était une période très difficile pour moi, et pourtant dès le début, j'ai pu lui en parler sans réserve.»

Gordon avait fait montre d'empathie. Il avait écouté et avait pu l'entendre lui parler de la longue agonie, de la mort et du deuil subséquent.

Je rappelai à JoAnn ce bout de conversation.

«Quand nous avons parlé tous les trois, vous avez dit que ce qui vous avait d'abord attirée chez Gordon, c'était sa classe et sa capacité d'écouter pour tout ce qui avait trait à cette douloureuse période de votre vie. Comment voyez-vous ces aspects de votre relation après... Combien d'années? (Je jetai un coup d'oeil au génogramme posé sur mes genoux.) Après un peu plus de huit ans? A-t-il toujours sa classe et sa capacité d'écoute? Sont-elles toujours aussi importantes pour vous?

— Il m'écoute toujours, répondit-elle, mais ce qui fait mal dans ma vie, c'est ce qu'il m'a fait; ce n'est plus mon père... La classe est toujours là, ajouta-t-elle après avoir dit qu'il ne l'écoutait plus aussi volontiers.

— Est-ce qu'il se sert de cela pour mettre de la distance entre vous? ne pus-je m'empêcher de lui demander, vu la sécheresse de sa dernière remarque.

— Distance?... souffla-t-elle en me jetant un regard interrogateur avant d'acquiescer. Je n'ai jamais considéré les choses sous cet angle, mais c'est bien ça, c'est vraiment ce qu'il fait!»

UNE ADULTE, PAS UNE FILLE

J'attendis pour savoir ce que JoAnn avait d'autre à dire, mais rien ne vint. Et puis, je lui demandai si son désir de quitter la maison familiale avait influencé le moment de son mariage.

«Je n'irais pas jusqu'à dire que c'était le but de la manoeuvre, dit-elle en souriant, mais ça avait sûrement un rapport.

— Qu'est-ce que vous cherchiez à fuir?

— Ma mère est très dominatrice, et je voulais échapper à son emprise.»

Elle avait voulu s'établir, devenir une adulte, cesser d'être la fille de sa mère.

«Vous aurait-il été possible de vous installer sans vous marier?

— Quand j'y repense, fit-elle en secouant la tête, c'est ce que j'aurais dû faire... J'aurais dû vivre seule avant de me marier, mais ma mère ne l'aurait jamais permis.»

Je lui fis remarquer qu'à l'époque, elle avait plus de vingt et un ans, et exerçait déjà sa profession...

«C'est vrai, admit JoAnn, mais nous avons tous eu du mal à nous en aller. Vous voyez, elle ne trouve pas nécessaire que les gens vivent seuls avant le mariage. Il fallait ou bien lui tenir tête et partir quand même, ou bien rester à la maison, et éviter les histoires!»

JoAnn n'avait pas eu le courage de s'entêter, même si elle n'était pas certaine que le second choix fût moins douloureux.

«En d'autres mots, commentai-je, le mariage représentait la solution au problème que l'on pourrait appeler «j'aimerais-quitter-la-maison».

— Oui, convint-elle. C'était une partie de la solution.»

Au moment de cette discussion, JoAnn s'était disputée avec la mère de Gordon.

«Je ne m'entends tout simplement pas avec elle, et j'ai bien du mal à lui faire face quand je dois la rencontrer. Nous rentrons justement de Floride où elle séjourne durant l'hiver; Gordon devait la ramener en voiture tandis que Suzanne et moi aurions pris l'avion. Sur le chemin de l'aéroport, elle et moi avons eu l'une de ces prises de bec!... Quand je suis montée à bord de l'appareil, *j'étais en larmes!* Je ne l'ai revue qu'une seule fois depuis; nos rapports sont très polis et très froids. Je sens que je pourrais essayer de lui parler, vous savez, aller dîner avec elle et jouer le jeu... mais nous ne sommes absolument pas sur la même longueur d'onde!»

En faisant cette déclaration, JoAnn vibrait de colère. Elle faisait corps avec elle.

Je voulus connaître la position que Gordon avait adoptée dans le conflit.

«Il prend mon parti, mais il me dit que je devrais lui tenir tête encore davantage.

— Et lui, est-ce qu'il tient tête?

— Non», répondit-elle sans hésiter.

Gordon voulait qu'elle fasse ce qu'il n'arrivait pas à faire lui-même: exprimer tous les sentiments trop violents réprimés entre lui et sa mère dominatrice et inaccessible.

Ils faisaient tous les trois partie d'un triangle émotif dans lequel JoAnn et la mère de Gordon se querellaient tandis que Gordon jouait à l'arbitre ou au spectateur, bref tandis qu'il occupait la position externe.

Le triangle qui comprenait les Kearney et Nina, l'amante de Gordon, ressemblait au précédent: deux femmes et un homme. Si Nina n'appartenait pas à la génération précédente, elle avait tout de même dix ans de plus que Gordon. L'histoire qui se répétait ainsi avait à voir avec la tension matrimoniale transformée en querelle entre une femme plus jeune et une femme plus âgée qui luttaient pour obtenir l'amour du même homme.

Si le mariage des Kearney devait survivre, il était à prévoir que le triangle contenant deux femmes en lutte et un homme plus distant, plus lointain se reproduirait. Dans sa nouvelle forme, il contiendrait peut-être JoAnn et Suzanne et trouverait un arbitre sans émotion, éminemment objectif et logique en la personne de Gordon.

En attendant, Nina, l'autre femme du triangle, occupait le centre de leur vie.

«NOTRE VIE SEXUELLE A ÉTÉ EXTRAORDINAIRE»

Gordon et son amante s'étaient rencontrés deux ans plus tôt dans le cadre d'un cours sur la psychiatrie et la loi, sujet qui les passionnait tous les deux. En droit, Gordon ambitionnait de se spécialiser dans la défense des malades mentaux incarcérés.

Cet été-là, Gordon et JoAnn avaient consulté des spécialistes parce qu'ils n'arrivaient pas à concevoir; à l'époque, ils n'avaient en réalité que fort peu de relations sexuelles. À ce moment-là et au cours des deux années précédentes, ils ne faisaient pas l'amour très souvent. Après le début de la liaison avec Nina, les Kearney passaient souvent tout un mois sans relations sexuelles.

«Je devenais agressive de temps à autre, je sautais sur lui, mais il m'éloignait tout le temps. Quand j'y repense, je suis persuadée que lorsqu'il faisait l'amour avec moi, c'était avec l'idée que je lui fiche ensuite la paix.»

Elle ajouta dans un rire nerveux et sans me regarder qu'au moment où nous nous parlions toutefois, ils faisaient l'amour plusieurs fois par semaine.

«Il y a eu un changement très radical depuis que c'est arrivé, commenta-t-elle, mais surtout depuis que j'ai découvert une seconde fois qu'ils continuaient de se voir: notre vie sexuelle a été extraordinaire... Depuis des années, nous n'avions pas connu ça... Et ça continue... Je l'avais chassé de la maison quand je me suis aperçue qu'il continuait de la fréquenter; quand nous avons repris, je ne m'attendais pas à... euh!...»

JoAnn haussa les épaules comme pour dire que sa nouvelle satisfaction physique la comblait et la dépassait tout à la fois.

Ces sortes de lunes de miel ne sont pas rares après la révélation d'une infidélité. Dans la coulée du volcan émotif qui fait irruption, les tensions conjugales apparaissent tout à coup. En dépit du dommage subi, les partenaires éprouvent souvent du soulagement: au moins la situation est claire et nette. Le ressentiment qui continuait de mijoter dans leur coeur a été ouvertement prononcé, et les partenaires communiquent fréquemment comme ils n'ont su le faire depuis des mois, des années, voire, dans certains cas, des décennies.

Une bonne partie de l'intérêt sexuel semblait avoir surgi dans le sillage de l'adultère de Gordon. JoAnn se dit d'accord avec mon hypothèse et déclara qu'elle n'avait pu s'expliquer le phénomène.

«Je m'attendais plutôt au contraire. Je ne comprends pas. Comme je l'ai dit, avant toutes ces engueulades, j'étais l'agresseur du point de vue sexuel; maintenant, c'est le tour de Gordon. Nos relations ont pris une nouvelle direction.»

Je songeai que l'infidélité avait au moins apporté une chose: Gordon se sentait désormais plus fort et plus responsable.

Quelques diamants se cachaient donc sous le tas de fumier que charriaient les sentiments de leur relation! La venue de Nina avait fait basculer la balance du pouvoir dans le système relationnel des Kearney. JoAnn était dorénavant celle qui était blessée, et Gordon s'était emparé des commandes. On aurait dit que la situation avait soulevé une vague de sentiments sexuels mutuels. Nina était, en quelque sorte, l'atout que Gordon cachait dans sa manche: il lui laissait ainsi savoir qu'il pourrait très bien survivre s'il choisissait de quitter et la maison et leur relation.

MENSONGES

JoAnn me raconta ensuite que, ce qui l'avait troublée et bouleversée plus que tout, c'était les mensonges.

«Je ne sais plus comment lui faire confiance maintenant», se plaignit-elle.

Il avait entrepris sa liaison l'été qui avait précédé la grossesse, et elle avait découvert le pot aux roses deux semaines après avoir appris qu'elle deviendrait mère.

«Il a voulu la garder comme amie, mais j'ai dit: «Non! Ou bien tu romps complètement, ou bien tu t'en vas!»» Il a choisi de rompre, et d'après ce que j'en sais, il ne l'a pas revue pendant à peu près trois semaines. Puis, ils ont recommencé à se voir... Il dit que cette dernière année, leurs relations ont été purement platoniques, murmura-t-elle d'une voix atone, après m'avoir lancé un étrange coup d'oeil rapide que je n'arrivai pas à interpréter.

— Le croyez-vous? fis-je d'un ton tout aussi inexpressif.

— Il est possible qu'ils n'aient pas eu de relations sexuelles...
répondit-elle d'un air dubitatif après quelques instants de silence,
mais une relation platonique est à mon sens une amitié, et je pense
que du point de vue des sentiments et des émotions tout au moins,
leur relation était loin d'être platonique.

— Croyez-vous qu'ils couchaient ensemble?» répétai-je, de
façon beaucoup plus explicite.

JoAnn haussa les épaules: elle avait cru qu'ils n'avaient pas fait
l'amour depuis le moment où elle avait lu le journal de Gordon
jusqu'à ce qu'elle apprenne, peu auparavant, qu'il avait continué
de fréquenter Nina. Sa réponse m'étonna.

«À part sa demande de divorce, je ne sais pas du tout ce qui
s'est passé dans la vie de Nina durant cette période, renchérit-
elle. D'après ce que j'ai lu du journal de Gordon, si elle lui en
avait donné la chance, il aurait emménagé avec elle... même s'il
jure que ce n'est pas vrai! C'est juste... oh!... être enceinte et
donner naissance à un enfant... et tous ces mensonges! J'ai bien
du mal à passer par-dessus tout ça! On serait porté à croire que
la première grossesse et le premier enfant, c'est tellement spécial à partager!... Il est venu gâcher tout ça avec cette folie»,
poursuivit-elle en se penchant en avant comme pour me supplier
de comprendre.

CADEAUX D'ANNIVERSAIRE

Pour occuper ses mains, aurait-on dit, JoAnn porta son verre
de café glacé à ses lèvres; sa main tremblait légèrement, aussi
déposa-t-elle le verre sans avoir bu.

«Je ne lui pardonne pas d'avoir fait un désastre de ma grossesse. Des soupçons, toujours des soupçons. Tout ça, parce que
je n'arrêtais pas de tomber sur des choses bizarres. Quand
j'empruntais sa voiture, j'y trouvais une bouteille de vin et un
panier de pique-nique tout prêts... Et quand je lui en passais la
remarque, il niait tout, il jurait ne l'avoir jamais revue...

— Comme c'est drôle: des indices partout, des messages à
suivre.

— Il prétend que c'est faux, s'écria-t-elle. C'est exactement ce que j'ai prétendu moi-même, mais il dit que ce n'est pas vrai!»

L'ultime message qu'elle finit par recevoir fut littéralement déposé sur le pas de sa porte. En revenant de travailler un soir, JoAnn trébucha sur un petit sac de voyage dans lequel Gordon avait l'habitude de transporter ses livres. Du sac, elle entendit un bruit étrange de verre cassé. Elle l'ouvrit pour y découvrir des cadeaux enveloppés, deux coupes (dont une brisée) et une bouteille de liqueur. Dans la maison, Gordon dormait.

«J'ai ouvert les emballages, et j'ai trouvé dans l'un des présents un *teddy*. C'est d'ailleurs pour cette raison que je ne crois pas beaucoup à la relation platonique, narra-t-elle. Savez-vous ce qu'est un *teddy*? Vous pensez peut-être que c'est un genre de camisole munie de boutons pression à l'avant? Figurez-vous qu'une seule semaine séparait *son* anniversaire du mien. Gordon m'avait acheté un *teddy* — un déshabillé — de dentelle très sexy, comme je le lui avais demandé. Elle avait le même. Comprenez-vous?»

Je fis signe que oui.

Il y eut à ce moment-là une forte pétarade en provenance de l'extérieur. JoAnn sauta sur ses pieds et se précipita à la fenêtre.

«Des pétards, fit-elle. Les enfants du voisinage les déclenchent déjà en vue du 4 juillet... Il y avait encore autre chose, continua-t-elle, un autre cadeau emballé pour son amante; c'était un petit tableau qu'il avait peint lui-même. La semaine précédente, mon bébé avait été hospitalisé pour une invagination de l'intestin. Les matières fécales sont dans ce cas poussées les unes contre les autres, et si la situation n'est pas corrigée dans les 24 heures, la gangrène s'en prend aux intestins. Le risque de mortalité est très élevé quand on ne s'en aperçoit pas tout de suite. L'intestin meurt... Nous étions tous les deux terrorisés et stressés; vous comprenez? me demanda-t-elle encore une fois. Suzanne était donc hospitalisée depuis presque une semaine... Il avait placé cette toile-là dans son petit lit, pour qu'elle le regarde et qu'elle prenne plaisir aux couleurs des champignons, de la maisonnette et de l'arbre qui y figurent. Et voilà qu'il l'avait emballé pour lui donner: ça m'a mise tout à l'envers.»

La voix de JoAnn ne semblait toutefois pas aussi bouleversée qu'elle ne l'aurait dû. Elle poursuivit l'inventaire des cadeaux qu'elle avait trouvés dans le sac.

Il y avait une autre toile pour laquelle Gordon lui avait souvent demandé conseil.

«Quand il y travaillait, il n'arrêtait pas de me demander: «Comment trouves-tu ça?», «Que penses-tu du noir de ce côté?» Il voulait constamment mon avis, et puis, il lui donnait à elle! Il l'avait même enveloppée pour la lui offrir! ragea-t-elle tandis que son visage revêtait enfin une expression impétueuse, qui se transforma, quelques secondes plus tard, en air dubitatif et incertain. J'y ai trouvé encore bien d'autres petites choses: un t-shirt comme celui qu'il m'avait offert à mon anniversaire, mais d'une autre couleur... Quand j'ai trouvé tout cela, tempêta-t-elle d'une voix hargneuse, je l'ai réveillé et je lui ai dit que je voulais qu'il ait quitté la maison le lendemain matin! Quelle nuit épouvantable! Nous avons tellement crié! Il essayait de s'expliquer, de dire qu'il ne savait pas quelle mouche l'avait piqué au cours de la dernière année! Que sa vie était sens dessus dessous, et qu'il n'arrivait pas à comprendre certaines des choses qu'il faisait!»

MESSAGES

Il y eut d'autres éclats de pétards à l'extérieur, et je faillis bondir de mon siège.

«Ce ne sont que les enfants, me rassura JoAnn. Je n'accepte pas qu'il achète à cette femme les mêmes choses qu'à moi, poursuivit-elle d'une voix qui perdait peu à peu l'énergie de sa colère pour devenir de plus en plus désespérée et impuissante. Je ne pardonne pas non plus qu'il lui donne quelque chose qu'il avait lui-même placé dans le berceau de notre fille. Qu'il *le fasse*, qu'il laisse tout ça traîner, emballé... devant la porte d'entrée!»

Elle secoua la tête pour montrer sans doute que la situation la dépassait complètement.

«Ça dépasse mon entendement, soupira-t-elle; c'est complètement idiot. Mais il persiste à nier, à prétendre qu'il n'a pas laissé les choses là pour que je les trouve! Il dit que j'ai plutôt envahi

sa propriété privée et que c'est comme ça que j'ai trouvé le sac...
En ce moment, je crains même de toucher à quoi que ce soit dans
la maison: j'ai tellement peur de ce que je peux trouver.»

Comme pour lui donner la réplique, un long hurlement se fit
entendre. De sa chambre, Suzanne réclamait magistralement
l'attention de sa mère.

«Il y a deux semaines, par exemple...» s'entêta-t-elle tout de
même à poursuivre.

La voix de sa fille la rappela à l'ordre: elle n'attendrait pas plus
longtemps. En s'excusant, JoAnn quitta la pièce et revint quelques minutes plus tard, une souriante petite fille dans les bras.
Consolée, Suzanne parut s'intéresser à sa mère et à moi; mais
le biberon acheva de la séduire.

«Il y a deux semaines donc, reprit JoAnn comme si le sujet
n'avait pas quitté sa pensée une seconde, Gordon m'a apporté un
livre à propos des changements d'orientation, ce à quoi je songe
ces temps derniers. L'autre soir, j'ai emporté le livre pour le montrer à une collègue qui pense aussi changer de travail. Quand je
l'ai ouvert, un morceau de papier s'en est échappé.»

Je lus la peur dans ses yeux, et je craignis moi-même ce qu'elle
s'apprêtait à dire.

«De toute évidence, Gordon avait apporté le bouquin à l'université. Sur le papier... il y avait un rêve. J'ai lu le premier paragraphe, et je me suis dit: «Je ne vais pas le lire; je sais à quel
point il sera furieux si je le fais.»

Je lui demandai à quoi il avait rêvé. Elle me répondit que dans
le rêve, il y avait elle, l'autre femme, le mari de l'autre femme
et Gordon.

«Je pense que ses enfants y étaient aussi... je n'ai pas tout lu»,
m'assura-t-elle d'une voix coupable.

Au début du rêve de Gordon, tout le monde se trouvait chez
sa mère.

«Quelque chose était sur le point de se produire, je ne sais pas
ce que c'était, et je ne connais pas le reste de l'histoire. Mais pourquoi le papier se trouvait-il dans un livre qu'il *m'avait* rapporté?»

Tout simplement parce qu'il lui envoyait des messages, et qu'il travaillait très fort à s'assurer qu'elle le recevait.

«Quand il s'est aperçu que le bouquin n'était plus à la maison, répliqua JoAnn à mon commentaire muet, il m'a tout de suite téléphoné au travail. Il m'a dit qu'il y avait quelque chose dans le livre, et qu'il ne voulait pas que je regarde. Je devais placer la feuille dans une enveloppe et la cacheter. Je lui dis que je l'avais déjà vue et que j'avais lu le premier paragraphe parce que je ne savais pas de quoi il s'agissait. Je lui dis aussi que, de toute évidence, c'était bien quelque chose qu'il ne voulait pas que je lise, que je le savais, et que j'avais tout de suite mis le papier de côté. *Il* a répondu qu'il ne l'avait pas fait exprès, qu'il n'y avait pas d'arrière-pensée dans son geste!»

Du mépris et de l'incrédulité accompagnaient sa dernière remarque, dominant la peur et la confusion qui avaient, peu avant, percé dans sa voix.

Il vaut la peine de le redire: l'adultère est une forme de communication puissante. Tandis que Gordon livrait des messages on ne peut plus clairs pourtant, sa femme refusait de les recevoir. Les communiqués lui étaient trop douloureux et trop menaçants.

ET DE TROIS, AVEC LE BÉBÉ

On aurait pu prédire que la crise chez les Kearney surviendrait autour du moment de la naissance de leur premier enfant, ou même plus tôt, lorsqu'ils avaient tenté de concevoir. Faire un enfant est une entreprise extrêmement intime: cet acte lie le couple de façon permanente et irrévocable. Cette décision effraie en général l'individu qui craint de s'engager, qui a peur des liens émotionnels et de la proximité. C'est encore plus dangereux pour quelqu'un comme Gordon, qui vit dans la crainte de perdre l'attention exclusive de sa femme. Après tout, JoAnn était la seule partenaire intime qu'il eût jamais possédée: elle était *sa* propriété. Inévitablement, la situation était appelée à changer avec la venue d'un autre, leur nouveau bébé, à qui il disputerait désormais l'affection et les soins.

L'arrivée du premier enfant met indéniablement au défi, dans les meilleures circonstances, les partenaires intimes.

La propriété et l'amour exclusifs, ainsi que les fantaisies chéries, doivent s'accommoder du partage et des limites, note la thérapeute Kitty La Perrière. Les besoins de l'enfant prennent à l'occasion le pas sur tout le reste. On blâme parfois le — ou la — partenaire pour les décisions qui s'ensuivent. Bien des parents connaissent les affres de la jalousie à cause du temps que leur partenaire passe avec l'enfant et du plaisir qu'il en retire visiblement.

Les pères, tout spécialement, sont sujets aux sentiments de rage, d'abandon; ils envient l'attention dont est comblé le nouveau venu.

Les maris peuvent se trouver incapables de supporter la vue de leur femme allaitant, écrit aussi La Perrière. Les femmes, elles, peuvent voir se troubler les limites entre leurs sentiments maternels et sexuels. Temporairement, elles peuvent préférer l'allaitement aux relations sexuelles.

Les partenaires doivent créer de toutes pièces un espace émotionnel pour le petit être exigeant qui vient de faire son entrée dans la maison, et cela demande de la patience et de l'endurance. Le père, surtout, peut en avoir besoin, lui à qui il arrive de se sentir (et qui peut l'être, en réalité) privé des avantages conjugaux propres à la relation antérieure.

Il n'est pas rare que le nouveau père, coupable de ses sentiments réprimés de rejet, se lance dans le travail, se mette à trop manger, à trop boire, développe des symptômes (comme des ulcères), ou prenne une maîtresse.

Étant donné l'histoire pour le moins spéciale de Gordon Kearney, sa réaction violente à la grossesse de sa femme et à la naissance de Suzanne était tout à fait prévisible. Après tout, il avait lui-même été abandonné par une mère, et élevé par un substitut maternel «froid comme un glaçon».

LA DERNIÈRE TRAÎTRESSE EN LISTE

En devenant mère, JoAnn deviendrait probablement dans l'esprit de Gordon la dernière d'une série de traîtresses égoïstes et indignes de confiance. Au lieu de rester la mère appartenant exclusivement à Gordon, en donnant naissance à un enfant réel, JoAnn devenait *en réalité* la maman de quelqu'un d'autre. Non seulement la nouvelle situation devait-elle susciter des sentiments indicibles chez un être aussi privé que lui, encore devait-elle ramener à la surface les souvenirs relatifs à sa petite enfance et à la disparition de sa toute première partenaire, celle qui s'était effacée de la mémoire consciente de Gordon.

Dans leur ouvrage sur les cycles de la vie familiale, les auteures Elizabeth Carter et Monica McGoldrick font remarquer que l'angoisse familiale se situe autant sur un plan «vertical» que sur un plan «horizontal».

Sur le plan «vertical» ou transgénérationnel, les tensions ont à voir avec les questions émotionnelles irrésolues en provenance des expériences infantiles de l'un ou l'autre des partenaires (ou même des deux) et, s'il y a lieu, avec des problèmes empoisonnés transmis par la famille fondatrice (comme les problèmes d'alcoolisme ou les troubles relatifs aux relations trop étroites entre une mère et son fils). Les tensions du plan horizontal ont trait aux défis normaux propres aux cycles transitionnels de l'existence et aux demandes inattendues auxquelles doit faire face le système familial. (La maladie du père de JoAnn, par exemple, avait constitué pour l'unité familiale Farrell dans son entier une demande excessivement forte sur le plan horizontal.)

Quand les tensions verticales et horizontales se croisent, le stress peut atteindre une acuité incontournable et impossible à maîtriser.

Si le fait de devenir parent constituait une sorte de «cause célèbre» dans la famille fondatrice de l'un ou l'autre des époux (ou même des deux) et que le problème n'a pas été réglé, la naissance d'un enfant élèvera infailliblement le niveau d'angoisse chez les partenaires du couple qui attend la venue d'un enfant, écrivent encore Carter et McGoldrick.

Les crises relationnelles, les symptômes physiques ou psychologiques ont tendance à émerger lorsque se produit un événement important du point de vue du cycle existentiel, comme l'*arrivée* d'un nouveau membre dans la famille (par le biais d'une naissance, d'une adoption ou d'un mariage) ou le *départ* (la perte) d'un autre (par la mort, le divorce, le départ des enfants devenus grands). Chez Gordon Kearney, le mouvement amorçant le départ s'était produit lorsqu'il avait tenté, avec JoAnn, d'avoir un enfant.

Sa liaison avec Nina avait en effet débuté l'été même où ils consultaient des spécialistes à propos de leur incapacité à concevoir.

La sirène d'alarme avait-elle retenti dans la tête de Gordon à l'effet qu'il aurait bientôt besoin de s'approprier une nouvelle soignante? Ou bien s'était-il enfui (émotivement, en tout cas) parce qu'il avait atteint un point culminant de son existence, point tournant où il s'était senti inhabituellement bien dans sa peau, compétent? Ou bien encore en avait-il eu assez de l'équilibre et de la santé de JoAnn, jusqu'à se rebeller contre toutes les soignantes qu'il avait dû subir au cours de sa vie?

RÉBELLION

Derrière l'infidélité conjugale, laisse entendre le psychiatre Stanley Willis, se cache une dynamique fréquente: l'adultère devient la forme déplacée d'une activité autrement normale, comme de voler de l'argent dans le porte-monnaie de maman. Nous rencontrons souvent des adultes qui se conduisent en enfants pour se rebeller contre un conjoint perçu tout à coup comme parent dominateur.

Bien des époux finissent par voir leur conjoint(e) comme un parent substitut dominateur et porté au harcèlement. Dans le cadre du mariage sont rejouées les anciennes scènes avec le «parent»; l'«enfant» furieux se comporte mal en s'engageant dans une relation extraconjugale.

Poser des gestes défendus est un acte de révolte ouverte contre les interdictions, note Willis. Nous résistons au rôle qu'endosse la personne qui pratique l'interdiction. Nous résistons à l'injonction, parce qu'elle nous est imposée par quelqu'un qui a adopté ou assumé un rôle de pouvoir, ce qui nous chiffonne vraiment.

LE BRIS DU CONTRAT MATRIMONIAL

Parmi les facteurs déterminants, la confiance accrue qu'il ressentait, ainsi que son état de bien-être général, ont dû, au moment du début de la liaison de Gordon avec Nina, jouer un rôle prépondérant. Ces états ont sans doute mis au défi les règles tacites du système émotif qu'ils ont ensuite déséquilibré. Les principes de l'arrangement, de l'entente coalisée et non dite qu'ils avaient conclue stipulait en effet que Gordon reste un être aberrant, drogué, perturbé et, à l'occasion, alcoolique et que JoAnn reste sa soignante dévouée, fidèle et responsable. Les partenaires mariés ressemblent parfois aux membres d'un club dont les règlements ont été établis pour satisfaire aux besoins d'un certain moment dans le temps. Il arrive que les besoins initiaux qui ont présidé à l'établissement de ces lois n'existent plus ou n'aient plus une aussi grande importance. Le membre qui s'efforce alors d'amender les règles s'aperçoit que la réglementation établie ne permet pas le changement.

Était-il possible que Gordon, au cours de cet été si critique de leur existence en tant que couple, ait lutté pour modifier certains des aspects de leur relation matrimoniale? Était-il possible qu'il se soit efforcé de devenir plus adéquat, moins dépendant de sa femme, par exemple? Si tel était le cas, JoAnn avait probablement dû essayer automatiquement de bloquer ces mouvements d'indépendance qui auraient rendu sa présence moins essentielle à la survie émotionnelle de Gordon. Elle avait dû réagir comme le font les individus enfermés dans tout système émotif, c'est-à-dire de manière réflexe, inconsciente.

Enracinée dans son manque d'estime de soi, sa crainte sous-jacente devait être de ne jamais réussir à être aimée de Gordon *pour elle-même:* il n'avait besoin que de ses services de soignante. Comme elle l'avait peut-être vu, la relation de couple avec un individu dont la survie ne dépendrait pas d'elle ne pouvait pas être viable.

Je me demandai ce que Gordon pensait personnellement de ce qui s'était passé entre sa femme et lui au cours de cet été où ils s'étaient tellement éloignés l'un de l'autre et où il avait fui la relation. Je me dis que j'allais lui poser la question lors de notre prochaine rencontre: Gordon et moi devions nous rencontrer seuls.

À son arrivée, Gordon était pourtant — et bien entendu — affolé et perturbé. JoAnn lui avait demandé de partir, de quitter la maison aussitôt que possible.

NINA, COMME PERSONNE

Il faisait à peu près 1,75 m, environ 5 cm de plus que moi; il n'était donc pas aussi grand que dans mon souvenir. On aurait dit que, durant notre dernière conversation, la colère froide qui l'habitait lui avait tout à coup conféré une taille surnaturelle, fort menaçante. Dans mon bureau au troisième étage du pavillon Jonathan-Edwards, il n'était plus qu'un homme aux prises avec un problème; sa rage l'avait quitté. Il portait une belle chemise de coton rayée dont le col était détaché et une paire de pantalons aux plis impeccables.

Il m'expliqua que son mariage avait subi des pressions ces derniers temps.

«Les choses commencent à sortir... nous commençons à nous dire ce que nous pensons vraiment. Mais je crois que JoAnn trouve cela très apeurant.»

Elle se conduisait, ajouta Gordon, comme si elle avait peur de trouver quelque chose qu'elle ne voulait pas découvrir.

En guise de réponse, je demandai à Gordon où il en était dans son autre relation. Avait-il pu abandonner la partie, ou est-ce que toute cette question revêtait encore une grande importance pour lui? Il me regarda fixement.

«Quels sont mes sentiments pour Nina à l'heure actuelle? C'est ce que vous voulez savoir?»

D'un signe de tête, j'approuvai.

Il la considérait toujours comme une amie proche, même s'il ne l'avait pas revue.

«On dirait bien que vous ne la rencontrez pas à vos cours, même de temps à autre?»

Il secoua la tête.

«Vous n'entrez jamais en contact avec elle?» continuai-je en laissant percer la surprise et le doute dans ma voix.

Encore une fois, il secoua la tête.

«Alors, dans votre esprit, elle est une amie... Mais en tant que fantasme ou rêve... Rêvez-vous de ce que les choses auraient pu être avec elle?

— Je ne pense pas qu'il y ait bien des fantasmes en jeu, objecta-t-il. Je sais bien qui elle est et ce qui lui arrive... En ce moment même, elle suit une thérapie. Il est question qu'elle se réconcilie avec son mari...»

L'information me parut, malgré ses dénégations précédentes, bien actuelle.

«Est-elle en thérapie individuelle ou en thérapie de couple? demandai-je.

— Quand je lui ai parlé la dernière fois, répartit Gordon en appuyant sur le passé composé, elle suivait les deux.»

Il s'agitait nerveusement sur sa chaise, regardait par la fenêtre le jardin de sculptures de la galerie d'art. Il fixait sans la voir une statue de Henry Moore.

«Qui est-elle en tant que personne? Vous avez dit que vous la connaissiez bien.

— Je ne sais trop ce que vous voulez dire», s'étonna Gordon en se tournant vers moi.

Il m'avait raconté, repris-je, qu'il percevait Nina sans fantasmes, et je voulais savoir comment il la voyait.

Il se détourna encore avant de finalement répondre.

«Je pense que nous avons beaucoup en commun, bien des centres d'intérêt, la même forme d'intelligence, de créativité... Nous aimons la même musique, le même art, poursuivit-il en me regardant en face. Nous nous intéressons tous les deux à la psychologie. Elle est chaleureuse, compatissante, et très séduisante.»

Il répétait les mots dont il s'était servi pour la décrire lors de notre première rencontre.

Ces commentaires étaient tous, remarquai-je, d'ordre positif; son esprit percevait Nina comme une sorte d'idéal.

«Je n'entends pas de remarques à l'effet que «ça n'a pas marché entre nous pour telle ou telle raison»... Est-ce parce qu'il n'existe pas d'aspects négatifs dans votre relation?

— Je n'irais pas imaginer que nous divorcions chacun de notre côté pour nous remarier ensemble, répondit Gordon. Je n'ai pas de fantasme de cet ordre-là.»

Étant donné le caractère positif des sentiments qu'il éprouvait, pourquoi n'avait-il pas ce fantasme-là?

Gordon soupira, et déclara que Nina avait des problèmes graves: elle avait deux enfants, et l'un d'eux présentait un grave trouble d'apprentissage.

«Quiconque a des enfants sait qu'ils entravent le nourrissement émotionnel et spirituel», expliqua-t-il.

Les enfants de Nina rivaliseraient donc avec lui pour son attention.

«C'est exact», fit-il simplement.

Voulait-il dire que si ces problèmes n'existaient pas, Nina aurait été pour lui une partenaire plus adéquate?

«C'est ce que je crois», admit Gordon.

J'eus pitié de JoAnn. J'imagine que c'est ce qui le poussa à déclarer que, dans son esprit, Nina restait un idéal inaccessible, ce que JoAnn n'avait assurément pas l'air d'être.

«Je ne la considère vraiment pas *comme un idéal*, s'indigna-t-il. *J'aime qui elle est.* J'accepte la relation, les problèmes que nous avons à établir une relation, j'accepte que nous soyons tous les deux mariés. Ça blesse tout le monde, je le sais, mais...»

Il s'arrêta parce que je secouais la tête.

Je songeais, expliquai-je, à ce qu'aurait été leur relation si aucune des réalités extérieures ne produisait de l'interférence, si Nina et lui pouvaient tout simplement s'en aller dans le soleil couchant et vivre ensemble le reste de leur vie.

Gordon trouva cette façon de penser troublante.

«Une bonne partie de ce que je ressens pour elle vient de sa manière de faire face aux intempéries! s'exclama-t-il. Alors, je ne vois vraiment pas ce que les réalités extérieures dont vous parlez... On ne peut pas dire que les choses auraient été de telle ou telle manière si JoAnn et les enfants de Nina n'avaient pas existé! Vous n'avez pas le droit de postuler: «Si elle n'avait jamais été mariée et que nous nous étions rencontrés...» Vous n'avez pas le droit de dire ces choses-là! Si elle n'avait pas été mariée, nous n'aurions pas été ce que nous sommes.»

Il ne servait à rien de spéculer, insista-t-il, parce que la situation n'aurait pas été la même.

Il était clair qu'il trouvait épouvantablement dangereuse l'idée même de partager son existence avec Nina. Je lui fis remarquer qu'il avait l'air d'aimer beaucoup Nina comme personne.

«Aimez-vous JoAnn, comme personne?» lui demandai-je.

Il répondit qu'il l'aimait plus maintenant qu'il ne l'avait fait depuis un bout de temps.

LA LISSE ET LA TRAME DE LA RELATION

Gordon ajouta qu'il en était venu à réaliser que, même si sa femme ne satisfaisait pas ses besoins, elle ne le faisait pas exprès.

«Je pense qu'elle veut très fort, fit-il froidement, avec un accent de supériorité et de dédain, mais nos intérêts, de façon toute naturelle, ne nous portent généralement pas vers les mêmes choses. L'intérêt pour la musique, pour les arts, par exemple. *J'éprouve beaucoup de plaisir* dans les galeries d'art, je me promène, je ne dis rien, j'absorbe... JoAnn essaie, je le sais, mais on ne peut tout simplement pas *faire semblant* d'aimer ce qu'un autre aime.

— Ce n'est pas réaliste, admis-je.

— C'est comme lorsqu'on observe les gens qui font semblant d'aimer les chats, continua-t-il. Le chat sait, et tout le monde sait; on ne peut pas bêtement prétendre le contraire. Même si vous pouvez éprouver une certaine compassion pour la personne qui vous aime assez pour vouloir faire semblant, ça ne marche pas.»

Il trouvait que JoAnn avait essayé très fort de combler ses besoins dernièrement.

Ainsi, son «raffinement» posait un problème réel dans le mariage des Kearney. Gordon avait bien pu s'accaparer le rôle d'oiseau blessé, il restait tout de même un oiseau rare et exalté. En tant qu'oiseau blessé, il était désavantagé dans la relation, mais en tant que supérieur du point de vue intellectuel, il jouissait nettement de l'avantage, et il balayait du revers de la main sa lourdaude de soignante. JoAnn et lui s'étaient campés dans les positions extrêmes de leurs avantages («si je gagne, tu perds; si tu gagnes, je perds»), comme le font tant de couples mariés aux prises avec des tensions. Ainsi, la lisse de leur relation avait beau exprimer la relation entre la soignante et l'oiseau blessé, la trame n'en impliquait pas moins l'individu raffiné, créateur, marié à une crétine bornée et bûcheuse.

Je demandai ensuite à Gordon pourquoi JoAnn et lui n'avaient jamais abordé la question de leurs affinités et de leurs goûts différents quand ils se fréquentaient.

«Je pense, répondit-il, mal à l'aise, que nous avons passé la majeure partie de notre temps avec d'autres personnes. Les idiosyncrasies, les besoins individuels, ne se manifestent vraiment pas de cette manière. Tout le monde est tellement occupé à accorder ses propres désirs à ceux du groupe... Jusqu'à un certain point, vous ne vous apercevez pas que l'incompatibilité se loge entre deux personnes, vous pensez qu'elle se situe entre ces deux personnes et le reste du groupe.»

Son argument manquait de conviction; il le savait, parce qu'il avait l'air dubitatif et embarrassé.

MAINTENIR L'ESPACE

Pendant un bon moment, nous restâmes assis sans rien dire.

«Bien sûr, finis-je par résumer, le revers de cette médaille-là, c'est qu'une bonne partie de l'espace dont on a besoin est gardée par les contraintes de la relation extraconjugale elle-même. Et, pour les gens qui tiennent à maintenir des distances comme vous, je crois... C'est bien cela: vous tenez à garder certaines distances?

— Oui, grimaça-t-il à ma grande surprise. C'est une bonne façon de satisfaire ses besoins intimes à temps partiel, si je puis dire.»

Il arrive très fréquemment que les gens comprennent remarquablement bien ce qui les trouble et les questions auxquelles ils n'ont jamais pu répondre. Dans le cas de Gordon, il s'agissait des dangers de la proximité, de l'intimité. Que les raisons soient de l'ordre du développement ou de l'histoire individuelle, la personne qui a du mal à accepter l'intimité trouve dans l'adultère une béquille précieuse. La liaison extraconjugale fixe des limites nettes à la relation: après avoir fait l'amour, chacun des partenaires rentre chez lui et retrouve sa famille. Les contraintes externes signifient que les amants peuvent se montrer l'un à l'autre aussi ouverts et vulnérables qu'ils le désirent, ils ont toujours le devoir de rentrer ensuite dans leur réalité propre.

Il n'y a pas de risque d'érosion du territoire personnel: l'autonomie de chacun fait partie de la structure de la relation elle-même. Quand, par ailleurs, votre partenaire habite le même territoire, il — ou elle — peut à tout moment exiger de vous l'intimité que vous n'avez pas envie de donner. Ce qui est, pour certaines gens, une idée intolérable, parce qu'elles perçoivent la demande d'échange intime comme une invasion du moi.

«Imaginons, fis-je, que vous cohabitiez avec Nina...»

Je m'arrêtai parce qu'il s'était penché en avant, une expression horrifiée peinte sur ses traits.

«Ne vous inquiétez pas, le rassurai-je: ce n'est qu'un jeu, qu'une fantaisie... Étant donné les intérêts que vous partagez avec elle, continuai-je après avoir attendu qu'il se soit calmé, pensez-vous qu'elle vous ferait une partenaire plus agréable, que les choses seraient plus faciles?»

D'une voix angoissée, il répondit que ce serait différent, mais pas nécessairement plus facile. Il y aurait toutes sortes de problèmes: le divorce, la garde des enfants, sa fille et les deux enfants de Nina; il y aurait sûrement des tas de problèmes.

«Suzanne n'était pas au monde quand nous avons commencé notre relation, mais je ne me suis jamais arrêté à cela et je ne me suis jamais dit que les choses iraient mieux ou seraient différentes sans penser aussi *qu'elle existe* et qu'elle fait partie du tableau.»

LE MENSONGE ET L'AUTONOMIE

Je souris, et je lui demandai de jouer un tout autre jeu.

«Oublions un instant les difficultés extérieures, et pensons aux problèmes d'ordres psychologique ou interpersonnel qui pourraient survenir si vous viviez dans la même maison que Nina. Imaginons que tout le reste a disparu: il n'y a plus que vous deux, vivant dans le même espace, des partenaires. Dans votre for intérieur, à quoi pensez-vous que la situation ressemblerait?»

Je me penchai vers lui, comme pour en tirer une réponse puisque son visage s'était fermé et qu'il avait l'air suspicieux.

Il garda le silence longtemps. Je crus qu'il ne répondrait pas.

«Je pense qu'il y aurait des tensions, à cause d'une certaine compétition intellectuelle», finit-il par dire, en s'éclaircissant la gorge.

Comme la situation se présentait, il pouvait se montrer aussi intime qu'il le souhaitait avec son amante sans jamais craindre l'érosion de son autonomie. Si elle l'assaillait, il pouvait rentrer chez lui. Chez lui où il n'avait pas beaucoup d'autonomie non plus, parce qu'il mentait.

Quand on y pense, le mensonge est l'autonomie portée à son maximum: lorsque l'on ne dit pas à son — ou à sa — partenaire ce que l'on pense et ce que l'on ressent, on l'exclut de sa réalité intérieure. Vu sous cet angle, le mensonge accroît la distance et l'espace: seul le menteur connaît la vérité et il est aussi tout seul à posséder ce savoir.

Étrangement pourtant, Gordon se comportait comme s'il tenait à la fois au mensonge et à la vérité. En s'engageant vis-à-vis de Nina, on aurait dit qu'il voulait agrandir son territoire propre, celui qui n'avait rien à voir avec son mariage. Mais en laissant des «messages», il adoptait une attitude qui me faisait penser à Hansel et Gretel. Il s'enfonçait dans la forêt noire du monde extérieur à sa relation avec sa femme tout en laissant derrière lui une piste flagrante de croûtes de pain que JoAnn ne pouvait manquer de suivre. Sur un certain plan, il semblait renoncer à son engagement et chercher son autonomie, mais sur un autre, il la suppliait de le poursuivre et de le ramener à la maison, là où était sa place.

ELLE BLÂME LA LIAISON

Même si les Kearney parlaient de séparation, j'avais l'impression que ni Gordon ni JoAnn n'arrivaient à croire que leur relation puisse prendre fin.

«Nous nous disputons beaucoup à propos de la solidarité et nous cherchons à savoir qui soutient l'autre. C'est une question pas mal ténébreuse, ces temps-ci, se plaignit Gordon cet après-midi-là, dans mon bureau, l'air irritable et angoissé, mais pas du tout apeuré. Je crois que JoAnn pense qu'elle me soutient tandis que je fais mon droit, mais moi, je ne la crois que tolérante. Au mieux.»

Il avait, expliqua-t-il, en ce moment, un emploi d'été, suivait un cours en éthique et partageait avec JoAnn les soins à donner à Suzanne.

«Je suis très tendu, toujours à la course, et je n'ai pas l'énergie d'expliquer pourquoi je dois rester à la bibliothèque jusqu'à 23 h 30», lança-t-il d'une voix belliqueuse.

Il ajouta, d'un ton sarcastique, que JoAnn se croyait «solidaire» et le trouvait «sans coeur». À son point de vue, elle n'avait aucune idée de ce qu'étaient le travail intellectuel et ses exigences.

«Elle pense aux deux dernières années, et elle attribue toutes nos difficultés à mon adultère», soupira-t-il, comme si cette idée était profondément ridicule.

À son avis, elle ne savait pas mesurer les pressions qu'il subissait à ses cours, ni son manque d'énergie subséquent.

Quelques jours plus tôt, il venait de rentrer de l'enterrement de son cousin favori, quand JoAnn s'était lancée dans une longue tirade à propos de sa solidarité: ils s'étaient disputés.

«Il ne me serait jamais venu à l'idée de me lancer dans une conversation de ce genre-là juste après un enterrement» déclara-t-il, furieux.

C'était dans la foulée de cette conversation que JoAnn avait suggéré la séparation temporaire.

«Je n'ai pas de travail, s'enflamma Gordon. J'ai très peu d'argent! Et elle veut que je m'en aille — Dieu sait où! — sans argent et sans emploi! Selon elle, la séparation réduira la pression et l'angoisse!... J'ai un travail à rendre cette semaine, spécifia-t-il. Quelque chose *cloche* dans sa tête!»

QUELQUE CHOSE DU PASSÉ

Gordon se lamenta qu'il n'avait pas eu le temps de faire son deuil de la mort de son cousin avant la querelle avec sa femme.

«Le lendemain était pas mal bizarre aussi, rapporta Gordon, d'une voix moins furibonde, mais d'une objectivité tout olympienne. J'avais décidé d'essayer d'arranger les choses avec JoAnn, alors je lui ai demandé de venir me rejoindre sur le campus après mon cours, histoire de boire un verre, ou quelque chose du genre. Et elle est venue. Nous sommes entrés dans le bar en face de l'école de droit, et je lui ai ensuite donné les instructions pour rentrer. Je m'en retournais à pied à la bibliothèque quand elle s'est mise à me harceler à propos du chemin que j'allais prendre... Je descendais la rue, fit-il après une courte pause au cours de laquelle il me regarda bizarrement. Arrivé au coin de la rue où je devais tourner pour me rendre à la bibliothèque, je me suis arrêté. J'examinais le pavillon de psychiatrie, ce qui n'a rien d'extraordinaire parce que mon travail porte sur le consentement en procédure psychiatrique. Je songeais précisément que c'était une sorte de bâtiment tabou parce que Nina y est, et il me semblait — il me semble toujours — qu'il n'était pas raisonnable que je m'arrête ainsi et que je réfléchisse au fait que je ne pouvais plus y mettre les pieds. En me retournant, je me suis aperçu que JoAnn m'avait suivi en voiture. J'étais *furieux*, tonna-t-il d'une voix blanche, dont le ton montait à mesure qu'il parlait. J'étais en colère: même si elle disait avoir surmonté ses soupçons, elle était là, à me suivre! C'était comme si mes pires cauchemars s'étaient matérialisés! Et puis, il y avait le décor... une soirée brumeuse... et je me retourne, et j'aperçois la voiture arrêtée dans le brouillard, à une trentaine de mètres de là.»

Je me demandai si quelque chose dans leur conversation avait pu mettre la puce à l'oreille de JoAnn. Je lui aurais posé la question si je n'avais pris conscience qu'en plus de l'indignation et de la fureur, je lisais aussi dans son visage une sorte de terreur. Comme lors de la décharge électrique que j'avais ressentie à notre première rencontre, je réalisai que la situation avait éveillé en lui quelque chose qui venait du passé.

«Il y a quelque chose du passé dans tout cela, me trouvai-je en train de dire à voix haute; on dirait que vous vous refusez de dépendre de quelqu'un à qui vous ne voulez pas être lié. Est-ce que ça vous dit quelque chose? Ce pourrait remonter à l'âge de sept ou huit ans?»

Il me fixa comme si je lui avais parlé dans une autre langue.

«Ressentiez-vous pour votre mère des choses que vous croyiez ne pas devoir éprouver? L'aimiez-vous suffisamment, par exemple?»

Gordon ouvrit toute grande la bouche, mais ne dit rien parce qu'au loin un carillon exigeait l'attention du monde environnant.

«Je me souviens que ma mère m'envoyait des messages étranges comme: «Si je ne t'avais pas adopté, où serais-tu?» J'interprétais cela comme si j'avais fait quelque chose de mal, comme si je n'avais pas été gentil.»

Sa voix n'avait plus l'accent de la colère. Il avait l'air découragé, voire déprimé.

Tout à coup, il déclara qu'il avait essayé très fort de faire plaisir.

«Vous avez essayé très fort de faire plaisir? répétai-je.

— Oui, acquiesça-t-il, et je n'ai jamais senti que je réussissais.»

Enfant, il avait eu la «mauvaise mère» et, comme il sentait qu'il n'éprouvait pas les sentiments adéquats pour elle, il percevait la précarité de sa situation. S'il n'aimait pas sa mère comme il le devait, elle pourrait en prendre conscience et réagir en ne s'occupant pas de *lui*. Qui plus est, il ne ressentait pas seulement de la peur, mais aussi une profonde culpabilité quant à ses véritables sentiments pour sa mère. Au moment où nous nous parlions, la même situation se reproduisait avec la nouvelle «nourricière» qu'était sa femme.

Comme il arrive souvent qu'à l'aube de notre existence nous soyons confrontés à certains problèmes que nous tentons de remettre en scène et de résoudre ensuite avec notre partenaire! Nous sommes tellement *efficaces* quand il s'agit de choisir un conjoint qui nous aidera à récapituler les problèmes antérieurs que nous n'avons jamais réussi à dominer! On dirait qu'un radar vertigineusement complexe et remarquablement précis nous guide!

«Je retrouve certains aspects de ma mère chez JoAnn, fit observer Gordon. J'imagine la fiabilité et la gentillesse... Elle est solide, et je sais qu'elle est là, qu'elle ne cherchera pas à se sauver.»

La relation frustrante de sa petite enfance près de sa mère adoptive s'était reproduite dans sa relation frustrante avec sa femme. Il n'aurait pu choisir un *autre* système relationnel, parce que c'était là le seul genre de relations intimes qu'il connaissait vraiment, un genre de relation où il se sentait dépendant, à la recherche de l'amour et de la chaleur d'une personne pour qui il n'éprouvait pas les sentiments affectueux adéquats.

COMME DES NOUVEAUX MARIÉS

Un an après la fin de notre série d'entrevues, j'ai rencontré les Kearney dans un restaurant. Je les aperçus avant qu'ils ne me voient. Ils donnaient à manger à Suzanne, assis à une table du centre; ils avaient tous les deux l'air heureux et satisfaits. Je les saluai et leur demandai comment ils allaient.

«Vous avez l'air en pleine forme», dis-je comme si je répondais à ma propre question.

Ils échangèrent des regards amusés.

«Comment allez-vous?» demandai-je.

Dans une grimace, JoAnn me raconta qu'ils s'étaient récemment séparés; Gordon ne vivait plus à la maison. Pour sa part, elle semblait calme, sûre d'elle. Gordon avait quant à lui l'air gauche, mais il paraissait moins empesé, moins tendu qu'à l'accoutumée. Je n'arrivais pas à comprendre comment ils pouvaient se trouver ensemble et paraître si contents d'eux et si détendus puisque leur relation s'écroulait.

«Gordon veut revenir, prononça calmement JoAnn; je réfléchis à la question.»

Ils consultaient un thérapeute familial pour clarifier les choses entre eux et pour aider JoAnn à prendre sa décision (ils revenaient, justement, de leur deuxième séance). Bien des choses s'étaient passées depuis notre dernière rencontre, constatai-je. Elle jeta un coup d'oeil rapide à son mari.

Il hocha légèrement la tête, et elle poursuivit sa narration.

Gordon avait continué de fréquenter Nina tout le temps qu'avaient duré nos entrevues. Il persistait à maintenir qu'il ne s'agissait que d'une amitié, mais elle ne le croyait pas. Encore une fois, elle avait découvert la relation en lisant «une note ou une lettre qu'il avait écrite et dans laquelle il parlait d'aller vivre avec Nina, un de ces jours». JoAnn l'avait mis à la porte.

La soeur de JoAnn avait emménagé avec elle, tandis que Gordon s'était installé avec sa soeur et son beau-frère. Il avait recommencé à consommer de la drogue, à fréquenter les bars et à boire incontinent. Deux semaines plus tôt, il avait foncé dans un arbre et démoli sa voiture.

«J'ai failli me tuer; j'ai été chanceux» lança-t-il d'une voix aussi honteuse que fière.

Pas besoin de chercher plus loin la raison de leur air de nouveaux mariés: il avait presque réussi à se détruire et elle, en le reprenant — ce qu'elle finirait par faire —, pourrait recommencer à prendre soin de lui comme avant. En d'autres termes, comme l'a montré son accident, il avait besoin d'elle pour survivre. Il était son petit oiseau blessé, et elle était sa soignante.

Ils en revenaient à l'entente coalisée initiale, à l'échange des projections qui avait donné lieu à leur relation. *Il* était l'autre moitié d'une relation dans laquelle elle pouvait donner à un partenaire chéri qui dépendait d'elle pour survivre du point de vue émotionnel. *Elle* était l'autre moitié de la relation entre une femme toute-puissante et un homme qui ne l'aimait pas comme il aurait dû le faire et qui pourtant dépendait de l'attention qu'elle lui prodiguait.

«Ma mère m'a déshérité», commenta Gordon à ce moment-là, commentaire d'apparence aléatoire.

Je lui demandai pourquoi. Une étincelle de rage ancienne brilla un instant dans ses yeux.

«J'imagine, finit-il par dire, froidement méprisant, qu'elle n'approuve pas notre séparation et... notre divorce éventuel, ajouta-t-il rapidement, après s'être arrêté et avoir regardé sa femme. Pas un de *ses* fils n'a le droit de se conduire de la sorte!»

Il haussa les épaules, comme pour ajouter que ça ne le dérangeait pas: son appartenance à cette famille tenait de toute manière à peu de choses.

Il dépendait désormais, songeai-je, encore plus de la solidarité de JoAnn — et de manière encore plus pratique — que jamais auparavant.

Ce fut le moment que choisit Suzanne, une jolie petite fille de 17 mois maintenant, pour planter une croustille entre les lèvres de son père.

Feignant exagérément la surprise, Gordon mâcha la friandise, ce qui fit rire sa fille aux éclats. JoAnn rit aussi, mais ses lèvres étaient hermétiquement closes. Elle se pencha en avant et essuya les miettes de la bouche du bébé. Elle avait regagné l'illusion de contrôle.

TROISIÈME PARTIE

LE COUPLE AU MILIEU DE SA VIE:

problèmes conjugaux, solutions conjugales

10

De quoi sont faits les problèmes conjugaux: couples en coalition

En m'efforçant de comprendre les couples et la nature des relations qu'ils entretiennent, je n'ai rien trouvé dont la puissance égale ou surpasse le concept de l'identification projective. Cette importante notion théorique explique pourquoi les époux tirent du mariage une force et une intimité telles que, paradoxalement, les «règles» du système interactif qui les gouverne les autorisent à être des personnes autonomes et différentes. Une fois comprise, autant intellectuellement qu'émotionnellement, l'essence de l'identification projective, les partenaires peuvent littéralement modifier la nature fondamentale de leurs transactions et donner à leur relation mutuelle une orientation toute nouvelle.

Une fois que l'un des partenaires a *repris une projection* en effet, une fois qu'il a accepté que la folie, l'hostilité, l'incompétence, la dépression ou l'angoisse perçue chez l'autre puisse en fait émaner de lui-même, la relation apparaît sous un nouveau jour.

Ou bien, une fois que l'un des partenaires a *refusé une projection*, c'est-à-dire, par exemple, qu'il a refusé d'agir de manière décousue, de se mettre en colère, ou de sombrer dans la dépression pour exprimer les sentiments supprimés ou dissociés de sa conjointe, les changements ne manquent pas d'affecter la relation.

Quand l'échange mutuel des projections ralentit ou cesse tout à fait, le système émotif lui-même commence à se fissurer. Les règles du jeu familières, étouffantes, inflexibles, rigides, exigeantes et pourtant jamais admises peuvent se modifier. Les choses apparaissent désormais sous un nouvel éclairage, qu'on aurait cru impossible peu avant.

Parce que je trouve essentiel à la compréhension du mariage (surtout lorsqu'il y a conflit entre les partenaires) le mécanisme de l'identification projective, je reviendrai sans cesse sur le sujet. Les notions que ce concept contient sont à la fois faciles à comprendre et très complexes, difficiles à reconnaître *par définition* dans sa propre existence, parce que l'échange de projections est un troc psychologique qui se produit à un niveau inconscient.

Le concept lui-même (que l'on retrouve sous plusieurs appellations dans la documentation clinique: «répartition irrationnelle des rôles», «extériorisation», «échange de dissociations», pour ne nommer que ceux-là) est souvent fort difficile à comprendre autrement que par la constatation. Une fois intégré et compris cependant, ce savoir ne peut se perdre ou s'oublier; c'est comme d'apprendre à pédaler à bicyclette.

Une fois que l'on sait comment aller à vélo, on ne peut plus *ne pas savoir*: ce que l'on a appris fait désormais partie de notre bagage. De la même manière, une fois qu'une personne a établi une relation sans projections mutuelles, elle ne peut pas *ignorer* qu'il existe un genre de relation meilleure, plus dissociée, et pourtant plus intime.

LA RELATION INTIME PRIMAIRE

C'est à l'une des disciples de Freud, Melanie Klein, que la psychanalyse doit le concept de l'identification projective. Melanie Klein a été le précurseur de ce qu'on a plus tard appelé l'école de psychanalyse de la «relation d'objet», un écart par rapport à la pensée freudienne pure. Freud voyait le développement humain comme le déploiement très lent, séquentiel, des impératifs intérieurs instinctifs. Sa théorie se concentrait sur le monde intérieur, intrapsychique, de l'enfant et sur les changements successifs qui l'affectent à mesure que l'enfant passe des préoccupations «orales» aux stades «anal» et «phallique» de sa croissance psychosexuelle, pour finir par faire face au désastre oedipien.

Il est ici question du complexe d'Oedipe, ce triste renoncement au parent du sexe opposé comme partenaire érotique possible, que Freud considérait comme la tragédie nodale de toute jeune vie humaine. Le père de la psychanalyse mettait l'accent sur les luttes intestines qui se livrent en l'enfant grandissant, et dont les pulsions sexuelles l'opposent aux exigences de la société qui finit par les écraser et par les dompter (produisant bien souvent des symptômes névrotiques).

Même s'ils ne s'inscrivaient pas en faux pour l'essence de cette théorie, les théoriciens de la relation d'objet croyaient quant à eux que le développement de la personnalité relevait moins des pulsions sexuelles instinctives (et, des pulsions agressives que Freud a plus tard ajoutées) que des cruciales expériences néonatales dans le contexte de la relation intime primaire. Ils affirmaient qu'il n'existait pas de monde intérieur, hormis celui du premier lien magique entre un parent et son enfant. Ils supposaient et concevaient le moi comme un système qui se vit et s'organise par rapport à l'«autre».

Du point de vue de ces penseurs, le fondement de la personnalité voit le jour bien avant la crise oedipienne (qui se produit autour de l'âge de cinq ans); elle émerge dès les premiers mois de vie, à partir du duo mère nourricière — enfant dépendant. Ce serait dans ce premier — et puissant — attachement du nourrisson nécessiteux au parent protecteur et nourricier que se développerait la programmation intérieure. Ce serait là que le manuel d'instructions existentielles prendrait forme et se rédigerait dans sa forme hâtive, primitive.

Pour comprendre la croissance et le développement psychologiques, la théorie de la relation d'objet est manifestement une approche de l'individu beaucoup plus *inter*personnelle qu'*intra*personnelle.

Les descendants intellectuels de cette branche freudienne ont tendance à accentuer l'importance de ce qui se passe *entre les gens liés du point de vue émotionnel* dans le cadre des liens durables qui caractérisent l'espèce humaine. Selon le docteur W. Ronald D. Fairbairn (dont les articles brillants, publiés dans les années 1940 et 1950 en ont fait un fondateur de l'approche de la théorie de la relation d'objet), le désir le plus précoce, le plus profondément ancré que l'on puisse trouver chez un nouveau-né est celui d'établir une relation aimante, satisfaisante avec le parent nourricier. Bien plus encore que la simple gratification des tensions sexuelles instinctives, la formation et le maintien de ce lien capital est le but ultime des puissants efforts libidinaux du nourrisson.

L'IMAGE INTÉRIEURE DE L'ÊTRE AIMÉ

Notons ici que le mot étrange «objet» renvoie à «objet d'amour», tandis que le terme «relation d'objet» connote le lien émotif entre celui qui aime et l'*image* de l'être aimé, *comme elle existe dans l'esprit de celui qui aime*. En d'autres mots, on utilise le mot objet pour différencier l'image intérieure de l'objet d'amour et la *réalité* de la personne aimée.

On établit cette différence subtile pour distinguer *l'image intériorisée* de l'autre aimé et désiré (représentation que viennent colorer les expériences individuelles et les fantasmes relatifs à ces expériences) d'une réalité extérieure au moi.

Les théoriciens de la relation d'objet soutiennent que nous avons tous intériorisé des représentations mentales de personnes et de relations qui nous ont profondément touchés. Melanie Klein a appelé «imagos» ces objets intériorisés que nous avons incorporés à nos paysages mentaux, et qui font partie de notre territoire subjectif.

Formée durant l'enfance, notre vision intérieure du monde nous fournit, une fois adultes, le cadre de notre perception de la réalité «objective». Si ma *vision* de mon père correspondait à celle d'un être distant, inaccessible, par exemple, je serais portée à considérer l'intimité avec un homme comme virtuellement impossible. Mon «père intérieur» me poussera à voir tous les autres hommes comme des êtres froids et émotionnellement inaccessibles.

Nous avons recours à nos objets intérieurs — anciennes intimités, fragments de relations intenses — comme s'ils étaient réels. Étant donné que nos premiers attachements humains se situent aux strates les plus éloignées de la personnalité et que c'est à partir d'eux que s'est formée notre réalité intérieure, subjective, pourquoi nos objets intérieurs ne seraient-ils pas réels?

Les problèmes et la confusion émergent quand ces images mentales affectent tellement profondément nos perceptions que nous avons du mal à distinguer les *différences* entre l'objet intérieur du passé et les attributs réels du partenaire intime dans la relation actuelle, c'est-à-dire à faire la différence entre un ancien fantasme et une personne réelle.

LE FANTASME ET LA RÉALITÉ

Considérons un instant l'effet d'un fantasme infantile sur la vision du monde d'un adulte.

L'attachement d'un bébé pour sa mère est soudain troublé par la maladie de celle-ci, maladie qui la sépare de son enfant pendant un certain temps. Si l'absence survient au cours d'une période où l'angoisse de séparation peut se révéler accablante (autour d'un an, un an et demi), le petit enfant réagira probablement avec une colère et une peur terribles. Celle qu'il percevait comme douée d'une omnipotence quasi magique est désormais devenue vulnérable: au lieu d'être bonne et aimante, maman n'est plus là, elle est malade et égoïste.

Parce que la maladie est venue bouleverser son petit univers et son impression de sécurité et de prévisibilité, le petit enfant absorbera (processus d'introjection) l'image mentale d'une relation entre lui-même et un objet de son amour *absent*, malgré le besoin épouvantable qu'il en a. Cette représentation mentale de l'autre intime — duquel son moi a du mal à se distinguer — peut composer l'image intérieure d'un autre dont on a désespérément besoin, que l'on aime tout aussi désespérément, qui nous frustre, nous rejette, et que l'on sent plein de haine et de rage.

Cette image de la mère relève manifestement de l'imagination terrorisée de l'enfant: parce qu'il ne peut pas se percevoir lui-même, il a du mal à distinguer ses propres sentiments de perte et de rage des sentiments réels de sa mère, l'objet de son amour. À ce stade de son développement, la limite entre lui et l'autre reste tellement floue, tellement incertaine, que l'enfant n'arrive pas à saisir l'origine exacte des sentiments hostiles qu'il perçoit. La colère vient-elle de lui, ou de sa mère chérie dont il dépend si complètement, si absolument? Peu importe: il doit chasser de son esprit cette colère désemparée qui menace de l'écraser; il doit, comme le diraient les théoriciens de la relation d'objet, se «dissocier» d'elle, l'effacer de sa conscience tellement nécessiteuse.

Il supprime le mauvais objet frustrant et la représentation intériorisée de sa relation avec elle, parce qu'il sent que la perte éventuelle de la relation menacerait sa survie même. Comme je l'ai fait observer plus haut, la survie constitue le fondement du premier des attachements humains, si capital pour l'enfant. Il est également vrai que, dans le monde magique de la pensée enfantine, le désir de blesser et la capacité réelle de le faire ne sont pas clairement définis: l'enfant craint secrètement que sa haine et ses sentiments négatifs détruisent tout à fait l'être aimé. Pour toutes ces raisons fort importantes, l'enfant doit balayer sous le tapis de son esprit l'image intérieure du mauvais partenaire égoïste.

La mère réelle était pourtant, pendant ce temps-là, malade et hospitalisée. Depuis longtemps perdu à la mémoire consciente de l'enfant, l'épisode de dépossession terrifiant peut avoir laissé un résidu qui prendra plus tard la forme de la peur irrationnelle d'être abandonné par l'autre dont il a tant besoin et à qui il est lié émotivement.

En conséquence, même si les expériences subséquentes avec la bonne mère aimante ont fini par recouvrir le «mauvais objet» (l'image intériorisée du mauvais partenaire intime frustrant et radin), il n'arrivera peut-être jamais à oblitérer complètement l'expérience affreuse qu'il a connue lorsqu'il a cru avoir été abandonné, ou bien il ne parviendra pas à établir une relation sans craindre de voir cet épisode se répéter.

Dans nos relations adultes, il arrive souvent que nous nous efforcions inconsciemment — mais activement — de modeler notre partenaire intime sur un modèle intérieur. Ce modèle intérieur, l'image d'un autre, par le passé chéri et voulu, peut se superposer à notre capacité — et venir l'enrayer — de considérer notre partenaire de façon réaliste et adéquate. Quand elle a défini l'identification projective, Melanie Klein a parlé de «parties du moi dissociées et projetées sur une autre personne». Elle a plus tard précisé que l'identification projective contient aussi «les sentiments d'identification avec d'autres gens, *parce qu'on leur a attribué des qualités, ou qu'on leur attribue l'une des nôtres».*

En d'autres termes, dans l'exemple précité, l'adulte qui s'est déjà senti délaissé — et qui a intériorisé l'image d'un partenaire intime rageur, indigne de confiance, mal aimant (la mère) — peut très bien ne pas avoir de contact avec sa propre colère d'avoir été abandonné, et lutter pour provoquer l'hostilité (ou susciter le désir de quitter la relation) de sa partenaire qui n'est pas en furie, et qui n'a pas l'intention de l'abandonner.

Vu sous cet angle, le comportement de Gordon Kearney — laissant «malencontreusement» le sac de la compagnie aérienne rempli de cadeaux pour sa maîtresse sur le pas de la porte comme pour provoquer JoAnn — ne manque pas de nous venir à l'esprit.

L'AUTRE ET LE MOI

Selon les psychanalystes John Zinner et Roger Shapiro, l'identification projective est un mécanisme de défense du moi, qui sert à modifier *la perception qu'un individu a de son partenaire intime, tout en altérant sa propre image de lui-même.*

L'individu en qui bouillonne une hostilité inconsciente peut, par exemple, ne pas établir de contact avec ce sentiment, et se percevoir comme un être doux, sans colère, pour autant qu'il reçoive l'aide d'un partenaire de coalition complaisant, qui exprime la colère à sa place.

En d'autres mots, il ne suffit pas qu'un individu projette ses émotions et ses attributs répudiés et désavoués sur l'autre: le conjoint doit se conformer à la projection en agissant ou en ressentant comme il est censé le faire! Bref, il faut qu'entre les partenaires s'établisse une sorte de contrat. S'il s'agit d'un jeu, deux joueurs doivent convenir de le jouer, même inconsciemment!

Il ne servirait à rien que le chic type projette ses pulsions agressives sur sa femme si elle *n'acceptait* pas que ces pulsions et ces émotions soient siennes, et si elle refusait de les exprimer (pour lui) comme si elles venaient d'elle-même. Si l'épouse n'était pas de connivence avec lui pour se mettre en colère à quelque propos

---

(gratifiant ainsi, par personne interposée, les émotions niées et répudiées du conjoint), toute cette manoeuvre défensive échouerait. Si la partenaire ne se chargeait pas de la projection pour l'exprimer, la projection ne trouverait tout simplement pas à s'exprimer. Comme la fusée qui sort de l'orbite terrestre pour atteindre des objectifs lointains de l'univers, la projection serait perdue à jamais. Le mari à l'humeur égale, toujours agréable, serait menacé de devoir reconnaître *ses* sentiments hostiles, d'admettre que ces émotions négatives viennent de lui, et qu'il est, à leur propos et pour quelque raison, en conflit avec elles, incapable de les exprimer lui-même.

Très souvent, les partenaires intimes échangent les projections de leurs attitudes et de leurs sentiments niés et désavoués. Ils s'entendent pour prendre mutuellement charge du monde intérieur de l'autre, des choses qu'ils ne peuvent ni tolérer ni admettre en eux.

Il va sans dire que lorsqu'un tel échange de territoires intérieurs se produit, la communication entre les partenaires devient très confuse. Comme le font remarquer les cliniciens Ellen Berman, M.D., Harold Lief, M.D., et Ann Marie Williams, Ph.D.

... la personne qui procède à l'identification projective refuserait tout simplement de recevoir des communications qui ne sont pas conformes à la projection. La femme qui déclare, par exemple, qu'elle aimerait un homme aimant et bon, et qui projette en même temps sur son mari toute son agressivité désavouée n'aura à l'esprit et n'admettra que ses communications agressives et dures, et refusera obstinément de reconnaître ses gentillesses.

Parce que la femme ne connaît pas la colère qui l'habite, elle ne peut reconnaître *que* ce qu'elle voit chez son partenaire, qu'*il soit ou non en colère*.

Les cliniciens illustrent encore une fois leur théorie au moyen d'un exemple (qui rappelle Laura Brett): une femme intériorise le conflit avec son père au caractère explosif, opiniâtre. Elle peut ainsi

répudier la partie d'elle qui est agressive et critique pour la projeter sur son mari. Elle interagira ensuite avec lui comme s'il *possédait ces attributs*, ce qui est une manière d'extérioriser le conflit tout en le maintenant.

EXTÉRIORISER L'INTOLÉRABLE

Comme ont pu l'observer les mêmes cliniciens, dans un couple, l'homme a tendance à accepter le rôle de partenaire logique, dépourvu d'émotions. Bien des hommes le font très naturellement, parce que ça convient à leurs besoins intrapsychiques et à leurs attentes culturelles. Quand cela se produit pourtant, les hommes répudient et se dissocient de leurs désirs de dépendance et de leur vulnérabilité: ils ne perçoivent les émotions et les sentiments vulnérables que lorsqu'ils se manifestent chez la partenaire. Dans ce genre de mariage, les femmes portent la dépendance et l'indigence du couple. La projection des éléments désavoués du moi sur la partenaire intime ne résout cependant pas le conflit intérieur du mari (conflit entre ses besoins contraires de vulnérabilité, de proximité, et ceux d'indépendance, d'autonomie). Le champ de bataille a été déplacé: désormais il ne s'agit plus d'un conflit du monde intérieur du mari, c'est plutôt un conflit entre les partenaires conjugaux.

Au lieu de faire face aux menaçantes émotions qui existent en lui, le mari peut les extérioriser et entrer en contact avec elles quand il les vit aux côtés de sa femme dépendante, angoissée et à la recherche d'intimité.

Une patiente, citée dans la documentation clinique, expliquait ses raisons de résoudre un conflit intérieur dans sa relation matrimoniale: «Je me sens mieux quand mon mari me hait que lorsque je me déteste.» Voilà, à mon avis, une explication claire des raisons qui font que les gens sont portés à placer en dehors de leur personne et à attribuer à leur partenaire les sentiments, les désirs et les comportements qu'ils ne peuvent pas «posséder»: ce sont des choses qui existent en soi et qu'il est préférable de faire irradier.

Là où se trouvent ces projections, les émotions intenses qu'une personne est incapable d'accepter (ou même d'approuver) comme siennes envahiront la relation conjugale. Jusqu'à ce que la femme de l'exemple donné plus haut devienne capable d'assumer ses propres sentiments négatifs d'autocritique, le couple est condamné à actualiser dans la relation son passé dans la famille fondatrice (d'*où vient sa vision réprimée et négative d'elle-même*).

UN ÉCHANGE DE PROJECTIONS: OU COMMENT UN ATTACHEMENT PRÉCOCE PEUT INFLUER SUR UN ENGAGEMENT INTIME SUBSÉQUENT

Les thérapeutes Berman, Lief et Williams montrent, de façon étonnante, comment l'attachement émotionnel précoce peut affecter l'engagement intime survenu beaucoup plus tard dans le cours de l'existence.

Ils rapportent qu'une femme avait vécu seule plusieurs années avant son mariage, fière de son indépendance totale. Cette femme-là avait fini par épouser un homme solitaire, isolé. Elle percevait son mari comme un homme fort, puissant, quelqu'un de semblable à son père. C'est ainsi qu'elle projeta sur lui toute sa compétence, permettant à son moi caché, inepte et dépendant de faire surface. Peu après le mariage, elle devint tellement dépendante de lui qu'elle ne pouvait plus conduire ni dresser une liste d'épicerie. Elle persista à dire qu'elle ignorait ce qui lui arrivait, mais qu'elle sentait qu'elle avait tout bonnement «perdu son sang-froid». En fait, elle avait confié à son partenaire toute sa compétence passée, et adopté les besoins de dépendance qu'il éprouvait.

Parce que son genre de projections comporte une entente mutuelle, son mari avait en retour cédé à sa femme tous ses besoins de dépendance insatisfaits et désavoués; elle exprimait pour lui ses besoins par le biais de ses comportements extrêmement nécessiteux.

Tandis qu'il s'indignait verbalement de ses exigences de dépendance, il n'en continuait pas moins à la conduire où elle le désirait, plein d'indulgence «pour sa petite femme impotente».

En réalité, un échange projectif avait eu lieu: elle avait pris charge de leurs impuissances respectives, lui donnant en retour la capacité d'exhiber sa maîtrise et sa compétence. Sur le plan de la conscience, les partenaires semblaient être des gens très différents, mais chacun d'eux portait pour l'autre une partie répudiée de son moi.

Conséquences de ce genre de projections, les relations polarisées présentent de nombreux problèmes. Il devient difficile de partager des sentiments, de revendiquer la possession de sentiments ambivalents, ou de susciter des comportements de collaboration.

Les partenaires, disent les mêmes auteurs, *tendent à combattre l'un chez l'autre les aspects interdits et niés du moi.*

UN PONT CONCEPTUEL

La pensée, en termes de relations d'objet, constitue une sorte de pont conceptuel entre la théorie psychanalytique «pure» (avec l'expérience intrapsychique individuelle) et la théorie systémique, (transactionnelle, interpersonnelle), quand il s'agit de comprendre le comportement humain. D'une part, le couple est un système — social et émotif comprenant deux personnes — et d'autre part, le concept d'identification projective fournit de puissants outils pour comprendre la formation des systèmes à deux personnes et le mode d'interrelation des gens qui en font partie.

Puisque les relations à deux comprennent aussi l'échange de certains aspects du monde intérieur (de la cartographie intérieure) de chacun des individus, les théories concernent également les expériences intrapsychiques des partenaires intimes, que ces partenaires soient enfant et mère, mari et femme, ou amis proches.

Pour comprendre les relations de couple, l'approche de la relation d'objet combine l'appréhension et de l'individu lui-même et de ce même individu dans le cadre d'une relation intime intense, et met l'accent sur les notions d'identification projective et de coalition entre partenaires liés. C'est dans la relation d'objet que se superposent le monde subjectif d'une personne et le monde objectif du couple: c'est là que se rencontrent et convergent la théorie plus ancienne portant sur l'individu et la théorie systémique, plus récente.

COUPLES EN COALITION

Quand les partenaires forment une coalition pour exprimer les aspects désavoués et dissociés de leurs moi respectifs, le conflit intérieur que chacun d'eux connaît se traduit par une dispute à deux. Comme le fait remarquer le psychiatre David Berkowitz, en améliorant et en transformant le conjoint, chacun des partenaires cherche à se sentir mieux dans sa peau.

Il arrive tellement souvent que l'approche initiale du patient en thérapie individuelle ou conjugale souhaite qu'un changement chez le partenaire, blâmé pour les problèmes du patient, soit vu comme la réponse à tous les problèmes. Comme on le sait, bien des gens se marient inconsciemment pour résoudre précisément les problèmes psychiques.

Berkowitz fait en outre observer que les gens choisissent et se servent de leur conjoint pour solutionner et museler les problèmes intérieurs, issus des relations significatives dans leur famille fondatrice.

Nous tentons fréquemment d'obliger notre partenaire à exprimer nos sentiments désavoués, répudiés et dissociés, de jouer l'un des aspects de l'un de nos conflits intérieurs.

Je songe particulièrement à un couple d'une trentaine d'années au moment de nos entrevues, David et Virginie Palmer. Ce couple illustre magnifiquement comment les projections mutuelles tendent, chez chacun des conjoints, à s'aller comme un gant.

Virginie Palmer était la fille d'un père alcoolique dont la carrière de réalisateur avait été détruite à 50 ans par la boisson. La famille considérait ce désastre comme l'échec du mariage des parents — même si Virginie n'en a pris conscience qu'une fois adulte —, et n'exhibait pas la moindre trace de colère, pas le moindre sentiment négatif. Les habitants de la maisonnée avaient beau crouler sous un fardeau de défaite et de deuil, personne n'abordait jamais ce qui se passait vraiment.

Durant son enfance et son adolescence, Virginie n'eut pas conscience de sa propre hostilité. Dans sa famille pour le moins stoïque, Virginie avait appris à supprimer sa colère.

Son mari, David, un architecte prospère, venait quant à lui d'une famille de la classe moyenne à l'histoire aussi tapageuse que violente. Dès le début de leur mariage, les crises de rage de David horrifièrent et terrorisèrent Virginie. Elle déclara qu'elle n'avait jamais vu de comportement comme celui-là. Dans le sillage de chaque explosion, Virginie s'éloignait de plus en plus de lui, épouvantée.

Dans le cas des Palmer, le traitement avait maintenu la relation suffisamment longtemps pour isoler leurs fortes projections mutuelles. En thérapie, Virginie réussit à «s'approprier» (à assumer) la furie qu'elle ressentait, la rage qui *l'habitait*, et à admettre les sentiments qu'elle éprouvait à propos de son père et de la souffrance qu'elle avait endurée en grandissant. D'aussi loin qu'elle put se le rappeler, ces sentiments mijotaient en elle, mais Virginie ne les avait reconnus que chez son mari.

Elle n'avait désormais plus besoin de voir *extérioriser* ses émotions hostiles: elle n'avait plus besoin d'entrer en contact avec elles par le biais du comportement colérique de son mari. Il lui était dorénavant possible de se *mettre en colère*, de *savoir qu'elle était furieuse* et de *dire sa rage*, ce qui avait été impensable dans sa famille fondatrice.

David avait pour sa part pu entrer en contact avec son aspect dépendant et infantile, avec ses sentiments de vulnérabilité qui avaient été oblitérés dans l'atmosphère tendue et dangereuse de sa famille fondatrice. Il n'avait pu admettre les côtés impuissants, dépassés, terrorisés et bouleversés de son être secret que lorsqu'il les avait vu apparaître chez sa femme.

Chacun d'eux avait dû se montrer dépendant, angoissé et effrayé ou agressif et furieux *pour deux*.

Pour modifier et améliorer leur relation, les deux partenaires avaient dû assumer la responsabilité consciente d'une partie de l'ambivalence (jamais dépendant — toujours dépendant; jamais fâché — toujours prompt à se mettre en colère) qu'ils avaient supprimée. David pouvait être dépendant, vulnérable et autant à la recherche d'intimité qu'il était capable de faire montre d'exigences; Virginie pouvait être compétente, autonome et furieuse sans devoir extérioriser sa rage: elle la retrouvait, intacte, dans le comportement irrationnel et terrifiant de son mari. Ce n'est qu'une fois les relations passées dissociées qu'ils ont pu retrouver les sentiments et attributs réels de l'autre.

L'histoire des Palmer, brièvement racontée ici, montre bien que ce n'est que lorsque nous ne projetons pas notre monde intérieur sur notre partenaire que nous ne pouvons absorber sa réalité véritable.

LE REFLET DANS LE MIROIR

Jusqu'à ce que nous décrochions nos liens actuels de nos expériences antérieures, les projections du passé ressemblent à des miroirs dans lesquels nous trouvons, non pas notre partenaire, mais bien les aspects désavoués de notre être intérieur. Cela diffère énormément de l'intimité réelle (qui comporte l'échange gratifiant et merveilleux de messages, depuis un monde subjectif à un autre), parce que, dans le miroir de nos projections, nous ne voyons pas notre conjoint, nous nous voyons nous-même.

COALITIONS ARRANGÉES

En dehors du royaume du fantasme, il n'existe pas de mariage sans conflit. Comme le dit si bien le psychiatre A. G. Thompson de Londres, ce genre de relation n'appartient pas à la nature humaine.

Tout au long de notre existence, dans les profondeurs de notre esprit, nous n'arrivons pas à nous libérer tout à fait de nos haines et des ressentiments de la petite enfance ou issus des exigences excessives et irréalistes de cette période. Ces forces émotives relèvent des dynamiques essentielles de notre personnalité; elles agissent dans le mariage comme dans toute relation émotionnelle profonde, et elles mènent inévitablement au conflit, à la frustration et à l'agressivité à l'endroit du partenaire.

En conséquence, la question n'est pas de savoir s'il y aura de la discorde, des démêlés et des sentiments hostiles dans le cours du mariage, puisqu'il y en aura, avec plus ou moins d'intensité, et ouvertement, et secrètement, selon les différentes phases du voyage dans le temps du couple, et selon l'épisode du cycle de la vie familiale qu'il traverse. La question est plutôt de savoir comment les partenaires peuvent négocier par rapport aux différences et aux dissensions auxquelles ils font face. Dans le mariage marqué au sceau du ressentiment constant ou des guerres perpétuelles, il est fréquemment impossible de négocier (et la collaboration reste évidemment hors de question), parce que certains aspects de l'être intérieur des partenaires se sont intimement confondus.

Quand un homme a, par exemple, lutté contre une dépression inconsciente niée et dissociée, il se peut bien qu'il se trouve attiré par une femme qu'il finira par épouser et qui pourra exprimer à sa place cet aspect de son monde intérieur. À ce moment-là, il pourra, en toute liberté, adopter et jouer le rôle de l'époux logique, froid, sans émotions, indépendant pour la femme vulnérable, dépendante, morose et désespérée. Le problème, c'est que ce qui l'a poussé à choisir cette conjointe (pour soulager sa propre angoisse) le portera aussi à vouloir qu'elle reste ainsi, même s'il trouve intolérables ses dépressions récurrentes. Cela équivaut à la vouloir à la fois grande et petite, grasse et mince.

On peut prévoir que, plus il projettera ses intolérables sentiments répudiés de découragement et de tristesse sur sa femme, plus il risquera de s'éloigner de ses propres sentiments *et d'elle*. Elle portera donc la dépression pour eux deux, mais plus elle fera ce qu'inconsciemment *il veut qu'elle fasse*, plus ils s'éloigneront l'un de l'autre, et plus la tension croîtra entre eux. Le mari, fuyant ses expériences intérieures et voulant se rattacher à elle, ne se contentera pas de la pousser à exprimer ses émotions et ses sentiments dissociés, il lui en voudra également de le faire.

On peut supposer que, dans ce système d'identification projective, la femme n'a pas seulement accepté de porter les aspects des expériences intérieures que son partenaire ne peut consciemment tolérer en lui, elle lui a aussi confié certains aspects de son monde intérieur. Il se peut qu'il doive porter la compétence et l'indépendance de sa femme parce qu'elle a appris, très tôt dans la vie, *qu'il était impossible, dans le cadre d'une relation émotionnelle, d'être à la fois dépendante et indépendante, et qu'elle devait choisir l'une ou l'autre manière d'être.* Une fois qu'on a saisi les arrangements de coalition qui surviennent dans un couple, on s'aperçoit que, dans le mariage, il n'y a ni victime ni bourreau, ni ange ni démon. Il y a plutôt des associés, chacun portant un domaine non réclamé du territoire intérieur de son conjoint, comme le stipule l'entente mutuelle inconsciente.

LA DISTINCTION

S'il est vrai que les projections du moi (et l'identification, avec ses projections) auront probablement toujours un rôle à jouer dans les attachements intimes, le degré de gratification mutuelle des partenaires du couple dépend beaucoup des aspects de la personnalité que chacun des conjoints cède à l'autre. Il dépendra aussi beaucoup, notent les cliniciens Pincus et Dare, de «la vigueur de l'expression et de la rigidité de l'obligation de maintenir cette expression».

La femme courageuse qui garde sa maison, ses enfants et sa personne méticuleusement propres et qui se plaint par ailleurs de son mari buveur et malpropre peut fort bien se soucier en réalité des aspects mauvais et sales de sa «mauvaise» sexualité. Il se peut que toute l'angoisse attachée à sa personne l'oblige à fixer toutes ces «mauvaises» choses sur son mari. Ses demandes d'aide peuvent également fort bien exprimer, sur un certain plan, sa lutte inconsciente pour soulager sa culpabilité intolérablement accrue par sa destructivité à l'endroit de son mari.

Ils ajoutent ensuite:

L'homme rigide, à la morale sévère, qui s'inquiète de sa femme mal soignée, délinquante, qui couche à gauche et à droite avec tout le monde, peut avoir besoin qu'elle exprime pour lui les pensées «mauvaises» auxquelles il n'a jamais osé faire face et qu'il a refoulées dans l'inconscient.

Ce qui nous frappe d'abord dans ces exemples, c'est la différence apparente entre les partenaires conjugaux: ils semblent si différents l'un de l'autre qu'on pourrait même se demander ce qui a bien pu les pousser à se marier! L'un des conjoints est toute propreté et ordre, et l'autre, toute malpropreté et vilaine réputation.

Une fois qu'on a constaté que, dans ce genre de situation, un échange est intervenu (une entente inconsciente en vertu de laquelle l'un des partenaires a accepté de porter tout le «mauvais» et l'autre, tout le «bon» du couple, comme s'ils faisaient partie d'un seul organisme indifférencié), ce qui doit se produire devient tout à coup apparent. Chacun des partenaires doit reprendre et assumer les aspects de son monde intérieur confié au conjoint.

Ce transfert signifie que chacun doit *apprendre à vivre son ambivalence:* le bon et le mauvais chez l'autre, le bon et le mauvais chez lui. Cela veut dire apprendre à reconnaître et à admettre à la fois le bon et le mauvais, la folie et la santé mentale, l'efficacité et l'incompétence, la dépression et le bonheur béat, à reconnaître et à admettre que ce sont des aspects de l'expérience intérieure, au lieu de ne présenter que le revers d'une médaille pour n'en percevoir la face que chez le partenaire.

LE BON MOI ET LE MÉCHANT AUTRE

Du point de vue du psychiatre L. B. Feldman, l'identification projective est un mécanisme de défense à deux volets. Le premier volet

... consiste à séparer ou à dissocier le moi intrapsychique des autres représentations dont l'une est perçue comme «mauvaise» (frustrante, réprouvante, cruelle, etc.) et l'autre, «bonne» (attentive, gratifiante, gentille, obligeante, amusante, etc.).

Le second volet

... consiste à projeter ces images «dissociées» (ou une seule image dissociée) sur une autre personne ou sur plusieurs autres personnes, altérant ainsi sa perception des autres et de soi. En d'autres mots, au lieu de se voir et de voir l'autre comme partiellement bon et partiellement mauvais, on se voit plutôt tout en blanc, tandis que l'autre est peint en noir, prêt à mettre au ban de la société.

On retient ainsi une représentation de soi immaculée, ce qui entraîne une vision de soi comme victime innocente, aux mains du mauvais conjoint. La représentation «toute bonne» est souvent projetée en fantasme et conduit à l'idée qu'un autre que l'époux (ou l'épouse), l'Autre fantasmatique, idéal, se conformerait en fait à l'image «toute bonne» — et irréaliste!

Ce qui est bon repose au fond de soi et au fond du partenaire idéal imaginaire (celui qui arrive sur son blanc destrier). *Ce qui est mauvais est projeté sur le conjoint, et perçu comme émanant de lui.* Quand deux personnes se polarisent ainsi, elles adoptent soit la position du partenaire idéal, soit celle du salaud; elles ont bien du mal à adopter une position mitoyenne.

Apprendre à reconnaître en soi et en l'autre ses sentiments ambivalents fait partie de la croissance réussie. Bien des individus n'arrivent cependant pas à admettre leur méchanceté, leur faiblesse, leur incompétence, leur colère et autres sentiments proscrits. Comme je l'ai fait remarquer un peu plus haut, il est aussi possible que la force, la compétence ou les autres attributs positifs doivent demeurer hors de la conscience, parce que la personne a appris que ces qualités et ces attitudes menaceraient l'existence même d'une relation émotionnelle vitale. À un moment ou à un autre de la petite enfance de cet individu, le mouvement vers l'indépendance et vers l'autonomie a dû produire tellement d'angoisse qu'il a été forcé de renoncer à ses besoins sur ce plan, de les écarter de la «vue» de son esprit.

Dans le mariage conflictuel, chacun des partenaires se défend habituellement contre des pensées intolérables (souvent négatives, autocritiques, dépréciatives) en les chassant tout à fait de l'expérience consciente. Au lieu d'admettre en soi l'existence de certaines pensées, de certaines images, de certaines attitudes ou de certains sentiments déconcertants, chacun des époux se débarrasse de ces aspects en les projetant sur le partenaire et en n'entrant en contact avec eux que par procuration.

Je le répète, de nombreuses personnes choisissent un partenaire matrimonial qui les aidera à récapituler les vieux conflits jamais maîtrisés avec succès. Quand on se sert de son conjoint de la sorte (quand on lui fait interpréter la moitié d'un problème survenu avec un parent), déclare le théoricien David Berkowitz, on fait d'une pierre deux coups. En livrant bataille au conjoint, on n'a d'abord pas à vivre le conflit pour ce qu'il est, c'est-à-dire un douloureux dilemme intérieur.

L'échange mutuel des projections, ajoute Berkowitz, sert ensuite à

... revivre et à restaurer, par la remise en scène, d'importantes relations précoces conflictuelles. Les mécanismes de projection sont en ce sens à la fois défensifs et restaurateurs: ils nous défendent contre le conflit intérieur et ils nous permettent en même temps de conserver l'objet.

La relation d'origine avec l'objet des sentiments puissants (le parent) est ainsi maintenue (du point de vue intérieur). Nous n'avons pas à nous occuper du lien antérieur problématique et irrésolu; nous pouvons, en lieu et place, reproduire cet attachement avec le partenaire, et poursuivre interminablement l'éternelle guerre.

UNE SOLUTION: CHANGER LE SYSTÈME

D'une part, on peut livrer ce combat encore et toujours dans le cercle vicieux familier des interactions répétées que tous les thérapeutes appellent le «jeu sans fin». On peut cependant aussi travailler activement et résolument à terminer la tâche de l'enfance et reprendre possession des parties du moi qui avaient déjà dû être désavouées et écartées. Le mariage devient alors une relation thérapeutique dans le sens le plus gratifiant du terme; il devient le lieu de guérison des vieilles blessures.

Ce processus exige par contre, bien souvent, le démantèlement de l'ancien système d'identification projective et la formation d'un tout autre genre de système relationnel.

11

Les tâches

Sur le plan amoureux, nous prenons les routes qui nous sont familières, et nous avons bien du mal à imaginer qu'il puisse y avoir d'autres façons de faire, d'autres façons de trouver la proximité dans une relation intime. Dans bien des cas cependant, nos manières d'être sur ce plan nous font souffrir. Si les partenaires d'un couple se sont projetés l'un sur l'autre, par exemple, s'ils se sont campés dans des positions d'où ils désavouent certaines parties d'eux-mêmes pour ensuite condamner ces aspects chez l'autre, le mariage ne tarde pas à s'enliser dans la mésentente et le conflit. Les conjoints se sentent pris au piège, parce que leur relation à l'autre est extrêmement insatisfaisante et qu'ils ne savent pas comment changer la situation.

Mais comment peuvent-ils apporter les changements nécessaires? Les opinions diffèrent à ce propos. Certains experts croient que, pour améliorer un mariage en difficulté, on doit traiter individuellement les problèmes de chacun des partenaires. En d'autres mots, pour obtenir une relation saine, chacun des partenaires doit être parfaitement sain lui-même: on doit donc solutionner les problèmes individuels pour que les problèmes conjugaux se résolvent d'eux-mêmes.

D'autres spécialistes s'inscrivent en faux. Ils sont persuadés que les problèmes individuels sont beaucoup moins importants que *l'interaction des partenaires*. Comme tous les autres couples, le couple en difficulté a instauré des règles non dites pour ordonner son existence. Ces lois, affirment les experts de cette approche, lui causent toutefois des ennuis. Ce sont, dans ce cas, les règles dysfonctionnelles de la relation qui devront être corrigées, par les partenaires.

Mais peut-on modifier la réglementation d'un système conjugal? Et si c'est possible, comment faire?

FAIRE LES CHOSES AUTREMENT

De l'avis du thérapeute conjugal Stuart Johnson, M.S.W., les tâches béhaviorales peuvent aider énormément un couple à amorcer des changements positifs. En effet, bien des couples, conscients de reproduire les modèles malsains du passé, ignorent comment agir autrement. Toujours selon Johnson (qui a été pendant des années directeur du service de thérapie familiale de l'Institut psychiatrique de Yale et qui exerce maintenant dans le privé), les partenaires ont besoin *d'éprouver* un autre genre de système émotif.

Le couple a généralement besoin de goûter une relation beaucoup plus fonctionnelle, beaucoup plus différenciée et, ce, parce qu'il *ne connaît pas ce qu'il rate.* Comment le pourrait-il? Si vous n'avez jamais fait partie de ce genre de système, si vous n'en avez jamais vu, comment pourriez-vous même connaître son existence?

Les tâches béhaviorales font entrer le couple dans ce nouvel univers relationnel, un univers où le fait d'être un individu à part entière, différent et autonome réussit à se conjuguer avec une relation proche avec un partenaire à part entière, différent et autonome.

Les couples qui parviennent à accomplir ces tâches trouvent dans les exercices structurés l'accès à une nouvelle relation, à un partenariat intime transformé. (Nombre de couples n'y arrivent jamais, parce que la lutte du pouvoir qui mine les deux partenaires est trop intense pour permettre la collaboration.)

Je me dois ici d'aviser le lecteur que même si les tâches ne semblent pas le défier, elles font tout de même prendre au système émotif un tournant inéluctable. Ces exercices apparemment simples sont en fait des stratagèmes d'une efficacité remarquable quand il s'agit d'entreprendre des changements, de distinguer le moi de l'autre et de la relation. On doit en conséquence faire attention.

TÂCHE 1: PARLER ET ÉCOUTER

Voici les instructions à suivre pour accomplir la première tâche:

Les partenaires doivent choisir une heure précise de la semaine suivante et convenir de passer cette période ensemble, sans interruption. Ils doivent ensuite décider auquel des deux (peut-être à pile ou face) appartiendra la première moitié de l'heure. Le conjoint qui commence, disons l'épouse, prend la parole et ne doit parler que d'elle. Elle n'est pas autorisée à aborder un sujet, quel qu'il soit, ayant trait à son mari, ou concernant leur relation.

L'autre conjoint doit écouter attentivement, sans lui répondre. Après une demi-heure, l'orateur et l'auditeur échangent leurs rôles. Le second conjoint prend à son tour la parole tandis que le premier lui accorde toute son attention, sans l'interrompre. Comme durant la première demi-heure, toute question relative à la conjointe ou au mariage est interdite.

Durant cette demi-heure-là, le mari parle de lui en tant que personne, il présente ses pensées, sa vie, ses joies, ses peines. Pour autant que les propos ne concernent que celui qui parle, les règles stipulent que chacun des époux profite de cette période pour faire connaître ses besoins, ses désirs, ses envies, ses frustrations et ses fantasmes. Elles préconisent également le calme de l'auditeur et son écoute religieuse.

Quand l'heure se termine, c'est-à-dire quand les deux partenaires se sont exprimés et ont été entendus, la tâche est accomplie. (La semaine suivante, ils peuvent renverser les rôles et l'ordre de prise de parole.)

Il est encore une directive très importante: quand la tâche est accomplie, *il est formellement interdit* de discuter de ce qui a été abordé. Les conjoints continuent tout simplement leur vie sans rien ajouter aux questions soulevées.

L'essentiel de cet exercice, c'est que les *partenaires n'ont pas le droit de se répondre*. On fait alterner la parole et l'écoute et on bannit toute conversation à leur propos. (Si les conjoints suivaient une thérapie, il serait question de la tâche au cours de la séance thérapeutique suivante. Les couples qui décident de réaliser ces tâches seuls doivent toutefois convenir d'éviter toute discussion à propos de l'exercice au cours des trois jours qui suivent.)

Parce que les règles de ce «jeu» domestique interdisent l'échange habituel entre les conjoints, le système d'identification projective s'enraie pendant au moins une heure. L'identification projective demande en effet aux deux partenaires d'entrer dans la danse (un conjoint valse bien mal tout seul). Si une femme perçoit ses sentiments d'infériorité et d'incompétence comme émanant de son mari, par exemple, elle a besoin de maintenir cette projection en s'accusant par le biais des reproches et des accusations que lui lance son mari. Elle doit (inconsciemment) le pousser à la traiter comme une incompétente pour pouvoir continuer à lutter contre les *mauvais sentiments qui se manifestent chez lui*, au lieu d'éprouver douloureusement leur présence *en elle*.

La coalition entre les partenaires, dit Stuart Johnson, doit se traduire en termes de *comportements*. En réponse aux indices inconscients qu'elle lui transmet, le mari doit accepter la projection et agir en conséquence. Par son comportement, il doit se conformer à la perception qu'elle a et qui veut que les épouvantables idées destructrices n'émanent pas d'elle, *mais bien de lui*! On peut voir les choses comme suit: il se montre fidèle à la projection, et il l'aide à transformer un conflit intérieur intolérable en querelle entre elle et lui.

Nous pouvons tous comprendre pourquoi il peut sembler plus facile de combattre un ennemi bien visible que d'affronter celui qui se terre en soi.

Aussi longtemps que le couple reste enfermé dans ce genre de système relationnel, il ne peut résoudre ses difficultés: les lois qui gouvernent les partenaires ne le permettent pas. Autrement dit, l'épouse doit continuer à pousser son mari à la provoquer à le pousser à la provoquer à le pousser... pour que subsiste le cercle vicieux dans lequel ni l'un ni l'autre ne peuvent entrer en contact, parce que leurs sentiments répudiés, dissociés, respectifs leur barrent la route.

Quand l'un d'eux parle et que l'autre écoute, ils interrompent leur interaction ordinaire et empêchent l'arrivée du flot continuel de ce qui relève du moi et de ce qui appartient à l'autre, de ce qui vient brouiller les limites personnelles dans les situations d'identification projective.

La première tâche (qui consiste à parler et à écouter) accroît la probabilité que chacun des partenaires parvienne à *entendre* ce que l'autre dit! Au moins durant l'heure de l'*exercice*, l'échange des projections est suspendu, ce qui force les conjoints à entrer dans un tout autre système relationnel.

La tâche, encore selon Stuart Johnson, oblige les conjoints à se faire face en tant que personnes différentes et autonomes.

Si un mari doit écouter sa femme, s'il ne peut pas parler, il est forcé de respecter son autonomie. Plutôt que de répondre à la confusion qui s'agite en lui et qui passe par elle, il lui permet de se différencier.

Le seul fait de se trouver dans ce genre de situation peut entraîner chez les deux participants de l'étonnement et de la gratification.

Imaginons un instant l'impact de cette tâche sur les couples poursuivant-poursuivi. La poursuivante (parce qu'il s'agit, en général, d'une femme) dépend de la fuite de son mari, qui exprime, par son comportement, le besoin d'autonomie du couple. Parallèlement, le mari qui fuit la proximité émotionnelle doit avoir la conviction qu'il est toujours poursuivi, autrement il devrait assumer la responsabilité de ses besoins et de ses sentiments intimes de vulnérabilité, qu'elle exprime pour eux deux. Comme je l'ai dit plus haut, ils ont procédé au partage de leurs ambivalences (les besoins du moi et ceux de la relation).

La poursuivante a effacé, renié et dissocié tout moi individuel; elle perçoit ses besoins d'autonomie comme des besoins égoïstes et mauvais, et ne peut les admettre que lorsqu'elle les voit chez son partenaire. En se gardant un plus vaste territoire individuel, le poursuivi accède à sa demande. Plus elle le poursuit avec sa quête d'intimité, plus il a besoin d'espace. L'intimité constitue une menace pour lui: elle risque de le détruire. De toute manière, il n'en a pas besoin, il croit que seule sa partenaire éprouve ce genre de besoin! Le poursuivi ne reconnaît donc pas en lui le besoin de communion émotionnelle qui le rendrait fragile au rejet et à l'abandon.

Les règles du système de couple exigent que la poursuivante chasse éternellement le poursuivi sans jamais l'attraper. Qui plus est, elles enjoignent le poursuivi de fuir, à la condition de ne jamais vraiment s'éloigner. En mettant en pratique ces édits, les partenaires accordent de façon équilibrée et prévisible les besoins du moi à ceux de la relation. Tandis qu'il se sauve, elle s'efforce de se rapprocher pour que la distance entre eux soit toujours égale. Cette manière fort grossière de maîtriser l'autonomie et l'intimité («tu t'occupes de l'intimité et je prendrai en charge les questions de distances personnelles») génère beaucoup d'angoisse et de tensions. C'est pourtant le seul système dans lequel se sentent à l'aise la poursuivante et son poursuivi, le seul *qu'ils connaissent.*

Manifestement, la polarisation exige la coalition des deux conjoints pour que trouvent à s'exprimer les pensées, sentiments, qualités et attributs que le partenaire a niés. Quand la tâche force la poursuivante à *ne parler que d'elle-même*, elle est obligée d'arrêter sa chasse et de se concentrer sur qui elle est. Elle ne peut plus utiliser ses remarques habituelles qui tendent à se centrer sur le partenaire (surtout sur ses manques) et sur ce qui se passe dans la relation.

En se pliant aux règles de l'exercice, elle doit s'efforcer d'être autonome *en présence de son conjoint.* Avec l'exercice, elle apprendra, espérons-le, que l'intimité avec le conjoint vient de soi, pas de la chasse au partenaire qui vous évite continuellement.

Stoppé dans sa fuite de l'intimité, le poursuivi devra, quant à lui, apprendre ce qui se passe quand il accorde son attention à sa femme, parce qu'il sera contraint de l'écouter pendant toute une demi-heure, sans se sauver. Quand viendra son tour, il pourra donner libre cours à ce qu'il fait avec tant de brio, *mais il devra cette fois le faire en compagnie de sa femme.* Peut-être pour la première fois, le poursuivi s'apercevra qu'il peut parler de lui, de ses préoccupations, sans se culpabiliser d'exclure et de rejeter sa conjointe, ou même sans avoir l'impression qu'elle menace de l'anéantir comme individu.

Soit dit en passant, les besoins d'intimité qu'elle ressent ne vont, bien souvent, que dans une seule direction, la sienne. Elle a en effet fréquemment imposé les sujets autour desquels évolueront leurs relations intimes. Dans ces circonstances précises, quand il a essayé d'aborder des questions qui ne l'intéressaient pas ou qui ne concernaient pas leur relation, quand il a tenté de lui parler de choses personnelles, elle l'a interrompu bien vite. Même si son désir d'intimité est plus fort que tout le reste, la poursuivante la veut à son heure, à sa manière et quand elle en a envie. Elle a besoin d'avoir son mari à sa disposition, mais elle n'arrive pas à entendre ce qui pourrait lui rappeler sa différence, son indépendance, son individualité. On doit préciser qu'ils éprouvent tous deux le même genre de problème, celui d'*affronter* la solitude humaine.

De l'avis de Stuart Johnson, le respect de l'autonomie d'une personne comprend le désir de l'*écouter*, d'*entendre* tout ce qu'elle a à dire.

Comme les directives de la tâche interdisent de traiter du partenaire et du mariage, la personne qui prend la parole ne doit parler que d'elle-même. Autrement dit, la tâche contraint la partenaire à prendre la parole de façon autonome, et astreint le conjoint à respecter cette autonomie, en lui accordant toute son attention.

Les conjoints découvrent souvent qu'en faisant ressortir l'autonomie individuelle, l'exercice les rend incroyablement intimes. En devenant, en présence l'un de l'autre, des individus différenciés, les partenaires trouvent une certaine forme d'intimité. Cette expérience contrevient aux règles tacites qui veulent que l'intimité ne soit possible que dans un système d'identification projective. Si vous êtes autonomes, disent-elles, vous ne pouvez pas être intimes, et si vous êtes intimes, vous ne pouvez pas être autonomes. Stuart Johnson explique:

L'exercice place les partenaires dans un genre de système émotif inconnu, dans un système où l'indépendance et la proximité de l'autre sont devenus synonymes.

Grâce à cette première tâche — du moins, durant l'heure qu'elle dure — le couple commence à prendre conscience que ce type d'univers relationnel existe véritablement.

TÂCHE 2: UN JOUR SUR DEUX

Quand on apprend les directives du deuxième exercice, on les trouve d'abord excentriques et bizarres. Les couples qui ont réussi à passer au travers de la première tâche, «parler et écouter», seront toutefois immanquablement motivés à aller de l'avant et à faire l'essai de cette nouvelle tâche. Au lieu de remplacer la première tâche par celle-là, ils choisiront plus souvent qu'autrement d'ajouter cet exercice au précédent, parce que cette heure hebdomadaire supplémentaire d'échange d'informations à propos *de l'autre, en tant que personne différenciée*, a su leur apporter tellement de satisfaction, sur les plans individuel et relationnel.

Il se pourrait aussi qu'un couple trouve qu'il a tiré tout ce qu'il a pu du premier exercice; il n'aurait alors qu'à passer au deuxième, «un jour sur deux».

Les partenaires conviennent de se diviser les jours de la semaine. L'épouse pourrait, par exemple, choisir les lundi, mercredi et vendredi, tandis que son mari garderait les mardi, jeudi et samedi. Le dimanche, jour de congé, ils sont libres, comme le dit Johnson, de s'adonner à leur «pathologie préférée», c'est-à-dire de laisser le vieux cycle tant éprouvé reprendre son cours normal.

Les jours impairs de la semaine (les jours un, trois et cinq), l'épouse est responsable de l'intimité de la relation. Les jours pairs (deux, quatre et six), le mari prend le volant de l'intimité. Comment donc le «contrôle de l'intimité» peut-il se manifester chez l'un ou l'autre des partenaires?

Chaque partenaire, lorsque c'est son jour, doit adresser à l'autre *une demande d'intimité* que le conjoint a acceptée à l'avance.

À part cette unique réclamation, la personne responsable de l'intimité a le droit d'exprimer d'autres besoins d'intimité — tout comme son conjoint, même si ce n'est pas «son jour» —, mais il est clairement établi que le partenaire n'a pas l'obligation d'acquiescer à cette demande une fois la requête initiale satisfaite.

Pour récapituler, quand c'est le jour de l'épouse, le mari convient de satisfaire à une seule exigence d'intimité, demande nettement énoncée comme telle; le lendemain, le jour du mari, le contrôle de l'intimité lui revient de droit. En vertu des règles du jeu, il doit alors lui demander de satisfaire expressément un de ses besoins d'intimité. Par convention, elle acquiescera à sa demande le jour même. C'est tout. Voilà les règles relativement simples, non menaçantes, de la deuxième tâche.

Il est important d'ajouter que les demandes d'intimité que s'adressent les partenaires doivent éviter de se cantonner dans l'universel, du genre «Aime-moi toujours!». Les besoins d'intimité communiqués devraient plutôt, suggère Stuart Johnson, être empreints de modestie. «On devrait facilement pouvoir réaliser la requête le jour même, ne pas la faire durer jusqu'au lendemain», conseille encore Johnson. On devrait pouvoir décrire clairement la requête en termes de comportements, en termes de choses que le partenaire peut *faire*. Si l'un des partenaires demande à l'autre de l'aimer toujours, comment le partenaire pourrait-il réaliser ce désir impossible?

Le mari à qui sa femme demande de l'adorer ne pourra pas trouver le moyen de le faire. Si elle le fait, non seulement lui demande-t-elle de contrôler quelque chose dont la maîtrise échappe à la volonté, mais encore le place-t-elle dans un paradoxe pour le moins destructeur. Elle lui ordonne d'abord de se comporter avec spontanéité. Il est illogique de lui demander d'«éprouver» certains sentiments qui, par leur nature même, ne peuvent qu'être spontanés et qui, *ne peuvent pas* être spontanés dans ce contexte (parce qu'elle a exigé qu'il les éprouve). Les communications paradoxales — du genre «Je veux que tu me dises à quel point tu m'aimes» — placent l'autre dans une situation pour le moins inconfortable et apportent d'ordinaire peu de satisfaction à la personne qui les adresse et qui, naturellement, se demande si l'expression de l'amour venait vraiment du fond du coeur de l'autre!

Ce qui importe, c'est que l'un des conjoints, la partenaire, par exemple, dise à l'autre «Je veux que tu sois particulièrement tendre et aimant envers moi» et qu'elle lui explique intelligemment *ce qu'il peut faire* pour exprimer sa tendresse et son amour. Une femme pourrait, par exemple, traduire être «particulièrement tendre et aimant» par les termes suivants: «Je voudrais que tu passes l'heure qui vient avec moi, à parler des choses qui me préoccupent.» Une autre pourrait dire: «J'aimerais aller en promenade avec toi, seule avec toi.» Une troisième pourrait demander: «Ce que j'aimerais en ce moment, c'est que tu me donnes un massage de cinq minutes.»

Il est facile de répondre à des requêtes comme «Frotte-moi le dos», «Aide-moi à résoudre le problème que j'ai avec ce collègue», ou «Laisse-moi choisir le film que nous irons voir ce soir», et c'est ce genre de demandes que Johnson propose (par opposition à «Je veux que tu protèges notre relation jusqu'à la fin des temps»). La personne qui assume la responsabilité du besoin d'intimité du jour doit énoncer des besoins réalistes, que l'autre peut aisément satisfaire, et dire quel genre de réponse elle attend de l'autre. Il serait autodestructeur d'adresser des demandes qui entraîneraient des conflits chez le partenaire (en lui). Il ne serait pas très sage, par exemple, qu'un mari demande 15 minutes de son temps à sa femme au moment où elle se précipite pour se rendre à un rendez-vous important.

Il arrive souvent, ajouterai-je, que des couples définissent certains territoires problématiques tabous de leur relation avant même de commencer la tâche «un jour sur deux». Ces sujets proscrits auront le plus souvent à voir avec le sexe ou l'argent, les deux sujets les plus émotivement chargés du mariage, et autour desquels tournent fréquemment les luttes de pouvoir. Quand, par entente préalable, on bannit un certain sujet, on interdit aussi par la même occasion les demandes d'intimité qui vont en ce sens. Quel qu'il soit, le matériau sensible, explosif, reste hors des limites de la tâche.

Il n'est en général pas productif de s'approcher de la bataille en s'attaquant directement aux questions bouleversantes, souffrantes. Au lieu de charger, de foncer tête première dans la porte avant de la relation, il est beaucoup plus facile d'entrer (un pas à la fois, sans menace) par la porte de côté, plus accessible.

L'exercice «un jour sur deux» provient de la tâche thérapeutique mise au point par la célèbre analyste italienne Mara Selvini Palazzoli. Avec ses collègues, elle se servait de cette approche comme d'un outil pour briser les luttes de contrôle entourant l'éducation d'un enfant. Les adultes en guerre, emprisonnés dans une lutte de pouvoir, étaient, chacun de son côté, persuadés qu'ils *savaient* comment prendre soin d'un enfant et l'élever; chacun croyait que son conjoint, dans son ignorance du processus d'éducation, interférait volontairement pour lui nuire. Pour faire déboucher cette impasse, les cliniciens italiens accordaient un jour sur deux (pas en même temps) aux parents, *à la mère et au père, le contrôle total de l'éducation de l'enfant.*

Cette alternance du commandement servait à prouver aux parents, par le biais de l'expérimentation, qu'ils pouvaient vivre tous les deux dans un système où ni l'un ni l'autre ne détenaient l'autorité complète et perpétuelle. Au lieu de lutter interminablement pour le rôle du vainqueur dans ce concours insoluble et destructeur (pour l'enfant), ils pouvaient partager le contrôle du processus éducatif, en faisant alterner la position de commande d'un jour à l'autre.

Adaptées aux couples dont le principal souci est l'intimité (et non l'éducation des enfants), les règles du «jour sur deux» servent à enrayer les luttes de pouvoir désespérées, si fréquentes dans les systèmes relationnels troublés. Dans les systèmes malsains, les partenaires croient d'ordinaire qu'ils n'ont pas le choix quand ils veulent un attachement intime: ou bien l'un d'eux s'empare du contrôle de la relation, ou bien *il est dominé* par le partenaire.

Le devoir thérapeutique place le couple dans un tout autre cadre émotionnel. En vertu des nouvelles lois, les partenaires se trouvent dans l'incapacité de prolonger la lutte pour la domination et, ce, parce qu'elles décrètent que le contrôle de l'intimité oscillera de l'un à l'autre. En conséquence, les partenaires peuvent convenir de ne pas chercher à s'emparer du pouvoir de leur propre chef, hormis durant la période allouée. Quand ils le font l'un après l'autre, chacun durant son jour, les *deux* partenaires réussissent à obtenir ce que ni l'un ni l'autre ne pourraient accomplir seuls.

Bien des gens croient qu'ils peuvent être proches de leur conjoint pour autant qu'ils contrôlent cette intimité. «Autrement dit, fait observer Johnson, ils veulent bien être intimes pour autant qu'ils ne soient pas vulnérables, ce qui est tout à fait impossible.» La communion avec un autre être humain contient la vulnérabilité, l'ouverture de soi à l'autre et l'effort conscient pour ne pas dominer ce qu'il fait ou ce qu'il dit. Les demandes d'intimité, qui représentent la divulgation claire des modestes besoins personnels, sont des petits pas dans la direction de l'autre qui lui disent qu'il n'a pas à avoir peur.

Il est plus facile au partenaire d'adresser sa requête d'intimité quand il sait d'avance que sa conjointe s'est, au préalable, engagée à *combler son désir*. Il est plus facile à la conjointe de

satisfaire à la requête de son mari quand elle sait que, *le lende-*
main, ce sera son tour: les faveurs attirent les faveurs. Quand
on décide de jouer en vertu des nouvelles règles, on fait partie
d'un monde dont on *partage* le pouvoir avec le conjoint (au lieu
de lui *arracher*), un univers où chaque individu reste en charge
de son moi et négocie une entente avec son partenaire, tout aussi
autonome.

Qui plus est, si le couple apprend à fonctionner à l'intérieur
des limites que lui impose la tâche, les partenaires peuvent moduler
à nouveau leurs besoins individuels et relationnels de proximité
et de différenciation.

Le partenaire qui fuit perpétuellement l'échange intime, par
exemple, devrait chercher en lui, se demander *ce qu'il attend de*
sa conjointe et, le plus simplement possible, lui demander de satisfaire ce besoin. Par le passé, ce type de comportement aurait été
littéralement impensable, parce que, d'habitude, il avait du mal
à se rendre compte que ses besoins et ses désirs *existaient* en lui.

En général, le poursuivi à la recherche d'autonomie nie vouloir ou avoir besoin de quoi que ce soit venant de quelqu'un
d'autre. On pourrait croire que le mal qu'il a à vivre ses propres
désirs intimes vient d'une supposition sous-jacente qui veut qu'il
soit préférable de ne pas ressentir ce genre de besoin: s'il les éprouvait jamais, sa partenaire les compromettrait, ne les comprendrait
pas, ou les laisserait insatisfaits. Il s'est engagé dans la relation
persuadé qu'il est toujours préférable de ne pas désirer l'intimité,
parce que l'autre le rejettera certainement. Cette manoeuvre défensive (qui contient des fantasmes infantiles à l'effet que la partenaire devrait en quelque sorte satisfaire ses besoins, même s'il
n'en a pas tout à fait conscience lui-même) s'accompagne d'une
rage secrète, parce que les besoins existent vraiment en lui et qu'ils
ne sont toujours pas comblés.

À moins de lire dans sa pensée (ce dont la partenaire est naturellement incapable), l'épouse fera les frais de la colère indicible, illogique et souvent très subtile de son mari. Bien entendu,
il ignorera qu'il est furieux (il se peut qu'il ne sache même pas
qu'il éprouve le moindre sentiment colérique). Ses besoins intimes ont été court-circuités, supprimés avant même qu'il ait pu
prendre conscience de leur existence. Il suppose tout simplement,

sans jamais mettre en doute sa supposition, qu'il est préférable de ne pas éprouver de besoins de ce genre-là: il sait qu'ils ne seront pas satisfaits. Il craint qu'en faisant connaître ses désirs réels à sa partenaire, celle-ci les frustrera ou le dévorera tout cru!

Le poursuivi doit régulièrement reconnaître en lui le besoin d'intimité et adresser à sa partenaire une requête reliée à ce besoin. Cela lui confère une nouvelle position, non seulement vis-à-vis de sa conjointe, mais également vis-à-vis de son moi intérieur. À cause de la frustration antérieure de son désir normal, le poursuivi n'a jamais tenté de voir sa partenaire satisfaire ses besoins émotionnels. Désormais, chaque jour impair, il doit fouiller en lui et admettre ouvertement un besoin intime qui lui vient *du dedans*, qu'il découvre fréquemment avec surprise. La tâche ne lui demande pas de se contenter de reconnaître son désir ou son besoin intérieur, elle exige aussi qu'il communique ce besoin ou ce désir à sa partenaire qui a accepté à l'avance de le satisfaire.

La poursuivante, pour sa part, n'éprouve pas tant de problèmes à s'approprier ou à transmettre ses besoins émotionnels à son partenaire: elle est passée maître en ce domaine. Elle a toutefois bien du mal à admettre qu'*il* puisse lui-même éprouver des désirs ou des besoins émotionnels qu'il a envie de partager et qu'ils avaient tous deux convenu de cacher.

Dans l'univers de l'identification projective qu'ils habitent, il fournit la distance et elle s'occupe du partage intime de la relation. Quand ils émergent, les besoins qu'il exprime la terrorisent: elle ne sait pas quoi en faire. Pendant un certain temps, elle a favorisé le partage de sa propre vie intime, elle a du mal à admettre qu'*il* a des sentiments qui ont autant droit à l'écoute que les siens. On pourrait trouver son comportement «protectionniste» (elle s'empare de ses besoins, de son émotivité, de sa colère, de son bouleversement, de sa dépression): elle est responsable du sentiment et de l'expression de l'affect que les deux partenaires croient le poursuivi incapable d'éprouver. De toute manière, en faisant alterner les demandes d'intimité et leur satisfaction, les partenaires apprennent à manoeuvrer la part de l'échange émotionnel qui manque à chacun.

Dans le processus du «jour sur deux», à mesure que l'alternance des jours charrie sa mer d'échanges émotionnels, les préoccupations intérieures de chaque partenaire deviennent de plus en plus apparentes à l'autre. Ce que le partenaire veut, ce dont il a besoin, *diffère* énormément de ce que l'autre veut et dont il a besoin. Centre de motivations autonomes, univers en lui-même, le partenaire se déplace de plus en plus nettement dans la lumière. Tout comme la première tâche, qui visait à accroître l'autonomie, produisait de l'intimité dans le couple, cette deuxième tâche, qui veut accroître l'autonomie, génère une profonde différenciation et une grande individualisation chez chacun des partenaires du couple.

TÂCHE 3: REQUÊTES SUPPLÉMENTAIRES

Les règlements de cette troisième tâche sont les plus simples de tous: ce sont les mêmes que pour la deuxième tâche, mais poussés plus loin. Une fois établi et devenu familier le modèle du contrôle alternatif de l'intimité, on devrait augmenter le nombre de requêtes que les conjoints s'adressent. Au lieu de l'unique demande quotidienne de la deuxième tâche, le couple passe à deux ou trois requêtes par jour.

Il est évident que certaines demandes, certains désirs d'intimité seront présentés au partenaire, et qu'ils ne prendront pas nécessairement la forme de requêtes formelles: ils ne feront pas partie de la tâche. À ses demandes informelles, le conjoint répondra comme il l'entendra, par un «oui», un «non», un «peut-être», ou un «plus tard, si c'est possible». Mais quand un besoin d'intimité sera présenté et clairement identifié comme tel (c'est-à-dire comme partie de la tâche), le partenaire y répondra positivement (par convention), et réalisera ce souhait.

Les époux doivent à ce stade progresser avec prudence. Il serait prudent de s'habituer aux gratifications intimes de l'échange avant d'accroître les pressions de la relation en se chargeant de fardeaux émotionnels de plus en plus lourds. Quant au nombre de requêtes acceptées à l'avance chaque jour, aucune limite ne restreint les couples — à part, bien sûr, les limites que le système relationnel peut tolérer. Certains couples peuvent vouloir augmenter lentement le nombre de requêtes intimes (une demande supplémentaire par semaine, par exemple). Ils peuvent bien convenir avoir atteint le total désiré à quatre, cinq ou huit demandes quotidiennes.

D'autres encore peuvent souhaiter donner une croissance exponentielle à leurs demandes; ils peuvent passer à deux, quatre, seize, ou à autant de demandes qu'ils le désirent (ou à autant qu'ils puissent dénombrer). Les couples devraient toutefois enregistrer leurs performances tout au long de cette troisième tâche.

Quand ils sentent qu'ils en ont fait assez, et qu'ils ont répété ce devoir suffisamment longtemps, ils devraient passer à la quatrième tâche. Ils ne doivent cependant pas brusquer le processus. Avant d'entreprendre la tâche suivante pourtant, il est sage d'attendre le bien-être dont on jouit quand on sait comment on se *sent* en négociant les échanges intimes de la relation.

Encore un conseil: si vous mettez toujours en pratique le premier exercice, «parler et écouter» — et même si vous ne le faites plus —, vous pouvez créer une variante et vous en servir comme requête d'intimité. Si une querelle éclate, par exemple, un partenaire peut demander dix minutes pour présenter sa version et dix minutes pour écouter celle de sa femme. Pour les disputes, c'est là un outil de prévention très efficace: il empêche l'escalade, parce qu'il bloque l'échange de projections qui peut aisément se glisser dans l'algarade.

TÂCHE 4: CONTRÔLE ET MÉTACONTRÔLE

Les règlements de la quatrième tâche sembleront encore plus étranges et artificiels que tout ce que vous avez lu jusqu'à présent! Cette dernière tâche est une variante de l'exercice «un jour sur deux» au cours duquel les partenaires ont appris à partager le contrôle de l'intimité de la relation, en convenant de la prendre en charge à tour de rôle. Dans cette quatrième tâche, ils conviennent de partager *tous les deux* le contrôle de l'intimité de la relation *au même moment*. C'est ainsi en effet que les systèmes émotifs sains (sans éternelles luttes de pouvoir ouvertes ou secrètes) fonctionnent et sont viables.

La structure de l'exercice demeure, grosso modo, la même que pour la deuxième tâche, du point de vue du calendrier. Si l'épouse y avait gardé pour elle les lundi, mercredi et vendredi et que son mari avait pris les mardi, jeudi et samedi (le dimanche, ne l'oublions pas, est jour de congé, le jour pour s'adonner aux vieilles pathologies), le calendrier demeure inchangé.

Quelques modifications ont été apportées au détail des règlements. La première, c'est que la personne responsable de l'intimité pour la journée — disons, le mari — peut adresser à l'autre autant de requêtes qu'elle le désire. Selon les règlements revus et corrigés, l'épouse doit répondre positivement à toutes ses demandes, sauf si elle juge qu'elle atteint un point critique, qu'elle trouve que c'est trop et qu'elle ne peut ou ne veut pas accepter cette requête particulière: elle a alors le droit d'annoncer à son partenaire qu'*elle arrête le jeu pour le reste de la journée.*

Autrement dit: elle ne peut dire oui à certaines demandes et non à certaines autres. Si elle choisit de répondre par la négative à l'une des demandes, la tâche est terminée pour le reste de la journée.

Il y a plus encore: le partenaire n'a pas le droit d'argumenter, de se récrier quant à la décision prise. Une fois qu'elle a décrété que les demandes d'intimité suffisaient pour la journée, l'épouse n'est pas obligée d'acquiescer à ses demandes d'intimité subséquentes: la tâche est accomplie jusqu'au jour suivant, lorsque le jeu reprendra et que les partenaires auront inversé les rôles.

À ce moment-là, la femme prend en charge l'intimité de la relation, et elle peut demander à son mari de satisfaire autant de requêtes qu'elle en a envie, tandis qu'à son tour, il détient le pouvoir d'arrêter le jeu.

Ces nouvelles directives donnent aux conjoints le sentiment de prendre en charge *en même temps* l'intimité: le contrôle que possède l'un n'entre pas en conflit avec celui que détient l'autre. Les deux époux peuvent négocier leurs besoins d'intimité depuis des positions de force et de droit, parce que chacun contrôle un domaine différent, mais tout aussi important.

Dans ce système, la femme peut satisfaire 15 besoins d'intimité, par exemple, que lui formule son mari, mais elle conserve en tout temps le pouvoir d'arrêter la partie quand elle le désire. En bout de ligne, elle n'est pas coincée dans leur système relationnel, parce qu'elle peut choisir d'en sortir, de déclarer: «Ça suffit, je ne joue plus aujourd'hui.» Ainsi, même s'il s'occupe du contrôle de l'intimité de la relation, elle possède le contrôle supérieur, le métacontrôle: elle peut décider de mettre fin au jeu, de *continuer la partie*, ou de prendre l'air un bout de temps. La possibilité de sortir du système au besoin combat le sentiment d'être pris au piège ou impuissant que l'on rencontre tellement souvent dans les systèmes conjugaux polarisés.

Les règlements de la quatrième tâche présentent aux partenaires un système dans lequel il est possible, en certaines circonstances, de dire non aux besoins du conjoint, sans porter atteinte à la relation. Cette option est très importante pour celui des deux qui dit toujours «oui», celui qui bout toujours, parce qu'il a l'impression que son conjoint le manipule et le contrôle. (Il arrive souvent que *les deux* partenaires soient persuadés, chacun de son côté, que l'autre les domine, qu'ils sentent *tous les deux* qu'ils sont les dominés de la relation, sans comprendre que c'est le système lui-même qui régit le comportement des participants.)

C'est quand on réalise qu'il est à la fois possible et acceptable de dire non au partenaire que le oui devient un véritable acte de liberté. La capacité de refuser permet à l'individu de savoir que, lorsque le partenaire accepte volontairement une requête, c'est parce qu'il le désire. Il s'agit d'un acte de volonté, pas de quelque chose qu'on le force à faire et qui le rendra furieux, ou lui donnera le sentiment d'être manipulé.

Quand on introduit ces nouveaux règlements dans le jeu, des choses intéressantes commencent à se produire au niveau de la relation. Pour autant qu'on puisse l'imaginer, chacun des partenaires hésite un peu à refuser l'une des requêtes de son conjoint (et à arrêter ainsi la partie pour le reste de la journée), parce qu'il est évident que, le lendemain, l'époux ou l'épouse peut se venger de la même manière. C'est ici pourtant que tout ce qu'on a appris du partenaire au cours des exercices précédents trouve son utilité.

À partir de la tâche «parler et écouter», chaque personne sait ce qui occupe l'esprit de son partenaire, ce qui le préoccupe. Chaque personne sait aussi, à partir de l'exercice «un jour sur deux», quels sont les besoins et les désirs intimes qui importent le plus au partenaire. En conséquence, la négociation avec le partenaire est beaucoup plus facile, parce qu'il est plus facile de *naviguer sur les eaux de ses propres besoins d'intimité au vent des réalités de la relation*. En adressant des requêtes excessives, le partenaire sait que son conjoint sera tenté d'annuler la partie; c'est pourquoi ses requêtes seront généralement modestes, c'est-à-dire présentées en toute connaissance de cause: on sait quel poids émotif peuvent tolérer et le système et le partenaire.

Toute la série d'exercices vise à bloquer la tendance des partenaires à se polariser autour des questions essentielles (qui détient le pouvoir et le contrôle; qui ressent tel ou tel sentiment; qui exprime ce sentiment).

Il existe de graves problèmes auxquels se butent continuellement et aveuglément des gens intelligents et de bonne nature, des gens qui ont leur mariage à coeur. Les tâches, que je ne saurais vous recommander assez chaleureusement, peuvent justement servir à résoudre tellement facilement ces problèmes que les couples s'évertueront longtemps à comprendre la nature de ce qui leur est arrivé. Leur relation peut changer profondément sans que l'un ou l'autre parvienne jamais à expliquer ce qui s'est passé, ou même pourquoi c'est arrivé.

12

Un système traditionnel: le mari silencieux et l'épouse hystérique

Il n'y a pas d'exemple plus manifeste, plus fréquent de système d'identification projective que la relation entre le mari taciturne et sa femme volubile, très émotive. Dans ce genre de mariage, chacun des conjoints a son domaine de spécialisation. L'un des deux porte toute l'expressivité, toute la chaleur et tous les sentiments du système intime, tandis que l'autre se charge de la rationalité froide, de l'attention méticuleuse et de la logique.

Angela et Robert Carrano, dans la trentaine au moment de nos entrevues, venaient tous deux de la classe ouvrière italienne. Ils avaient une relation comme j'en ai vu maintes et maintes fois dans toutes les classes sociales et économiques et chez tous les groupes ethniques. On rencontre des mariages comme celui des Carrano surtout chez les intellectuels, les administrateurs, les avocats et les scientifiques. Dans ce type de relations, le mari porte une attention obsessive à l'ordre, au détail et au savoir, tandis que l'épouse s'occupe des «sentiments» du couple.

Dans ces unions, le partenaire masculin est souvent très prospère et est d'une remarquable efficacité professionnelle. Parce qu'ils vivent dans un monde profondément décevant et malsain du point de vue des émotions, il se montre, dans la vie privée, manifestement *dys*fonctionnel, tout comme sa femme d'ailleurs. Ils sont pris au piège d'un arrangement de coalition qui relève de l'identification projective, une organisation où le mari n'arrive pas à exprimer ses émotions et où la femme n'arrive pas à exprimer *autre chose* que des émotions.

«IL NE M'A JAMAIS ATTIRÉE»

Les Carrano étaient mariés depuis 14 ans et demi; ils avaient deux enfants, Catherine, 10 ans, et Robin, presque 7. Ils possédaient un joli cottage semi-détaché, à la limite nord de la ville. Robert, qui venait tout juste de changer d'emploi, était imprimeur. Il travaillait pour un grand quotidien. Ce nouveau travail avait un désavantage: il était situé fort loin. L'aller et le retour demandaient une bonne heure supplémentaire, avec les inconvénients habituels de l'heure de pointe dans les deux sens.

Angela Dinelli Carrano avait été secrétaire; elle avait dirigé un petit bureau d'assurances avant son mariage, mais elle travaillait désormais à temps partiel comme serveuse.

Quand je leur demandai, au début de notre rencontre, ce qui les avait attirés l'un vers l'autre, l'épouse se mit à rire, et le mari sourit. (Ce genre de réponse ne m'étonna guère, parce que c'était très fréquent.) Mais Angela précisa qu'elle ne se souvenait pas avoir jamais été attirée par son mari.

«J'étais… hésita-t-elle en haussant les épaules; je ne l'aimais pas! Je n'étais pas du tout attirée par lui.»

Elle était à l'époque, expliqua-t-elle, «en quelque sorte déjà fiancée» à un militaire posté en Allemagne, et elle se sentait seule, vide et fort triste.

«Deux de mes amies, qui avaient déjà rencontré Robert, m'ont dit: «Oh! il faut que tu sortes!», renchérit-elle, en mimant l'excitation de ses amies au moment de l'invitation qu'elles lui avaient lancée. Elles ont dit qu'elles avaient rencontré des chics types… et je me sentais tellement *déprimée* à ce moment-là. J'ai tendance à être dépressive», ajouta-t-elle d'une voix soudain adoucie, presque dans un murmure.

La dépression qu'elle traversait à l'époque de sa rencontre avec Robert avait été la première dépression grave.

«J'avais 16 ans… ou 17? fit-elle en se tournant vers son mari, assis à côté d'elle dans le canapé, qui secoua la tête, haussa les épaules, sans répondre. Quoi qu'il en soit… poursuivit-elle.

— Seize, marmonna-t-il finalement.

— J'étais bien basse, fit-elle sans remarquer sa réponse. Je restais à la maison et je broyais du noir. Il a voulu sortir avec *moi* dès le début... je pense? lança-t-elle en se tournant encore une fois vers lui, comme pour obtenir confirmation. Dès notre première rencontre, c'est bien ça? demanda-t-elle sans lui laisser le temps de répondre. Mais parce qu'il était extrêmement introverti et timide — mon mari est *extrêmement* timide — (elle s'arrêta pour faire son observation, comme si elle parlait d'un absent), il a mis bien du temps à me demander.»

Robert Carraro aboya une sorte de rire que je n'arrivai pas à comprendre.

«J'ai accepté de sortir avec lui pour passer le temps, précisa sa femme, et ça a duré trois ans et demi, et nous nous sommes mariés.»

Elle se tut. J'attendis une réaction de la part de Robert Carrano, une sorte de justification ou de négation, mais rien ne vint.

«Avant de le rencontrer, qu'est-ce qui vous déprimait? demandai-je, pour finalement préciser: «avant de rencontrer *Robert*», parce que la façon de parler d'Angela (comme s'il n'était pas là, avec nous, dans la salle familiale confortablement meublée du sous-sol) était presque en train de déteindre sur moi.

«Ouf! C'était *lui* qui me déprimait, l'autre gars que je fréquentais! Je n'arrivais pas à me faire à cette relation-là, et pourtant, j'étais très *engagée* vis-à-vis de lui! Quand je dis «très engagée», se hâta-t-elle de préciser, je ne veux pas dire du point de vue sexuel. Il y a 15 ans, les choses ne se passaient pas comme aujourd'hui, et une bonne fille italienne ne faisait pas *ça*! Je veux dire émotivement... très très engagée... (Elle baissa si abruptement le ton que je dus me pencher en avant pour l'entendre.) Nous sortions ensemble depuis trois ans. Ça avait commencé quand j'avais 13 ans... 12 ou 13 ans?» demanda-t-elle en se tournant une fois de plus vers son mari.

C'était une drôle de question à lui poser. Il était son mari, pas son père, et il ne faisait pas partie de sa vie à ce moment-là. Je songeai que le mélange de colère et de dépendance apporterait de la confusion et serait fort difficile à manoeuvrer.

L'air patient, Robert semblait calculer mentalement l'âge qu'elle avait, comme elle le lui avait demandé.

«Quand j'y repense, c'est à cause de mon affreuse relation avec mes parents, à cause de la vie à la maison, que je m'étais attachée si fort, poursuivit-elle, comme si elle avait tout à coup décidé que la question posée à Robert ne méritait pas vraiment une pause dans son monologue. J'étais très, *très* attachée à cet homme, répéta-t-elle avec conviction. Parce qu'il s'intéressait à moi, et parce que je *l'aimais*! Quand il est parti, j'étais dévastée. On aurait dit que le sol s'était effondré sous mes pieds! Je broyais du noir, et je continuais de broyer du noir, et j'ai fait une dépression.»

Elle s'exprimait dans un murmure mélodramatique, comme une petite fille qui raconte une histoire de fantôme.

Qu'est-il advenu de cet homme? m'enquis-je d'une voix neutre; qu'est-il arrivé à celui qui était parti et qui l'avait laissée en plan?

«C'est un bon à rien, répliqua-t-elle aussitôt, son expression passant de la tristesse au mépris. C'était un drogué, un vrai perdant, je l'ai toujours su quand je sortais avec lui. Je savais qu'il était drogué, et c'est en partie pour... En fait, je ne savais pas ce que l'amour était! J'étais très, très perdue.»

«JE SAVAIS QU'IL SERAIT UN PÈRE POUR MOI»

Elle était probablement, continua-t-elle sans souci pour la cohésion, déjà amoureuse de son mari, quand ils sortaient ensemble. Et peut-être même plus qu'elle n'en avait conscience.

«Je pense, rétrospectivement, que j'ai épousé Robert parce que je *savais* qui il était, déclara-t-elle d'un ton fier. Je *savais* qu'il serait un père pour moi, et qu'il prendrait soin de moi, qu'il ne me ferait jamais de mal et que je n'aurais jamais de souci à me faire.»

La déclaration, qui avait commencé sur un ton affectueux, se fit moqueuse et sarcastique. Je ne savais trop si le sarcasme s'adressait à Angela elle-même ou à Robert.

«J'ai *dit* bien des fois à mon mari, ajouta-t-elle impérieusement, sur un ton quasi déclamatoire, qu'il a tenu *sa* part du marché; qu'il est tout ce que j'attendais de lui... ou tout ce que je voulais de lui, quand j'avais 19 ans!... Ce qui se passe, c'est que... chuchota-t-elle d'une voix qui laissait percer la peine et la déception, c'est que ce que je voulais à 19 ans, et bien... 15 ans plus tard, à 34 ans, ce n'est pas...»

Elle s'interrompit là, comme dans une impasse, et ouvrit grand les bras, pour indiquer, peut-être, que les mots ne rendraient jamais ce qu'elle voulait dire. Les mots ne pourraient jamais exprimer ce qu'elle ressentait.

«Naturellement, les gens changent, lança-t-elle tout à coup d'une voix objective et raisonnable, tandis que Robert, un homme athlétique, musclé, aux cheveux noirs, à la barbe noire, restait assis, bien tranquille à côté d'elle. J'ai énormément changé, et lui, il est resté ce qu'il était quand je l'ai épousé: le gardien, le protecteur, celui qui me fait vivre. Quand je pense à lui comme homme, comme amant, comme mari, j'ai bien du mal...»

Elle parlait avec aisance, volubilité, mais n'avait pas l'air d'assumer la responsabilité de ce qu'elle venait de dire.

«On ne peut pas dire que vous n'étiez pas du tout attirée par Robert, lui fis-je remarquer. L'idée d'un partenaire stable, qui prendrait soin de vous, semblait vous séduire.

— Oh! oui! s'étonna-t-elle en se penchant en avant. Parce que je n'avais jamais rencontré quelqu'un comme ça.

— Vous n'aviez jamais fréquenté quelqu'un de stable?, voulus-je demander, mais elle ne m'en laissa pas la chance.

— Malheureusement, à cause de mon éducation, ou à cause de qui je suis d'un point de vue génétique, je n'ai jamais pu admettre ma sexualité. Jamais. Alors, quand j'ai épousé mon mari, il ne m'attirait pas sexuellement... J'étais encore un bébé, sexuellement et émotionnellement, et je ne savais pas du tout à quoi m'attendre! Parce que j'étais vierge quand je me suis mariée, je pensais: «Wow! tout le monde dit que faire l'amour, c'est extraordinaire, et c'est ce qui va m'arriver!», rit-elle amèrement, en se frappant le front. Comme je ne ressentais rien pour lui du point de vue sexuel, comment avais-je pu croire qu'il se passerait tout à coup *quelque chose*?»

UNE DÉCISION DIFFICILE

Son mari ne l'intéressait pas au moment de leur mariage, répéta-t-elle.

«Je n'étais pas du tout attirée par lui, appuya-t-elle encore une fois. Mais ça n'avait rien à voir avec *lui*. (Je lui lançai un coup d'oeil intrigué.) Mon mari est très... oh! c'est une autre histoire; nous en reparlerons plus tard...»

Elle haussa ses épaules étroites, glissa une main impatiente dans ses cheveux ondulés mi-longs, de couleur noir de jais et aussi brillants que le plumage d'un corbeau. Elle était toute menue, et regardait les choses avec l'intensité d'un oiseau. Quand elle parlait pourtant, elle semblait prendre de l'ampleur et dominer tout ce qui l'entourait.

Je lui demandai si son ancien petit ami l'avait attirée du point de vue sexuel.

Elle répondit vivement qu'elle l'*avait été*.

«Énormément, précisa-t-elle, avant d'ajouter, tout de go: mais c'était une tête en l'air... Je savais que j'étais intelligente, renchérit-elle d'une voix songeuse et dubitative; j'avais un quotient intellectuel, même si, du point de vue émotif, j'avais *bien* des problèmes... Et je savais que si jamais je restais avec lui, j'aurais une vie horrible, absolument *affreuse*, grasseya-t-elle, goûtant son ton colérique, aurait-on dit, comme une vieille fille qui parle des désastres suivant une liaison sexuelle peu recommandable. Il a quitté l'école à 17 ans, et il n'a jamais réussi à garder un emploi. Un vrai *perdant*», acheva-t-elle sentencieusement.

Elle poursuivit aussitôt: de son côté, elle avait dû prendre une décision fort difficile.

«Allez-vous épouser quelqu'un qui vous attire, fit-elle d'un ton rhétorique, présidentiel, mais qui vous fera la vie dure, alors que vous savez fort bien ce qui arrivera du côté purement physique dans ces circonstances? Ou bien allez-vous épouser l'homme sur lequel *vous savez que vous pouvez compter*, nerveuse, énervée et émotive comme je le suis?»

Je ne savais pas si elle s'attendait à ce que je réponde. Il n'y avait d'ailleurs rien à répondre, du moins d'une position extérieure, comme celle que j'occupais. Je haussai tout simplement les épaules.

«Si vous l'aviez épousé, vous auriez dû être là pour *lui*, remarquai-je.

— Bien sûr! Bien sûr! J'aurais eu une vie épouvantable! convint-elle sans hésiter.

— Mais peut-être auriez-vous eu plus de pouvoir et plus de contrôle dans la relation, tentai-je.

— Certainement!» acquiesça-t-elle en secouant la tête, semblant répondre à la fois par la négative et par la positive.

EN QUÊTE D'AUTONOMIE

«Nous avons une bien étrange relation, parce que *j'*ai... J'ai vraiment?... hésita-t-elle en se tournant vers Robert. J'ai le contrôle, quand il s'agit de prendre des décisions?... Mon mari, reprit-elle avant qu'il ait eu le temps de répondre, en remontant ses jambes sous elle et en reportant son regard sur moi; mon mari est une personne très nonchalante. Il n'est pas du genre à prendre des décisions. Je ne crois pas qu'il ait pris cinq décisions majeures en 14 ans, depuis que nous nous sommes mariés. (Il s'agita nerveusement à côté d'elle.) Je suis désolée, souffla-t-elle en le regardant, d'une voix adoucie par le regret. Je ne voudrais pas parler pour...

— Ça va, fit-il.

— C'est moi qui prend les décisions dans la famille, expliqua-t-elle. *J'*ai acheté la maison. Je pensais toujours en termes de couple à ce moment-là, précisa-t-elle entre parenthèses, d'une voix ironique. Alors je lui disais toujours ce que je comptais faire. Ces temps-ci, je prends les décisions, et j'exécute, finit-elle, les lèvres serrées d'une désapprobation furieuse. Ce n'est pas correct, bien sûr, renchérit-elle, une expression embarrassée prenant la place de la précédente. Je *sais* fort bien que ce n'est pas correct, mais je ne m'occupe plus de le consulter. À quoi bon? Il dira toujours: «Comme tu veux», «Fais à ta tête». Je ne fais plus l'effort de lui demander, je fais ce qui me tente!»

Son irritation, omniprésente, l'emportait loin du sujet. Elle sembla tout à coup s'en apercevoir.

«Je suis désolée, je m'égare..., regretta-t-elle en rougissant, l'air contrit.

— Vous pensez que *vous* êtes le maître de piste? Vous *dirigez*, quand il s'agit de prendre des décisions, puisque Robert, dites-vous, n'arrive pas à le faire? demandai-je d'une voix douce, en souriant, pour tempérer l'aspect indéniablement politique, agressif de la question.

— Oui, répondit-elle sans me rendre mon sourire, d'une voix peinée. Mais quand il s'agit d'être autonome... Puis-je?»

Comme la précédente, la question n'attendait pas de réponse de ma part. Elle devait y répondre elle-même.

«Pas du tout... Jamais, commenta-t-elle comme pour répondre à une objection de la part de Robert ou de moi. Jamais. Impossible.»

Le mot «autonomie»: que signifiait-il pour *elle*? Elle avait dû y songer, car elle répondit, sans la moindre hésitation.

«Mener ma vie comme je l'entends, décider pour moi.

— On dirait pourtant que c'est ce que vous faites déjà, objectai-je.

— Je sais. Mais quand je tombe, et je tombe souvent... fit-elle remarquer, pour ensuite laisser la phrase en suspens, comme pour laisser entendre que, lorsqu'elle tombait, elle avait besoin de savoir que l'autre l'attraperait. Il y a quatre ans, Robert m'a littéralement *traînée* chez le thérapeute, rapporta-t-elle après avoir laissé flotter sa déclaration. J'en étais à ce point-là. J'ai tendance à devenir dysfonctionnelle et inefficace, émotionnellement, j'entends.»

C'était dit avec tellement d'émotion que je lui demandai si Robert l'avait vraiment *traînée* chez le thérapeute.

«Bof! pas vraiment! rétorqua-t-elle en haussant les épaules. Mais j'étais un légume, un vrai légume; vous n'avez pas idée de quoi j'avais l'air!»

Ou bien elle était, commentai-je sur un ton neutre, la femme ultracompétente qui prenait toutes les décisions, ou bien un bébé, vulnérable et hors de contrôle.

«Oui» fit-elle de tout coeur.

Je tournai légèrement la tête pour regarder Robert droit dans les yeux.

«Qu'est-ce qui a pu vous attirer vers cette dame?» lui demandai-je sur un ton enjoué qui les fit sourire tous les deux.

Lent à répondre, Robert prit le temps de rire, d'un rire bourru, viril.

«Elle était, comment dirais-je, belle, vibrante... Quand on est jeune, on veut bien sûr rencontrer une fille jeune, sortir avec elle. C'est comme ça que tout a commencé, et puis tout est allé bien vite. Je suis sorti un soir avec Angela, et puis tous les autres soirs, et puis, plus jamais avec les copains... Ils avaient l'habitude de me taquiner, de dire: «On ne te voit plus; qu'est-ce qui se passe?», admit-il d'un air heureux. Vous comprenez ce que je veux dire? poursuivit-il en me regardant droit dans les yeux. Sept jours, sept soirs par semaine...

— Alors, vous êtes tombé amoureux?

— Je voulais seulement... commença-t-il.

— Je pense qu'il est important que vous sachiez, coupa Angela en s'adressant à lui, avec une politesse élaborée; si tu n'as pas d'objection...»

Il la regarda sans répondre.

«Jeudi dernier, j'ai demandé la séparation, et je pense que, pour la première fois, il s'est rendu compte à quel point j'étais sérieuse quand je lui disais que je veux être seule, que j'ai besoin de temps pour moi! Je pensais — *je croyais fermement* — que tout était réglé, mais hier, il m'a déclaré qu'il ne quittait pas la maison! Peut-être que je n'ai pas été assez claire!»

Telle qu'elle était présentée, sa position était faible et maladive, mais elle la lançait sur un ton triomphaliste, passionné et puissant.

«Peut-être que je n'ai pas réussi à lui faire comprendre que je n'ai jamais pu me trouver, devenir moi, puisque je suis passée de la férule de mes parents à la *sienne*. Je ne me suis jamais trouvée... je ne me suis pas encore trouvée!»

Je jetai un coup d'oeil au génogramme des Carrano, posé sur mes genoux. Il n'y avait pas beaucoup d'informations sur la feuille; et je n'aurais pas le loisir d'en ajouter beaucoup au cours de l'après-midi. La force de l'émotivité et de l'angoisse d'Angela avait réussi à s'emparer du déroulement de l'entrevue. On aurait dit un théâtre. Je pouvais ou bien tenter de baisser le rideau et mener l'entrevue à ma guise, ou bien m'adosser dans mon fauteuil et observer ce qui se passerait. Je choisis de laisser aller les choses, et refermai la tablette d'une manière étudiée, sèche.

Ne ménageant aucun détail, la jeune matrone s'excusa sans attendre. Je répondis que nous pourrions aisément revenir au génogramme à une date ultérieure. L'air affable, Robert suivit cet échange, mais il ne le commenta pas.

UNE ÉNIGME INSOLUBLE

«J'ai essayé tellement fort de faire comprendre à mon mari, tenta d'expliquer Angela, avec un air de suppliciée, que si je pouvais m'en tirer seule avec les enfants pendant un certain temps, si j'arrivais à gagner le contrôle sur moi, ne pas savoir qu'il serait là pour me rattraper en cas de chute, j'aurais réussi quelque chose d'*important* pour moi!... *C'est* tellement important pour moi! précisa-t-elle en passant du conditionnel au présent. Tellement important pour moi!», insista-t-elle encore.

C'était un problème sans solution, un paradoxe en soi, pour lequel il n'existait pas d'issue. Angela avait épousé Robert pour «qu'il veille sur elle»; elle se trouvait dépendante et sujette à des «chutes» périodiques, au cours desquelles elle avait besoin d'un coup de main pour se remettre sur pied, pour ainsi dire.

Le problème c'était que, désormais, elle croyait que sa dépendance provenait d'un manque de maturité: elle était persuadée qu'elle n'avait jamais eu la chance de devenir une adulte autonome. Pour réussir à le devenir, elle avait besoin de grandir du point de vue psychologique, de se métamorphoser en être humain indépendant et différencié, capable de survivre seul. Cela ne pouvait se produire aussi longtemps que Robert serait là pour la rattraper si elle «s'écroulait». Par ailleurs, laissée à elle-même, elle risquait effectivement de sombrer tout à fait. Qu'arriverait-il si elle devenait encore «légume», complètement dysfonctionnelle, avec, cette fois, deux jeunes enfants à charge et qu'elle soit incapable de se relever?

Elle ne pouvait donc «grandir» que sans la présence vigilante de Robert à ses côtés, et craignait de ne pouvoir s'en sortir s'il n'était pas là pour la ramasser au moment de sa chute. Angela était dans une position intenable, comme son partenaire d'ailleurs.

«Je sentais, je *sens*, insista-t-elle, jouant au porte-parole de l'un des côtés de son ambivalence (dépendance — indépendance), que si je me débrouille toute seule avec les enfants pendant un bout de temps, et que j'apprends à m'occuper de moi, que je sais qu'il sera là si je me prends les pieds... C'est tellement *important* pour moi! lança-t-elle encore, assise au bord de son siège, l'expression figée et dure, mais *il* prétend que si nous nous séparons, ce sera pour de bon.

— C'est ce que *vous* croyez?» fis-je en me tournant vers Robert, et en lui accordant toute mon attention.

Il était presque impossible d'entrer en contact direct avec lui. Étant donné les diversions constantes que lui présentait sa femme, il s'évadait très facilement. Après quelques secondes pourtant, et puisque aucune distraction ne se présentait, il haussa ses épaules musclées.

«Je ne crois pas que la séparation aide en quoi que ce soit, se contenta-t-il de dire d'une voix traînante, en soulevant encore les épaules. Je pense qu'il vaut mieux rester ensemble et essayer de lutter une autre fois...

— Lutter? demandai-je, incertaine du combat à livrer.

— Vous savez, j'ai mes lubies et mes problèmes, et elle a les siens; tous les couples mariés doivent y travailler, répliqua-t-il d'une voix neutre, détachée.

— Avec mon mari, coupa Angela, vous devez comprendre que...»

Elle s'arrêta brusquement, parce que Robert avait tout à coup changé de position sur le canapé. Le geste exprimait la colère et l'impatience.

«Je suis désolée, dit-elle, avec une courtoisie exagérée et affectée.

— Si on *ne* met *pas* d'eau dans son vin dans le mariage, commença-t-il résolument, avant de s'arrêter, comme s'il n'avait rien à ajouter. Ça arrive, vous savez, observa-t-il, dans le vague, après un moment de silence.

— Je ne lui en ai jamais voulu de ce qui m'arrive», interrompit encore une fois Angela.

Elle savait déjà qu'elle était sujette à la dépression quand elle l'avait épousé, continua-t-elle, mais en thérapie, elle s'était aperçue que la mariage l'affectait profondément, la détruisait.

«J'étais un vrai légume quand j'ai commencé le traitement, et je risque encore de le redevenir, déclara-t-elle. Avec mon thérapeute, j'ai mis bien du temps à prendre conscience que mon mariage est mort. Ce n'est que récemment que j'ai pu arriver à dire: «Bon! Il est mort, enterrons-le!». Je n'ai pas pris cette décision-là à la légère», assura-t-elle.

Je la crus. Mais j'étais tout de même persuadée que si Robert Carrano se levait tout à coup, qu'il faisait ses bagages, sa femme serait terrorisée et ferait tout son possible pour le retenir.

«IL NE COMMUNIQUE PAS»

Elle avait longuement réfléchi, elle avait passé bien des nuits blanches, avant de lui demander une séparation ce jeudi-là, raconta-t-elle.

«Sans prendre tout le blâme, comme je peux avoir l'air de le faire en ce moment, dit-elle, vous devez savoir que mon mari est complètement, *complètement* introverti; il nous arrive de passer des *semaines* sans parler! Il ne communique pas avec moi; d'aucune manière!»

Robert choisit ce moment-là pour s'éclaircir la gorge. J'espérais qu'il en profite pour intervenir. Il ne le fit pas.

«La communication que nous avons en ce moment sera probablement l'échange le plus productif que nous aurons au cours des cinq prochaines années!»

Je levai les yeux sur Robert, mais il détourna les siens et examina un coin de la pièce. Automatiquement, mon regard suivit le sien. Au fond de la salle se trouvait un petit bar garni de cuirette, des tabourets, et les murs étaient ornés d'affiches de bières Heineken et Budweiser Lite, des copies sans doute, ou peut-être des originaux qui étaient entrés, je ne sais comment, en leur possession. La pièce prenait à cet endroit l'allure d'un petit café, tandis que là où nous nous trouvions, l'espace se destinait à la lecture, à la télévision, aux discussions.

«Mon mari, expliquait Angela pendant ce temps-là, est très... il ne s'aime pas. Si nous allons au restaurant, par exemple, il pense que tout le monde *le* regarde manger. Je ne le suis pas sur ce terrain-là, affirma-t-elle en levant le bras d'un geste large, comme pour balayer les problèmes personnels de son mari. Mais à cause de ce qu'il ressent vis-à-vis de *lui-même*... Je sais qu'il m'aime tendrement, mais il ne *peut pas* se donner, émotivement, affectueusement; il n'en est pas capable! Et voilà que maintenant, ragea-t-elle en serrant les poings sur ses genoux, il veut essayer de le faire!»

FRIGIDITÉ

Angela s'était mise en colère. Pourtant, comme sur une grande roue, au moment où sa rage atteignait le sommet, ses émotions commencèrent à s'estomper et la tension se mit à redescendre. Quand elle reprit la parole, elle semblait moins agitée, plus objective, et même calme.

«Malheureusement, remarqua-t-elle à la manière d'un médecin qui parle d'un patient atteint d'une maladie fort intéressante, mais incurable, la rage et la colère que j'ai ressenties depuis des années parce qu'il m'ignorait m'ont rendue complètement frigide. Complètement *frigide*! «Ne me touche pas! Ne m'approche pas! Va-t-en!»: Voilà comment je me sens!»

L'air effrayé, Robert s'éloigna légèrement d'elle sur le canapé.

«Vous voyez: c'est un très gros problème, lança Angela. Je sais bien que je ne rencontrerai jamais quelqu'un comme lui... Et je ne mets pas fin au mariage pour partir avec quelqu'un d'autre, éclata-t-elle dans une bouffée de loyauté aussi inattendue que passionnée. Aucun homme ne lui arrive à la cheville; personne n'est aussi loyal et honnête que *lui*. Mais je suis une femme maintenant. J'ai des *besoins de femme*, et tout ce que j'obtiens de lui

— et ce que j'ai toujours voulu —, c'est qu'il me traite comme un père traite sa fille!»

Robert bondit à ce moment-là. Pendant un instant, j'eus peur, je ne sais pourquoi. Il se contenta pourtant de traverser la pièce, de se rendre au petit bar et d'ouvrir le réfrigérateur placé derrière. Quand il revint, il tenait une canette de Coca-Cola glacé. Angela et moi buvions du thé bien fort, dans des tasses posées sur la table basse devant nous; elle prit sa tasse, but une gorgée, et la reposa nerveusement et avec fracas sur la soucoupe.

«Depuis combien de temps n'avez-vous plus de relations sexuelles, demandai-je à Robert qui se rassoyait, en tirant sur la languette métallique de la canette.

— Ce n'est pas facile, répondit-il, la tête penchée, le rouge au cou, en se concentrant sur ce qu'il faisait. Ça fait un sacré bout de temps. Mais, comme je l'ai dit, je ne pense pas que la séparation résoudrait quoi que ce soit. *Elle* pense qu'elle a besoin de temps pour se trouver, mais qu'est-ce que je ferais, *moi*, dans tout ça?... fit-il en levant la tête et en me regardant sans me voir, comme s'il contemplait le long avenir solitaire qu'il redoutait. C'est bon! murmura-t-il, pour lui-même aurait-on dit. Je pourrais me donner toute la misère du monde à reprendre avec elle, à résoudre certains problèmes du mariage, mais à quoi bon, à ce moment-là, faire tous ces efforts? Expliquer aux enfants les raisons qui nous poussent à faire ça... Je ne veux pas *les* faire souffrir non plus, jeta-t-il comme un atout, avec force et autorité.

— Que dites-vous de cela? demandai-je à Angela.

— *Il* pense qu'il leur fera plus de mal en se séparant, déclara-t-elle après avoir chassé d'un mouvement brusque de la tête l'incertitude qui semblait l'avoir gagnée, et, *moi*, je pense qu'il leur fait beaucoup plus de mal comme ça: je n'ai plus de patience avec eux! J'en suis devenue tellement enragée — et c'est ma fille qui paie la plupart du temps —, tout ça, parce qu'il est tellement froid, tellement distant... Je dis qu'*elle* paie les pots cassés, parce que je m'entends mieux avec mon fils. C'est Catherine qui écope le plus de la rage que je ressens, et j'ai très peur de la maltraiter, parce que j'étais moi-même une enfant maltraitée.»

Hors d'haleine, Angela s'arrêta. Je me tournai vers Robert.

«Voilà pourquoi j'ai toujours fait attention. Récemment, je n'ai pas pris garde! Je l'ai secouée, et je me suis surprise en train de faire des choses que je n'aurais jamais imaginées! Il se fâche contre moi sans même essayer de comprendre d'où viennent cette furie et cette colère!»

L'HOMME ABUSIF

«Robert, donnez-moi votre version; lui demandai-je doucement. Comment voyez-vous tout ce qui arrive à votre famille?

— Comment *je* vois ce qui arrive à ma famille, répéta-t-il en écho.

— Ce qu'Angela raconte, le poussai-je. Que pensez-vous de tout ça?»

Il haussa les épaules, soupira, et dit qu'il était d'accord avec ses propos.

«Je sais que je suis le genre de type... que certaines de mes lubies ont causé bien des problèmes. J'aimerais avoir la chance de travailler là-dessus. Nous en avons discuté maintes et maintes fois par le passé. C'est que... Nous devons *faire* quelque chose! Au lieu de nous contenter de parler... Qu'est-ce que ça apporte en fin de compte? Après deux semaines, on en est revenu au même point! Je veux dire: il faut se battre contre ça chaque jour, travailler chaque jour... chaque jour. Prendre un jour à la fois, comme il se présente, et puis travailler. Je l'ai déjà dit, et elle a bien le droit de ne plus me croire. C'est son *droit*», déclara-t-il, pour clore son discours confus et vague.

On aurait dit qu'il ne sentait pas ce qu'il disait, qu'il ne se lançait dans des propos mensongers que pour plaire à sa femme.

Angela Carrano avait admis, songeai-je, avoir épousé son mari parce qu'elle avait besoin que quelqu'un *veille sur elle*, même si elle ne se sentait pas vraiment liée à lui. Robert semblait à présent avoir des exigences similaires: il voulait que sa femme *soit là pour lui*, même s'il n'avait pas besoin et même s'il ne souhaitait pas de relation affective véritable. Il voulait être marié — il l'avait d'ailleurs clairement dit —, mais est-ce qu'il la voulait *elle*?

En ce cas, craignait-il plus d'être abandonné que de perdre la partenaire qu'il aimait?

«C'est moi qui porte tout le blâme dans ça! s'écria Angela en sortant avec énervement une cigarette de son paquet. Mais, d'une certaine façon, c'est lui qui m'a malmenée: il s'est montré très cruel envers moi. Je pense — j'en suis convaincue — que l'ignorer complètement, c'est abuser de lui! justifia-t-elle en ramassant un briquet sur la table, en inhalant, toussant légèrement et en soufflant la fumée. C'est la même chose que battre quelqu'un, ou abuser de lui verbalement ou mentalement, continua-t-elle en toussant encore. À ma seconde grossesse, j'avais peur parce que ça n'avait pas très bien été la première fois. La deuxième grossesse... eh bien, il ne s'est pas occupé de moi. Pas du tout. Il a choisi de ne même pas reconnaître le bébé que je portais et qui était le sien autant que le mien!... Il a abusé de moi tout le temps que j'ai été enceinte», cria-t-elle, le corps raide, les yeux étincelants.

Une fois entré dans la conversation, le mot «abus» ne cessait de revenir sur le tapis. Je lui demandai de préciser ce qu'elle entendait.

«Abuser verbalement», fit-elle.

Pouvait-elle me donner un exemple?

«Oh! commença-t-elle, en se tournant vers Robert, il...»

Rien ne lui vint à l'esprit. Elle le regardait comme pour le prier de lui venir en aide.

«Je ne me souviens pas bien, dit-il doucement.

— J'ai dû réprimer, bouda Angela.

— Je ne sais pas si tout ça remonte à l'époque où nous nous efforcions d'avoir un deuxième enfant depuis plus d'un an sans résultat, commença Robert en brisant le silence. Nous avions fini par nous faire à l'idée que nous n'en aurions qu'un, c'est tout. Et puis tout à coup, voilà qu'elle est enceinte; ça nous a flanqué un coup! Et je pense que ça a pu déteindre sur la grossesse... peut-être. Peut-être, ajouta-t-il, l'air dubitatif. Je n'ai pas accepté la grossesse comme je l'aurais dû.»

Il accourait, prêt à prendre le blâme, à devenir le mauvais garçon. Autrement dit, quand elle n'arrivait pas à lui adresser des reproches à sa place, il parvenait à le faire lui-même.

Ce sauvetage permit à sa femme de reprendre son souffle, et elle s'empara à nouveau de la conversation.

«Ça *remonte à beaucoup plus loin que ça,* au moment de notre mariage, quand je n'ai pas pu inviter ma mère et mon père», se plaignit-elle, avec l'air malheureux d'une victime.

Surprise, je la fixai. Elle m'assura qu'elle disait la vérité.

«Il ne voulait pas qu'ils viennent; c'était très étrange! Vous voyez, il avait...

— Je me suis assoupli, croyez-le, trancha Robert, pour me rassurer.

— Oh! oui! Il s'est assoupli, convint sa femme avant de se taire et de laisser s'installer un silence amical. Mais je ne me suis jamais départie de la colère et de la rage, finit-elle par ajouter.

— Elle a raison, vous savez, précisa son mari. Je me suis assoupli en certains domaines, et je dois continuer à...»

La phrase s'acheva par un haussement d'épaules.

Je m'adressai à Angela: n'avait-elle pas remarqué son petit côté dictateur pendant les trois ans et demi de fréquentations et de fiançailles?

MARTYR OU TYRAN?

«Je ne connaissais pas mieux, acquiesça-t-elle. Ma mère avait été maltraitée. Je ne le savais pas à l'époque... souffla-t-elle en écrasant sa cigarette dans le cendrier. Je me déteste, et je ne me suis jamais sentie valorisée d'être traitée autrement. Je n'ai jamais pensé que je... que l'on pouvait vouloir me traiter autrement! Je n'ai jamais cru que je le méritais. Tout était correct: il ne me battait pas; il ne buvait pas; il ne me trompait pas; c'est ce qui faisait de lui un homme merveilleux. Et dire que j'ai accepté cet abus-là!» ajouta-t-elle, les larmes aux yeux.

Il me semblait qu'elle employait le mot «abus» à la place de «domination», plus approprié.

«Je veux dire, si je montais en voiture, continua-t-elle, et qu'il m'arrive de laisser échapper sur le tapis un brin de saleté, il devenait fou de rage! Je n'avais pas le droit de boire du thé, du chocolat chaud, ou quoi que ce soit dans son auto!... Il avait des habitudes tellement bizarres! Il faisait, par exemple, briller ses chaussures, et si vous les accrochiez, je veux dire *accidentellement*, il devenait carrément fou! Et puis, quand nous nous sommes mariés, je n'ai pas eu le droit d'inviter ma soeur, mes amis, ma mère ou mon père: *ce n'était pas permis*. Quand j'ai eu mes enfants, il n'a même pas voulu que ma mère vienne m'aider! pleura-t-elle d'abondance.

— Pourquoi donc, Robert?

— Il faudrait que vous connaissiez sa mère, dit-il. Croyez-moi, je l'aime bien, et je pense que c'est une bonne femme, mais...

— Elle est surprotectrice», admit Angela pour compléter la phrase laissée en suspens par son mari, en essuyant ses yeux du bout des doigts.

Il y eut un moment de calme et de réflexion, comme si un mouvement musical venait de prendre fin. Mais un autre — le même — n'allait pas tarder à recommencer.

Enfant «abusée», Angela Dinelli, avait épousé un homme obsessif, extrêmement dominateur — «abusif», dans son esprit. Quatorze ans et demi plus tard, lequel des deux était abusif et lequel des deux était abusé? Qui des deux était le martyr, et qui était le tyran?

LE MARIAGE DÉTRAQUÉ

Dans la documentation clinique, aucune relation matrimoniale n'est aussi populaire que celle du mari distant, inaccessible et de l'épouse frustrée, voire carrément dépressive. Quand l'un ou l'autre des partenaires de ce genre d'union demande des soins psychiatriques, le conjoint masculin reçoit la plupart du temps l'étiquette d'«obsessif-compulsif», tandis que sa conjointe souffre de «trouble hystérique de la personnalité».

En fait la dernière appellation a récemment été changée (même si le contenu reste identique). On parle désormais de «trouble histrionique de la personnalité» parce que le vocable «hystérie» (qui signifie «utérus», souffrant de l'«utérus») porte une connotation sexiste; il réserve ce trouble à la gent féminine. Les médecins de la Grèce antique croyaient vraiment que les symptômes de l'hystérie provenaient d'une défectuosité de l'utérus qui s'était en quelque sorte détaché de ses ancrages pour se promener dans le corps de la femme.

La plus récente version des ouvrages de référence en psychiatrie traditionnelle considère cependant le trouble histrionique de la personnalité «comme un comportement qui caricature la féminité» chez un homme ou chez une femme. La personne histrionique a «une chaleur et un charme superficiels»; elle est aussi «égocentrique, elle ne se refuse rien, et manque de considération pour les autres». Qui plus est, cette personne est «dépendante, impuissante et cherche constamment à être rassurée»; elle peut également s'évader dans des fantasmes romantiques. Elle est amoureuse de l'amour, et elle a besoin d'une provision constante d'attention affectueuse. (Permettez-moi ici de dire que, même si cette personne a l'air d'un stéréotype féminin négatif, j'ai rencontré bien des couples dans lesquels le partenaire émotif, qui a tendance à dramatiser, est le mari, tandis que la femme est relativement distante, plus stricte et plus dominatrice.)

LE PARTENAIRE AMOUREUX DE L'AMOUR

Le partenaire histrionique contrôle mal ses impulsions, et a tendance à dire ou à faire des choses qu'il aurait été préférable — et plus sage — de taire ou de laisser en plan. Son — sa — conjoint — conjointe — se tient au pôle opposé: il est ordonné, quelque peu inflexible, et manque tout à fait de spontanéité. Ce partenaire-là craint toujours que l'inattendu se produise et vienne menacer son impression de maîtrise sur lui et sur son environnement. Pendant que le premier est malade d'amour, le second a peu à donner; plus le premier se meurt d'affection, plus il menace d'anéantir le second.

Dans un article intitulé «Le mariage hystérique», le docteur Jurg Willi fait remarquer que le conjoint de la femme «hystérique» est, la plupart du temps, «ordinaire, taciturne, timide, très bien adapté ou respectueux. Par opposition à son extravagante épouse, il est calme, terne, mais fiable, un «chic type».»

L'homme «hystérophile», celui qu'attire la femme expansive, à la recherche d'attention, comme l'appelle Willi, est souvent calme, introverti, et quelque peu mal à l'aise avec les personnes du sexe opposé. «Par opposition à leurs femmes, la plupart des maris de femmes hystériques n'ont pas eu beaucoup de fréquentations, parce qu'ils avaient peur d'être rejetés.»

Ces hommes, écrit-il, semblent adopter une attitude soumise vis-à-vis des femmes; leurs propres tendances exhibitionnistes et agressives sont tellement refoulées qu'ils n'ont même pas conscience de leur existence. En d'autres termes, ils ne peuvent pas se permettre de se laisser aller à prendre conscience de leurs propres sentiments rancuniers et colériques. S'ils les éprouvaient, ces sentiments les mettraient en danger et risqueraient de les détruire. L'hostilité pourrait les mener à blesser, eux-mêmes ou quelqu'un qu'ils aiment, dont ils sont proches et qui est important pour eux. Toute colère (et toute saine affirmation de soi) a été retirée du marché de la conscience et cachée dans un entrepôt sombre où sont gardés tous les aspects «sauvages».

Le partenaire de l'épouse histrionique aimerait, commente Willi, «se voir comme une créature unique et incomparable, qui s'élève au-dessus des exigences ordinaires». Dans la relation, la responsabilité de l'épouse consiste à exprimer toute l'émotivité qui existe entre eux deux (et à porter la culpabilité et la responsabilité, quand son hostilité et son agressivité ont échappé à tout contrôle). Il se tient à l'écart, sans émotion, et peut même déplorer ses étalages émotifs, extravagants.

LE CHEVALIER SUR SON BLANC DESTRIER

L'histoire de ce genre de mariage commence très souvent par le sauvetage de la damoiselle en détresse aux prises avec une vie familiale des plus misérables ou avec un petit ami (ou un amant) troublé, difficile, qui n'en veut pas (mais qui est excitant). L'épouse tend à avoir *besoin* de l'homme avec lequel elle se marie, et cela lui confère une grande importance: il porte ses couleurs. Il est son chevalier de service, peut-être pas aimé pour lui-même, mais volontaire et prêt à la sauver. Il accepte sa mission d'assumer la responsabilité de son existence et de lui procurer stabilité et sécurité. En résumé, il fait le serment d'être son bon parent.

Satisfait de l'entente conjugale, le couple peut vivre heureux un certain temps. Le mari, qui a supprimé ses sentiments vulnérables, ses sentiments de dépendance (pour ne les satisfaire qu'en accordant à son épouse l'attention maternelle dévouée dont il a en fait besoin), ne tarde pas à se sentir de plus en plus vidé. Il souhaite apaiser sa partenaire et mettre fin à son interminable liste de demandes, mais il a l'impression qu'il est à court de nourriture émotionnelle, qu'il n'a pas beaucoup de surplus à donner.

Après un certain temps, réchauffé aux feux de l'expressivité et de l'émotivité de la femme qu'il aime («Elle était belle et vibrante», avait dit Robert Carrano sur un ton heureux), le mari se trouve incapable de la rassurer constamment et de lui donner le feedback dont elle a désespérément besoin. Même s'il renie ses propres besoins d'attention et d'affection, il voudrait bien goûter lui aussi à certains bienfaits émotionnels. Il ne peut cependant pas demander quoi que ce soit; il ne «connaît» pas ses besoins de dépendance et son désir d'occuper le centre de l'attention, comme l'enfant que l'on aime, que l'on admire et dont on prend soin.

L'ÉCHEC DE L'ARRANGEMENT

S'il est une chose qu'il *sait* et qu'il a toujours sue, c'est qu'il est autonome et qu'il peut satisfaire ses petits besoins émotionnels. Il pourrait très bien s'occuper de ses besoins limités, s'il arrivait à se débarrasser du fardeau de ses besoins à *elle*! La fusion symbiotique, dans laquelle elle jouait le rôle du bon enfant dépendant et lui, celui du parent nourricier parfait, attentif, cède quand il prend du recul, met de la distance entre eux pour recevoir lui-même un peu de nourrissement et d'attention.

Incertaine et dépendante, l'épouse perçoit ce comportement comme une inexcusable atteinte à son image et comme une déception intolérable. Elle, qui n'est pas aimable, qui n'a aucune compétence, est une hémophile du point de vue des émotions: elle a besoin que l'on rehausse en tout temps, de l'extérieur, son estime de soi. Même si chaque transfusion d'affection qu'elle reçoit lui suffit pendant un certain temps, elle éprouve bientôt le même besoin d'assurance, tout aussi fort qu'avant. Son partenaire, qui lui a promis de veiller sur elle, refuse inexplicablement de continuer d'assumer sa fonction nourricière, son rôle de «chérisseur». Elle se sent mise de côté, ignorée, comme il lui est arrivé si souvent avant de le connaître.

LA PEUR DU VIDE

Dans *The Art of Psychotherapy* (L'Art de la psychothérapie), le psychiatre Anthony Storr écrit: «Les patients hystériques sont des personnes défaites. Ils se trouvent incapables d'entrer en compétition avec les autres, d'égal à égal. Ils se sentent plus particulièrement négligés; enfants, ils l'étaient en réalité souvent.» Pour ces personnes, le contraire de l'amour, ce n'est pas la haine, c'est l'indifférence.

L'épouse histrionique ne peut pas supporter que son partenaire se détourne d'elle, et elle fait montre d'une hypersensibilité aux moindres signes d'un retrait de sa part. Elle est profondément convaincue qu'elle n'existe pas d'elle-même, et craint de se retrouver seule, face à son propre vide intérieur terrifiant. Au début de la relation, son partenaire lui a fait le serment (c'est ce qu'elle croit) d'*être toujours là* pour elle et de la combler d'admiration et d'attention. Grâce à son estimation surfaite de sa beauté, de son intelligence et de sa valeur, il devait remplacer la piètre opinion qu'elle a d'elle-même. Il devait lui prodiguer l'amour parental qu'on ne lui avait jamais accordé auparavant.

Quand l'époux revient sur sa part du contrat matrimonial, elle ressent un outrage épouvantable. Celui qu'elle avait pris à son service parce qu'il avait promis de prendre tendrement soin d'elle a, au contraire, rouvert une vieille blessure. Est-il possible qu'il soit comme les autres, comme tous les autres qu'elle avait voulu aimer et dont elle avait voulu qu'ils l'aiment et qui avaient négligé ses besoins naturels? Est-il possible qu'il n'ait pas tant son bien-être à coeur? Elle se tourne alors vers le traître avec la furie et la rancune de toute une vie.

LA LUTTE DU POUVOIR

Le partenaire, qui s'était déjà tellement réjoui de l'émotivité ouverte de son épouse, ne désire désormais rien de plus que de trouver la source et de la faire tarir. Lui, qui n'a jamais (ou presque jamais) connu la colère, reste pantois devant la portée de la furie de son épouse. La cruauté vicieuse, presque incroyable de ses propos, le laisse aussi sans voix. Ses exagérations, croit-il, sont tellement grossières, «folles», dévastatrices, qu'il ne lui pardonnera jamais. *Il* réagit en s'éloignant encore davantage, et *elle* le poursuit avec son interminable feu roulant d'infortunes, de plaintes et d'accusations.

Dans ce mariage, chacun des partenaires considère que l'autre le rejette. Lui, qui s'est engagé à *être là pour elle*, a fait don de sa présence physique, mais l'a abandonnée du point de vue des émotions. Incapable de calmer ses souffrances, il tente de l'apaiser tout en restant aussi distant que possible.

Elle, l'ancienne damoiselle en détresse, est devenue l'ogresse qu'il faut contourner et éviter. Il s'efforce de combattre du mieux qu'il peut ses lamentations et ses plaintes à propos de la vie qu'elle mène, de son comportement à lui, de leurs enfants, de leurs parents, des occasions qu'elle a ratées, etc. Même lorsqu'il consent à l'écouter, il le fait avec peu d'empathie; ce qu'elle lui dit réussit rarement à pénétrer l'armure autoprotectrice qu'il a revêtue. Dans leur cycle interactif, plus elle s'émeut, moins il écoute, et moins il écoute, plus elle crie, plus elle donne libre cours à ses émotions.

Elle se bat pour prendre en charge son conjoint et leur relation, pour transformer celle-ci en mariage idéal dont elle a rêvé, et où les deux partenaires sont toujours intimes, où les deux partenaires expriment toujours toutes leurs émotions (surtout celles qui touchent à ses problèmes à elle). Il lutte tout aussi fort dans le sens contraire: il veut museler son comportement et maîtriser la relation pour préserver son espace personnel et son autonomie. Il craint d'être avalé par ses débordements incontrôlés et incontrôlables, s'il lui arrivait jamais de se laisser aller à l'écouter vraiment.

Il ne craint pas seulement l'émotivité de sa femme, la sienne l'apeure aussi.

LA BÊTE EN SOI

Pour une foule de raisons personnelles, les personnalités obsessionnelles ont une grande propension à se dominer et à dominer leur environnement. Pour eux, comme pour l'enfant qui a peur du noir, le monde extérieur et le monde intérieur de leur esprit sont des univers dangereux. Seules sa vigilance perpétuelle et sa discipline de tous les instants peuvent lui assurer le contrôle sur eux.

Ces individus-là, note encore le docteur Anthony Storr, vivent dans la crainte d'un désastre vague et imminent: l'émergence d'une bête sauvage à peine domptée, qui tire rageusement sur sa laisse à l'intérieur d'eux. Cette bête est «surtout un animal agressif». Les obsessionnels, souvent les gens les plus souples, les plus agréables, sont assis sur des bâtons de dynamite, faits d'une rage niée, brute, et inimaginable (à leurs yeux). Comme des ventriloques, ils ne communiquent leur colère que par la bouche de leur partenaire plus expressive, «histrionique».

L'obsessif a bien du mal à éprouver ses propres sentiments; il est possible qu'il n'arrive jamais à sentir qu'il en éprouve. L'histrionique ne peut pas s'empêcher de *ressentir*; elle ne parvient que trop bien à vivre ses émotions, mais elle n'a pas la moindre idée de la façon de les limiter ou de les contrôler. À deux, ils possèdent des qualités que l'on s'attendrait à trouver chez un seul individu sain et fonctionnel, c'est-à-dire la capacité de percevoir et de vivre l'émotion, et la capacité de délimiter raisonnablement l'émotivité pour la contrôler et la rendre relativement manoeuvrable.

SOLUTIONS OBSESSIVES

Même s'il a choisi une défense psychologique qui diffère de celle de sa partenaire histrionique, l'obsessif a connu des problèmes fort semblables. On a aussi mal pris soin de lui, et il a eu des problèmes à faire admettre et satisfaire ses besoins de croissance légitimes. Pour s'adapter, pour faire face à ses parents, il est devenu étrangement coopératif et ultrasensible à leurs sentiments (ou à ceux de l'un des deux). Il a mis au point certaines méthodes pour apaiser les autorités parentales — qui l'ont intronisé «parent» en exigeant qu'il prenne soin de l'un d'eux (ou d'eux) et qu'il lui (leur) apporte du réconfort. Ce faisant, il a évité de leur faire face directement et d'exprimer la colère qu'il ressentait, parce que ses propres besoins n'étaient jamais reconnus.

Plein de rancune refoulée, l'obsessif continue de craindre la rancune des autres. Une fois adultes, écrit Anthony Storr, ces individus ont tendance à «être autoritaires, ou encore inutilement soumis... Face à l'éventualité de l'hostilité, ils conquièrent ou se soumettent. Dans un cas comme dans l'autre, ils ne parviennent jamais à l'égalité et au respect.» Ils peuvent établir des relations de supérieur à inférieur, ou d'inférieur à supérieur, mais ils ont bien du mal à établir des relations d'*égalité*, des points de vue du pouvoir et de l'autorité. Ce besoin de hiérarchie rend impossible, voire impensable, la formation d'une relation intime avec un pair aimé.

Détaché de ses pensées et de ses sentiments négatifs, l'obsessif se débrouille fort mal dans les situations qui *suscitent* sa colère et qui sont inévitables. Au lieu de ressentir et de prendre conscience de ses sentiments hostiles, il transformera sa réalité intérieure, c'est-à-dire qu'il réagira à partir de ses processus mentaux, au lieu de relever le défi que lui lance son environnement.

Par exemple, il fera face à une situation troublante en se persuadant que ce qui l'affecte n'a aucune importance (ce qui ne lui demande aucune réaction). Ou bien, il mettra tellement en doute sa manière si acharnée et si méticuleuse de considérer l'incident qu'il lui sera impossible d'y faire face directement. C'est un peu comme si quelqu'un lui marchait sur le pied et qu'il était incapable de lui lancer un «Ôte-toi de là!» direct; l'obsessif chercherait plutôt quelles raisons peut bien avoir l'autre de lui marcher sur le pied (même s'il a mal en attendant de trouver sa réponse).

Il pourra encore réprimer tout à fait sa colère en empêchant ce qui le bouleverse de parvenir à sa conscience. Il réagira peut-être alors comme si rien ne s'était produit; ce procédé écarte d'emblée toute réponse affirmative ou colérique susceptible de le satisfaire ou de le récompenser. La tactique de la tête dans le sable, comme les autres approches, sert à étouffer l'admission des sentiments rageurs intenses contre lesquels l'obsessif se défend avec tant d'angoisse.

Il agit avec l'impression que, s'il réussit à éviter certaines pensées, les émotions douloureuses qui les accompagnent disparaîtront miraculeusement. Quand il s'efforce de contrôler ses émotions en agissant sur ses processus cognitifs malheureusement, il ne parvient pas vraiment à chasser les mauvais sentiments. Comme les déchets nucléaires, la colère ne se dégrade pas. Brute, conservée, elle reste là où elle est, mais la menace de son émergence reste constante.

LA COALITION

Même s'il n'a pas conscience de ses sentiments de colère, l'obsessif perçoit vaguement l'existence d'une force obscure, menaçante, quelque chose de troublant qui lutte pour l'admission et l'expression. Pour résoudre partiellement ce problème, l'obsessif laisse filtrer un peu de sa colère par le biais de l'émotivité de sa femme. Devant l'hostilité, la détresse et les sentiments négatifs qui existent *en elle* (et en s'identifiant avec son expression des sentiments niés et proscrits), il peut au moins entrer en contact avec cette partie de lui qu'il a écartée tout à fait.

De son côté, elle a répudié et désavoué ses propres besoins de maîtrise, de domination sur elle-même, d'établissement de limites, ce qui permet à l'obsessif d'assumer pour elle ces aspects du comportement humain. Elle est en conséquence tout émotion et intuition; de son côté, il se conduit comme si la logique, la rationalité et la connaissance composaient sa seule réalité intérieure. Tandis qu'elle manque totalement de contrôle, il n'est *que* contrôle; d'une certaine façon, chacun semble avoir fait don à l'autre d'une partie manquante de sa personnalité.

Le mélange de ce qui leur manque respectivement contient exactement l'essence de leur besoin d'établir une relation: l'accès à l'émotivité et la capacité d'établir, pour cette émotivité, des limites raisonnables. Le couple devrait donc, s'imagine l'observateur, vivre heureux jusqu'à la fin de ses jours.

POLARISATION

Deux individus ne peuvent pourtant pas se fusionner pour ne former qu'un seul être indifférencié et rester ainsi jusqu'à la fin des temps. Au début, les partenaires pourront se sentir extraordinairement proches l'un de l'autre, et leurs besoins pourront s'adapter parfaitement les uns aux autres comme les morceaux d'un casse-tête. Inévitablement, avec le temps, l'impression de soulagement (ressentie parce qu'on a trouvé la personne qui rend possible le contact avec les aspects non reconnus, répudiés et non intégrés de la personnalité) se mue en sensation de danger. Quelque chose dit que les morceaux ne vont pas ensemble, qu'ils ont été *soudés* de force.

Quand l'issue semble s'être refermée, le douillet berceau de satisfaction prend des allures de minuscule cellule claustrophobique. Resté en plan avec la fusion initiale, le besoin d'espace personnel se fait sentir comme une réaction à la symbiose du couple. Dans un effort pour affirmer leur individualité et leur différence, les partenaires commencent à accentuer les attributs et les qualités qui les distinguent l'un de l'autre. Chacun s'efforce de ressembler aussi peu que possible au partenaire; en termes techniques, ils se polarisent.

Le fossé entre eux s'élargit à mesure qu'elle pousse plus loin son comportement infantile, théâtral et exhibitionniste et qu'il s'éloigne, qu'il devient de plus en plus inaccessible et isolé. Il entreprend bientôt de critiquer chez elle l'expression directe des sentiments (surtout les sentiments de colère) qu'il a déjà tellement abhorrés chez lui qu'il les a complètement répudiés et désavoués.

À son tour, elle s'en prend à *ses* besoins d'indépendance et d'autonomie qui rendent, à son point de vue, toute intimité impossible (c'est pourquoi elle a d'ailleurs renié et écarté de son monde intérieur les besoins et désirs qu'elle éprouvait et qui allaient en ce sens). Ce qui, par le passé, avait été inacceptable et intolérable en soi est devenu inacceptable et intolérable chez le partenaire. La lutte intérieure s'est transformée en guerre ouverte entre les conjoints. Qui plus est, chacun croit que la paix et l'harmonie surviendraient si seulement l'*autre* changeait!

L'APAISEMENT

Dans la phase de «productivité et d'éducation des enfants» du cycle conjugal, Angela et Robert Carrano ne connaissaient pas le deuxième souffle d'engagement vis-à-vis de la relation qui survient d'ordinaire durant cette période. Ils se sentaient plutôt apaisés. Rien ne troublait, n'ennuageait ou ne menaçait leur horizon matrimonial: la mer qui s'étalait devant eux était aussi plate, sans vie et insatisfaisante que celle qui s'étendait derrière. Comme s'ils étaient isolés, seuls au monde sur une île déserte, au beau milieu de leur voyage.

L'échange des projections, fondement inconscient mais réel de leur relation, les gardait tous les deux en contact avec un passé auquel ni l'un ni l'autre n'avaient réussi à échapper: leur couple était au point mort. On aurait dit que chacun d'eux avait jeté l'ancre qui le reliait à sa famille fondatrice, et que les cordages de leurs deux ancres s'étaient inextricablement emmêlés.

Angela portait en conséquence pour Robert l'émotivité qu'il s'était senti forcé d'écarter très tôt dans sa vie. En effet, la mère de Robert avait été abandonnée par son père, puis forcée de divorcer quand il avait trois ans. Robert, son fils unique, avait assumé (comme le font si souvent les enfants du divorce) le fardeau de la culpabilité et la responsabilité du bien-être de sa mère chagrinée et déprimée. Au cours des années suivantes, il avait virilement supprimé ses propres besoins émotionnels pour prendre soin de la mère qui aurait dû prendre soin de lui.

Parallèlement, Robert portait pour Angela la logique, la rationalité et la capacité d'établir des limites raisonnables aux démonstrations d'émotion, ce qui avait tant manqué chez elle, où ses parents se livraient constamment à des guerres verbales, quand ce n'était pas, de temps à autre, à des batailles carrément physiques.

Pour lever l'ancre de leur relation, pour faire progresser non seulement leur mariage, mais leur développement individuel, les cordages sous-marins qui reliaient les deux partenaires devaient être patiemment démêlés. Quand leurs projections mutuelles seraient séparées et démêlées, Robert pourrait entrer en contact avec son émotivité dissociée, et Angela, avec sa capacité d'établir des limites raisonnables. Pas avant. Là où en étaient les choses, les règlements qui régissaient leur système émotif ne permettaient pas le changement. Ils devaient altérer les règles elles-mêmes s'ils voulaient jamais améliorer ou transformer leur vie à deux.

QUATRIÈME PARTIE
LA SEXUALITÉ

13

Symptômes sexuels: psychologie, biologie, ou les deux?

Dans un mariage en difficulté, les «causes» des problèmes sexuels peuvent paraître évidentes. Le simple bon sens veut que l'intimité sexuelle et amoureuse soit impossible quand la tension et les sentiments négatifs minent les aspects *non* sexuels de la relation. La «frigidité» d'Angela Carrano, par exemple, apparaît compréhensible — et même prévisible — dans un mariage troublé et insatisfaisant à ce point.

Je me suis demandé si les problèmes sexuels des Carrano provenaient de leurs autres difficultés, ou bien si leurs autres difficultés relevaient de leurs problèmes sexuels. En d'autres termes, qu'est-ce qui était la cause et qu'est-ce qui était l'effet?

Les problèmes sexuels du mariage ressemblent à l'oeuf de Colomb: un cycle négatif est entré en action, et on a souvent bien du mal à isoler son point d'origine. Dans le cadre de mes rencontres avec Angela et Robert Carrano (et avec bien d'autres couples aux prises avec toute une variété de problèmes sexuels, y compris l'absence de désir, l'impuissance et l'éjaculation précoce), j'en suis venue à la conclusion qu'il n'existe pas de réponse simple et nette.

Par contre, ce qui saute aux yeux, c'est l'effet empoisonné potentiel des symptômes sexuels, non seulement sur la relation, mais aussi sur l'estime de soi et l'intégrité de chacun des partenaires.

Ainsi Angela Carrano se demandait constamment si elle était normale ou non en tant que femme. Comme elle l'a déclaré au cours de nos rencontres, elle n'avait jamais connu l'orgasme. Elle ne l'avait jamais atteint au cours des badinages amoureux de sa jeunesse, ou par la masturbation, ou durant les relations sexuelles avec son mari. Et elle se demandait si quelque chose *clochait* chez elle.

Pourquoi est-ce que ça ne s'était jamais produit? Avait-elle déjà atteint l'orgasme sans en avoir conscience? Était-ce tellement ordinaire qu'une femme pouvait jouir sans le savoir? Comme bien d'autres femmes anorgastiques, Angela ne se sentait pas seulement anxieuse et confuse quant à ses capacités en tant que femme, elle se sentait aussi privée de la merveilleuse expérience extatique qu'elle ratait. C'était l'un de ses nombreux malheurs dont elle rendait en fin de compte responsable son «abusif» de mari.

Robert lui-même se posait bien des questions à propos de sa sexualité: périodiquement, il lui arrivait de souffrir d'une dysfonction sexuelle appelée «éjaculation tardive» (c'est-à-dire qu'il lui arrivait de temps à autre de ne pas pouvoir atteindre l'orgasme). Depuis le début de son mariage, ce problème lui jouait des tours, et il croyait que c'était dû à l'usage des condoms. Les prophylactiques, avait-il expliqué, réduisaient ses sensations; ils lui enlevaient «le goût». À cause de cela, nombre de relations sexuelles des Carrano avaient pris fin sur les sentiments négatifs de Robert: tension, colère, irritabilité, qui l'avaient parfois amené à adopter avec sa femme une attitude autoritaire et colérique.

Dix ans plus tôt, après la naissance de leur second enfant, Robert avait décidé de subir une vasectomie. Cette opération rendit inutile l'utilisation des condoms. Son problème sexuel ne disparut pas tout à fait pour autant. À certains moments, il lui était impossible d'atteindre l'orgasme, mais c'était beaucoup moins fréquent.

Malgré leurs différences apparentes, les dysfonctions des partenaires étaient en quelque sorte analogues. Ils avaient tous deux bien du mal à succomber aux sensations de plaisir sexuel, à laisser tomber leurs gardes, leur besoin de contrôler, de surveiller. Leur manque de confiance ne s'exprimait pas qu'au seul niveau émotionnel, il déteignait aussi sur le plan corporel.

Chacun d'eux sentait que son besoin de vigilance autoprotecteur venait du comportement de l'autre; en conséquence, la prudence et le besoin de circonspection trouvaient leur origine et leur renforcement dans un cercle vicieux perpétuel. Étant donné leur système émotif d'interaction, ni l'un ni l'autre n'arrivaient à se laisser aller au plaisir des sensations érotiques, ni l'un ni l'autre ne parvenaient à stopper l'enregistrement de ce qui se passait sur le plan sexuel, à se détendre pour profiter de l'expérience et à laisser tomber suffisamment leurs gardes pour rendre possible le réflexe orgastique. Au lieu d'atteindre le soulagement et l'orgasme, les partenaires sortaient des relations sexuelles intensément frustrés.

L'APPROCHE PSYCHOLOGIQUE

Dans leur pratique, bien des thérapeutes travaillent en supposant que les problèmes sexuels ne sont pas tant la cause des problèmes conjugaux que leur résultat. En d'autres termes, les troubles du fonctionnement sexuel reflètent et prolongent les autres dysfonctions, les interactions pathologiques du couple.

Pour cette raison, nombre de thérapeutes conjugaux évitent de traiter spécifiquement et explicitement les symptômes sexuels. Ils s'attachent plutôt à la résolution des problèmes interpersonnels comme la compétition, les luttes de pouvoir, les craintes relatives à l'intimité, les communications perturbées, qui rendent impossible toute collaboration entre les partenaires. Résolvez les problèmes relationnels fondamentaux, allèguent-ils, et les difficultés strictement *sexuelles* disparaîtront par elles-mêmes. Pour eux, on ne doit jamais éclairer directement les questions sexuelles.

De ce point de vue, la sexualité est considérée comme l'*un* des domaines troublés d'un système relationnel perturbé et dysfonctionnel sous bien d'autres égards. Il est bien moins important, en ce sens, de rafistoler le fonctionnement purement génital des partenaires que de leur apprendre à négocier, de les aider à déchiffrer les messages dénaturés qu'il s'envoient et de réduire la distance psychologique qui les sépare.

UNE ZONE DÉMILITARISÉE

Quand une relation est troublée, c'est souvent parce que les partenaires se sont retranchés dans des positions défensives de sécurité, créant ainsi entre eux une «zone démilitarisée» du point de vue émotionnel. Chacun d'eux trouve de plus en plus pénible de traverser cette zone, que ce soit pour obtenir des gratifications du point de vue sexuel ou pour toute autre raison. La tâche thérapeutique consiste à attirer lentement chaque individu hors de son paramètre de sécurité pour le faire entrer dans un espace plus ouvert et plus sensible à l'autre. Autrement dit, la thérapie va bien au-delà des symptômes sexuels (qui peuvent être complètement mis de côté durant les séances). Plus important: la thérapie permet aux partenaires de se rapprocher et de vivre en toute sécurité et avec satisfaction cette proximité, au lieu de la considérer comme potentiellement dangereuse et exploitable.

Dans la pratique, il arrive *en effet* souvent que les partenaires deviennent plus confiants, moins effrayés (bien des couples apprennent, en cours de traitement, à quel point *ils ont peur* l'un de l'autre!), que leurs besoins de distance protectrice se fassent moins impérieux, moins nécessaires, moins vitaux. On ne sait trop comment, on ne sait trop pourquoi, en travaillant les *autres* aspects de la relation, les problèmes spécifiquement sexuels du couple disparaissent. Dans ces cas, la résolution des problèmes interpersonnels constitue la seule thérapie «sexuelle» dont le couple a besoin.

Le problème, avec ce modèle thérapeutique, c'est qu'il lui arrive parfois d'être par trop simpliste et naïf. Pendant un certain temps, il est sans doute vrai que l'origine de la dysfonction sexuelle d'Angela Carrano, par exemple, fût psychologique, enracinée dans un système matrimonial hostile et dysfonctionnel. Il est pourtant d'autres situations où cette approche peut se révéler aussi folichonne que trompeuse. La psychologie n'est pas la seule approche du fonctionnement sexuel; il faut également considérer la *biologie*.

CONSIDÉRATIONS BIOLOGIQUES

À part les problèmes conjugaux, bien des raisons peuvent expliquer l'émergence de problèmes de puissance sexuelle chez un homme. Les difficultés érectiles d'un mari peuvent provenir de problèmes physiologiques subtils; son impuissance, totale ou partielle, peut se rattacher à une maladie chronique comme le diabète sucré (glucosurie). Cette maladie affecte quelque cinq millions de Nord-Américains, et occasionne des problèmes d'érection chez près de la moitié d'entre eux. En fait, l'impuissance agit souvent comme précurseur: elle annonce l'imminence de la maladie diabétique.

Par ailleurs, le même individu pourrait souffrir des effets secondaires d'un médicament qu'il prendrait. Les difficultés à obtenir ou à garder une érection sont souvent associées à des médicaments utilisés pour traiter l'hypertension artérielle (comme le méthyldopa, les bêta-bloqueurs, etc.). Conséquence directe de la médication, on estime à environ «un tiers les patients traités atteints d'hypertension qui souffrent de troubles d'impuissance sexuelle», écrit Carol Botwin dans *Is There Sex after Marriage*? (Fait-on encore l'amour après le mariage?)

Et pourtant, à moins qu'il n'ait été averti à l'avance ou qu'il ne soit suivi de près par son médecin (et, très souvent, il ne l'est pas, soit parce que le médecin en connaît trop peu sur la question, soit parce qu'il a peur de «provoquer» des problèmes d'érection chez son patient par le pouvoir de la suggestion), le mari, de plus en plus dysfonctionnel du point de vue sexuel, oubliera d'associer le médicament antihypertenseur aux problèmes croissants qu'il connaît chaque fois qu'il tente de faire l'amour avec sa femme. Qui plus est, si les partenaires en détresse en viennent à consulter un thérapeute conjugal pour traiter leurs problèmes sexuels et que ce thérapeute croit que leurs problèmes viennent de troubles relationnels, la confusion peut encore s'aggraver!

Étant donné les influences purement organiques en jeu, le thérapeute aura beau s'évertuer à restructurer et à améliorer la relation matrimoniale jusqu'à ce que résonnent les trompettes du Jugement dernier, la résolution des conflits interpersonnels du couple *ne fera pas* disparaître les troubles sexuels du mari! Ce qui pourrait, par contre, s'avérer d'une efficacité remarquable serait un changement de médication. Malheureusement, il se pourrait qu'on n'en arrive là qu'après avoir connu des expériences désastreuses.

EFFETS SECONDAIRES SEXUELS: LES TREMBLAY

Un couple de partenaires que j'ai rencontrés, par exemple, avait eu une vie sexuelle agréable jusqu'à ce qu'on prescrive au mari un médicament diurétique pour combattre l'hypertension. Les diurétiques occasionnent pour l'organisme une perte en eau et en sel et entraînent, pour des raisons que l'on ne connaît pas bien, une relaxation des parois des vaisseaux sanguins. C'est un peu comme si l'on comparait les vaisseaux sanguins à des boyaux d'arrosage que l'on aurait agrandis; parce que le volume de plasma sanguin qui les traverse demeure inchangé, la pression créée à l'intérieur du système s'abaisse tout à coup. On pourrait penser aux diurétiques comme à une forme «hydraulique» de médicaments pour combattre l'hypertension.

Les Tremblay finissaient la quarantaine quand Pierre a commencé à prendre des médicaments antihypertenseurs. Pierre était un bel homme, cadre supérieur d'une firme d'informatique située juste à la sortie de la ville; la jolie et énergique Jessica, sa femme, était courtière en immobilier et était copropriétaire de l'agence qu'elle avait mise sur pied avec une amie.

Quand le médecin prescrivit le diurétique à Pierre, il ne le prévint pas des effets secondaires potentiels sur sa sexualité. Au cours des six mois suivants, Pierre combattit des problèmes croissants d'érection, qu'il associait à son vieillissement, et non au médicament qu'il prenait. À mesure qu'augmentaient son angoisse et sa peur de l'échec, son désir et son intérêt sexuels diminuaient. Il hésitait de plus en plus, comme il l'admit plus tard, à se placer lui-même dans une position de vulnérabilité, à «s'humilier» devant Jessica. Ses approches intimes se firent extrêmement rares et devinrent chargées de sentiments négatifs.

Elle interprétait ce qui leur arrivait comme suit: ou bien il ne la désirait plus, ou bien il ne l'aimait plus. Peut-être même les deux. Pourtant douée pour la négociation efficace avec une grande variété de personnes dans le cadre de sa vie professionnelle, Jessica était fort démunie quand il s'agissait d'aborder avec son mari la question qui occupait leurs esprits. Elle n'arrivait tout simplement pas à parler ouvertement des sentiments de rejet que soulevaient en elle leurs ébats ratés. Elle supposait qu'il comprenait ces sentiments et que les messages qui lui parvenaient, par le biais de leur système de communication génital, étaient bien ceux qu'il lui destinait.

Dits à voix haute, les mots peuvent faire bien plus mal, croyait-elle. Les mots pouvaient transformer ce qui restait caché (c'est-à-dire qu'il ne la désirait plus, et qu'il n'arrivait presque plus, malgré ses efforts héroïques, à lui faire l'amour) en situation toute nouvelle. En tant qu'amant, il l'abandonnait, ce qui signifiait qu'à plus ou moins long terme il abandonnerait aussi leur relation. Elle choisit donc d'appliquer la stratégie du lapin: elle figea sur place, sans rien dire, sans rien faire à propos de ce qui leur arrivait.

Elle ne pouvait pourtant pas supprimer indéfiniment les tensions croissantes de la relation. Elle ne se sentait pas aimée, il ne se sentait pas digne de respect, pas viril, et ils ont fini par atterrir dans le bureau d'un thérapeute conjugal, aux prises avec une épouvantable crise conjugale.

UNE ENTREPRISE TROP RISQUÉE

L'histoire des Tremblay aurait pu mieux finir, si le thérapeute consulté avait immédiatement procédé à un questionnaire en bonne et due forme (s'il avait seulement demandé si l'un des partenaires prenait des médicaments) et recommandé à Pierre de retourner voir son médecin avec son médicament.

Comme je l'ai déjà dit, il arrive souvent que le simple changement d'anti-hypertenseur (tout aussi efficace) élimine les effets secondaires sexuels et restaure rapidement (en une ou deux semaines) le fonctionnement sexuel normal.

Malheureusement, dans le cas qui nous occupe, le thérapeute n'a posé aucune question. Il a plutôt prescrit aux Tremblay une thérapie à long terme qui s'est prolongée pendant plusieurs années. Même si Jessica et Pierre ont, de leur propre aveu, profité de la thérapie, leurs relations sexuelles ont continué de se dégrader pour disparaître en fait complètement.

Quand le lien s'est finalement fait entre l'impuissance de Pierre et le médicament qu'il prenait (grâce à la remarque fortuite d'un ami), le médecin, finalement consulté, a immédiatement prescrit un autre médicament. Théoriquement, Pierre pouvait désormais obtenir une érection et la maintenir, mais ses angoisses à ce propos l'en empêchaient toujours. Son «impuissance secondaire», comme on l'appelle, venait des interminables mois d'inefficacité et d'échecs sexuels.

Jessica avait pour sa part développé pendant ce temps-là une dysfonction sexuelle appelée «désir sexuel inhibé». Longtemps insatisfait, son appétit sexuel avait complètement disparu: elle s'était adaptée à l'impuissance de son mari. Le calme de l'abstinence avait suivi le tumulte inutile et désespéré des efforts vains: elle préférait qu'on la laisse tranquille. Au cours de leur dernière relation sexuelle, les sentiments qu'elle avait ressentis avaient été tellement douloureux qu'elle ne voulait plus jamais se retrouver dans une position si blessante, si compromettante.

Pour eux, les relations sexuelles étaient devenues une entreprise trop risquée. Sous tous ses autres aspects par ailleurs, leur relation était fonctionnelle, saine et immensément tendre. Ils n'avaient plus envie, me dirent-ils, de suivre une thérapie sexuelle: ils avaient laissé leur problème derrière eux.

Ainsi, au beau milieu de leur existence, ils avaient abandonné toute sexualité, ce merveilleux aspect de leur humanité.

AU RISQUE DE L'ACHETEUR

Cet exemple-là n'est pas le seul du genre que j'aie rencontré au cours de mes entrevues, c'est pourquoi il y a lieu d'avertir ici le lecteur. Bien des médecins se sentent si mal à l'aise quand il s'agit de parler de sexualité et de problèmes sexuels avec leurs patients, qu'ils n'abordent pas la question ou accueillent très froidement (c'est le moins que l'on puisse dire) toute mention du sujet. Les thérapeutes conjugaux eux-mêmes (qui rencontrent pourtant énormément de gens aux dysfonctions variées) peuvent très bien ne pas vouloir centrer directement leur attention sur les problèmes de ce genre, ou ne pas avoir les connaissances et les informations nécessaires pour le faire efficacement.

Voici mon avertissement: les thérapeutes, même talentueux, se révèlent souvent tout aussi ignorants des questions de sexualité et des problèmes sexuels que leurs patients. Qui plus est, comme bien des thérapeutes conjugaux tendent à considérer tous les troubles sexuels comme des problèmes d'origine psychologique, la possibilité est bien grande qu'ils ignorent ou écartent d'emblée les facteurs physiques possiblement en cause.

Comme le montrent les découvertes médicales récentes, les troubles de nature organique prévaudraient, bien plus que nous n'aurions même pu l'imaginer, dans le développement des symptômes sexuels. Jusqu'à ces dernières années en effet, on croyait que de 90 à 95 p. cent des troubles sexuels avaient une origine psychologique; à l'heure actuelle, on admet de plus en plus ouvertement l'effet des pathologies et des médicaments sur le fonctionnement sexuel. Une étude publiée en 1980 dans le *Journal of the American Medical Association* rapportait, par exemple, que *jusqu'à 40 p. cent des troubles d'érection pouvaient provenir de maladies ou de l'usage de drogues!* (Soit dit en passant, les «drogues» dont il est question ne se limitent pas aux médicaments obtenus sur ordonnance. Les substances comme l'alcool et la marijuana peuvent, à certains dosages, agir sur le fonctionnement sexuel.)

On considère fréquemment, disons-le une dernière fois, que les symptômes produits par les facteurs biologiques sont d'origine psychologique, et on les traite souvent au moyen de ce qui semble alors le plus approprié, c'est-à-dire l'approche thérapeutique psychologique. C'est pourquoi il importe de mettre l'acheteur de services thérapeutiques en garde une autre fois. On ne devrait jamais écarter les causes physiologiques potentielles, surtout chez les gens de plus de 40 ans, plus susceptibles de développer des problèmes de nature organique.

On ne devrait pas remettre à plus tard l'évaluation réaliste effectuée par un médecin spécialisé en sexologie, même si on décide de suivre une thérapie purement psychologique. Les facteurs organiques devraient d'abord être écartés, autrement le thérapeute conjugal pourrait entraîner ses clients dans une longue aventure, guidé seulement par son compas thérapeutique. Il se pourrait fort bien que, pour tout traitement, le couple n'ait besoin que d'*informations de base sur le fonctionnement sexuel.*

LE PRIX DE L'IGNORANCE: LES JOHNSON

De l'avis des célèbres experts William Masters, M.D., et Virginia Johnson, c'est le simple manque de connaissances sur la physiologie humaine qui donne lieu au développement de la plupart des symptômes et des troubles sexuels. En certaines circonstances, ce que les gens ignorent du *fonctionnement sexuel normal* peut leur occasionner bien des souffrances et bien des peines.

Ce qui est arrivé à Sarah et à Bruno Johnson illustre justement ce postulat inquiétant. Le couple a suivi une thérapie conjugale pendant un an, au cours duquel les partenaires se sont même séparés brièvement, parce qu'ils ignoraient certains des éléments fondamentaux de l'effet du vieillissement sur la sexualité humaine.

Sarah et Bruno Johnson étaient mariés depuis 25 ans au moment de nos entrevues. Ils avaient deux fils; l'aîné étudiait en médecine, et le cadet terminait sa deuxième année de collège. La relation des Johnson, intime mais problématique à certains égards, avait toujours eu un petit côté «soignant — oiseau blessé». Sarah, la partenaire impuissante, dépendante, demandait régulièrement de l'attention, de l'assurance et du feedback à son mari. Bruno, le soignant de l'histoire, était fier de sa capacité de prendre soin de sa femme; il avait d'ailleurs besoin qu'elle admire et respecte ses réalisations et sa compétence.

Au cours de la période précédant l'émergence de leurs problèmes matrimoniaux et sexuels, la carrière de Sarah avait connu une ascension extraordinaire (elle était poète, et on venait de lui offrir une chaire professorale), tandis que celle de Bruno subissait un revers. Après avoir laissé son emploi d'éditeur dans une maison renommée, Bruno travailla à un ouvrage de son cru, dont la rédaction ne se déroulait pas comme il s'y était attendu. Il se sentait démotivé, isolé, coincé dans une impasse, bref, il avait une impression de lamentable échec. Son amour-propre en avait tellement pris un sale coup qu'il n'arrivait plus à offrir à Sarah le courant régulier et satisfaisant d'assurance dont elle avait tant besoin.

Bruno avait désormais besoin que l'on prenne soin de lui: *il* se sentait nécessiteux, mendiant. Il commença à dire à sa femme: «C'est à mon tour», ce qu'elle ne comprenait pas. Quand elle essayait de le forcer à s'expliquer, Bruno, tellement accoutumé à taire ses propres besoins, ne parvenait pas à rendre compréhensible ce qu'il ressentait.

Les règles de leur système émotif, qui décrétaient qu'il devait porter la dépendance et l'efficacité, avaient été violées: le système s'était enrayé. C'est dans ce cadre-là, comme un plat laissé à l'air libre dans lequel des microorganismes destructeurs peuvent se multiplier avec une rapidité déconcertante, que commencèrent à se manifester les changements physiologiques normaux inhérents au vieillissement. Les deux partenaires interprétèrent mal ces altérations et les chargèrent d'un sens symbolique négatif.

Bruno avait plus de mal à obtenir une érection, et éprouvait de plus en plus de difficultés à la maintenir. Sarah se lubrifiait moins vite et devenait plus sujette aux irritations et aux infections vaginales. *Prévisibles à la fin de la quarantaine et au début de la cinquantaine*, ces changements prenaient, pour chacun d'eux, le sens d'une hostilité et d'un rejet flagrants. Tendue comme jamais auparavant, leur relation s'était presque défaite à cause de ce qui relevait en grande partie de leur naïveté sexuelle et d'un bête malentendu.

«J'ÉTAIS IMPUISSANT»

À leurs souvenirs communs, les problèmes des Johnson avaient débuté aux alentours du moment où Sarah avait été promue professeure agrégée. Elle avait 47 ans à l'époque (50, au moment de notre rencontre). La poésie de Sarah Johnson (un pseudonyme, bien entendu) avait atteint une certaine notoriété. Avant les problèmes matrimoniaux du couple, elle s'était en fait mérité un prix prestigieux. Elle avait aussi été invitée de plus en plus souvent à donner des conférences et à participer à des colloques un peu partout au pays.

«Je travaillais à un projet de livre, expliqua Bruno, pour lequel j'avais obtenu un bon contrat, en tout cas assez pour nous faire relativement bien vivre, la famille et moi. (J'avais aussi un petit supplément qui me venait de ma propre famille.) Mais au moment où sont arrivés le prix et la promotion de Sarah, ce qui nous a passablement surpris, je pense, je me suis aperçu que mon livre n'allait nulle part, qu'il ne *marcherait* pas. Pour moi, c'était... comme si le plancher avait cédé sous mes pas. J'avais quitté la ville pour que Sarah n'aie pas à faire la navette, et, d'une certaine façon, j'avais laissé derrière mon système de soutien.»

Durant les premiers temps, le fait d'avoir quitté son poste d'éditeur et de travailler à son bouquin avait pris, pour Bruno, l'allure de la liberté; c'était un recommencement rafraîchissant. La vie dans la communauté où ils avaient emménagé (pour se rapprocher du lieu de travail de Sarah) manquait pourtant de structures; il n'y avait pas de relations, et la rédaction de son ouvrage s'avérait plus ardue que prévu.

«Sarah *était faite* pour la vie d'ici: on l'adulait, on la félicitait partout où nous allions. Nombre de nos amis intimes sont en réalité ses collègues. Ce n'est pas que je ne les aime pas... laissa-t-il flotter dans un haussement d'épaules. Malgré tout, au fond de moi, je pensais: «Peut-être que mon livre fera un malheur, et que j'aurai droit aussi à ma part d'adulation...» En même temps, je savais que ce que je faisais ne valait pas ça, ajouta-t-il en secouant sa tête aux cheveux châtain clair bouclés et parsemés de gris, le rouge aux joues, avant de rajuster ses lunettes sans monture sur le pont de son fort nez aquilin. Je suis devenu impuissant. J'avais du mal à obtenir une érection, précisa-t-il comme persuadé que je ne comprenais pas. Et puis, au beau milieu des relations, je la perdais tout à fait. Ce qui était important et dont nous n'avions pas conscience, c'est que je *vieillissais*; je venais d'avoir 50 ans. Je commençais à ressentir les changements physiologiques associés au vieillissement chez l'homme, c'est-à-dire que mon pénis avait besoin d'une stimulation directe pour entrer en érection et pour garder cette érection. C'est tout à fait normal, appuya-t-il rapidement, mais nous ne le savions pas. Pas à ce moment-là.»

Ces informations, Bruno les avait quasi ridiculement obtenues lui-même un jour qu'il s'adonnait à fouiller dans une pile de livres lors d'une vente d'inventaire à une librairie locale. Le livre qu'il découvrait s'appelait *les Mésententes sexuelles et Leur Traitement* (William H. Masters, M.D., et Virginia E. Johnson, Paris, Éditions Robert Laffont, 1971) et comprenait une brève section sur la physiologie du vieillissement. Le déclin de la réponse érectile caractéristique de l'homme vieillissant correspondait exactement à ce qu'il avait commencé à éprouver. Jusque-là, il ignorait tout des réactions sexuelles au milieu de la vie; il ne savait pas que le pénis a souvent besoin de stimulation directe pour atteindre l'érection et que l'éjaculation, à ce stade, est moins puissante et moins éreintante. En partie parce que l'échec de son projet d'écriture l'affectait beaucoup, il avait hâtivement conclu qu'il «perdait le tour». Non seulement était-il un incompétent et un travailleur improductif, encore était-il démuni, voire fini, en tant que mâle sexué et sexuel.

«Sarah et moi étions sous l'impression que, s'il n'y avait pas d'érection, il n'y avait plus rien. Nous étions *ignorants*, nous étions ignorants sans le savoir, et nous n'avions jamais abordé ces questions-là en thérapie. Bien sûr, nous parlions de choses fort importantes, mais elles avaient toutes rapport avec notre relation de couple. On ne nous a jamais dit que si on perdait l'érection, tout ce dont nous avions besoin, c'était d'une légère stimulation, dont on pouvait tirer plaisir, pour la voir revenir. À ce moment-là, nous étions... eh bien, nous avions sans doute les préliminaires fort courts, rapporta-t-il en déclarant, avec bien des scrupules, que sa femme évitait soigneusement de toucher ses organes génitaux. Elle croyait que, si elle m'excitait, je m'impatienterais et je voudrais la pénétrer tout de suite... pour jouir aussitôt. Elle pensait — et elle avait peut-être raison — que tout serait fini avant d'avoir obtenu satisfaction du point de vue du nombre et de la qualité des orgasmes.

— Je suis une femme extrêmement orgastique», coupa Sarah dans un demi-sourire.

À ce stade de leur existence, leur vie sexuelle était devenue très stéréotypée et leurs jeux sexuels trop brefs pour qu'elle puisse y répondre.

«À ce moment-là, je ne savais pas, poursuivit Bruno après avoir montré d'un signe de tête son accord, qu'elle pouvait me caresser jusqu'à ce que je jouisse ou presque, puis qu'elle pouvait arrêter de me toucher, que je perde mon érection, et que ce petit jeu pouvait continuer longtemps, durer encore et encore pendant une longue période très agréable... Alors je pense que nous avions tous les deux *peur*. Nous ne réalisions pas que les relations sexuelles, ce sont en fait les préliminaires, les caresses, les baisers, tout ça.»

«MON TOUR»

L'expression de Sarah me parut tendue et angoissée. Elle reprit la narration et répéta qu'aux environs du moment de son prix et de sa promotion, ils avaient commencé à se quereller à propos de ce que Bruno appelait son «tour».

«Je ne sais toujours pas très bien ce qu'il entendait par là, admit Sarah, l'air quasi coupable en regardant son mari.

— «Mon tour», fit-il, incertain lui-même de la réponse; qu'est-ce que c'était déjà?»

Une sorte de tension, relative à ce clin d'oeil entre époux, chargé de significations privées, venait de s'échapper; je me sentis tendue à mon tour.

Au lieu de répondre à sa propre question, Bruno entreprit de parler du merveilleux de leur vie sexuelle au cours de l'année qui avait précédé la crise.

«Notre vie sexuelle ne cessait de s'améliorer», raconta-t-il.

Sarah avait une position favorite, une sorte de chien de fusil, le dos calé contre la poitrine de son mari, nichée dans ses bras. Il la pénétrait ainsi, disait-il et elle avait d'innombrables orgasmes, une explosion de feux d'artifices érotiques.

«Je pense que le fabuleux point G se trouve là, ricana-t-elle, d'une voix embarrassée. Du moins, pour *moi*...

— Quand la crise a commencé à propos de mon travail, reprit Bruno après un moment de silence, je suis devenu incapable de maintenir mon érection dans cette position. Je veux dire que j'avais déjà eu du mal à obtenir une érection, mais que j'étais incapable de la garder *comme ça*. Alors je me suis dit: «Je l'ai fait comme ça pour elle tout au long de cette dernière année, quand mon livre semblait bien avancer; maintenant que tout s'écroule autour de moi, c'est *mon tour*. Elle devrait se retourner et prendre soin de moi», fit-il dans un rire bref, en haussant les épaules, l'air gêné lui-même. Je ne sais pas si ça fait beaucoup de sens, admit-il, en ajoutant qu'il n'avait pu séparer les questions de travail des questions sexuelles. Mon amour-propre *était au plus bas* à ce moment-là, et ça portait à conséquences du point de vue de ma performance sexuelle. Et puis, nous ne savions pas comment aborder ça autrement qu'en nous chamaillant à ce propos.»

La colère montait dans sa voix; et quand il utilisa le mot «cha-maillant», il prit un air froid et défensif.

«JE NE POUVAIS QUE ME REGARDER ÉCHOUER»

«Nous nous disputions âprement à propos de l'impuissance, con-tinua Bruno, la voix basse et enrouée; mon pénis était-il ou non en érection? Sarah, je pense, voyait ça comme un affront person-nel; elle croyait que je ne l'aimais pas, ou que j'étais fou, ou que j'étais fou de jalousie à cause de son succès... je ne sais pas. Peut-être que je l'étais, jusqu'à un certain point; mais il reste que ça la faisait paniquer, et que ça a commencé à me faire peur. Je crai-gnais de ne pouvoir bander, et que, si ça se produisait, c'est ce qui arriverait. Nous nous mettions à hurler tous les deux, l'un contre l'autre, et ça pouvait durer plusieurs jours, fit-il, les yeux grands d'appréhension, à cette seule évocation. Je n'en pouvais plus; je suis devenu très voyeur: tout ce que j'arrivais à faire, c'était de me regarder échouer... et de voir se renforcer en moi les sentiments d'incompétence et d'échec.»

Ils avaient entrepris une thérapie conjugale, ajouta-t-il, quand sa culpabilité, son angoisse — et la panique de Sarah — étaient devenues intolérables. Ils savaient tous les deux que leur relation prendrait fin dans le désastre à moins qu'un miraculeux traite-ment ne vienne la sauver. Même s'il les aidait à d'autres égards, le traitement n'améliorait pourtant pas du tout leurs relations sexuelles.

Rétrospectivement, Bruno était persuadé que leur thérapeute aurait dû aborder les questions sexuelles de manière plus directe et plus ouverte. Ils auraient dû discuter au moins toute une séance de leurs préliminaires sexuels, des sentiments de chacun des par-tenaires à cet égard, et de ce qui avait tendance à se produire. En outre, le thérapeute aurait dû faire la lumière sur ce qui déran-geait chacun des époux et sur la manière qu'ils avaient trouvée, en tant que couple, de résoudre les problèmes. Alors, il lui aurait été possible de les informer des choses qu'ils ignoraient, «surtout les choses relatives au vieillissement et au besoin, chez l'homme, d'une stimulation plus directe pour entrer en érection». Bruno secoua la tête et fronça les sourcils, comme pour souligner l'erreur de leur thérapeute.

«Nous aurions aussi pu examiner les changements sur le plan de la qualité de mes orgasmes, que je sentais *différents*, et à propos desquels j'étais mal à l'aise et dont j'étais incapable de parler à Sarah... Il aurait aussi pu parler des changements que le vieillissement entraîne chez une femme, et dont j'ignorais jusqu'au premier mot.

— Voilà: j'étais étonnée que tu ne parles pas de la vaginite que j'ai eue, coupa Sarah. Pour moi, c'est à peu près là que tout a commencé.»

Le mari se tourna vers sa femme, ouvrit la bouche comme pour parler, mais serra les lèvres sans rien dire. Il semblait obnubilé, distrait par sa remarque. Dans la relation, Bruno était manifestement le soignant; or, les soignants assument et la responsabilité et la culpabilité de tout ce qui se produit dans leur univers. Pour cette raison, à mon avis, il avait du mal à évoquer jusqu'au *souvenir* de ces ennuis qui l'excluaient ou dont il ne pouvait vraiment pas revendiquer la responsabilité.

«LA SENSIBILITÉ DES PAROIS VAGINALES»

Après un moment de silence, je demandai aux Johnson s'ils croyaient que leur thérapeute aurait pu leur faire part d'autres informations de nature sexuelle.

«Qu'est-ce que vous auriez trouvé utile de connaître? fis-je, les mains ouvertes, paumes tendues, comme pour leur dire que j'étais prête à entendre celui des deux qui en aurait envie.

— La sensibilité des parois vaginales et la lubrification qui, à mesure que vous vieillissez, s'émoussent, se font plus lentes, comme l'érection. J'ai appris qu'il s'agit en fait d'équivalents; maintenant, j'ai beaucoup lu sur la question, lança-t-il en riant, comme s'il réalisait tout à coup qu'il avait pris, en parlant, un ton prétentieux. Et l'utilité, continua-t-il avec sérieux, des gels lubrifiants. Plus important encore: le fait que l'orgasme n'est pas le but que vous poursuivez à bride abattue. Ce qui est important, c'est d'être là: les caresses mutuelles, la stimulation, l'impression d'excitation qui monte doucement... Il aurait pu, tout aussi bien, hésita-t-il en me jetant un regard interrogateur, dire à Sarah que les relations orales génitales, le sexe oral, c'est parfaitement convenable, que ce n'est ni sale ni humiliant. Il aurait pu lui dire de se détendre et de ne pas s'énerver devant une perte d'érection, de ne pas s'inquiéter, même si nous n'avions pas de relations sexuelles tel ou tel jour, et que nous nous bornions à prendre plaisir de masturbations réciproques. Il aurait pu lui dire de s'amuser, de profiter de nos corps, de nous passer la main dans le dos, de nous masser et de nous caresser, d'être proches... Il aurait pu lui dire de ne pas avoir si *peur*», souffla-t-il après avoir aspiré profondément.

UN GRAVE MALENTENDU

Qu'est-ce qui faisait *si* peur à Sarah? demandai-je.

Sarah respira tout à coup rapidement, les yeux petits, en fixant intensément son mari.

«J'imagine que ça relève du problème relationnel qui nous affectait, répondit-il, l'air objectif et sûr de lui. Elle a tendance à me percevoir comme quelqu'un de potentiellement mauvais, manipulateur et hostile. Elle retrouvait justement ça durant les relations sexuelles, elle les percevait comme une expression de colère délibérée; elle prétendait que le pénis sans consistance, c'était l'arme ultime qui avait autorité sur elle. En d'autres mots, j'avais des problèmes sexuels parce que j'étais *furieux*... Elle pouvait avoir raison jusqu'à un certain point: ça pouvait faire partie de ce qui nous arrivait à l'époque.»

Bien des choses auraient en effet pu lui causer de la frustration, admit tout de même Bruno.

«On pourrait se demander longtemps qui s'est d'abord mis en colère; je ne crois pas que c'était *moi*. J'ai une nature différente, je m'efforce de faire plaisir aux autres, de penser plus à ce qui leur arrive qu'à ce qui se passe dans ma vie. Pour cette raison, je pense qu'un grave malentendu à propos de *qui* j'étais s'est installé entre nous et a en quelque sorte atterri dans notre lit...»

Ainsi, alors même qu'il se sentait faible et vulnérable, sa femme le trouvait fort et vindicatif.

Il avait pourtant lui-même, songeai-je par devers moi, admis certains sentiments intenses de compétition, de frustration et de colère par rapport aux honneurs que recevait Sarah. L'hypothèse qu'elle avait formulée à l'effet que la jalousie de Bruno avait contaminé leur vie sexuelle ne me paraissait pas si tirée par les cheveux qu'il ne le laissait entendre.

Bruno avait du mal à admettre et à «s'approprier» des sentiments si négatifs, si peu aimants. S'il était en colère contre quelqu'un, prétendait-il, c'était surtout contre lui-même.

«J'étais désespéré, je n'avais plus d'estime de soi; c'était ce que je voulais dire quand je disais que c'était «mon tour». Sarah avait toujours eu besoin d'attention, d'écoute. Et j'étais à plat, incapable de faire quoi que ce soit ou de m'exécuter. J'avais besoin que l'on prenne soin de moi. «C'est mon tour» voulait dire «Prends soin de moi», «J'ai mal» et «À mon tour, maintenant».

— Pour être consolé? demandai-je.

— Pour être consolé, agréa-t-il en hochant la tête. Je ne crois pas que le problème principal était ma colère à *son* endroit, reprit-il doucement. Un peu de jalousie, bien des sentiments de désespoir et de dépression, et de l'angoisse quant à mon incapacité d'avoir des relations sexuelles et au fait que je n'arrêtais pas de m'observer... Je ne faisais pas l'amour: je regardais mon pénis, apeuré, en me demandant à quel moment il retomberait et à quel moment elle deviendrait bouleversée, se mettrait en colère.»

LE VIEILLISSEMENT SEXUEL

Au dire des Johnson, leur thérapeute conjugal n'avait jamais remarqué qu'un banal *manque d'information* à propos de certaines questions sexuelles revêtait une importance capitale dans leur cas. S'ils avaient compris le phénomène du vieillissement sexuel, s'emporta Sarah, ils n'auraient pas eu à traverser tous ces mois de disputes, ces épisodes d'alcoolisme, ces périodes d'insomnie, et, surtout, la crise prolongée, due autant à la fatigue qu'à quoi que ce soit d'autre, qui avait failli mettre un terme à leur relation.

«Je m'aperçois maintenant — mais je ne le savais pas à l'époque — que je vivais aussi des changements reliés au vieillissement, rapporta Sarah, en se tapant le front, comme si elle désignait le lieu de son étonnante ignorance de la question. Ça veut dire que notre comportement sexuel aurait dû changer, du point de vue des... euh! des préliminaires.»

Quand le niveau d'oestrogènes s'abaisse radicalement chez la femme, à cette époque de sa vie, elle a besoin de plus de stimulation pour se lubrifier. Si le coït se produit avant qu'elle ne soit tout à fait prête, la relation sexuelle peut être douloureuse, parce que les parties génitales des partenaires se frottent les unes contre les autres comme des machines non huilées. Non seulement, cela la blesse-t-il, mais encore cela peut-il lui occasionner des ennuis, car cela mène à la vaginite (une irritation ou une infection du vagin).

«À cette époque, grimaça Sarah, j'ai eu plus d'infections vaginales que j'en avais eu ma vie durant.»

Elle ignorait que, durant cette phase de la vie de la femme, le vagin subit des changements physiologiques normaux. Ses parois, auparavant épaisses et cannelées, s'amincissent et s'atrophient. Ce phénomène relève d'un changement hormonal: le niveau d'oestrogènes s'est considérablement abaissé. Avec la ménopause (l'arrêt du saignement menstruel), la femme produit moins de substance lubrifiante qui sert à rendre la relation sexuelle confortable. Les épisodes de vaginite ont tendance à se manifester quand les tissus perdent leur capacité de se lubrifier et que le partenaire n'a pas fait particulièrement attention à ne la pénétrer que lorsqu'elle est excitée et prête pour le coït.

La tentative de pénétrer le très sensible canal vaginal sans lubrification adéquate peut entraîner la douleur, un *éteignoir sexuel* en soi. Le partenaire de longue date peut ignorer que le temps nécessaire à sa préparation à l'acte sexuel a peut-être changé de façon substantielle. Parce qu'elle avait l'habitude de se lubrifier en l'espace de quelques secondes et qu'elle y met maintenant quatre ou cinq minutes (parfois plus), il peut croire qu'elle n'a plus d'intérêt sexuel. Frustré par la «froideur» de sa partenaire, il peut tenter de poursuivre la manoeuvre. Il la presse, comme s'il croyait devoir attraper rapidement le papillon de leur désir mutuel avant qu'il ne s'échappe et que ne s'évanouisse complètement toute possibilité de relation sexuelle.

Sarah croyait que ses problèmes vaginaux avaient mis en branle le long défilé négatif, pas les problèmes d'érection de Bruno. En effet, elle s'en était prise à son comportement sexuel, prétendu qu'il *lui faisait mal*, avant qu'il ne commence à avoir du mal à obtenir une érection.

«Bien entendu, nous avions d'autres problèmes à cette époque-là.»

Sarah se tut momentanément, l'expression craintive revenant marquer ses traits.

INVENTER LE CHÂTIMENT

Sarah Johnson, une femme grande et mince, avait de beaux cheveux, striés de gris aux tempes. Elle saisit une boucle de l'arrière de sa tête et commença à l'enrouler autour de son doigt. Elle avait un succès fou à l'époque où Bruno sentait qu'il était un échec ambulant.

«On m'accordait tellement d'attention tout à coup, on m'estimait tellement, que je crois en avoir été véritablement *bouleversée*.

— Bouleversée par quel aspect? demandai-je.

— Oh! parce que j'*acceptais* tout ça, répondit-elle, les joues soudain en feu avant d'aspirer goulûment et anxieusement et de laisser filer l'air dans un soupir. Je n'avais pas conscience des effets négatifs que tout cela aurait sur notre relation, et pourtant, inconsciemment, j'*attendais* un châtiment... C'est vrai, ajouta-t-elle, les joues encore plus rouges, d'une voix basse et honteuse de conspiratrice. Je crois que ce qu'on appelle la «crainte du succès» m'affectait. J'avais l'impression que le succès donne lieu à l'envie et que ceux qui vous jalousent cherchent à se venger et à vous faire payer. Je croyais que les *vrais calamités* suivraient... et c'est exactement ce qui s'est produit. Le châtiment est venu.»

À son avis, le châtiment avait pris deux formes: ses problèmes de douleurs vaginales et l'impuissance de plus en plus manifeste de son mari, qui rendaient leurs relations sexuelles encore plus insatisfaisantes, plus rapides et plus maladroites.

«Je crois que j'ai *fait peur* à Bruno quand je lui ai dit qu'il *me faisait mal*», dit-elle l'air effrayée elle-même.

Elle avait essayé de lui demander des choses qu'elle aimait: plus de baisers, plus de caresses, plus de *temps*. Elle se plaignait sans cesse qu'il allait trop vite, qu'il la bousculait et oubliait les préliminaires. Ni l'un ni l'autre n'avaient conscience que le temps dont elle avait besoin pour s'apprêter physiologiquement à l'acte sexuel avait subi un *changement objectif*. Habitué à un scénario qui leur était familier, Bruno s'exécutait à son rythme coutumier, que Sarah trouvait désormais trop rapide. Elle croyait qu'il la pressait trop hâtivement à la pénétration; elle le trouvait égoïste et égocentrique.

«Je pense que Bruno croyait que dès que j'étais mouillée, j'étais prête... C'est comme si on disait qu'un homme est prêt à aller plus avant et à entreprendre le coït dès qu'il est en érection, ce qui est inexact.»

En fait, tout comme la lubrification, l'érection n'est que le début de la réaction sexuelle chez l'homme. Les deux phénomènes sont semblables. Ils signalent tous deux que l'individu commence à réagir du point de vue sexuel, mais ils ne constituent d'aucune manière l'indice sûr d'une préparation adéquate au coït.

Sarah avait l'impression que Bruno la poussait à «passer aux actes».

«Je ne me sentais... pas prête. Et je n'avais aucun *pouvoir* sur cette impression, tout comme il n'en avait aucun sur son érection. Pour moi, le pis, c'était que lorsque j'approchais de l'orgasme, il réagissait souvent en perdant son érection. J'avais l'impression qu'il se servait de son pénis pour me dire quelque chose, quelque chose comme «Je suis vraiment *furieux* contre toi!»

Le visage de Sarah exprimait à la fois l'hostilité qu'elle avait perçue chez son mari et l'impression de menace qu'elle avait ressentie. Elle avait interprété ce qui se passait comme de la jalousie et de la colère de la part de son mari, qui devait tenter ainsi de la punir de se révéler si menaçante par le succès qu'elle connaissait.

«À mes yeux, c'était de la trahison, de la trahison pure et simple, de la part de *la* seule personne en qui j'avais une confiance aveugle et dont je dépendais complètement... Je dépens *beaucoup* de Bruno, précisa-t-elle en lui jetant un regard presque timide. J'avais une impression d'abandon, de panique. «Il ne m'aime plus», «C'est la fin», «Il est fou»: c'était le genre de pensées qui me passaient par la tête!»

Bruno était plein d'idées noires à l'endroit de lui-même et il commençait à les reporter sur elle. Le désastre qu'elle avait prévu était en train de se produire.

Ce qui aurait dû être un merveilleux succès, ajouta-t-elle, lui semblait *tout autre* au moment où cela arrivait.

«Vous aviez l'air de savoir à l'avance que le châtiment viendrait, fis-je remarquer d'un ton léger, à peine forcé.

— Et j'ai pu *inventer* le châtiment», admit-elle aussitôt avec un petit sourire.

Quoi qu'il en soit, elle était persuadée que si leur thérapeute conjugal avait abordé tout de go leurs problèmes sexuels et leur avait fourni les informations et l'assurance dont ils avaient besoin, ils auraient pu résoudre leurs problèmes quelques semaines après le début du traitement. Bruno partageait cet avis, d'autant plus qu'il en avait la preuve. En effet, quelques jours à peine après avoir acheté le bouquin, les questions strictement *sexuelles* avaient été résolues. Après cela, leurs relations sexuelles étaient devenues meilleures que jamais: elles étaient moins prévisibles, moins stéréotypées, plus affectueuses, plus entendues.

LA PEUR DU SUCCÈS

Comme Freud l'avait remarqué il y a bien longtemps, certains individus ne se sentent pas à l'aise avec les sentiments de plaisir et de bonheur qui accompagnent la réalisation d'un objectif important. Au lieu de se réjouir de leurs succès et de leurs triomphes, ils ont l'impression que la réussite représente quelque chose d'obscurément mauvais, ou de dangereux.

La victoire a quelque chose de menaçant, parce que, symboliquement, elle équivaut à la défaite d'un adversaire intérieur (le parent du même sexe) contre qui se dirigent les sentiments conflictuels. Le fantasme qui joue ici veut que le vaincu soit complètement anéanti ou, si tel n'est pas le cas, qu'il cherche à assouvir une vengeance terrible. En ce sens, la réussite représente une expérience négative, menaçante: la calamité s'abattra inévitablement sur soi ou sur l'autre.

Bien entendu, ce genre de craintes est une distorsion du passé qui se produit à un niveau inconscient. Les succès tabous intérieurs se fondent sur d'anciens fantasmes incontestés; en thérapie, on peut les traiter en en rendant la personne consciente, en lui faisant admettre que ces craintes sont tout à fait irrationnelles. Malgré tout, la crainte que ressent la femme à l'effet que son partenaire sera mécontent, furieux ou qu'il la rejettera si elle commence à le surpasser des points de vue de la distinction, des accomplissements et du salaire, se révèle bien souvent pas si irrationnelle et pas si irréaliste.

Les changements, qui affectent la structure du pouvoir conjugal et qu'entraînent les triomphes du partenaire traditionnellement moins puissant, peuvent engendrer une foule de répercussions sur la vie du couple. Il me sembla que l'angoisse issue du succès de Sarah (ce sentiment vague que de «véritables calamités» suivraient) se liait aux craintes bien *féminines* d'un trop grand succès. Qui plus est, sous la lumière crue du désespoir de Bruno (son impression que le «sol s'était ouvert sous ses pas»), ses craintes devenaient encore plus fondées.

COÛTEUSES LEÇONS

Chose certaine, à cette période de leurs vies, les Johnson connaissaient des problèmes individuels et interpersonnels. Bruno luttait contre une impression d'inefficacité et de déception de lui-même; il me semblait aussi jaloux de sa femme et furieux que son emploi les ait forcés à déménager, à quitter son environnement familier, habituel. En outre, il se sentait coupable et tiraillé par ces sentiments parce que, d'une certaine manière, il était *fier* du succès de Sarah, qu'il avait participé à la décision d'emménager dans cette nouvelle communauté et que la perspective l'avait même enchanté (au début).

Sarah se sentait aussi coupable et tiraillée à cause de son succès et parce qu'elle avait l'air d'avoir surpassé son mari. Il lui semblait *anormal* d'être plus célèbre, plus adulée que son mari, un peu comme si elle était trop agressive, trop compétitive, trop peu féminine. Inconsciemment, elle attendait son courroux et sa vengeance. Elle, l'ancien oiseau blessé de leur système émotif, s'était éloignée de son soignant de la manière la plus flagrante; désormais, leur univers s'était déséquilibré. Les «désastres» en tous genres étaient inévitables.

Les problèmes individuels et interpersonnels qui affectaient les Johnson étaient, manifestement, complexes et sérieux. Les changements qui marquaient leurs existences demandaient des négociations importantes et une transformation du système polarisé du soignant et de l'oiseau blessé. La tâche qui les attendait consistait à trouver une nouvelle manière de rester proches dans un système qui leur permettrait, réciproquement, de prendre soin l'un de l'autre et de s'entourer chaque fois que nécessaire.

Un défi *supplémentaire* leur avait été lancé (les changements tout à fait normaux de la réaction sexuelle associés au vieillissement) et avait transformé une situation difficile en problème insoluble. Tout cela, parce que Sarah et Bruno voyaient ces changements comportementaux comme des signaux évidents de colère, d'hostilité ou de retrait, alors qu'ils n'étaient que les aspects ordinaires de la sexualité humaine, reliés au processus de vieillissement.

Les Johnson avaient tout bonnement supposé, comme le font la plupart des gens, que l'expérience et le bon fonctionnement sexuels sont synonymes d'éducation sexuelle. Il existait tout de même des questions capitales que ces deux personnes intelligentes et cultivées ignoraient complètement, et qui leur avaient coûté très cher.

14

Que se passe-t-il au juste durant les relations sexuelles?

Que se passe-t-il durant l'acte sexuel? Quels changements physiologiques et comportementaux se produisent chez l'homme et chez la femme entre le début et la fin de l'acte sexuel?

À compter du début des années 1950 et durant les 11 années qui ont suivi, Masters et Johnson ont procédé à une série de remarquables études de laboratoire audacieuses et sans précédent. En effet, ces chercheurs ont *observé des gens* occupés à différentes activités sexuelles et relevé méticuleusement des informations quant à la physiologie sexuelle, ce qui n'avait jamais été fait.

Les comportements sexuels qu'ont observés et enregistrés Masters et Johnson comprenaient des relations sexuelles dans diverses positions; des séances de masturbation avec les doigts, avec des vibrateurs électriques, ou avec des appareils de massage; «des coïts artificiels», comme les ont appelés les chercheurs (notamment, une femme en train de copuler avec un phallus artificiel fait de plastique transparent. Ce «pénis», ingénieusement équipé d'une lampe et d'une caméra, rendit possible l'étude minutieuse — et l'enregistrement sur film — des changements internes qui se produisent chez la femme durant le cycle sexuel [excitation, orgasme et retour à la normale, en phase de résolution].)

Les sujets qu'ont étudiés Masters et Johnson se composaient de 694 volontaires normaux, hommes et femmes, de 18 à 89 ans. Il y avait plus de femmes (382) que d'hommes (312) dans le groupe; 276 des participants étaient des couples mariés. Selon les enquêteurs, même si aucun effort n'avait été entrepris pour tenir un compte précis des orgasmes masculins et féminins, on pourrait «aisément parler, de manière fort conservatrice, de 10 000 cycles complets de réactions sexuelles pour toute la population de la recherche» (William H. Masters et Virginia E. Johnson, *les Réactions sexuelles* [1968], Paris, Éditions Robert Laffont, 1970, 383 pages).

Pour la première fois dans l'histoire médicale, l'anatomie et la physiologie des réactions sexuelles humaines étaient observées, scrutées aussi soigneusement, méthodiquement et objectivement que l'avaient été les reins, le système cardiovasculaire et les autres grands systèmes organiques. Masters et Johnson avaient d'abord entrepris leurs recherches depuis le département d'obstétrique et de gynécologie de l'école de médecine de l'Université de Washington, pour travailler plus tard sous les auspices de leur Fondation de recherche sur la biologie de la reproduction. Ils s'étaient embarqués pour un long voyage sur la terre inconnue du fonctionnement génital et en sont revenus chargés d'informations à propos de la biologie de la sexualité.

Les hommes et les femmes réagissent bien sûr de manière différente à la «stimulation sexuelle efficace», mais ils présentent tout de même aussi des *similitudes* fascinantes du point de vue du fonctionnement sexuel. En premier lieu, ces similitudes ont à voir avec deux phénomènes physiologiques importants: la *vasocongestion* (engorgement des vaisseaux sanguins, des tissus et des organes) et la *myotonie* (tension croissante dans la musculature corporelle). Comme on le verra, la vasocongestion et la myotonie sont essentielles à la réaction sexuelle chez l'homme et chez la femme.

LA PREMIÈRE PHASE DU CYCLE DE RÉACTIONS SEXUELLES: L'EXCITATION

Comme les stimuli, qui peuvent prendre la forme d'un toucher, d'un souvenir, d'un film, de la vue d'une femme séduisante, d'un parfum ou d'une odeur qui provoquent des associations excitantes, la première réaction physiologique à la stimulation érotique est une augmentation de la pression sanguine qui se produit en l'espace de quelques secondes, autant chez l'homme que chez la femme. Beaucoup plus vite en tout cas qu'il ne peut en être évacué, le sang gagne à toute vitesse les tissus du corps, particulièrement les organes génitaux. Cette impressionnante redistribution vasculaire mène à l'érection chez l'homme, et à la lubrification chez la femme; elle amène, chez l'un et chez l'autre, un engorgement de l'appareil génital.

Le remplissage rapide par le sang des trois cylindres «caverneux» du pénis (les deux corps caverneux et le corps spongieux) entraîne l'érection chez l'homme (en l'espace de trois à huit secondes chez le jeune adulte). Les tissus érectiles, situés à l'intérieur de ces structures cylindriques (qui traversent le pénis sur toute sa longueur et se prolongent jusque derrière le scrotum) s'empourprent et se gorgent de sang. Au même moment, les sphyncters des veines du pénis se referment de manière réflexe un peu comme des écluses, pour prévenir toute perte de fluide.

C'est ainsi que se crée un état d'hypertension.

L'érection ressemble au fonctionnement d'un système hydraulique. Les cylindres péniens distendus par l'afflux sanguin s'étirent contre la gaine non extensible de l'organe masculin, désormais tendu, plus gros, plus proéminent, se dressant à un angle plus grand. Ce qui l'a excité, ce qui l'a fait «bander», c'est que, en présence de certaines conditions d'excitation sexuelle, une plus grande quantité de sang arrive au pénis qu'il n'est capable d'en évacuer.

On pourrait croire que ce phénomène n'a que peu à voir avec la lubrification vaginale chez la femme (une réaction qui, durant la jeunesse, se produit rapidement lorsqu'il y a stimulation, c'est-à-dire en l'espace de 10 à 30 secondes). La réaction d'érection et la réaction de lubrification sont pourtant deux phénomènes neurophysiologiques identiques, induits par l'apport rapide de sang aux organes génitaux. *Il* a réagi au moyen d'une érection pénienne; l'engorgement et la distension des vaisseaux sanguins vaginaux ont entraîné chez *elle* le phénomène de «transpiration» observé pour la première fois par Masters et Johnson.

Une substance aqueuse, visqueuse, apparaît sur la paroi vaginale, suintant à travers les tissus muqueux. Ce transsudat — le liquide lubrifiant de la femme — est en fait le plasma qui parcourt ordinairement les vaisseaux sanguins de la paroi vaginale.

En état d'excitation toutefois, ces vaisseaux sont devenus telle-ment engorgés et distendus qu'une partie de leur contenu est lit-téralement exprimée sous la pression. Le liquide transpire depuis les surfaces internes du vagin, donnant lieu au revêtement glis-sant, doux, mouillé qui rend les relations sexuelles confortables.

On doit préciser que la réaction de lubrification chez la femme se produit au tout *début* du cycle de réactions sexuelles, tel qu'il est décrit par Masters et Johnson, au commencement de la pre-mière phase, qu'ils appellent «phase d'excitation». Cette réaction constitue le prélude à une série de changements majeurs, encore à survenir, au niveau vaginal. Même si on le croit souvent, la lubrification ne signifie pas que la femme soit prête à la relation sexuelle, qui devrait alors avoir lieu sans plus attendre. On devrait plutôt considérer la lubrification comme le pendant de l'érection chez l'homme et se souvenir que ce dernier n'est pas nécessaire-ment prêt au coït aussitôt l'érection atteinte.

L'érection et la lubrification, deux réactions vasocongestives, s'accompagnent bientôt d'une tension musculaire croissante. La myotonie (c'est le nom qu'on donne à cette tension), comme l'écri-vent Masters et Johnson, «est, avec la vasocongestion, la preuve physiologique de l'érotisme»; elle ne contient pas seulement une raideur musculaire, elle englobe aussi l'enclenchement et le déclen-chement de la musculature volontaire et involontaire. Durant la phase d'excitation, par exemple, la contraction involontaire des fibres musculaires de la poitrine de la femme entraîne l'érection de ses mamelons et leur distension en longueur et en diamètre.

Au cours de cette phase, le clitoris, petit cylindre érectile situé juste au-dessus de l'entrée du vagin, se gonfle et s'engorge. Comme le pénis, il est tumescent: d'une certaine façon, les deux organes se comparent l'un à l'autre. Comme le pénis, le clitoris a une hampe qui contient des tissus érectiles et une tête (ou «gland») abondamment pourvue en terminaisons nerveuses et très sensi-ble aux sensations tactiles. À mesure que croît la tension éroti-que, la hampe clitoridienne épaissit, et son capuchon peut devenir si gros et si gorgé qu'il double de diamètre.

Du strict point de vue de l'apparence, le clitoris et le pénis se ressemblent. Pour autant que leur fonctionnement biologique est considéré toutefois, ils sont très dissemblables. L'organe féminin semble n'avoir aucun rôle à jouer et aucune raison d'être, hormis peut-être ceux de «récompenser» la femme qui accepte de se plier aux exigences de la reproduction.

Même s'il est aussi apte à recevoir des sensations de plaisir, le pénis libère le sperme dans l'utérus de la partenaire féminine *et* transporte l'urine du corps de l'homme (via l'urètre). Quand il est question de la fonction reproductrice le vagin et le pénis sont les deux organes qui se ressemblent le plus, et qui s'ajustent l'un à l'autre de manière complémentaire.

Les lèvres vaginales, les grandes et les petites, subissent aussi les effets de l'excitation sexuelle. À l'état de repos, les grandes lèvres se rencontrent au centre de la vulve pour bloquer l'accès au vagin. En réaction à la stimulation érotique, elles deviennent engorgées et gonflent à tel point qu'elles semblent s'écarter et se redresser légèrement vers le sommet de l'entrée vaginale. Les petites lèvres, qui s'engorgent aussi progressivement à mesure que la tension sexuelle croît, s'ouvrent également. C'est comme si l'appareil génital féminin ouvrait ses portes et priait son invité pénien d'entrer.

Pendant ce temps, à l'intérieur du vagin, des préparatifs complexes aux relations sexuelles ont lieu. Dans un sens, ce qui se passe est presque à l'opposé de l'érection chez l'homme: l'espace grandit. Au repos, l'appareil génital féminin était un petit canal rose pâle, légèrement humide, dont les parois étaient détendues et affaissées. En réaction à l'excitation croissante, les deux tiers internes du canal vaginal s'allongent comme un ballon qui se remplit lentement d'air.

Au même moment l'utérus, tout aussi congestionné à cause d'un excès de sang, commence à s'élever et à pivoter vers l'arrière. Cela produit ce que Masters et Johnson appellent «l'effet de distension» (étirement de la paroi vaginale qui sert à créer un espace interne plus vaste). La surface vaginale a désormais perdu son apparence habituelle froissée: les plis se sont étirés et adoucis, leur couleur est plus foncée, mauve sombre à cause de l'engorgement des vaisseaux de la paroi.

PHASE DEUX: EN PLATEAU

Au cours de la phase subséquente du cycle de réactions sexuelles (en plateau), les extraordinaires changements continuent de se produire dans l'appareil génital féminin. Il n'existe pas, on doit le préciser, de limites bien établies entre la phase d'excitation et celle en plateau. On doit appréhender la deuxième comme la continuation de la première, à un niveau supérieur, à un étage au-dessus, pour ainsi dire. Durant la phase en plateau, se produit un phénomène étonnant auquel Masters et Johnson ont donné le nom de «plate-forme orgastique».

La plate-forme orgastique est justement cela: une plate-forme coussinée de tissus humides gorgés de sécrétions. L'engorgement extraordinaire du tiers externe du canal vaginal (la région la plus proche de l'entrée du vagin) en est responsable. Dans cette partie du canal vaginal, la surface devient tellement congestionnée que son diamètre rétrécit d'autant que 50 p. cent, à mesure que s'installe l'excitation sexuelle. En conséquence, le pénis qui y pénètre se trouve enserré et entouré, ce qui augmente énormément le plaisir érotique de l'homme. Tandis que la circonférence interne du premier tiers du canal vaginal décroît, les deux tiers suivants poursuivent leur extension et leur distension pour former un réceptacle spacieux qui accommodera le pénis allongé.

L'organe masculin a atteint, durant la phase en plateau, une extension et un engorgement maximaux; il s'est étiré autant qu'il le pouvait. En plateau, le petit pénis peut doubler de longueur. Le grand pénis s'étire d'ordinaire moins que le petit. L'érection est, en ce sens, un phénomène normalisateur. Il y a beaucoup moins de différence de longueur entre des pénis en érection qu'il ne peut y en avoir entre des pénis au repos. Les testicules de l'homme s'engorgent eux aussi et grossissent; leur diamètre double et ils sont tirés vers le haut, plus près du corps.

La prétendue «rougeur sexuelle», une éruption par taches qui ressemble à la rougeole, peut apparaître à ce moment-là sur le visage et sur la poitrine, si ce n'est déjà fait. La rougeur sexuelle est plus fréquente chez la femme que chez l'homme.

Au cours de la phase en plateau l'homme et la femme respirent plus rapidement; leur pression sanguine s'accroît, leur pouls s'accélère, leur rythme cardiaque s'élève de 60 à 80 à 100 et à 180 battements à la minute. La tension musculaire s'est tellement accrue que des muscles volontaires et involontaires (au niveau du visage, des côtes et de l'abdomen) peuvent se contracter spasmodiquement.

PHASE TROIS: L'ORGASME

Avec l'approche de la troisième phase du cycle, l'orgasme, le clitoris de la femme (la hampe et le gland clitoridien) disparaît tout à coup. Il s'était sorti de sa position habituelle pour surplomber l'os pubien, effectuer une rotation de 180° vers le haut et se rétracter, se retirer sous le capuchon. Ce phénomène confond parfois le partenaire sexuel qui ne sait pas très bien où il est passé et qui peut croire que la femme a soudain perdu tout intérêt. La rétraction du clitoris, en toute fin de plateau, a beau ouvrir la porte à la mésinterprétation, elle signale en fait l'excitation sexuelle *accrue* plutôt que la perte de l'intérêt.

Chez les individus des deux sexes, la correspondance physiologique de l'orgasme n'est rien d'autre qu'une série de contractions musculaires qui procurent un plaisir explosif. Chez la femme, elles se manifestent surtout au niveau de la plate-forme orgastique, c'est-à-dire le premier tiers coussiné, gonflé, du canal vaginal qui semble agripper le pénis, pour l'enrober et le stimuler jusqu'à un voluptueux orgasme.

Juste avant l'orgasme, ce corridor ultrasensible semble frémir légèrement, ou connaître de légers spasmes. Après cela commence une série de contractions rythmiques, qui se produisent toutes les 0,8 seconde et qui durent quelques secondes éternelles. Ces contractions convulsives de la plate-forme orgastique, des muscles du plancher pelvien et de l'utérus (qui frémit aussi toutes les 0,8 seconde) s'accompagnent des sensations subjectives intenses d'un plaisir intolérable.

Après quelques instants, les contractions ralentissent et l'intervalle entre elles s'étend. Les derniers serrements et relâchements sont très agréables, mais pas aussi intenses que les contractions rythmiques (entre 3 et 15) qui les ont précédés parce que c'est au cours de ces premières contractions que les tensions musculaires et vasoconstrictrices font éruption et trouvent leur relâchement extatique.

L'orgasme masculin, malgré sa similitude remarquable avec l'orgasme féminin, se produit en *deux* temps très distincts. L'«émission» est la première de ces sous-phases, et l'«éjaculation», la seconde. Au cours de l'émission, les fluides séminals qui feront partie de l'éjaculation se rassemblent. Depuis différentes sources, ils sont aspirés dans un bulbe (urétral) dilaté, situé à la base de l'urètre. Là, le sperme, entraîné dans le canal déférent par une petite quantité de fluide, se mêle aux sécrétions des vésicules séminales, tandis que le fluide prostatique afflue de la prostate. Subjectivement, cette accumulation des fluides reproducteurs s'accompagne de la conscience de l'imminence de l'orgasme, ce que Masters et Johnson appellent le «moment de l'inévitabilité éjaculatoire», (l'irrépressibilité volontaire de la ruée orgastique).

L'éjaculation, deuxième phase de l'orgasme masculin, suit l'émission de quelques secondes. Elle est faite de vigoureuses contractions rythmiques, *qui se produisent toutes les 0,8 seconde*, et qui proviennent du bulbe prostatique et de la puissante musculature de la base du pénis. Ces spasmes s'associent à des sensations d'euphorie et de plaisir intense; ils servent à aspirer le «bolus» ou fluide séminal à travers l'urètre pénien d'où il est expulsé sous pression dans le vagin de la partenaire. Après les premières trois ou quatres fortes contractions espacées de 0,8 seconde, la compression et la décompression musculaires ralentissent et s'espacent. Le sperme restant dans l'urètre pénien sort doucement, à petits coups.

PHASE QUATRE: LA RÉSOLUTION

La phase de «résolution» débute enfin. L'orgasme a soulagé les tensions musculaires de tout le corps, et le sang quitte rapidement les organes reproducteurs congestionnés et distendus. Le corps ne reprend toutefois pas immédiatement son état de repos sexuel. Chez l'homme, le pénis conserve une demi-érection parce que, même si les fluides quittent deux de ses structures érectiles (les corps caverneux) d'un seul coup, ils mettent environ une demi-heure à quitter la troisième (le corps spongieux). Après l'orgasme, l'homme commence une période réfractaire, qui peut durer quelques minutes chez les hommes jeunes, ou des heures voire des jours chez les hommes plus vieux. Durant cette période, il ne réagit pas à la stimulation et est incapable d'excitation sexuelle.

Chez la femme, la plate-forme orgastique s'affaisse rapidement pour que ce tiers du canal vaginal augmente son diamètre interne. À cause de la diminution des effets de ballon et de distension les deux autres tiers du vagin reviennent à leurs proportions antérieures, non stimulées. À mesure que le sang le quitte, l'utérus rapetisse aussi. Tout de suite après l'orgasme (en l'espace de 5 à 10 secondes), après avoir réémergé depuis sa position retirée, le clitoris conserve sa tumescence pendant un certain temps. L'appareil génital féminin mettra de 10 ou 15 minutes jusqu'à une bonne demi-heure pour reprendre son état basal de repos, de non-stimulation.

Contrairement aux hommes, les femmes ne sont pas biologiquement réfractaires à la stimulation sexuelle dans le sillage immédiat de l'expérience orgastique. Si on la stimule adéquatement, la femme peut passer directement de la phase de résolution à celle de l'excitation ou à celle des plus hautes sphères en plateau, pour connaître un nouvel orgasme... et recommencer. Théoriquement, rien ne peut entraver ce processus, mis à part la fatigue, qu'il s'agisse de la sienne ou de celle de son partenaire.

15

Les cures sexologiques

On croit que les problèmes sexuels, d'intensité et de durée variables, sont très communs dans la population en général. Les relations sexuelles, telles qu'elles ont été décrites au chapitre
précédent, correspondent à une norme, à ce qui *se passe quand
tout va bien*, ce qui n'est pas toujours le cas. Une foule de facteurs organiques (maladies, usage de drogues), psychologiques
(colère, angoisse quant à la capacité de s'exécuter) et d'influences culturelles (culpabilité, honte) peuvent entrer en action pour
affecter — et parfois détraquer complètement — les délicats mécanismes sexuels. L'une des caractéristiques les plus étonnantes de
la vie érotique est qu'elle peut, relativement facilement, s'enrayer.

En ce sens, les conclusions de différentes recherches indiquent
la fréquence remarquablement élevée de problèmes sexuels chez
à peu près tous les groupes d'individus (personnes ou couples)
étudiés. Dans le cadre de l'une de ces études menée au *Western
Psychiatric Institute* de Pittsburgh, on a enquêté en profondeur
sur nombre d'aspects de la vie de 100 couples qui considéraient
leur mariage «heureux» ou «très heureux».

Chez cet échantillonnage de partenaires satisfaits, les chercheurs
ont trouvé

[...] qu'environ la moitié des femmes s'étaient plaintes de
problèmes d'excitation, alors que 46 p. cent déclaraient avoir
du mal à atteindre l'orgasme. 15 p. cent des femmes ont dit
être incapables d'atteindre l'orgasme. Chez les hommes, les
dysfonctions sexuelles se sont faites plus rares, même si 10 p.
cent admettaient des problèmes d'érection, et près du tiers, des
troubles d'éjaculation précoce.

Ainsi, la supposition à l'effet que les couples heureux ne connaissent pas de problèmes sexuels ne serait pas nécessairement

exacte. Ni, à l'inverse, celle qui veut que les problèmes sexuels soient synonymes de problèmes matrimoniaux. «Peut-être que ce que nous avons découvert de plus étonnant, conclurent les chercheurs, c'est que très peu de gens ont des vies sexuelles exemptes de problèmes, même quand leur mariage est satisfaisant.»

COMMENT PEUT-ON RÉSOUDRE LES PROBLÈMES SEXUELS?

Quand surviennent les problèmes sexuels, quand ils ont déjà commencé à se manifester (et la plupart des humains peuvent s'attendre à se heurter à certaines difficultés au cours de leur existence), que peut-on, objectivement, faire pour les résoudre?

Avant que les travaux de Masters et Johnson n'apportent des informations détaillées et fiables sur la sexualité humaine, on croyait que la thérapie analytique constituait le meilleur — sinon le seul — traitement. L'homme à l'érection vacillante, celui qui éjaculait aussitôt qu'il pénétrait sa partenaire, devaient explorer leurs conflits névrotiques (enracinés dans les expériences précoces), qui avaient donné naissance à leurs symptômes sexuels.

De la même manière, la femme anorgastique ou celle qui ne pouvait atteindre l'orgasme que par la stimulation clitoridienne (que Freud percevait comme une forme d'orgasme très différente et fondamentalement immature) devaient se battre fort longtemps en thérapie psychanalytique intensive pour mettre à jour les traumatismes infantiles réprimés qui avaient rendu impossible l'orgasme «adulte» (c'est-à-dire vaginal). Quand les études de Masters et Johnson ont fini par démontrer que les orgasmes vaginal et clitoridien sont nettement *indifférenciables*, les jugements de valeurs portés à l'encontre des formes d'orgasme féminin (comme «préférable, adulte» et «condamnable, infantile») ont été remis en question.

Plus important encore: les chercheurs en matière de sexologie ont pu montrer que, *même en présence de problèmes psychologiques irrésolus*, on pouvait résoudre efficacement les troubles sexuels au moyen de techniques béhaviorales simples. À mesure que les nuages du mythe entourant nombre d'aspects du fonctionnement érotique commençaient à se dissiper en effet, une appréhension plus claire des *problèmes potentiels* reliés aux diverses phases du cycle des réactions sexuelles s'est mise à poindre, tout comme les méthodes particulières pour traiter les différentes sortes de plaintes.

«IMPUISSANCE» ET«FRIGIDITÉ»

Avant les études de laboratoire de Masters et Johnson, on posait certains diagnostics globaux pour étiqueter tous les symptômes sexuels de l'homme et de la femme. Quelle que soit leur nature, l'«impuissance» servait à décrire les problèmes de l'homme, et la «frigidité», ceux de la femme.

À partir de leurs découvertes, on pouvait soigneusement distinguer les troubles des phases d'excitation (c'est-à-dire l'excitation et en plateau) de ceux de la phase orgastique (c'est-à-dire l'orgasme et la résolution).

Des mécanismes hormonaux et nerveux différents sont à l'oeuvre durant l'excitation (quand l'engorgement de l'appareil génital et la tension musculaire s'élèvent) et durant l'orgasme (quand surviennent les contractions musculaires intenses, qu'accompagne le relâchement des plus agréables des tensions sexuelles et psychologiques, suivies du dégonflement des organes génitoreproducteurs qui reprennent leur état fondamental non stimulé). Maintenant qu'on peut comprendre et décrire précisément les changements corporels qui se produisent durant le cycle des réactions sexuelles, on peut aussi *traiter* les problèmes avec plus de précision, d'objectivité, et d'efficacité.

DYSFONCTIONS DE LA PHASE D'EXCITATION
1. LES TROUBLES DE L'EXCITATION CHEZ L'HOMME
Impuissance primaire
Impuissance secondaire

Chez l'homme, l'incapacité d'atteindre ou de maintenir l'érection appartient aux troubles majeurs de la phase d'excitation. En termes cliniques, on différencie l'état de l'homme qui n'a jamais pu obtenir une érection suffisante pour entreprendre un coït (impuissance primaire) et celui de l'homme qui souffre de problèmes d'érection, mais qui a déjà «fonctionné» adéquatement par le passé (impuissance secondaire). Peu d'hommes relèvent de la première catégorie (moins de 1 p. cent), mais les plaintes relatives à l'impuissance secondaire sont très communes. Presque tous les hommes, on doit le dire, connaissent des difficultés d'érection passagères (habituellement quand ils sont bouleversés ou fatigués). Ces problèmes disparaissent rapidement, à moins que l'individu ou sa partenaire ne prennent la chose très au sérieux.

Quand les problèmes d'érection perdurent et que les troubles de nature organique ont été écartés, c'est souvent que la peur, l'angoisse et les efforts pour exercer un contrôle conscient sur le fonctionnement sexuel agissent comme saboteurs érotiques. (En passant, si l'homme impuissant a des érections au réveil, durant la nuit ou en se masturbant, c'est fort probablement parce que le problème qui l'affecte est plus de nature psychologique que de nature physiologique.)

En général, plus un homme se soucie et s'inquiète de ses capacités, moins il est capable de «fonctionner» de manière naturelle et spontanée. En effet, s'il est trop occupé à observer sa performance — surtout la longueur et la dureté de son pénis —, il ne peut pas s'abandonner aux sensations sexuelles. Le besoin de prendre en charge les procédures érotiques et, surtout, celui de garder son pénis bien haut, le préoccupent trop.

Il cherche à réaliser l'impossible: l'homme ne peut pas *décider* d'avoir une érection parce que cette fonction ne relève pas d'un contrôle volontaire, conscient. Le sous-système du système nerveux autonome — le système parasympathique — régit la digestion, la respiration, le sommeil et les autres fonctions neurovégétatives, tout comme il régit la réaction érectile. Ainsi, comme l'homme ne peut pas *ordonner* à son estomac de digérer son contenu, il ne peut pas donner à ses structures érectiles l'*ordre* de s'engorger de sang et de bander à sa convenance. S'il est relativement détendu et libéré de tout souci excessif, il réagira tout simplement à la stimulation érotique au moyen d'une érection.

Par contre, s'il approche sa partenaire angoissé et craintif, ou si des sentiments d'anxiété l'assaillent pendant qu'il fait l'amour, l'autre sous-système du système nerveux autonome — le système sympathique — entrera probablement en fonction. Les innervations sympathiques commandent aux réactions de lutte ou de fuite; quand ce système avertisseur s'est mis en branle, l'adrénaline envahit le flux sanguin et le corps entre en état d'alerte.

Au cours des réactions de lutte ou de fuite, le sang *quitte* les parties génitales pour les rendre moins vulnérables en cas de menace et de danger. Le «danger» qui menace alors l'homme, paradoxal en soi, provient de ses propres angoisses quant à sa puissance sexuelle et de ses craintes d'être repoussé et rejeté si sa partenaire le trouve incapable de s'exécuter convenablement. En conséquence et d'un point de vue strictement biologique, ses efforts désespérés pour maintenir son érection sont en fait le meilleur moyen de la perdre.

Il est vrai — et on doit le dire — que les érections vont et viennent plusieurs fois durant une période d'excitation sexuelle prolongée; cela ne doit pas inquiéter l'homme et sa partenaire érotique. On doit cependant établir une distinction nette entre cette situation et celle de l'homme qui se sent obligé de regarder et d'étudier l'état et la vigueur de son pénis (parce que, dans ce cas, c'est *son* érection qui sera la plus menacée, la plus incertaine et celle qui tombera le plus probablement).

2. LES TROUBLES DE LA PHASE D'EXCITATION CHEZ LA FEMME

Absence de réactions sexuelles

Chez la femme, on appelle «absence de réactions sexuelles» le principal problème de la hase d'excitation: elle ne réagit pas à la stimulation érotique. ᷉es manifestations physiologiques de l'excitation sexuelle manquent chez elle: pas de lubrification vaginale, pas d'érection des mamelons, pas de distension du volume interne du vagin, etc. La femme qui ne réagit pas n'a pas (ou si peu) de sensations sensuelles. Même si, d'un point de vue physiologique, elle peut avoir des relations sexuelles (ce qui n'est évidemment pas le cas pour l'homme qui souffre de trouble de l'excitation), elle trouvera sans doute l'expérience désagréable, voire douloureuse. Son appareil génital n'est pas lubrifié, il n'est ni distendu, ni gonflé, ni «coussiné»: elle est serrée, sèche et absente.

DYSFONCTIONS DE LA PHASE ORGASTIQUE

1. TROUBLES ORGASTIQUES CHEZ L'HOMME

Éjaculation précoce
Éjaculation tardive

Au cours de la phase subséquente du cycle des réactions sexuelles, l'homme peut souffrir de deux types de dysfonctions. On considère la première, l'éjaculation précoce, comme celui des problèmes sexuels qui affecte le plus souvent les hommes (un bon tiers des hommes heureux en ménage de l'étude de Pittsburgh, on s'en souviendra, souffraient de cette affection). Différents experts se sont attachés à décrire — parfois de manières fort différentes — la précocité de l'orgasme.

QUAND L'ÉJACULATION EST-ELLE «PRÉCOCE»?

Certains experts ont déclaré que l'éjaculation est par trop rapide si elle se produit avant que l'homme ait pénétré sa partenaire, ou dans les 30 secondes qui suivent la pénétration. D'autres affirment que c'est le nombre de poussées pelviennes sans orgasme qui détermine avec certitude qu'on a affaire ou non à de l'éjaculation précoce.

Masters et Johnson fondent pour leur part leur diagnostic sur la nature de la relation sexuelle. À leur point de vue, l'homme qui ne peut dominer son éjaculation suffisamment longtemps pour satisfaire sa partenaire au moins une fois sur deux souffre d'éjaculation précoce. La sexologue Helen Singer Kaplan voit cependant les choses d'un autre oeil.

LE CONTRÔLE DE L'ÉJACULATION

Toutes les autres définitions, avance le docteur Kaplan, passent à côté de l'essence de la précocité qui contient «*l'absence de contrôle volontaire* sur le réflexe éjaculatoire». De l'avis du docteur Kaplan, l'homme éjacule prématurément quand il le fait sans avoir *décidé* de le faire. Il est possible d'apprendre à dominer l'éjaculation, tout comme il est possible d'apprendre à dominer les réflexes d'émission d'urine ou de fèces.

Si l'homme ne peut pas décider quand il souhaite jouir, et qu'il est emporté par le besoin d'éjaculer très rapidement, il manque un élément capital à son répertoire sexuel.

Pour amener la femme, habituellement plus lente à réagir — surtout si elle est jeune —, en plateau très avancé et à l'orgasme, l'amant efficace doit pouvoir continuer le jeu sexuel tant qu'il est excité.

On connaît depuis plusieurs années une méthode simple et remarquablement efficace pour apprendre à contrôler consciemment le réflexe éjaculatoire (on l'ignorait manifestement à Pittsburgh, où un grand nombre d'hommes heureux en ménage continuaient à souffrir de précocité!). En 1956, le docteur James Semans a mis cette technique au point, mais elle est restée inconnue jusqu'à ce que Masters et Johnson la décrivent dans *les Mésententes sexuelles et Leur Traitement.*

Il en sera question un peu plus loin; en attendant, je me bornerai à dire que la technique demande que l'homme apprenne à reconnaître les sensations qui précèdent l'émission, le moment où les fluides composant le liquide séminal s'accumulent dans le réservoir situé à la base de l'urètre. L'émission est la sous-phase de la réaction orgastique que Masters et Johnson ont appelé le «moment de l'inévitabilité éjaculatoire». Elle précède de quelques secondes la sous-phase de l'orgasme appelée «expulsion éjaculatoire».

L'ÉJACULATION TARDIVE

Chez l'homme, l'autre pathologie associée à la phase orgastique, l'éjaculation tardive, constitue l'opposé clinique de la prématurité orgastique. Tandis que l'individu qui souffre d'éjaculation précoce atteint l'orgasme trop vite, celui qui souffre de l'inhibition involontaire du réflexe éjaculatoire a bien du mal à y arriver. De temps à autre — et, parfois, invariablement —, il est incapable d'éjaculer dans le vagin de sa partenaire. Il a beau s'exciter, atteindre l'érection, entreprendre des ébats vigoureux, il n'arrive pas à jouir.

Bien des propos tenus à propos de l'homme qui éprouve des problèmes d'éjaculation précoce s'appliquent aussi bien à celui qui connaît des troubles d'inhibition éjaculatoire. L'incapacité d'atteindre l'orgasme *peut* avoir des causes physiologiques, parce que l'éjaculation, comme l'érection, peut être affectée par des pathologies, par certains médicaments et drogues. Si l'individu connaît l'orgasme en certaines circonstances, mais qu'il n'y arrive pas en d'autres, le problème relève vraisemblablement plus de la psychologie que de la physiologie. Comme l'homme qu'obsède son érection, l'éjaculateur tardif étudie méticuleusement sa performance et se révèle incapable de cesser de la contrôler par la force de sa volonté.

Tout comme l'impuissant concentre son attention sur la raideur de son pénis, l'éjaculateur tardif centre la sienne sur l'émission orgastique. Ni l'un ni l'autre ne parviennent à s'abandonner au plaisir sexuel, à plonger dans l'expérience et à laisser naturellement se produire ce qui devrait arriver tout naturellement. La personne qui souffre d'inhibition éjaculatoire se domine trop. En essayant de contrôler son orgasme, elle le rate. L'éjaculateur précoce, au contraire, ne se domine pas suffisamment quand il *pourrait* exercer un contrôle volontaire.

2. TROUBLES DE L'ORGASME CHEZ LA FEMME

Orgasme inhibé chez la femme
Dysfonction orgastique situationnelle

Chez la femme, l'équivalent de l'éjaculateur précoce (c'est-à-dire la femme qui jouit rapidement et qui perd ensuite tout intérêt dans le coït) est une rareté du point de vue clinique. Quand elle atteint l'orgasme, la femme peut en effet en atteindre d'autres ou, du moins, accommoder son partenaire jusqu'à ce que son excitation sexuelle parvienne à un sommet et qu'il jouisse aussi.

Par contre, l'équivalent de l'éjaculateur tardif (c'est-à-dire l'incapacité d'atteindre l'orgasme) est très fréquent. Il s'agit en fait du trouble relié à la phase orgastique du cycle des réactions sexuelles le plus commun chez les femmes. Masters et Johnson ont appelé ce problème «dysfonction orgastique», mais la terminologie formelle parle plutôt d'«orgasme inhibé chez la femme». Encore une fois, on établit une distinction entre les formes primaire et secondaire de ce trouble.

La femme, qui, à l'instar d'Angela Carrano, n'a *jamais* connu l'orgasme, souffre, dit-on, de «dysfonction orgastique primaire» (récemment rebaptisée «anorgasmie primaire»). De l'avis de Masters et Johnson, ce trouble est encore plus rare que l'impuissance primaire chez l'homme, parce que ce dernier s'est ordinairement masturbé ou est parvenu à l'orgasme par la stimulation de son partenaire. Parallèlement, l'éjaculateur tardif peut arriver à l'orgasme *ailleurs* que dans le vagin de sa partenaire, c'est-à-dire par lui-même, à sa manière, quand il se sent maître et sûr de lui.

Même si elle peut devenir excitée, même si elle peut connaître la lubrification vaginale et montrer d'autres signes d'excitation sexuelle, la femme anorgastique primaire n'atteint jamais l'orgasme, qu'elle soit seule ou avec un partenaire: jamais, nulle part, peu importe le moment. On croit que de 8 à 10 p. cent des femmes nord-américaines souffriraient de cette absence totale de réaction orgastique.

DYSFONCTION ORGASTIQUE SITUATIONNELLE

Des millions d'autres femmes entrent dans la catégorie des «anorgastiques secondaires», porteuses du trouble auquel Masters et Johnson ont donné le nom de «dysfonction orgastique situationnelle». Cette étiquette s'applique à la femme qui «a connu au moins une fois l'expression orgastique», que ce soit au cours d'une relation sexuelle, par la masturbation ou par toute autre forme de stimulation. Il peut s'agir d'une femme qui a déjà *pu atteindre l'orgasme* plus tôt dans sa vie, mais qui ne le peut plus. Il peut aussi s'agir d'une femme qui n'est capable d'atteindre l'orgasme qu'en certaines circonstances (quand elle se masturbe, par exemple, et pas en présence de son partenaire). Elle pourrait, encore par exemple, n'atteindre l'orgasme qu'après une période intensive de stimulation clitoridienne ou orale, ou qu'en vacances, loin de chez elle. La dysfonction orgastique situationnelle peut prendre une multitude de formes, toutes plus ou moins accompagnées de déception et de frustration.

LA PETITE BOUILLOIRE OÙ L'EAU NE BOUT JAMAIS

À l'origine de ce problème féminin se trouve la même inhibition involontaire du réflexe orgastique naturel que chez l'éjaculateur tardif, incapable de se «laisser aller». Comme lui, elle n'arrive pas à mettre fin à son auto-observation obsessive: dans l'expérience sexuelle, elle est plus spectatrice que participante. Au lieu de s'abandonner aux excitantes sensations érotiques, elle attend anxieusement un quelconque signal de l'imminence de l'expérience orgastique tant recherchée.

CONSIDÉRATIONS PHYSIOLOGIQUES

Pour autant que les problèmes orgastiques chez la femme sont concernés, on doit tenir compte de certains facteurs qui ne sont pas du tout d'ordre psychologique. Dans certains cas, les problèmes relèvent de l'absence de stimulation adéquate, de l'incapacité de faire franchir aux tensions sexuelles le seuil de l'orgasme dont le réflexe n'est ainsi jamais (ou très rarement) déclenché. D'un point de vue purement anatomique, on doit se rappeler que, chez la femme, l'organe sexuel le plus sensible, celui qui procure le plus de plaisir, n'est pas le vagin, mais bien le clitoris. Au cours de la relation sexuelle, cet organe reçoit une stimulation *indirecte*, à cause surtout des tractions qu'effectuent les poussées péniennes contre le capuchon clitoridien.

La traction des petites lèvres (auxquelles se rattache le haut du vagin) affecte également le clitoris durant le coït. Cette forme de stimulation clitoridienne indirecte n'arrive pas à stimuler efficacement certaines femmes. Elles n'en retirent pas suffisamment d'excitation, d'énergie et de désir pour s'en trouver lancées dans les hautes sphères de l'orgasme.

La *majorité* des femmes (pas la minorité) ne parviennent pas à l'orgasme par les seules poussées du pénis. Comme le note Shere Hite (dans *le Rapport Hite* [1977], Paris, France Loisirs, 1981, 558 pages), 30 p. cent des 3 019 femmes interrogées seulement ont déclaré atteindre régulièrement l'orgasme sans stimulation clitoridienne supplémentaire. «En d'autres termes, écrit-elle, la majorité des femmes ne connaissent pas l'orgasme à la suite de la pénétration.»

Ses données correspondent à celles du docteur Seymour Fisher qui, dans *Understanding the Female Orgasm* (Comprendre l'orgasme féminin) [New York, Bantam Books, 1973], rapporte que seulement 20 p. cent des 300 femmes qu'il a interviewées n'avaient jamais besoin d'une stimulation manuelle pour finir par atteindre l'orgasme. Le besoin de stimulation clitoridienne — en plus de la stimulation vaginale par le pénis du partenaire — fait donc la règle plus que l'exception: il crée la *norme* chez les femmes orgastiques.

LE PONT

Certains couples s'engagent dans la pénétration tandis que l'homme continue de stimuler le clitoris de la femme. D'autres font de même, sauf que c'est la femme qui se masturbe. Dans d'autres cas encore, l'homme atteint l'orgasme et puis y amène sa partenaire. Il y a encore ce que les sexologues appellent le «pont». Dans cette approche, l'homme stimule le clitoris de sa partenaire jusque dans les hautes sphères de l'excitation et puis, à l'approche de l'orgasme, il la pénètre et effectue une rotation sensuelle de son pénis en elle pour l'entraîner jusqu'à l'orgasme.

Cette technique sert à combler la distance entre les réactions vaginales et clitoridiennes et résout ce qui est souvent un problème de nature fondamentalement anatomique et mécanique (c'est-à-dire que le vagin n'est pas aussi réceptif, sensible, que le clitoris; sans stimulation additionnelle donc, la pénétration ne procure pas suffisamment de sensations de plaisir). La femme doit donc avoir une plus grande part de feux d'artifices érotiques, plus de touchers et plus de caresses clitoridiennes, si elle veut voir son ciel s'illuminer sur les feux de son orgasme.

QUAND LE PROBLÈME EST D'ORIGINE PSYCHOLOGIQUE

Quand ce qui entrave l'orgasme est par ailleurs d'abord psychologique, les exercices de plaisir mis au point par Masters et Johnson (que je décrirai plus loin) peuvent grandement aider. Ces exercices visent à aider la personne trop anxieuse, qui se domine trop et s'efforce *de faire survenir son orgasme*, à apprendre à se détendre et à profiter de sa sexualité sans lutter pour l'obliger à se manifester. Avant d'aborder les tâches érotiques toutefois, je voudrais présenter une autre dysfonction érotique, le «vaginisme», que l'on n'associe avec aucune phase du cycle des réactions sexuelles en particulier, et qui ne trouve pas son pendant chez l'homme.

VAGINISME

Le vaginisme est une contraction inconsciente extrêmement puissante des muscles circumvaginaux. Ce spasme est tellement puissant qu'il rend la pénétration pénienne extrêmement douloureuse, difficile ou carrément impossible. Pour une raison que l'on ignore, ce problème affecte rarement les femmes pauvres et peu cultivées; cette maladie sexuelle se rencontre presque exclusivement chez les femmes de la classe socio-économique supérieure.

EXERCICES SEXUELS: LA CENTRATION SENSORIELLE OU LE PLAISIR

Dans leur essai brillant, *les Mésententes sexuelles et Leur Traitement*, William Masters et Virginia Johnson anéantissent l'idée fort répandue qui veut que l'on ne puisse résoudre les épineuses dysfonctions sexuelles sans avoir d'abord exploré et résolu les conflits intérieurs inconscients qui les ont engendrés.

Au contraire, Masters et Johnson ont démontré que l'approche béhaviorale pouvait s'avérer utile dans bien des cas, quand le traitement analytique prolongé et fort dispendieux se révèle vain et inefficace.

En outre, il est faux de prétendre que tous les troubles sexuels contiennent des angoisses infantiles et des défenses intérieures érigées pour les contrer. Bien des symptômes sexuels se manifestent à la suite de problèmes relationnels et sociaux, angoisses de performance, effort de dominer certains aspects des réactions sexuelles qui ne relèvent pas du contrôle volontaire, «voyeurisme», incapacité de se détendre, manque d'éducation sexuelle, ignorance de techniques efficaces, etc. Il ne s'agit pas là de problèmes graves ou compliqués, ce sont en fait des troubles superficiels, faciles à comprendre, qui ne résistent pas au traitement à court terme. Masters et Johnson ont rapporté avoir traité très efficacement toute une variété de dysfonctions sexuelles sur des périodes de deux semaines, en utilisant certaines méthodes béhaviorales qu'ils avaient mises au point, des sortes de «devoirs érotiques» pour ainsi dire.

On ne pourrait décrire ici l'ensemble des tâches érotiques élaborées pour traiter les différentes dysfonctions. Les exercices que vous trouverez forment cependant le coeur de la pratique sexologique moderne.

La thérapie sexologique se veut surtout un amalgame de tâches sensuelles et de psychothérapie. Le couple fait ses «devoirs» érotiques et, en cours de route, le thérapeute surveille de près l'émergence de blocages. La femme peut, par exemple, prendre peur quand son éjaculateur précoce de mari devient compétent, parce qu'elle craint de le perdre au profit d'une autre. Dans ce cas-là, on arrête temporairement les «devoirs» érotiques pour découvrir, étudier et résoudre les problèmes d'ordre psychologique.

FORMATION DE BASE DANS L'ART DE LA CARESSE

Les exercices érotiques que Masters et Johnson ont appelés «centration sensorielle» ou, plus simplement, «plaisir», sont précisément ceux qu'ils utilisaient pour tous les couples qui venaient les consulter, peu importe la nature de leurs problèmes. Le traitement débutait *invariablement* sur ces tâches érotiques. Actuellement, certains sexologues poursuivent cette pratique, tandis que d'autres éludent la «centration sensorielle» lorsqu'ils traitent des dysfonctions spécifiques. Quoi qu'il en soit, les exercices de plaisir sont faciles à comprendre et importants à connaître. En effet, ils sont d'une remarquable efficacité quand il s'agit d'aider l'individu qui se domine trop à se détendre et à profiter de sa sexualité sans chercher la performance à tout prix. Ils constituent, en fait, une formation de base dans l'art de la caresse.

EXERCICE 1: PLAISIR NON GÉNITAL

La première et plus importante condition de cette séance de formation sensuelle est que l'*on ne doit pas toucher les organes génitaux*. Ce devoir vise à aider les partenaires à jouir mutuellement du toucher, de la caresse, de l'exploration, du massage et des câlineries de leurs corps. On demande au couple de trouver un lieu et un moment — peut-être tard en soirée, quand toute la maisonnée dort — qui leur permettent d'être ensemble sans risque d'interruption. Les partenaires doivent prendre une douche ou un bain et se rejoindre au lit, propres et présentables. S'ils se sentent à leur aise quand ils sont nus, ils peuvent le rester durant l'exercice; sinon, ils peuvent faire l'exercice en tenue de nuit ou en sous-vêtements.

LE TOUR DE MADAME

L'un des partenaires, la femme, s'étend sur le ventre tandis que son compagnon commence à caresser son corps du plat de la main, depuis le dessus de la tête jusqu'aux pieds. Tandis qu'il explore langoureusement et paresseusement les surfaces de sa peau, ses bras, son dos, son cou, ses oreilles, ses fesses (sans toucher aux organes génitaux), il s'attache à «faire la connaissance» de toutes les parties de son corps, la caressant aussi simplement qu'on le fait avec un animal. Dans bien des cas, elle pourra se mettre, elle aussi, à ronronner. Même si elle devenait très excitée, l'homme devrait tout de même éviter soigneusement ses organes génitaux; le toucher sexuel reste, pour l'instant, hors limites.

Le partenaire pourra utiliser de l'huile ou de la crème pour faciliter les caresses; cela permettra en outre d'assouplir les mains calleuses du travailleur manuel. Idéalement, son toucher devrait être léger, doux: il ne la masse pas, il stimule gentiment son épiderme (qui se transforme, à cette occasion, en vaste zone érogène). Pendant qu'on lui passe les mains sur tout le corps, la femme concentre son attention sur les sensations agréables qu'elle ressent et ne se préoccupe pas de la fatigue ou de l'ennui potentiels de son partenaire. De son côté, il songe exclusivement aux gratifications que lui procure son toucher lent et sans but (c'est-à-dire qui ne vise pas l'orgasme). Les deux partenaires peuvent se détendre tout à fait parce qu'ils seront tous les deux, à tour de rôle, en position de donneur et de receveur.

Après un certain temps (environ 15 minutes), la femme se tourne sur le dos pour que son partenaire caresse tout aussi doucement le devant de son corps, à l'exception des seins et de la région génitale. Généralement, la femme trouve étonnante et délicieuse cette lente et longue exploration des surfaces de son corps. Le simple toucher rétablit les réactions tactiles de la petite enfance et suscite la confiance à son niveau le plus fondamental, le niveau corporel.

LE TOUR DE MONSIEUR

Après une quinzaine de minutes additionnelles (plus ou moins, selon le plaisir des partenaires), le mari et la femme changent de place. Il s'étend sur le ventre, et elle lui procure le plaisir qu'elle a éprouvé en caressant l'arrière de son corps. Il doit lui dire (comme elle avait dû le faire aussi) ce qui lui plaît le plus, ce qui le chatouille, s'il juge qu'elle l'effleure trop légèrement ou si elle appuie trop fortement, si elle le caresse trop vite ou pas assez.

Après 15 minutes de passivité totale au cours desquelles il a joui de son exploration en douceur de sa tête, ses oreilles, ses bras, ses fesses, l'intérieur de ses cuisses, ses jambes, ses chevilles, ses talons, etc., il se tourne. Alors, elle passe doucement ses mains sur le devant de son corps, depuis sa tête jusqu'au bout de ses orteils, en évitant de toucher au pénis et aux testicules.

Pour tous les couples, qu'ils éprouvent ou non des problèmes sexuels, cette caresse du corps entier se révèle une expérience remarquable. D'une certaine façon, c'est en partie l'interdiction de toucher aux organes génitaux qui rend cet exercice si érotique et si excitant: rien de sexuel n'est en droit de se produire. L'exercice engendre des sensations toutes enfantines d'ouverture et de confiance, qui revêtent, en même temps, un aspect décidément aphrodisiaque.

Quand le plaisir prend fin, tout s'arrête: pas de relations sexuelles.

EXERCICE 2: PLAISIR GÉNITAL

La seconde phase de la centration sensorielle, le «plaisir génital» commence lorsque les partenaires ont pris l'habitude des caresses, telles qu'elles ont été décrites plus haut. Leurs réactions à la première phase n'ont pas souvent manqué de piquant. L'homme a appris qu'il n'a pas besoin d'érection pour être bien avec sa partenaire (puisque les relations sexuelles sont interdites), il a pu se détendre et jouir de ce qui lui arrivait sans s'inquiéter de l'érection de son pénis. À moins que ne surgissent des affects négatifs (comme la peur ou la colère), l'érection survient, parce qu'elle est la réaction physiologique normale à la stimulation érotique. Personne ne lui demande de s'exécuter. Parallèlement, la femme qui n'était pas capable de se détendre suffisamment pour vivre ses sensations sexuelles, ne craint pas de *devoir les susciter*. Il arrive bien souvent, au cours de ces rencontres supposément asexuelles, qu'elle se trouve excitée, troublée. Elle *peut* s'exciter parce que rien ne vient la bousculer ou la presser. Elle n'a pas à réagir pour satisfaire aux besoins de son partenaire, elle a été libérée de cet aspect pour se concentrer sur ses propres sensations érotiques.

LE TOUR DE MONSIEUR

Au cours du deuxième exercice s'ajoute au programme la caresse des zones érogènes proprement dites. Si c'est l'homme qui est caressé en premier, sa partenaire doit le caresser pour l'entraîner rapidement dans les hauts sommets de l'excitation. Elle doit caresser son pénis, jouer avec son prépuce et son gland, passer la main sur ses testicules et effleurer la région très sensible située entre l'anus et le scrotum. Elle peut triturer ses mamelons pour revenir à son gland, le stimuler comme elle l'entend et comme elle a plaisir à le faire (y compris avec sa bouche).

Quand il est en érection, elle déplace son attention aux autres parties de son corps (bras, jambes, ventre), qu'elle continue de caresser. Pendant ces épisodes de toucher non génital, il se peut que son érection disparaisse: *ni l'un ni l'autre partenaires ne doivent s'en soucier*. Quand elle en ressent l'envie, elle peut revenir au pénis pour le caresser du bout des doigts ou de la bouche jusqu'à ce qu'il aie une autre érection. Pendant ce temps, il doit se détendre, savourer la cascade de sensations agréables, s'abandonner complètement au plaisir des sensations merveilleuses, quasi intolérables qu'elle provoque chez lui.

Durant cette expérience, les partenaires s'aperçoivent que les érections vont et viennent, et que, lorsqu'elles disparaissent, il n'y a pas lieu de s'en faire. Contrairement à ce qu'avaient cru les Johnson, la perte de l'érection ne signifie pas que *tout* est perdu (c'est-à-dire que la rencontre sexuelle est terminée et a été un lamentable échec). Les partenaires ont appris de la sorte qu'un supplément de stimulation peut restaurer l'érection; si cela ne se produit pas, il reste que, pour un homme et une femme, il y a bien d'autres façons de tirer du plaisir de leur présence mutuelle.

Les partenaires ne subissent pas de pression, parce que, durant cet exercice de plaisir génital, le coït est interdit et l'orgasme ne fait *pas* partie du devoir. La leçon qu'ils en retirent, c'est qu'on peut prendre plaisir et trouver l'érotisme véritable dans des relations sexuelles sans but défini.

LE TOUR DE MADAME

Encore une fois, après le tour de monsieur vient celui de madame. C'est à elle maintenant d'être caressée. Cette fois, on ne demande pas à l'homme d'entraîner sa partenaire rapidement sur les sommets de l'excitation. Son approche génitale sera plus indirecte, plus lente et plus taquine.

Le plaisir de la femme commence avec la caresse douce du corps en entier. L'homme doit l'effleurer légèrement, doucement, sans se presser, pour qu'elle se sente en sécurité, admirée, et tendrement chérie. Après un certain temps, il entreprend tout doucement la caresse de ses seins; il joue avec ses mamelons, il les embrasse. Il peut l'embrasser dans le cou, sur la paume des mains, sur la bouche, avant de revenir encore à ses seins. Et puis, sans hâte, il peut frôler son ventre et descendre à la région qui entoure son ultrasensible clitoris.

Après certaines caresses douces, il peut revenir à ses seins, à ses lèvres, pour retourner, toujours en douceur, à sa vulve, toucher les lèvres de son vagin, les ouvrir délicatement, avant d'explorer l'intérieur de ses cuisses. Après un bout de temps, il reviendra encore taquiner son clitoris, plus directement cette fois, mais avec autant de douceur.

L'ART DE L'AMOUR QUI DURE, QUI N'EST PAS PRESSÉ

En apportant du plaisir à sa partenaire, l'homme devrait prêter attention à ce qui lui est agréable et aux formes de stimulation

qui lui font perdre intérêt. Certaines femmes prennent particulièrement plaisir à la position «assise ventro-dorsale» décrite par Masters et Johnson, qui vise tout spécialement la caresse et le toucher
de la femme. L'homme s'assoit bien droit contre des oreillers à
la tête du lit, les jambes écartées; sa partenaire repose dans ses
bras, entre ses jambes. Elle a le dos appuyé contre sa poitrine;
de cette façon, les bras du partenaire peuvent enserrer le corps
de la femme, il peut lui caresser les seins et les organes génitaux
tout en lui procurant une position de confort et de sécurité.

Les exercices de centration sensorielle produisent des effets éton-
nants, pas seulement sur la vie sexuelle du couple, mais encore
sur nombre d'autres aspects de leur union.

La plupart des couples, écrit Carol Nadelson, psychiatre,
déclarent que ce temps passé ensemble leur apporte beaucoup
de satisfaction et est très révélateur. Ils ont pu ne jamais se livrer
à des activités de la sorte et en retirent habituellement de la surprise et de la joie, à cause de l'amélioration de leur communication et du renforcement de leurs sentiments positifs l'un à
l'égard de l'autre.

Chaque couple, qu'il ait ou non des problèmes sexuels, devrait
connaître la centration sensorielle parce que ces exercices constituent une formation dans l'art de l'amour qui dure, qui n'est
pas pressé.

LE TRAITEMENT DES AUTRES DYSFONCTIONS: L'ÉJACULATION TARDIVE

Les tâches érotiques décrites plus haut conviennent parfaitement au traitement de l'absence de réactions et de l'anorgasmie
chez la femme, et des problèmes d'érection chez l'homme, mais
elles n'aident pas l'éjaculateur tardif. *Ses* craintes sont souvent
de nature phobique; on doit donc les traiter comme on traite les
phobies, c'est-à-dire au moyen de techniques de modification du
comportement. Peu à peu, un petit pas à la fois, l'aversion apeurée et paniquée du vagin est désensibilisée.

Les hommes qui souffrent d'éjaculation tardive (cette dysfonction est relativement rare: elle affecte quelque 5 p. cent des hommes) sont en général des personnes obsédées, qui se dominent trop. Comme Robert Carrano, ce sont pour la plupart des individus qui ont intérêt à laisser dans l'inconscient certains états et affects, comme les sentiments d'hostilité et de dépendance. La seule idée de lâcher une partie de leur empire sur eux-mêmes suffit à les effrayer. Ce qui pourrait émerger des profondeurs de leur être intérieur est inimaginable et insondable.

Dans les profondeurs du vagin, le pénis est à la fois soumis à la volonté de la partenaire et l'instrument pénétrant, potentiellement destructeur, qui pourrait l'anéantir, parce qu'il est associé à une colère inconsciente. L'individu, qui ne peut pas jouir, que ce soit occasionnellement ou invariablement, une fois que son pénis a pénétré dans le vagin de sa partenaire, est très souvent effrayé et fâché même s'il n'a pas conscience de sa vulnérabilité et de sa colère. Le déconditionnement des craintes phobiques et irrationnelles qui se rapportent à la partenaire, aux femmes en général, au vagin — ou à une de leurs composantes — est d'ordinaire l'approche thérapeutique qui connaît le plus de succès.

La partenaire devra cependant apporter son concours, comme en toute autre forme de thérapie sexologique. Même si les outils thérapeutiques dont disposent les sexologues sont extraordinairement efficaces (en peu de temps), ils ne peuvent agir sur la tension et la querelle qui saturent l'atmosphère conjugale. Sans la collaboration volontaire des deux partenaires, il n'y a pas d'amélioration possible ou, s'il y en a, elle sera tout de suite oblitérée par le — ou la — partenaire.

LE PARTENAIRE ET LE PROBLÈME

Masters et Johnson croient fermement que, dans un mariage où existe un problème sexuel, il n'y a *que* des partenaires concernés. Le conjoint doit faire partie du problème, ne serait-ce que comme partenaire sexuel, et il doit faire partie de sa solution. Dans le traitement de l'éjaculation précoce, par exemple, il est possible d'obtenir une guérison totale en peu de temps à la condition que la partenaire ait envie de coopérer et veuille le faire.

L'ÉJACULATION PRÉCOCE: CONTRÔLER LE RÉFLEXE ORGASTIQUE

Si la partenaire est prête à apporter son concours, on peut habituellement résoudre rapidement le problème de l'éjaculation précoce. Il se pourrait toutefois que, dans ce cas, la femme soit très en colère, qu'elle sente que son partenaire «se sert» d'elle du point de vue sexuel. Inévitablement, il jouit avant qu'elle ait la moindre chance d'obtenir quelque satisfaction que ce soit. Par ailleurs, il peut avoir l'impression qu'il ne peut rien y changer. Il est en effet bien souvent persuadé qu'il n'a aucun pouvoir sur son éjaculation: quand elle se produit, elle se produit, et il n'y peut rien.

C'est faux. Contrairement aux réflexes érectiles et lubrificatoires, on *peut* exercer un contrôle volontaire sur le réflexe orgastique. Il est en fait possible de retenir l'éjaculation, tout comme il est possible de contenir l'urine et les selles. L'urologue James Semans a mis au point la technique qui suit en 1956, pour habituer l'homme qui est incapable de choisir volontairement le moment de son orgasme à le faire aisément et en toute sécurité.

Masters et Johnson, en modifiant la technique, obtinrent un taux de succès remarquable avec leurs patients, dont quelques-uns souffraient d'éjaculation précoce depuis plusieurs années.

LA MÉTHODE

Le couple peut commencer, s'il en a envie, par une période de centration sensorielle. Certains sexologues recommandent de débuter avec ces exercices parce qu'ils aident les partenaire à se détendre et à connaître les divers niveaux de l'excitation sans qu'ils aient à ressentir le besoin de performance. Pour la femme qui n'a jamais eu la chance d'atteindre les hauts niveaux en plateau (parce qu'au moment où le train de son désir sort de la gare, celui de son mari y entre, voyage terminé), les tâches érotiques peuvent révéler un érotisme jusque-là inconnu.

Durant les périodes allouées aux leçons de caresses, chaque partenaire apprendra à connaître ce qui est agréable, ce qui fait plaisir et ce qui excite, autant l'autre que lui-même. Il s'agit de donner et de recevoir une stimulation merveilleusement agréable dans le cadre d'un environnement ni menaçant ni exigeant, parce que le but que visent ces exercices soigneusement structurés, c'est le *toucher*, et pas l'orgasme. La centration sensorielle ne fait toutefois pas partie de la méthode Semans, et bien des thérapeutes l'omettent pour passer immédiatement aux directives de la technique.

La méthode comme telle commence par l'échange de caresses jusqu'à ce que le mari atteigne l'érection. À ce moment-là, l'épouse entreprend de stimuler le pénis, tandis qu'il gît, étendu sur le dos, concentré sur les sensations qui le traversent. L'exercice vise à lui faire connaître les *sensations* qui précèdent l'orgasme. Quand son excitation croît et qu'il se sent proche de jouir (c'est-à-dire que la sous-phase de l'émission, ou l'inévitabilité éjaculatoire, devient imminente), le partenaire dit à son épouse d'arrêter immédiatement de le stimuler. Alors ils attendent environ deux minutes, au cours desquelles l'érection se dissipera vraisemblablement.

Après cette période, elle se remet à caresser son pénis, et tout le processus recommence. La femme masturbe son partenaire, gentiment puis plus rapidement, jusqu'à ce qu'il se sente de nouveau près de l'orgasme. Comme il l'a fait la fois précédente, il concentre son attention sur les sensations qui l'assaillent, les sensations associées avec l'ascension verticale d'une échelle jusque sur un plongeoir d'où, inévitablement, il devra plonger dans l'orgasme.

L'homme doit se rapprocher de plus en plus du sommet, mais, au moment de sauter, il doit dire à sa partenaire d'arrêter de le stimuler. Son érection s'en ira probablement, tout comme la première fois; quoi qu'il en soit pourtant, la sensation d'urgence éjaculatoire diminuera. Après quelques minutes, le jeu recommencera, la partenaire reprendra ses caresses. Le processus d'entreprise puis d'arrêt de la stimulation reprendra trois fois.

Finalement, la quatrième fois, l'homme a la permission, non seulement d'approcher l'orgasme, mais encore de *jouir* (à l'extérieur du vagin, au cours de la première séance). Pour la première fois, l'éjaculation aura ainsi eu lieu au moment *choisi*. Il contrôle désormais volontairement son réflexe orgastique, qu'il peut retenir ou laisser aller, selon la décision qu'il prend.

D'ordinaire, l'homme se fait une gloire de cet apprentissage. Sa partenaire peut aussi en profiter énormément, et s'étonner de plusieurs des aspects. (Au début, elle pourra trouver difficile de mener cette tâche à bien, mais elle y trouvera son profit plus tard.) Après deux séances de ce genre (au cours desquelles le mari se rend au bord de l'orgasme trois fois, avant de l'atteindre, la quatrième), les exercices «marche-arrêt» reprennent, cette fois avec un gel lubrifiant ou avec de l'huile. La partenaire s'en sert lorsqu'elle stimule son mari, parce qu'ils évoquent l'intérieur lubrifié du vagin.

LA PRISE DU CONTRÔLE CONSCIENT

Après quatre ou cinq séances d'exercices de stimulation et d'arrêt, le couple est prêt à tenter l'expérience des relations sexuelles. La femme prend la position supérieure, sur son partenaire, tandis qu'il lui tient les hanches (les «poignées d'amour») et la guide en montant et en descendant le long de son pénis. Quand il sent venir l'orgasme, il arrête la musique (comme il le faisait auparavant). Il doit cesser de la faire déplacer de haut en bas, arrêter toutes ses poussées, jusqu'à ce que son besoin d'éjaculer se dissipe.

Ensuite, après une brève pause, les partenaires reprennent toute la séquence. Comme durant les exercices sans pénétration, le partenaire approchera trois fois de l'orgasme avant d'avoir le droit de jouir, à la quatrième occasion. Ce qu'il en retire, c'est qu'il *peut* arrêter son éjaculation aussi longtemps qu'il le désire. Il sait quelles sensations il ressent lors de l'inévitabilité éjaculatoire et comment empêcher l'éjaculation de se produire (en l'*arrêtant*) si cela survient trop rapidement pour lui ou pour sa partenaire.

On demande au couple de répéter la pratique au moins une fois la semaine, jusqu'à ce qu'il puisse l'intégrer automatiquement à ses habitudes d'amour. Éventuellement, ils voudront utiliser cette méthode dans d'autres positions que celle où la femme se tient au-dessus de son partenaire. Tout ce qu'ils doivent savoir, c'est que l'homme a plus de mal à contrôler son éjaculation lorsqu'il occupe la position supérieure que dans toute autre position.

Avec le temps, cette information tombera en désuétude. Quand il sera sûr de son utilisation de la méthode, l'homme pourra jouir de relations sexuelles plus longues, plus satisfaisantes, dans toutes les positions, et sans peur d'éjaculer plus vite qu'il ne voudrait. Son orgasme ne l'emportera pas: il en aura plutôt la maîtrise.

QUAND L'INTÉRET SEXUEL S'EST ÉVANOUI

Il est encore un autre problème que l'on n'a pas encore abordé et qui amène pourtant bien des couples en thérapie, c'est quand l'intérêt érotique semble avoir disparu. Dans ce cas-là, les époux peuvent bien être fonctionnels et adéquats du point de vue sexuel, ils peuvent produire et l'érection et la lubrification durant l'excitation, atteindre l'orgasme, il reste que l'un des deux, pour une raison mystérieuse, n'est plus porté dans cette direction. Il ou elle n'éprouve plus de désir.

Quand le couple vient consulter un sexologue, il est rare que la perte du désir sexuel soit réciproque. Si tel était le cas, les deux partenaires ne demanderaient pas une consultation; si ni l'un ni l'autre ne se désiraient plus, il n'y aurait pas de problème! (En passant, parmi les partenaires heureux en ménage de l'étude de Pittsburgh, deux couples ont déclaré que leurs relations étaient tout à fait asexuelles.) Ordinairement, le manque d'intérêt de l'un des partenaires est devenu, pour l'autre, trop dur à supporter.

On considère désormais le «désir» comme une phase distincte du cycle des réactions sexuelles, comme une phase qui précède, de toute évidence, l'excitation et l'orgasme. La principale dysfonction associée à la phase de désir est l'absence d'intérêt érotique, c'est-à-dire que l'individu affligé ne pense pas à la sexualité, qu'il n'aime pas cela, qu'il ne se soucie pas le moins du monde de tout ce qui a trait à la sexualité. Le terme scientifique que l'on emploie pour désigner l'absence totale ou quasi totale d'intérêt sexuel est «désir sexuel inhibé».

Dans certains cas, l'abstinence sexuelle ou l'évitement des relations sexuelles peut provenir de causes physiques (chez l'homme, par exemple, le niveau d'androgènes semble dangereusement bas). Comme le fait remarquer le docteur Raul Schiavi, les hommes qui souffrent d'hypogonadisme (c'est-à-dire d'un niveau anormalement bas d'hormones mâles) répondent «en moins de deux semaines» à la thérapie de remplacement, «par une augmentation significative des pensées sexuelles et une restauration du désir». L'hypogonadisme, il faut bien le dire, est une maladie rarissime.

Il est cependant d'autre pathologies qui ont le pouvoir d'entraver le désir sexuel chez les femmes et chez les hommes. Elles incluent les problèmes thyroïdiens (l'hyperthyroïdie ou l'hypothyroïdie), les tumeurs à la glande pituitaire, et le diabète (une pathologie qui peut affecter profondément le désir et les phases d'excitation du cycle des réactions sexuelles).

La dépression est aussi l'une des causes de la diminution ou de la perte totale d'intérêt sexuel; selon Helen Singer Kaplan, il s'agit «de la cause la plus commune de l'absence de désir chez les jeunes». Les changements de la libido précèdent souvent les mouvements d'humeur plus évidents que l'on associe avec la dépression, et signalent fréquemment une forme masquée de la maladie.

Les médicaments antihypertenseurs (comme la réserpine, le méthyldopa, les bêta-bloqueurs) peuvent entraver le désir sexuel, autant chez l'homme que chez la femme, tout comme ils affectent l'érection chez l'homme. Il est important de connaître cette information, parce qu'on évalue à 44 millions le nombre de Nord-Américains qui souffrent d'hypertension, et que les bêta-bloqueurs sont les deuxièmes médicaments les plus souvent prescrits (les diurétiques, que l'on utilise aussi pour traiter l'hypertension, occupent la première place).

Les drogues psychoactives (y compris certains des tranquillisants majeurs, des tranquillisants mineurs — à dose élevée — et les importants inhibiteurs MAO que l'on prescrit dans le traitement de la dépression) peuvent également affecter le désir sexuel, tout comme certains antihistaminiques (prescrits, non en vente libre). L'alcool, les barbituriques et la marijuana peuvent aussi avoir des effets délétères sur le désir sexuel; l'héroïne et la morphine sont, parmi toutes les drogues, celles qui mènent le plus inévitablement au désastre libidinal. Elles agissent sur le système nerveux qui doit être activé pour qu'une personne se sente «intéressée», sexuellement motivée.

Il est donc capital que l'on écarte l'éventualité de problèmes fondamentalement organiques comme ceux-là. Il reste que les plaintes à l'effet que le désir sexuel a été perdu ou qu'il a diminué fortement relèvent *le plus souvent de la psychologie*. Ce genre de trouble se traite beaucoup moins bien au moyen de la thérapie à court terme que les maladies des phases de l'excitation ou de l'orgasme. Les troubles du désir exigent un traitement prolongé, en profondeur, et leur pronostic est beaucoup moins favorable. Pour autant que l'indifférence sexuelle soit concernée, les problèmes semblent s'enraciner plus profondément et plus solidement dans les fibres de la personnalité des partenaires; souvent, elle se trame dans le cadre de relations extrêmement problématiques et troublées. Dans ces cas-là, l'un des partenaires (ou les deux) et le mariage doivent être traités avant que l'on puisse résoudre les problèmes spécifiquement *sexuels*.

CINQUIÈME PARTIE

LE DÉPART DES ENFANTS: PÉRIODE DE TRANSFORMATION

16

La deuxième séparation

Au beau milieu de leur voyage, la majorité des couples doivent faire face à une effarante variété d'exigences et de problèmes.

De l'avis de la plupart des experts, cette phase est l'une des plus stressantes du cycle matrimonial. Durant cette période en effet, les partenaires doivent faire face au vieillissement, à la maladie et à la mort de leurs propres parents, et ils doivent encore relever les défis agressifs et sexuels qui leur viennent de leurs adolescents.

Déçu de l'échec de ses aspirations professionnelles, le père peut réaliser tout à coup que son fils, récemment admis dans une université prestigieuse, ne tardera pas à le surpasser. L'homme d'affaires prospère qui a, quant à lui, atteint les objectifs qu'il s'était fixés, peut se sentir bien vide, avoir l'impression que ses efforts et ses sacrifices ont été vains. Troublé, il peut penser que son fils (qui entreprend d'exprimer, à la place de son père, la déception qu'il ressent en renonçant à la compétition et en refusant tout choix de carrière) s'en prend à son intégrité et à son estime de soi.

À cette période de sa vie, la mère peut déambuler sur la rue avec sa fille adolescente et remarquer soudain que les hommes admirent la jeune femme et l'ignorent complètement. Elle peut envier sa capacité, les multiples occasions de pénétrer le marché du travail qui s'offrent à elle, dont elle a été privée et qui la mettent au rancart.

Pour l'homme et la femme d'âge moyen, survient la conscience éprouvante qu'ils n'ont pas tout le temps devant eux, que le temps fuit. Ils pourraient bien ne jamais faire ou connaître ce qu'ils n'ont pas fait, ce qu'ils n'ont pas connu.

Au milieu de notre existence, nous nous apercevons douloureusement que nous sommes mortels. La vie, telle que nous l'avons toujours connue, est un processus qui a un début, un milieu et une fin. Au milieu et de bien des façons, nous entrevoyons soudain le moment «où nous ne serons plus». Ce moment est là, devant nous, sur le chemin que nous devons absolument parcourir. Nous figeons sur place, secoués par la conscience de plus en plus nette de ce que nous savions et que nous ne comprenions pas très bien: un jour viendra où nous n'appartiendrons plus au monde des humains. L'univers, rendu réel et palpable par la perception consciente que nous en avons, continuera sans nous, même quand notre conscience elle-même aura disparu.

L'acceptation de ce savoir, qui passe par une conscience plus aiguë que jamais, se produit d'ordinaire en même temps que surviennent des changements *extérieurs* à nous, des modifications profondes qui affectent nos attachements les plus intimes, les plus fondamentaux. Si nous avons réussi notre tâche de parents, nos enfants commencent à pouvoir survivre sans nous. Que seront-ils pour nous — que serons-nous pour eux? — une fois que nous ne leur serons plus si viscéralement nécessaires? Nous portons notre regard derrière nous, devant nous; nous soupesons ce que nous avons fait et ce qui nous reste à faire.

Les tournants que nous avons pris en cours de route, nous demandons-nous, étaient-ils vraiment ceux que nous devions prendre? Nos parents, qui nous avaient déjà semblés fixés sur l'horizon lointain, ne semblent désormais plus s'interposer entre nous et l'éternité. Ils sont trop souvent devenus infirmes ou impotents, ou bien ils nous ont tout simplement quittés. Pour la génération qui nous suit, *nous* nous tenons désormais à leur place, au bord de l'éternité; et cela nous paraît bien étrange et effrayant.

Étant donné tous les changements qui se produisent, il n'est pas étonnant que nos rapports avec la génération qui nous suit et avec celle qui nous précède (tout autant que la modification de notre image de nous-mêmes et des choix que l'avenir nous réserve) *agissent* sur notre mariage au cours de cette période mitoyenne. Comment ne le feraient-ils pas? Les partenaires en sont à faire le total des accomplissements de leur vie passée, autant sur le plan individuel qu'au niveau du couple, et ils se rendent compte du peu de temps qui leur reste. En outre, ils approchent du moment où ils se retrouveront à deux, tous les deux seuls, face à face.

Inévitablement, l'image de leurs parents, seuls après le départ des enfants, remonte à la surface. Les craintes et les fantasmes abondent; on rouvre tout à coup les vieux coffres poussiéreux, rangés depuis des années et remplis des problèmes vétustes qu'on n'a jamais tout à fait résolus. À l'âge moyen, les anciens conflits, reliés au moment du départ de la maison, reviennent souvent hanter les partenaires.

Parce que les enfants qui grandissent entreprennent le long processus du détachement, les sentiments irrésolus des parents vis-à-vis de la séparation de l'adolescence peuvent tout à coup faire irruption et réclamer une autre fois une solution. À mon avis, c'est ce qui se passait dans la vie de Katherine et Philippe Gardiner, au milieu de la quarantaine lors de nos entrevues. Les Gardiner vivaient la mauvaise saison de leur vie, parce qu'ils auraient dû avoir fait face à ce qui leur arrivait au moment de leur adolescence: ils tentaient de se définir comme des êtres différents, adultes et indépendants, qui avaient laissé leurs familles fondatrices derrière eux.

UNE CRISE MATRIMONIALE

Ce n'est pas avant la deuxième rencontre avec les Gardiner que j'ai pu poser à Philippe ma sempiternelle question: «À votre avis, qu'est-ce qui vous a attiré vers Katherine?»

Notre première entrevue s'était empêtrée dans une discussion à propos de ce qui affectait le mariage des Gardiner.

«Chez Katherine, quelles étaient les qualités qui vous semblaient les plus spéciales au moment où vous faisiez connaissance?»

Mi-souriant, Philippe me regarda comme si la question que je lui posais l'embarrassait, n'avait aucun rapport avec le sujet de nos discussions.

Peu avant l'Action de Grâces, Philippe avait quitté la chambre à coucher qu'il partageait avec Katherine depuis plus de 23 ans. Il s'était retiré au troisième plancher où, pendant plusieurs mois, il avait occupé la chambre d'amis qui voisinait celle de son fils de 16 ans, Matthieu. Quand finalement la situation lui était devenue intolérable, Katherine demanda à son mari ou bien de reprendre la chambre commune ou bien de quitter la maison. À sa surprise et à son étonnement, il choisit la seconde possibilité. Philippe était parti.

«Oh! il y en avait beaucoup, murmura Philippe dans le vague, en haussant les épaules. Les circonstances entourant notre rencontre... sa grande détermination... sa vulnérabilité aussi.»

Philippe se tut, entreprit d'examiner la salle de famille, comme si la pièce lui était parfaitement étrangère. Désormais, il vivait dans un petit condominium, pas très loin de leur grosse maison de style Tudor.

J'attendis en regardant la neige tourbillonner paresseusement devant le tryptique de fenêtres de la pièce. Même s'il était à peine passé 15 h 30, Katherine avait allumé plusieurs lampes: le crépuscule de janvier tombait déjà. Les meubles, recouverts pour la plupart d'un tissu à motifs floraux bleu marine et rouge, s'affaissaient légèrement, comme pour nous convier à remplir le creux qu'avait laissé le corps des autres invités.

«*Comment* vous êtes-vous rencontrés?» finis-je par demander à Philippe, d'un geste large de la main qui les incluait tous les deux.

— Nous étions jeunes et pleins de vie, et à la plage, lança gaiement Philippe après avoir échangé un regard et un rire avec sa femme. J'étais célibataire, je ne fréquentais personne; elle pleurait encore un amour perdu. Elle se sentait bien seule, et j'étais insouciant... Je cherchais à avoir du bon temps, c'est tout.»

Je regardai sa femme. À 44 ans, Katherine Gardiner avait l'air jeune. Elle était dodue jusqu'à frôler l'embonpoint. Elle portait un tailleur gris sous lequel apparaissait un chandail d'angora très simple: ça faisait à la fois femme d'affaires et sexy. Elle avait des cheveux brun foncé dont les boucles souples encadraient son visage; elle avait une belle peau et des yeux étonnamment grands, d'un intense bleu irlandais. Sa bouche bien dessinée était fermée; dans ce que Philippe venait de dire, quelque chose semblait la troubler. Elle regardait pourtant fixement ses mains, fermées sur ses genoux, comme si elle était bien décidée à garder ses commentaires pour elle.

«Insouciant, répétai-je, songeuse. Pourtant, sa détermination vous plaisait.»

Il me regarda bizarrement, sans répondre.

«Et sa vulnérabilité, poursuivis-je. C'est bien l'autre qualité dont vous parliez?

— Oui, entre autres, ces deux-là... admit-il.

— Qu'est-ce qui vous séduisait encore chez Katherine? demandai-je.

— Elle réagissait bien à mon genre d'humour... fit-il après avoir dit qu'elle représentait un «défi du point de vue intellectuel». À mesure qu'elle sortait de sa coquille et qu'elle manifestait un humour bien à elle, nous avions du plaisir ensemble. J'aimais bien ça.»

Il était assis tout seul, au centre du canapé, repassant les plis impeccables de son élégant pantalon de laine.

Dans la berçante, sa femme portait sur lui un regard anxieux.

«Des quatre qualités dont vous avez parlé, poursuivis-je d'un ton calme malgré la tension que je sentais croître en elle, c'est-à-dire la détermination, la vulnérabilité, le sens de l'humour et l'intelligence, combien vous attirent encore et combien sont devenues problématiques avec le mariage? Mettons de côté que vous étiez jeunes, bien vivants et à la plage...»

Katherine éclata d'un rire strident, comme si j'avais dit quelque chose de très drôle; pour la forme, Philippe se contenta de sourire.

«Même si elle est toujours vulnérable d'une certaine façon, elle est beaucoup plus forte qu'elle ne l'était, répondit-il. Je pense que c'est bien, se hâta-t-il d'ajouter. Sa détermination est toujours là, et je l'admire énormément. Son intelligence aussi. Mais l'humour... Je pense que notre mariage est devenu de plus en plus dur et que le plaisir et l'agrément en sont partis. Il n'y avait plus de *jeu*. Il nous arrivait bien de rire de temps à autre, de partager une blague ou deux, précisa-t-il d'un ton élégiaque, mais la plupart du temps nous nous criions après. L'idée de nous ressembler, de partager le même humour, s'était évanouie.»

Katherine s'agita dans son siège, se pencha en avant comme pour dire quelque chose, puis se radossa sans avoir ajouté un mot. La chaise berça légèrement, puis s'arrêta.

«Je pense, continua Philippe après un instant, que j'ai toujours été content de la voir devenir plus forte, plus intéressée par le succès; elle a monté très vite, professionnellement, et, d'une certaine façon, elle réussit beaucoup mieux que *moi*! lança-t-il en riant. Je me sens fier, fier d'elle, fier de sa réussite. Je suis content d'elle, de ce qu'elle fait, de son indépendance... de ses *capacités*. Je ne me souviens pas d'avoir jamais songé qu'elle me privait de quelque chose, qu'elle m'enlevait quelque chose» précisa-t-il, comme s'il croyait que *j'*avais besoin d'être rassurée à ce sujet.

Katherine Gardiner avait quitté le collège en dernière année pour que son mari puisse terminer son université (il avait un doctorat en sciences politiques). Quelques années plus tard, au début de la trentaine, elle avait terminé le collège et poursuivi sa scolarité jusqu'après sa maîtrise en administration de la santé publique. Depuis, elle avait occupé successivement des postes de plus en plus importants, au sein de l'administration provinciale de la santé.

À 43 ans (un an plus jeune que son épouse), Philippe Gardiner venait de lancer sa propre affaire, comme organisateur et conseiller politique. Jusqu'à la fin de la trentaine, il avait enseigné la politique. Cinq ans plus tôt, il avait décidé de quitter l'enseignement pour se jeter dans l'arène politique; sa défaite l'avait consterné et lui avait fait prendre un tournant décisif.

Lors de notre rencontre précédente, les Gardiner avaient tous deux déclaré croire que leur mariage, déjà en difficulté, avait commencé à se défaire sérieusement à compter de ce moment-là.

Au cours de cette conversation, Philippe raconta également que son besoin de distance venait aussi du fait que sa femme était trop autoritaire, trop déterminée et trop puissante.

«Vous avez dit la dernière fois, lui rappelai-je, que vous sentiez que vous ne pouviez pas «grandir» dans le mariage parce que Katherine était trop forte et qu'elle vous bloquait le passage. Maintenant, vous dites que vous appréciez sa force et que vous avez plaisir à la voir devenir de plus en plus *puissante*...»

Je secouai la tête, comme pour lui demander si j'avais mal compris ou si, au contraire, il essayait de dire deux choses fort différentes en même temps.

«C'est vrai, reconnut-il sans hésiter. Dans certains domaines, je n'ai pas la chance de m'affirmer; je la laisse faire, ajouta-t-il en jetant un coup d'oeil rapide en direction de Katherine, comme s'il s'attendait à une attaque qui ne vint pas.

— En quels domaines? m'enquis-je.

— Oh! des décisions familiales... fit-il en passant la main dans ses cheveux bruns ondulés, coiffés pour cacher sa calvitie naissante avant de retoucher, l'air absent, son noeud de cravate. Des choses insignifiantes et des choses... continua-t-il en haussant les épaules, comme si aucun exemple ne lui venait à l'esprit. C'est subtil, finit-il par dire. Ça va de l'art de faire du poulet au vin blanc jusqu'à qui nous verrons tel ou tel soir. Pour autant que Katherine est concernée, il y a une bonne manière de faire les choses. Il y a des endroits où il faut aller et d'autres où il ne faut pas mettre les pieds, et elle les connaît tous. Elle a une opinion toute faite sur tous les sujets, et je ne peux vraiment pas lui en vouloir pour ça!»

Il leva les yeux sur sa femme, joignit les mains en un simulacre de dévotion et pencha la tête, se moquant de son assurance, de sa quasi-déité. Et puis il se mit à rire, et elle se joignit à lui.

Elle n'émit cependant aucune objection, ne contre-attaqua pas. On aurait dit qu'elle avait peur de troubler sa présence à la maison pour cette entrevue. Au moins, il était à la maison — même si ce n'était que brièvement — et acceptait de parler de ce qui se passait entre eux.

Katherine trouvait que c'était un progrès, parce que Philippe avait déjà refusé de voir un thérapeute conjugal. Il soutenait qu'il avait plutôt besoin d'un certain temps loin de leur mariage pour résoudre certaines questions importantes à ses yeux. En conséquence, sa femme ignorait complètement ce qui l'avait poussé à abandonner la relation.

Il était toutefois évident qu'elle considérait son désir de participer aux entrevues comme un signe des plus favorables, la preuve, en quelque sorte, que le lien qui les unissait était toujours, dans son esprit à lui, bien vivant, qu'il valait la peine d'en parler, qu'il était, conséquemment, viable. Je n'en étais pas aussi sûre qu'elle. Ce qui me semblait *clair*, c'était qu'une mutinerie s'était déclarée et que le pouvoir était passé des mains de Katherine à celles de Philippe.

Si, comme Philippe le disait, Katherine avait déjà tenu l'ensemble des as du mariage, son déménagement au troisième plancher valait bien tous les atouts du jeu. En termes métaphoriques, il était passé *au-dessus* d'elle; il l'avait *supplantée*. En réalité, il avait pris le dessus. Lorsqu'elle l'avait mis au défi de réintégrer leur mariage ou de quitter la maison, il avait décidé d'abattre son jeu, de laisser tomber la partie.

Chacun de ses retraits successifs avait souligné son ascendant sur la relation. *Il* était désormais celui de qui dépendait le contrôle du système émotif qu'ils partageaient, *mais le système lui-même* n'avait pas changé. En effet, l'univers relationnel des Gardiner s'était toujours composé d'une personne toute-puissante et d'une autre, relativement faible, c'est-à-dire d'une personne qui n'avait que peu de voix au chapitre des choix et des décisions. Ainsi, le fonctionnement du système n'avait-il pas changé le moins du monde. Les conjoints s'étaient bornés à changer de rôles, à inverser leurs positions polarisées.

Désormais, Katherine, la déterminée, la forte, la décisive, était condamnée à l'impuissance et à la peur, elle ne pouvait plus s'opposer à son partenaire, même pour s'expliquer ou se défendre. Le pouvoir total que détenait Philippe lui venait de l'incertitude et de la crainte de sa femme. S'apprêtait-il à consolider ses gains, ou bien se préparait-il à quitter définitivement la partie?

«Katherine *sait* ce qu'elle veut faire, et elle sait comment le faire, geignit-il, comme s'il était toujours le partenaire perdant. Moi, je ne sais pas… Je veux dire, je n'ai pas d'opinion sur tout; pour moi c'est: «C'est comme ça qu'on fait?» Très bien, et je fais comme ça, comme l'autre le veut. J'essaie de faire plaisir.»

Il croyait, ajouta-t-il, que l'assurance de sa femme l'avait empêché de se faire lui-même une idée des choses.

Sous nos pieds, un grondement énergique se fit entendre. La fournaise se mettait en marche au moment où les derniers rayons du soleil s'éteignaient et où la température descendait. Je frissonnai. Et le froid venait d'en moi. La fin imminente d'un mariage fait songer à la fin du monde; la terreur de Katherine était contagieuse.

«Au tout début du mariage, continua Philippe d'une voix étouffée et chagrine, j'ai remarqué que j'abdiquais vis-à-vis de certains domaines de ma croissance personnelle parce que c'était plus facile pour tout le monde quand je n'émettais pas d'opinions. J'avais bien du mal à maintenir un effort de ce genre-là, fit-il avec résignation, j'avais bien du mal *à insister*. Je me faisais critiquer, ouvertement ou tacitement, parce que je prenais une position qui n'était pas la *sienne...* alors je me contentais de me tenir à l'écart. Mais j'ai fini par réaliser que j'avais mis de côté ma capacité de décider pour *moi*. De ce qui pouvait être important à *mes yeux*, pour moi tout seul.»

Il avait préservé l'intimité et la proximité du couple en lui sacrifiant toute son autonomie, du moins le croyait-il.

«Et c'est à cela, renchérit Philippe, plus pour lui que pour Katherine ou pour moi, que je n'attachais *pas d'importance* avant! Pour moi, ce qui était important, c'était de savoir ce que les autres attendaient de moi, de le faire, peu importe ce dont j'avais envie. Quand je pense à ce que j'ai mis de côté, je sais que c'est ce qui a eu des répercussions sur ma vie politique, sur mes affaires, sur ma vie personnelle!»

Je jetai un coup d'oeil à Katherine, qui, le rouge aux joues, se tenait bien droite, prise par les propos de son mari.

«Je... poursuivit Philippe. Notre relation a commencé à me sembler vide. *J'*étais vide... et j'ai commencé à me rebeller.»

«À me rebeller.» Je répétai le bout de phrase à voix haute, parce qu'il m'étonnait. Phillippe s'était «rebellé» parce qu'il «devait grandir» et qu'il ne pouvait le faire tant qu'il n'avait pas quitté la maison et la famille pour trouver où il se situait exactement. Ses propos, les mots qu'il avait utilisés, avaient un petit air adolescent. Il paraissait moins un homme au milieu de sa vie qu'un adolescent, aux prises avec le douloureux détachement d'avec sa famille fondatrice, qui se cherche une identité propre.

«Ainsi, fis-je remarquer, la détermination que vous aimiez tout d'abord chez Katherine est devenue un problème entre vous?

— Oui, admit-il, l'air surpris d'avoir osé s'affirmer. Oui, je dirais que c'est un problème... Pas parce que c'est *mauvais*, d'être sûr de soi, hésita-t-il, mais parce que ça me bloque le passage. Je n'oserais pas lui demander de changer...

— Dans vos relations pourtant, acquiesçai-je, sa détermination...

— C'est ça, coupa-t-il, sa détermination m'empêche d'être moi-même déterminé.»

DEUXIÈME TENTATIVE DE DÉPART

D'une manière ou d'une autre, ce que Philippe Gardiner reprenait, c'était son besoin de quitter la maison (la relation) pour devenir un adulte autonome, pour devenir lui-même. On aurait dit que les tâches du développement de l'adolescent et du jeune homme revenaient s'imposer à lui au beau milieu de sa vie. Tiré en arrière par des impératifs intérieurs puissants, il semblait remonter le temps, retourner faire face à des problèmes qu'il avait réussi à éviter plus tôt, mais qu'il n'avait jamais surmontés.

L'adolescence se caractérise par le détachement progressif et stressant du lien intense entre l'enfant et ses parents. Durant cette période, les forts liens qui retiennent le jeune à sa famille se transforment lentement et non sans mal. L'adolescent lutte pour retirer son moi différencié de ces attachements et en établir des nouveaux, dans le monde de ses pairs.

Durant cette période, écrivent le docteur Christopher Dare et Lily Pincus, l'individu doit renoncer à la proximité et au soutien de ses parents pour devenir un adulte. Au même moment, pour préserver la continuité et ses racines, il doit demeurer loyal à sa famille fondatrice. Le renoncement à certaines des assises familiales du passé s'accompagne forcément d'un sentiment de perte et d'incertitude, qui ressemble, d'une certaine façon, au deuil. La recherche d'une façon de vivre qui préserve la loyauté au passé — particulièrement la loyauté à l'intimité et à la dépendance vis-à-vis des parents tout en développant une individualité qui répond à ses besoins psychologiques — engendre incertitude et inconfort chez l'adolescent.

Certains individus ont bien du mal ou n'arrivent tout simplement pas à supporter l'«inconfort», la douleur, la colère du deuil, et la confusion. Le développement normal, qui exige l'assouplissement des liens amoureux primaires (ces liens, tout puissants qu'ils soient — du moins dans leur intensité originale — sont *voués* à la dissolution), chasse le jeune de sa famille fondatrice et le propulse dans un monde inconnu. Quoique nécessaire, cette séparation peut entraîner une terrible impression de vide intérieur, d'abandon dans un univers indifférent, et de solitude effrayante.

La croissance et la séparation peuvent ressembler à une désertion et à un abandon, même si c'est l'individu qui grandit lui-même qui, en réaction à ses besoins normaux de croissance, se sent poussé à se détacher. Dans certains cas, parce qu'il croit manquer des réserves émotionnelles nécessaires pour partir de son côté, l'adolescent ne supporte pas ce processus solitaire et apeurant (mais libérateur). Il ne parvient pas à transformer la relation originelle qui le lie à ses parents, il n'arrive pas à renoncer à leur protection et à quitter le monde de l'enfance, parce qu'il ne se sent pas prêt.

Au lieu de faire face aux défis complexes et troublants qui se posent à lui, il peut de la sorte chercher à éluder le processus de séparation. Dans ce cas, il s'efforcera d'agir de l'une des deux façons très différentes. L'adolescent peut ou bien refuser de quitter l'environnement nourricier qui l'a soutenu et protégé durant son enfance et ne *jamais partir* (que ce soit au sens littéral ou au sens émotionnel), ou bien il peut fuir la famille, sous le coup de la colère, *en coupant* les liens et en se comportant comme s'ils n'existaient pas ou comme s'ils ne voulaient rien dire pour lui.

Dans les deux cas, les conséquences sont remarquablement similaires. Ni l'une ni l'autre de ces stratégies d'apparence contraire ne permet de résoudre les attachements de l'adolescent à ses premières amours passionnées. Il reste une impression de fusion, le sentiment d'être coincé dans la poignante émotivité du «monde qui existait avant». Ce que la personne n'arrive pas à réaliser, c'est que le détachement psychologique des parents exige la *transformation* des liens, pas leur perte.

Le détachement exige que l'adolescent pardonne à ses parents pour ce qu'ils ne lui ont pas donné et qu'il renonce à l'idée que ce qu'il n'a pas reçu d'eux lui viendra d'eux, que le rêve impossible de fusion parfaite ne se réalisera pas une fois devenu adulte. Il n'arrivera pas à réaliser complètement la séparation en lui: il s'efforcera plutôt vaillamment de remettre en scène le passé dans son présent. La fusion avec les objets originels de son amour prendra bien des formes et bien des visages, tout au long de sa vie d'adulte «séparé».

Même si les tâches originales de l'adolescence et du début de la vie adulte ont été partiellement ou totalement évitées, un nouveau lien intime peut s'établir. Comme l'espace intérieur n'a pas été forgé pour le partenaire, celui-ci sera perçu comme un substitut parental. Il jouera le rôle de remplaçant dans le drame familial qui se trouve sempiternellement remis en scène et rejoué.

Il est essentiel de se détacher des liens premiers, primitifs pour établir de nouveaux liens sains, et pour devenir un individu distinct, un «moi».

Comme il l'a rapporté lui-même, Philippe Gardiner avait toujours senti qu'on le privait de ses idées et de ses opinions, qu'il manquait d'individualité, de personnalité et d'identité. Katherine avait, à son point de vue, comblé le vide en lui, les «espaces vides, en moi, que je dois maintenant remplir... Pour commencer à grandir, à devenir moi».

La détermination de sa femme l'avait soutenu et lui avait permis d'éviter de faire des choix, de prendre des décisions (et, en passant, d'assumer la responsabilité des conséquences!). Désormais, il avait besoin (il en sentait l'urgence) de développer ses propres chants. L'itinéraire qui l'entraînait loin de chez lui avait passé par un long séjour au troisième plancher, où il était le «quasi-pair» de son fils adolescent.

On aurait dit que, au beau milieu de sa vie, il tentait une deuxième séparation, parce que ses efforts en ce sens, à l'adolescence, n'avaient pas été suffisamment satisfaisants. Je me demandai s'il se débattait pour se libérer des liens intimes qui le rattachaient à sa famille fondatrice ou de ceux qu'il avait créés avec Katherine.

«IL N'A PAS LACHÉ PRISE»

Je me tournai vers Katherine.

Qu'est-ce qui l'avait d'abord attirée vers Philippe?

Elle avait gardé le silence pendant la plus grande partie de notre rencontre, tout comme elle l'avait fait au cours de l'entrevue précédente. Cette femme forte, décidée, compétente, semblait apeurée et mal assurée. J'avais l'impression qu'elle essayait de tirer au clair ce que son mari avait dit, à la recherche d'un indice, d'une idée, pour le ramener à la relation.

Elle commençait aussi à se faire à l'idée qu'il pourrait bien ne pas revenir.

Elle rit, croisa son regard, battit des cils avec séduction.

«Je ne peux pas les énumérer facilement, me répondit-elle, tout en continuant à le regarder. Son beau sourire, d'abord. Son sens de l'humour. Et puis il y avait quelque chose en lui, que j'ai remarqué très vite — je ne dirais pas que c'est d'ordre intellectuel —, c'est son impressionnante capacité de synthèse. Il peut écouter attentivement ce qu'il entend pour le résumer à l'essentiel mieux que quiconque, soupira-t-elle. Sa capacité d'écoute, ajouta-t-elle, en croisant mon regard. Le fait qu'il a toujours été *là* pour moi, qu'il n'a jamais lâché prise... Il y a eu des moments, des moments où notre relation régressait et où cette qualité me dérangeait, fit-elle après une pause silencieuse. En fin de compte, c'est devenu une belle qualité, ajouta-t-elle en riant et en secouant la tête. Il est fiable, il est *là* pour moi, je veux dire.»

Mais alors, qu'est-ce qui la *dérangeait*? lui demandai-je. Elle haussa les épaules, pencha la tête sur le côté et regarda dans le vide. On aurait dit qu'elle voyait, à travers moi, quelque chose dans le passé qu'ils partageaient.

«Après un certain temps de fréquentations, je ne savais pas si je voulais que la relation continue, finit-elle par dire, l'air embarrassée. Nous nous fréquentions plus ou moins sérieusement depuis presque quatre ans. Nous étions au collège. Et je voulais vivre des expériences, sortir avec d'autres hommes. Ce que j'ai fait. J'ai établi d'autres relations, mais... Philippe était toujours là.»

Il ne la pressait pas, expliqua-t-elle. Toutes les semaines, tous les 15 jours, elle recevait de lui une petite carte, ou une letttre, qui lui laissait savoir qu'il était là pour elle, et qu'il était toujours un gars formidable.

«Au début de la vingtaine, j'avais coutume de dire que je ne voulais pas l'épouser avant d'avoir 28 ans, avant d'avoir vécu comme je l'entendais. Il a été assez fin pour me prendre au pied de la lettre. Il a dit: «Épouse-moi ou nous ne le ferons jamais»;

et moi, à cause des qualités que j'aimais en lui, j'ai fini par dire: «C'est bon, je vais t'épouser.»

Elle avait pris, en parlant, l'air d'une jeune fille courtisée et rayonnait de puissance et d'excitation.

«Vous aimiez donc sa fiabilité et sa capacité d'écoute? demandai-je tandis qu'elle acquiesçait, un demi-sourire sur les lèvres. Mais vous étiez celle qui voulait vivre des expériences, celle qui cherchait l'autonomie, celle qui voulait un «moi» bien à elle, tandis que Philippe gardait, pour sa part, la forteresse.

— Oui» brusqua-t-elle en jetant un regard rapide à son mari.

Philippe, lui, fixait l'horloge qui trônait sur le manteau de la cheminée et qui donnait 16 h, comme s'il s'attendait à l'entendre carillonner.

«Elle a encore besoin de réparation», remarqua-t-il.

Katherine secoua la tête, leva les bras comme si elle admettait la défaite.

«Elle est imprévisible... pendant un certain temps, elle fonctionnait si bien.»

Ils échangèrent un sourire, comme si l'étrangeté de la situation les surprenait tout à coup. Et puis leurs sourires s'éteignirent, et chacun porta son regard dans une autre direction.

J'attendis un instant et je repris mon interrogatoire.

«Le fait qu'il vous écoutait et qu'il était là pour vous, qu'en reste-t-il à présent?

— Il *ne* s'efforce *plus* de maintenir la relation! jeta-t-elle dans un rire amer. Alors il n'en est plus question... Quant aux autres qualités dont j'ai parlé, temporisa-t-elle, on peut dire qu'elles sont toujours là.

— Y compris la capacité d'écoute? demandai-je, le regard fixé sur elle.

— Je pense qu'il écoute *en ce moment*, répondit-elle avec le ton de la personne qui est furieuse et qui cherche à voir une querelle se régler. Il y a eu un temps — une longue période — où il ne m'écoutait plus. J'essayais, autant verbalement qu'autrement, d'attirer son attention, de le forcer à écouter... mais il n'écoutait pas. J'en deviens de plus en plus hystérique.

— Et Philippe devient de plus en plus...? fis-je en me penchant vers Katherine.

— De plus en plus *distant*», compléta-t-elle.

Plus tôt, dans leur relation polarisée, il avait été le poursuivant intime, et elle avait été celle qui cherchait l'espace pour croître, devenir une personne autonome. L'interaction s'était maintenant inversée, et la course avait pris la direction opposée. Philippe était désormais celui qui menaçait de se distancier du système émotif.

LE POURSUIVI ET LA POURSUIVANTE

Pour comprendre l'idée de poursuivant et de poursuivi, on doit considérer certaines mises en garde, écrit le docteur Thomas D. Fogarty. Personne n'est complètement poursuivi ou complètement poursuivant, comme personne n'est de race pure... Avec le temps, il devient évident qu'en chaque poursuivi se cache un poursuivant, et qu'en chaque poursuivant se terre un poursuivi... Le mari poursuivi tend à s'approcher de sa femme, et à la poursuivre tandis qu'elle le fuit. La femme poursuivante pense qu'elle ne «ressent rien» pour son mari, tant qu'il la poursuit. Ces différentes caractéristiques du moi émergent avec le changement de contexte.

En d'autres termes, selon les circonstances, pour ne pas être abandonné, le poursuivi poursuivra et le poursuivant, pour ne pas se trouver exposé à une intimité qui menace de l'engouffrer ou de le détruire, se mettra à fuir.

Je posai la question aux Gardiner: quand s'était produit le renversement de leurs rôles? Était-ce peu après leur mariage, plus tard, ou était-ce plus récent? Pouvaient-ils préciser? Se souvenaient-ils ou bien était-ce trop nébuleux?

Phillipe croyait que tout avait commencé avec sa permanence et avec son accession aux divers postes qu'il avait occupés au sein de l'administration universitaire.

«Je pense que les choses ont changé et que les problèmes ont fait leur apparition quand j'ai enfin occupé un poste que j'aimais, un poste qui m'*absorbait* tout à fait, raconta-t-il d'une voix posée et songeuse. Mais je ne crois pas avoir eu conscience de ce qui se passait en moi avant la fin de ma campagne politique... un vrai désastre. Parce que je devais vivre avec moi-même et assumer ce qui s'était passé — ou plutôt ce qui ne s'était pas passé. Je devais assumer le fait que j'avais quitté un emploi sûr pour me battre contre des moulins à vent... pour aller perdre ma campagne électorale», ajouta-t-il dans un haussement d'épaules, l'air affligé.

Il expliqua alors qu'il avait pris conscience de la colère qu'il ressentait à l'endroit de sa relation matrimoniale. C'était sans doute, admit-il, une colère contre lui-même qu'il projetait sur Katherine, qui, à ce moment-là, devenait de plus en plus sûre d'elle et de plus en plus hostile. Le «subjugué» n'était pas seulement furieux contre lui-même, il l'était aussi contre la partenaire à qui il ne pouvait pas faire plaisir. Comme il avait échoué aux yeux de Katherine, il était furieux contre elle; c'est ainsi que s'est mis en branle le processus de retrait et de distanciation.

Elle devint la poursuivante, semant ses plaintes à la volée. Or, ses plaintes n'étaient sûrement pas toutes injustifiées. En effet, durant cette période fort stressante de leur existence, Philippe, en plus de sa défaite électorale, avait aussi quitté son emploi et s'était retrouvé au chômage. Depuis ce temps, les choses n'avaient plus été les mêmes.

LE NID QUI SE VIDE

Au moment de nos entrevues, Katherine et Philippe Gardiner étaient au milieu de la quarantaine; ils avaient trois enfants, qui entamaient tous le processus de séparation. À 16 ans, Matthieu était l'aîné, et le premier à manifester son indépendance.

Le fils des Gardiner ne semblait pourtant pas prêt à s'envoler. Matthieu paraissait coincé, figé dans son élan. Au cours de la dernière année scolaire, ses notes, qui avaient toujours été impressionnantes, avaient subi une baisse spectaculaire. Le travail scolaire lui paraissait inutile et insensé, tout comme son appartenance de longue date à l'équipe de hockey de l'école (dont il était si fier et qu'il avait précipitamment abandonnée). Au cours des mois où ils avaient partagé le troisième plancher, Matthieu s'était assez bien entendu avec son père, mais son désarroi intérieur s'exprimait de manière destructrice pour lui.

Il avait fait la grève sur le tas, décidé que l'école ne l'intéressait pas, que ses études ne lui importaient plus. Matthieu sembla n'avoir aucune idée de ce que serait pour lui la prochaine étape quand vint le temps de progresser, de quitter la maison et de devenir un adulte indépendant et autonome. L'idée d'aller à l'université, tenue pour acquise dans sa famille de la classe moyenne supérieure, s'effaçait rapidement de son esprit. De l'avis de sa mère, son comportement traduisait une «errance». Il buvait beaucoup et consommait souvent de la drogue.

Toujours selon Katherine Gardiner, les compagnons de son fils constituaient un autre de ses problèmes: ses amis, qui avaient des activités semblables aux siennes, étaient «des jeunes qui n'allaient nulle part.» Le comportement de Matthieu, qui s'était tellement modifié en l'espace d'une seule année, inquiétait sa mère et lui faisait peur, mais elle semblait incapable d'agir sur lui. Son aîné était, à l'heure actuelle, complètement hors d'atteinte et incontrôlable.

Philippe semblait moins effrayé et moins affecté qu'elle ne l'était; tout au plus paraissait-il désapprouver la conduite de son fils adolescent. Le désengagement de Matthieu en regard de l'école semblait, pour une raison inconnue, peu le déranger. Ou bien Philippe se sentait proche de la rébellion de son fils, ou bien il croyait que Matthieu traversait une sale période dont il finirait par sortir pour organiser son existence.

Amy, la deuxième enfant des Gardiner, avait 15 ans et était sur le pied de guerre. Elle était enragée contre Philippe parce qu'il avait quitté la maison, et furieuse contre sa mère parce qu'elle n'avait pas su le garder. Tous les prétextes lui étaient bons pour se quereller avec sa mère; en présence de Philippe, elle arborait une expression glaciale et gardait un silence froid. Barbara, sa cadette de 18 mois (elle allait avoir 14 ans), était l'«ange» de la famille, la confidente de sa mère et celle qui prenait soin de tout le monde en cette période de crise.

Jusqu'à ce jour, les deux filles continuaient de bien fonctionner sur le plan scolaire, et avaient conservé leurs amis (à l'école et à la paroisse à laquelle ils appartenaient). Si leur frère aîné se montrait incapable de quitter la maison en bons termes, il y aurait vraisemblablement pour les autres une course pour atteindre la sortie de secours la plus proche.

Pour les enfants, le processus de séparation de l'adolescence, normalement ardu et douloureux, serait encore plus compliqué et difficile qu'il ne l'est d'habitude. Car, à mesure que ces jeunes en pleine croissance luttaient pour accumuler l'énergie nécessaire pour quitter la maison, le plancher se dégradait littéralement sous leurs pieds. Il est déjà assez pénible de quitter la maison sans que la maison se mette en frais de nous quitter!

En partant de la maison à ce stade critique de la vie de ses enfants, Philippe Gardiner intervenait inévitablement dans le processus de leur développement qui les mènerait à la séparation et au départ. Dans ce cas, me sembla-t-il, Philippe avait trouvé une manière de maîtriser la série de départs qui se préparaient: c'était de prévenir le coup, d'éviter la souffrance que causerait la séparation d'avec la jeune génération en se séparant d'avec elle *avant* que cela ne se produise.

Si, dans sa famille fondatrice, la séparation avait causé des problèmes et été particulièrement difficile, Philippe aurait plus de mal qu'un autre à voir ses enfants s'apprêter à le quitter. Il est vrai que le jeune qui ne s'est jamais détaché de ses attachements amoureux du passé devient un individu d'âge mûr qui a bien du mal à lâcher prise et à laisser ses enfants mener leur vie autonome et indépendante. S'il n'a pas réussi à trancher en lui le lien intime, il peut trouver absolument intolérable le processus de *leur* départ.

Dans cet esprit, il n'était pas étonnant qu'au moment où son fils adolescent entamait le processus du départ de la maison, Philippe Gardiner ait soudain réagi en exigeant d'être le premier en ligne.

LA CRISE DE L'ÂGE MOYEN

La crise de l'adolescence tourne autour du «moi» que le jeune adulte essaie d'arracher à la terre familiale où il s'est enraciné; la crise de l'âge moyen s'ajoute à celle-là. Quand l'enfant doit partir, le parent d'âge moyen doit le laisser faire, renoncer à ses prétentions sur l'affection de son enfant et le rendre à l'univers de ses pairs, de ceux de sa génération. Peu importe qu'il soit sain, le processus est douloureux (la douleur associée aux changements et aux pertes). Ils ont beau nier cette peine et se dissocier d'elle, *et* celui qui s'en va *et* celui qui reste ne la ressentent pas moins.

La séparation est un problème humain dont nul ne sort parfaitement intact. Au cours de notre vie, nous devons, périodiquement, refaire face à notre séparation et à notre solitude, liées à notre déplacement dans le temps. Pour chaque génération, les processus de départ de la maison, de choix d'un partenaire, d'établissement d'une famille, du vieillissement et de la mort des grands-parents, des parents, du départ des enfants, sont des transitions *prévisibles* qui peuvent altérer le mode de vie et la vision de soi pour les transformer en quelque chose de radicalement différent.

Et puis, il y a aussi les pertes et les changements moins prévisibles: l'abandon, le divorce, la maladie ou la mort d'un enfant ou d'un conjoint. Nous faisons face à ces exigences successives et potentiellement destructrices avec une compétence qui varie de l'un à l'autre, selon que nous avons pu faire face aux problèmes de séparation et de perte qui ont, plus tôt, parsemé notre route.

La personne d'âge moyen qui, par exemple, a réussi à distinguer son moi du «moi qui était» dans la famille fondatrice pourra beaucoup plus facilement laisser *ses* enfants s'apprêter à parcourir le vaste monde, en dehors de la maison. Elle aura bien sûr du chagrin, et verra peut-être ressurgir quelques-uns des problèmes irrésolus datant de la période de son propre départ. Mais elle pourra tout de même accepter, sans trop d'angoisse, de jalousie et de désespoir, les efforts que fait son enfant pour sortir de la famille.

Cela ne signifie pas que tout parent, peu importe le degré de réussite de la transition de l'adolescence, sorte sans cicatrice des années d'élargissement de son enfant. Le processus de détachement de l'adolescent est extrêmement long; il va des premières turbulences de l'enfant de 10 ou 11 ans au départ ultime de l'adulte, au début de la vingtaine ou un peu avant. Cette longue et pénible période met à l'épreuve les réserves d'adaptation de tout le monde.

Les tensions qu'elle génère peuvent — et c'est souvent ce qui se produit — agir, chez la génération plus âgée, sur des domaines fort éloignés.

TRIANGLES OEDIPIENS

Comme l'ont fait observer les docteurs Gertrude et Rubin Blanck, dans le mariage d'un couple, le «potentiel de déséquilibre» s'accroît inévitablement avec la puberté et l'adolescence des enfants. À sa manière, chaque parent est affecté par la métamorphose du gentil petit être dépendant en être humain défiant, exigeant, et sexuellement différencié.

L'étranger dans la maison, l'ancien tout-petit, a maintenant des seins, des hanches, ou une barbe hirsute et des muscles plus vigoureux. Son comportement change également.

Le réveil des instincs sexuels de l'enfant, le combat qui se livre en lui à ce propos, son désir d'indépendance accru, son inexpérience à cet égard et, finalement, sa projection pour le moins tapageuse de cette lutte sur les parents, peut créer des tensions que même le parent le plus patient trouve difficiles à supporter. À cela vient s'ajouter le réveil du conflit oedipien, qui affecte chacun des parents différemment, l'hostilité se dirigeant plus manifestement contre le parent du même sexe.

Le conflit oedipien dont il est question est le triangle érotique qui se développe entre l'enfant, le parent du sexe opposé et le parent du même sexe (vu par l'enfant comme le compétiteur). Dans la tragédie grecque, le roi Oedipe était l'homme qui a, «par erreur», tué son père et, toujours sans le savoir, entraîné sa propre mère dans le lit conjugal. Selon la théorie freudienne, le besoin de se débarrasser d'un parent et de posséder l'autre comme partenaire fait son apparition dans les premières années de vie, et atteint son sommet autour de l'âge de quatre ou cinq ans.

Durant cette période, la culpabilité inconsciente, associée à des sentiments lascifs et agressifs, et la crainte de s'en trouver horriblement châtié, prend des proportions alarmantes. La crise infantile qui s'ensuit (et que Freud a appelée le «complexe d'Oedipe») ne trouve sa résolution que lorsque l'enfant renonce à regret à son effort pour faire du parent de sexe opposé son partenaire amoureux.

L'identification prononcée au parent du même sexe (celui qui, du point de vue de l'enfant, lui ressemble après tout le plus) succède au renoncement intérieur. Cette trêve émotive perdure durant toutes les années de latence; et l'harmonie règne pendant un temps béni. Avec l'arrivée de la puberté et des changements biologiques qui l'accompagnent, les quêtes supprimées, les désirs terrifiants et indicibles reviennent forcément hanter la maisonnée. Frustes et perturbateurs, ces sentiments atteignent leur plus grande acuité au cours de l'adolescence.

LE COURS NORMAL DE L'ATTIRANCE

Les fantasmes universels que l'on ne peut traduire avec des mots et que l'on ne peut tolérer quand ils prennent la forme d'une pensée consciente, deviennent ce que les thérapeutes familiaux Pincus et Dare ont appelé des «secrets de famille». Niée et dissociée, cette langueur pour le parent du sexe opposé a beau être bannie de la conscience, elle n'en reste pas moins là. Comment pourrait-il en être autrement? Normalement et tout naturellement, les parents établissent avec leurs enfants des relations d'amour intenses et puissantes. «Pour cette raison, écrivent-ils, les dangers de l'inceste ne se trouvent jamais bien loin sous la surface.»

L'enfant qui ne sent pas planer sur lui la menace des sentiments incestueux du parent du sexe opposé court plus de risques de devenir un individu isolé, peu sûr de lui, à qui manque l'espoir de devenir aimable et désirable, qu'il n'a la chance de devenir une personne sûre d'elle et confiante.

Le cours normal de l'attirance entre l'enfant et son parent du sexe opposé est un aspect naturel et inéluctable du processus de développement (même si on ne doit évidemment pas passer aux actes). Durant l'adolescence, cet aspect ne semble plus du tout normal. Les membres de la famille sont la proie de sentiments troublants, confus, coupables, furieux. L'éternel triangle réapparaît, plus difficile à manier que jamais.

Avant longtemps, le trio (enfant, parent du sexe opposé et parent du même sexe) se trouve emporté dans des luttes émotives parfaitement inexplicables. La souffrance sera réelle, que le trio se livre des luttes tapageuses et grossières, ou qu'il ait mal en silence.

Cette période de la vie marque un point tournant, autant dans la vie des parents que dans celle de l'adolescent, parce que les individus d'âge moyen vivent aussi, à cette époque, des combats personnels. «La conscience abrupte qu'a le partenaire à l'effet qu'il n'est plus ni jeune ni beau, tout comme son (sa) conjoint(e), peut entraîner un autre développement du cycle existentiel», déclarent les docteurs Rubin et Gertrude Blanck.

«La confrontation du vieillissement peut se produire, remarquent-ils, et mener, dans un effort pour refuser l'âge moyen, à la dernière crise conjugale bien connue, l'adultère. Parfois, l'adolescence de l'enfant fait ressurgir les fantasmes adolescents du parent...» L'individu plus âgé peut chercher à établir une nouvelle relation pour tenter de résoudre ses problèmes de vieillissement et les diverses déceptions que la vie lui a apportées jusque-là.

LA FEMME INACCESSIBLE

Il était évident qu'il importait de savoir s'il y avait une autre femme dans l'histoire conjugale des Gardiner, et j'avais posé la question lors de notre première rencontre. Il n'y avait pas de tiers parti, avait répondu Philippe avec empressement, du moins il n'y avait pas de liaison.

Mais il y avait bien quelqu'un, reconnut-il, à qui il pensait beaucoup, et avec qui il avait établi une relation «fantasmatique» (pas de relation dans la réalité).

Cette révélation ne surprit pas Katherine, qui déclara, lèvres serrées, qu'elle avait eu conscience de l'attirance depuis le début. Elle était elle-même une amie de cette femme, nommée Éléonore, qu'elle continuait d'aimer bien, dont elle admirait le style et la compétence. Son amie et son mari n'étaient *pas* amants: de cela Katherine était certaine. Philippe lui fit écho en déclarant gravement qu'Éléonore n'avait aucun rôle à jouer dans tout cela, elle n'était pas responsable de ce qui arrivait à leur mariage.

Éléonore était mariée et avait deux jeunes fils qu'elle aimait beaucoup. Même si elle était, de son côté, attirée par Philippe et bien prête à le reconnaître, elle n'était pas prête à mettre en danger son mariage et à compromettre la paix et le bonheur de sa famille.

Elle était donc une femme inaccessible, celle qu'il ne pouvait véritablement posséder (parce qu'elle appartenait à un autre homme): elle était celle vers qui il dirigeait ses pensées, ses fantasmes d'amour idéal et de bonheur. La relation avec Éléonore, la femme désirée mais inaccessible, était une version plus récente de l'histoire des fréquentations de Philippe et de Katherine. Au moment de leur rencontre, *Katherine* se remettait d'une peine d'amour. Quand elle avait recouvré ses esprits, elle avait commencé à fréquenter d'autres hommes, elle avait refusé de se limiter à Philippe. Qui plus est, elle était une «femme plus âgée« (d'un an) et, du point de vue sexuel, elle était plus expérimentée que lui.

Katherine avait été la femme inaccessible que Philippe avait pourchassée jusqu'à la posséder. Maintenant, 23 ans plus tard, elle était devenue le substitut maternel, la femme dont il devait se séparer pour trouver son moi et son identité propre.

LE MODÈLE ORIGINAL

Dans sa famille, Philippe Gardiner avait été l'enfant du milieu; il avait une soeur, de six ans sa cadette, et un frère, de deux ans son aîné. David, son frère aîné, avait reçu le nom du grand-père paternel; Philippe, celui de son père. Il considérait d'ailleurs qu'il lui *ressemblait* beaucoup.

«Est-ce que votre frère aîné est marié?» demandai-je, parce que j'avais commencé à tracer le génogramme familial de Philippe.

Il hocha la tête.

Je lui demandai ensuite le nom de sa belle-soeur, l'ajoutai et m'enquis de leurs enfants, s'ils en avaient.

«Ils en ont cinq, commença-t-il quand Katherine l'interrompit.

— Quatre, trancha-t-elle.

— Quatre? s'étonna-t-il en se tournant vers elle.

— Ses trois à elle, et le sien, répliqua-t-elle.

— L'un des enfants est le fruit de leur union, expliqua-t-il en revenant à moi, et les trois autres viennent d'un mariage précédent, mais mon frère les a adoptés.»

Elle avait été la seule femme de David.

Depuis combien de temps étaient-ils mariés, demandai-je.

«Seize ans, répondit Katherine après une longue pause. C'est ça, seize ans.»

Pour une raison inconnue, Philippe soupira.

«C'est vrai» fit-il.

Il avait lui-même, songeai-je, pris une femme légèrement plus âgée que lui, une femme déterminée, qui savait ce qu'elle voulait. Son frère David avait épousé une femme encore plus sûre d'elle et plus expérimentée, une femme qui avait déjà été mariée, une mère qui plus est.

La jeune soeur de Philippe, Gwendoline, était divorcée. Elle avait eu deux enfants et en avait adopté un autre.

«Combien de temps a duré le mariage de Gwendoline? m'enquis-je.

— Quatorze ans, répondit promptement Katherine. Je ne savais pas si tu connaissais la réponse, précisa-t-elle en se tournant vers son mari, parce que la rapidité de sa réponse nous avait fait rire.

— Ça va, l'assura-t-il; j'aurais dû mettre du temps pour calculer, c'est bien que tu l'aies dit.»

Dans sa voix, il y avait tout de même une froideur qui me disait qu'il cachait ses émotions. Était-ce parce qu'il ne souhaitait pas son aide, qu'il voulait avoir la chance de répondre lui-même aux questions? Je me le demandai.

«Êtes-vous proche de l'un d'eux — ou des deux? demandai-je ensuite.

— Avant les deux dernières années, j'aurais répondu que je n'étais proche ni de l'une ni de l'autre...» fit-il en haussant les épaules, après avoir déclaré qu'il était plus proche de sa soeur, mais que c'était un phénomène nouveau.

Et maintenant, qu'est-ce qui le rapprochait de sa soeur?

«Je pense que nous nous identifions tous les deux à certaines choses qui se sont passées dans notre famille et qui ont influencé notre vie. Nous y pensons d'ailleurs beaucoup tous les deux. Nous commençons à reconnaître des choses — dont nous ne parlions pas ou dont on ne se rendait pas compte chez nous — et les réactions que ça provoquait chez elle et chez moi.

— Est-ce que vous partagez aussi le fait que son mariage a connu des ennuis graves et que le vôtre est en sérieuse difficulté?

— Peut-être, je ne sais pas, hésita-t-il. Je ne pourrais pas m'identifier avec elle parce qu'elle a déjà vécu ça, mais je ne saurais nier le fait non plus. La plupart du temps, nous parlons de la relation entre mon père et ma mère, du genre d'homme qu'était mon père... Papa est mort en février, soupira-t-il. Ça nous a rapprochés, ma soeur et moi. Nous parlons ensemble, nous réfléchissons ensemble... Nous discutons comme nous ne l'avons jamais fait.»

Je remarquai que Katherine le fixait d'un air irrité, comme si elle enviait l'intimité qu'il avait avec sa soeur.

Quel âge avait son père au moment de sa mort?

«Il avait 71 ans, presque 72. En réalité, il avait 70 ans.

— Il avait presque 72 ans, fit observer sa femme.

— Ainsi, toute l'année qui vient de s'écouler vous a causé bien des bouleversements?» ajoutai-je après un long silence, en prenant conscience que Philippe ne faisait pas seulement face à l'élargissement de ses enfants, mais encore à la mort (l'ultime séparation) de son père.

— Ça n'a pas été une année facile, admit-il doucement. Je me suis aussi lancé en affaires, fit-il en bondissant sur ce nouveau thème, comme pour se mettre à l'abri du sujet de la mort de son père. Il fallait que je recommence sérieusement à gagner ma vie. Je n'avais plus de moyens visibles de rapporter de l'argent à la maison après ma campagne électorale. Jusque-là, j'avais travaillé pour l'université, j'avais occupé un excellent poste; il me fallait désormais me battre et mettre sur pied une nouvelle affaire.

— Tu n'avais pas non plus de moyens *invisibles* de rapporter de l'argent à la maison! brusqua Katherine en riant, caustique.

— Ni visibles, ni invisibles, tu as raison» convint Philippe, d'une voix neutre.

L'un des enfants des Gardiner (Matthieu) fréquentait l'école privée, et les frais de scolarité pour les autres les attendaient encore. Comment s'organisaient-ils, du point de vue financier?

«Emprunts, emprunts, emprunts», chantonna Philippe.

Sa nouvelle société, m'assura-t-il, fonctionnait étonnamment bien. Il s'apercevait que les faiblesses qu'il commençait à reconnaître ne se limitaient pas qu'à sa seule relation avec Katherine. Son besoin de faire plaisir avait aussi un impact insidieux sur sa vie professionnelle.

«Je ne profite pas vraiment du fait que je fais quelque chose de bien pour le plaisir que ça me donne. C'est trop facile d'essayer de faire plaisir à l'autre sans se demander si, ce qui se produit, veut dire quelque chose pour moi, ou même s'il s'agit d'une *bonne* ou d'une *mauvaise* manière de faire. Vues sous cet angle, les choses me ramènent à mon manque de standards. Au fait que ce qui fait plaisir à l'autre me suffit.»

Pourquoi, à son avis, manquait-il de standards?

«Je n'en *ai jamais eu besoin*, j'imagine, répondit-il dans un large sourire. Tout allait parfaitement bien... À vrai dire, ajouta-t-il en riant lugubrement et en secouant la tête, les choses n'allaient pas si bien, elles *allaient*...»

Sur le canapé, il se tourna pour faire face à Katherine; ils échangèrent un regard complice. Peu importe ce qui manquait dans leur relation, il y avait de toute évidence encore de la compréhension et de l'affection, ils étaient toujours *liés*.

«Ces standards intérieurs, murmurai-je, font normalement partie du processus du départ de la maison...

— C'est que je n'ai jamais vraiment quitté la maison, coupa-t-il.

— C'est vrai; on dirait, en ce moment même, que vous faites justement face à des problèmes de l'adolescence...

— Je n'ai jamais vraiment quitté la maison, répéta-t-il.

— Mais c'est ce que vous êtes en train de faire, à 43 ans... fis-je. Dans la mauvaise saison de votre vie, pour ainsi dire?»

Ce qui se voulait un commentaire finissait par un point d'interrogation.

«Je pense que oui, répondit-il, avant d'ajouter, avec ferveur: et j'espère qu'il n'est pas trop tard.

— Ce processus se met en branle, poursuivis-je, en même temps que celui de Matthieu? Et que celui des autres enfants?

— *Pas* d'une manière qui rend la communication plus facile entre nous, lança-t-il avec colère, après m'avoir regardée et avoir hoché la tête. Matthieu est en train de remettre à plus tard ce que j'ai remis moi-même à plus tard! Je pense qu'il est encore plus en retard que *je* ne l'étais à son âge, question de maturité, de la responsabilité et du sens de...»

Il s'arrêta. Comme si elle s'apprêtait à dire quelque chose, Katherine se pencha en avant, mais son mari étendit la main pour l'en empêcher. Bouche bée, elle resta un instant figée comme elle était, puis se radossa, impuissante, au coussin de la berceuse.

D'une génération à l'autre, l'incapacité de partir (de grandir et de quitter la maison, au sens intérieur, psychologique, du terme) pesait de plus en plus lourd. Elle commençait déjà à affecter la génération suivante.

LE BON ENFANT HEUREUX

Contrairement à sa croissance et à son développement qu'il jugeait «arrêté», pas traumatisant somme toute, l'adolescence du frère aîné de Philippe avait été fort tumultueuse et fort pénible.

«David commençait à avoir ses propres idées, rapporta-t-il, mais ça lui causait bien des problèmes. Il était constamment en conflit avec ma mère. Le résultat, c'est qu'il ne fonctionnait pas bien... Il est allé à l'université, mais il n'a pas tenu le coup... Il se sentait... confus, incapable de savoir qui étaient ses amis. Il a dû quitter l'école et rentrer à la maison.»

Pendant un certain temps, David travailla comme mécanicien. Puis il fréquenta une université beaucoup moins prestigieuse que la première et finit officier de carrière dans l'armée.

«Jusqu'à ce jour, commenta Philippe, mon frère a dû s'organiser une vie structurée, bien encadrée, où il a chaque jour certaines choses à faire.»

David avait bien réussi dans sa carrière, et occupait désormais un rang élevé au sein de la hiérarchie militaire. Durant son adolescence cependant, quand les règles n'étaient pas aussi clairement établies, David avait été l'enfant terrible de la famille Gardiner.

Par rapport à lui, Philippe avait été le bon enfant heureux.

Quel rôle, demandai-je, avait joué sa cadette Gwendoline?

«Gwendoline n'a jamais eu la chance de jouer un rôle quelconque, du moins à l'adolescence... en tout cas, à ma connaissance.»

Il jeta un coup d'oeil à sa femme, dans l'espoir, peut-être, qu'elle ajoute certaines précisions. Elle secoua la tête: elle n'avait rien à dire.

«Ma soeur s'est fiancée à 16 ans, et s'est mariée à 17.

— À un homme immensément riche, renchérit Katherine. C'était *sa* façon de quitter la maison. Mais elle continue de leur en vouloir de l'avoir laissée faire. D'avoir *renoncé* à leurs responsabilités. En fin de compte, la décision a été abandonnée au directeur de l'école privée qu'elle fréquentait. Celui-ci a fini par dire oui, parce que l'homme *était* fabuleusement riche. Pourtant, elle n'était encore qu'une enfant.»

Gwendoline s'était mariée au cours de sa dernière année de secondaire et avait poursuivi ses études collégiales.

«Est-ce que son mari était beaucoup plus âgé qu'elle? demandai-je au couple.

— Treize ans, répondit Philippe. C'était un ami de mon père. Il venait passer ses vacances au chalet avec nous; et puis il s'est intéressé à ma soeur. Mais il était très *correct*. Rien n'est arrivé. Un jour, il a demandé à mon père s'il pouvait emmener Gwendoline dîner...

— Dis donc, il devait avoir 31 ans à l'époque? interrompit Katherine, visiblement prise par l'histoire.

— Il avait 30 ans, répondit son mari.

— Pour revenir à David, tentai-je après quelques instants de silence, s'il éprouvait des problèmes avec votre mère, il devait en avoir aussi avec votre père, non?

— Pas vraiment. C'est que... mon père et moi agissions comme médiateurs, expliqua-t-il. Ma mère était bien plus hystérique que Katherine.

— *J'ai* le droit de déclarer que je suis hystérique, s'objecta colériquement Katherine, les joues en feu, après avoir inspiré bruyamment. *Tu* n'as pas ce droit!

— Je ne te traitais pas d'hystérique, se défendit-il en se penchant avant de se tourner vers moi. Je disais que ma mère l'était et j'allais dire que Katherine et moi vivons le même genre de conflits que mes parents, sauf que *ma mère* en devenait hystérique et que mon père s'efforçait de calmer les choses.»

Philippe se retranchait aussi vite qu'il le pouvait.

DU PAREIL AU MÊME

«Alors, votre père était aussi médiateur et subjugué? demandai-je.

— Je pense que oui, répondit-il. Et toi? ajouta-t-il en faisant appel à Katherine.

— Oui», se contenta-t-elle de dire.

Il expliqua que, dans la famille, son père et lui étaient en général les conciliateurs tandis que son frère et sa mère étaient les bagarreurs.

«Mon frère ne peut pas supporter ma mère, mais il lui *ressemble*. Il commence par se battre, après il réfléchit et essaie de comprendre. En fait, l'armée a modifié son comportement à cet égard. Elle lui a permis de se dominer — parce que c'est nécessaire —, alors que ma mère a toujours été incontrôlable.»

Depuis la mort de son père, est-ce qu'elle continuait à agir de la sorte?

«En fait, non, répondit Philippe en me jetant un regard dubitatif; elle se sent plutôt libre ces temps-ci.»

Ainsi, fis-je observer en souriant, sa mère était moins hystérique quand il n'y avait plus de médiateurs?

«Oui», admit-il en riant.

Je lui demandai d'expliquer.

«Je pense que ça faisait partie de leur scénario, jeta-t-il dans un léger haussement d'épaules. Un mari et sa femme se donnent des rôles à jouer. Si vous savez qu'il y aura un médiateur, vous savez que vous pouvez davantage vous laisser aller à l'hystérie. Je crois que les gens établissent des modèles relationnels naturels qui s'équilibrent pendant un certain temps... même s'il est pénible de les supporter», ajouta-t-il.

Je réfléchis: quand ces modèles relationnels «naturels» existent, le partenaire «hystérique» peut exprimer les sentiments angoissés, hystériques de l'autre, même si ce dernier s'est dissocié au niveau conscient de ces sentiments intérieurs, qu'il les a complètement rejetés.

«À la mort de votre père, depuis combien de temps vos parents étaient-ils mariés?

— 46 ans.

— Parlez-moi un peu de leurs relations, commançai-je.

— Je ne peux rien vous dire, coupa Philippe.

— Vous ne pouvez même pas me dire s'ils avaient l'air heureux, proches, querelleurs; vous ne pouvez rien me dire de général?»

Je tentai de croiser son regard, mais il le détourna. Il croisa les jambes, les décroisa.

«J'ai toujours eu l'impression que mon père était étouffé», finit-il par dire à voix basse.

Il avait, lui aussi, exprimé cette crainte un peu plus tôt au cours de la conversation.

«C'est une crainte que vous partagez? demandai-je doucement.

— Je ne veux pas lui ressembler! Je ne veux pas renoncer à ma croissance, je ne veux pas la remettre à plus tard, m'accommoder de ce qui se passe, et mourir *comme lui*, sans me contenter!» éclata-t-il.

Philippe semblait dire que son père avait été prisonnier, sa vie durant, d'une relation étouffante. Dans sa peur de ressembler à son père, il essayait d'inverser la situation. Il quittait sa famille pour se libérer, devenir autonome, «grandir» psychologiquement et être libre.

C'était, à l'opposé, la situation exacte de son père. Au lieu de rester dans la relation — qui menaçait, croyait-il, de le faire suffoquer —, il pouvait faire l'inverse: abandonner le mariage. Philippe habitait un système émotif où n'existaient que deux pôles diamétralement opposés. La seule idée que Katherine et lui pouvaient travailler *ensemble* à *modifier* le système, la seule idée qu'il puisse y avoir d'autres choix relationnels que de suffoquer *ou* de rester seul, lui était tout à fait étrangère. En vertu de leur système, les deux partenaires supposaient que l'on ne pouvait qu'être intime et dépendant *ou* distant et indépendant, pas les deux à la fois. Autrement dit, les choix qui s'offraient à eux étaient du pareil au même. Comme Philippe le croyait, ou bien il suffoquait ou bien il s'enfuyait.

REMISE EN SCÈNE

Jusqu'à quel point un processus de deuil avorté — le deuil de son père — pouvait-il engendrer le besoin urgent que ressentait Philippe d'échapper à la relation, pour fuir dans un avenir tout rose, à peine visible à l'horizon, de liberté, de croissance et de bonheur?

«De quoi votre père est-il mort?

— Crise cardiaque. De causes naturelles, après une longue maladie. Il était handicapé depuis plusieurs années.»

Il me regarda, comme s'il attendait une question. Je lui recommandai tout simplement de m'en dire un peu plus.

«Mon père n'a jamais été handicapé *mentalement*, se hâta-t-il de préciser, même si l'idée n'avait pas effleuré mon esprit. Je veux dire qu'il a toujours été alerte, actif et bien pensant. Mais il n'a jamais pu être *libre* de faire ce qu'il voulait!»

Il était triste. Dix mois après la mort de son père, s'en était-il fait le porte-parole? Était-il occupé à détruire les engagements émotionnels de sa propre existence pour exiger la liberté *au nom de son père* qui n'avait jamais pu le faire lui-même?

J'eus l'impression que Philippe essayait peut-être de vivre, non seulement son adolescence avortée, mais encore celle de son père.

«Votre père n'en a-t-il jamais été capable? D'être libre, je veux dire?

— Eh bien, vous savez, raconta-t-il en secouant la tête, comme s'il voulait montrer qu'il ignorait où je voulais en venir, qu'au moment où il a fini l'université (c'était en 1935), la Dépression durait toujours. Son propre père était mort en 1928, quand il avait 16 ans.»

Je dus avoir l'air surpris, parce que Philippe s'arrêta et attendis que je dise quelque chose. J'avais pris conscience à ce moment-là que le départ brusque de Philippe s'était produit quand Matthieu avait atteint 16 ans. On aurait dit que cet anniversaire avait été entouré à l'encre indélébile sur le calendrier familial, et que Philippe, bien inconsciemment, s'attachait à le commémorer.

«Il voulait désespérément devenir journaliste, continua-t-il après un silence, mais il dut travailler comme commis de bureau. Pour une compagnie qui appartenait à la famille de son camarade de chambre. C'est le seul emploi qu'il put trouver. Deux ans plus tard, il épousait ma mère.»

Il leva les bras au-dessus des épaules, et puis les rabattit brusquement sur ses genoux, comme pour dire qu'à partir de ce moment-là le sort de son père en était jeté. Il était prisonnier de son existence, une prison fondée en partie sur la situation économique et en partie sur les liens émotionnels qu'il avait établis.

«Il a travaillé 20 ans pour la même compagnie. Après 20 ans, il a dit: «Ça suffit» et il a démissionné, raconta Philippe. Au cours des années suivantes, il a essayé de trouver autre chose et de guérir. Il souffrait d'un forme bénigne de cancer, mais les traitements qu'il suivait étaient pénibles. Puis, quand il a fini par trouver quelque chose, il a eu une crise cardiaque. Alors, il n'a jamais vraiment... déglutit-il, incapable de finir sa phrase. Eh bien, recommença-t-il, quand les enfants ont tous été partis, il est tombé malade. Et il s'est mis à dépendre énormément de ma mère, qui était déjà pas mal moins hystérique à ce moment-là, fit-il en me lançant un regard en coin. Pour la première fois, je pense que son hystérie s'est calmée quand mon père s'est mis à dépendre d'elle. Et puis, elle a commencé à travailler...

— Tout cela s'est produit au moment où les enfants quittaient la maison, ajouta Katherine, penchée en avant. Même s'il y avait une grande différence d'âge, ils ont tous quitté la maison...

— À trois mois d'intervalle l'un de l'autre, termina Philippe en hochant la tête.

— C'est bien ça, à trois mois d'intervalle l'un de l'autre, persista-t-elle, avant de prendre en charge le récit. En moins d'un an, Philippe (c'est du père dont je parle, bien sûr) avait eu sa première crise cardiaque majeure. Ça l'a vraiment déchiré de voir la maison se vider instantanément: un fils parti pour l'armée, l'autre marié et étudiant à l'université et Gwendoline mariée avant même de finir le secondaire. C'est alors qu'il a eu sa première crise cardiaque majeure.

— Mais elle s'est calmée à ce moment-là, fis-je observer, l'air interrogateur, mon regard se portant de l'un à l'autre.

— Il lui a donné une autre tâche à accomplir, proposa Philippe, l'air facétieux.

— Une belle tâche, admis-je, d'un ton léger, un beau sacrifice.

— J'imagine que c'est ce qui a mis fin à son hystérie, commenta Katherine, en riant d'un rire âpre. Et lui, le père de Philippe, n'allait jamais grandir, devenir lui-même.

— Et elle a *joué* ce rôle-là, lança son mari d'une voix pleine de rancune. Elle l'a d'ailleurs joué avec brio. Mais c'est tout ce que c'était: un *rôle*. C'est ce qui est arrivé: il est tombé malade et elle en a pris soin.»

Son expression se figea. Il n'ajouta rien.

Je lui demandai des éclaircissements: pouvait-il me rappeler la carrière de son père?

«En sortant de l'université, il est allé travailler pour une compagnie qui appartenait à la famille d'un ancien camarade de classe, et il y était, essentiellement, commis de bureau.

— C'était au début! s'interposa Katherine.

— Il est ensuite devenu vendeur, continua Philippe. Et directeur des ventes, et encore directeur des ventes de la compagnie, le poste le plus élevé auquel il pouvait accéder puisqu'il n'appartenait pas à la famille. Je veux dire qu'il ne pouvait plus monter d'échelon. À cette époque, après 20 ans, il a pris la décision de ne plus rester là, de ne pas occuper ce poste jusqu'à la fin de ses jours.»

Son ton angoissé me fit lever les yeux; je vis qu'il avait peur. Il semblait pâle. Croyait-il que son père était tombé malade et était devenu handicapé parce qu'il s'était coincé, enlisé, dans cette vie-là?

Quel âge avait son père quand il avait décidé de quitter son emploi, quand il avait démissionné et était tombé malade?

«À peu près l'âge que j'ai, répondit Philippe qui sourit avec Katherine tout à coup, comme s'il se rendait compte de ce qui se passait. C'est...» commença-t-il.

«Bizarre» est le mot qui me vint à l'esprit. Philippe ressuscitait les vieux problèmes du passé comme s'il était hypnotisé, en transe. Les yeux fixés sur lui, sa femme arborait une expression fervente, suppliante, comme si elle lui demandait de se réveiller.

«C'est plus qu'une coïncidence... convint-il enfin.

— Oh! mon Dieu! s'exclama Katherine en écho.

— Oh! oui! continua Philippe pour lui-même, en calculant les dates. C'est vrai. C'était en 1954, il avait 42 ans; j'aurai bientôt 43 ans.»

Il était pâle, il transpirait et était mal à l'aise. Les yeux de Katherine, je m'en aperçus, se remplissaient de larmes.

«C'est étrange, dis-je à voix basse.

— C'est vrai, convint-il, l'air absent. On dirait un modèle qui se reproduit.»

Il parlait d'un voix monocorde, l'air légèrement hébété, tandis que sa femme allait dans la salle de bain chercher une boîte de papiers mouchoirs.

Tellement de choses qui affectaient leur génération n'étaient pas nouvelles, répétaient plutôt ce qui s'était produit dans le passé. Pris, sans le vouloir, dans l'embrouillamini du passé, Philippe réinventait au présent le seul univers intime qu'il eût connu. De plus, sa fidélité au modèle original était remarquable. S'il n'était pas un mari des plus loyaux, il était manifestement un fils loyal.

17

Un jeu qui se joue à deux

On doit absolument se rappeler — parce que c'est d'une grande importance — que lorsque des partenaires conjugaux forment coalition pour rejouer certains problèmes du passé, ce n'est jamais à sens unique. Autrement dit, il ne s'agit pas de quelque chose que l'un des partenaires du couple *impose* à l'autre. Au contraire, *ce jeu-là se joue à deux*; autrement la coalition n'aurait jamais lieu.

Il serait tentant, par exemple, de voir en Katherine Gardiner l'épouse qui a été forcée d'interpréter le scénario familial de son mari, de la considérer comme la *victime* de l'histoire antérieure de Philippe. S'il n'avait pas fait quelque chose *pour elle* en retour, Katherine n'aurait pas contribué au besoin de Philippe de rester en fusion avec sa famille fondatrice (en jouant le rôle de l'épouse dominatrice, «étouffante»). Pour Katherine, Philippe incarnait le père passif, accommodant, fiable (jusqu'à tout récemment), de qui elle avait été brusquement séparée et qu'elle n'avait jamais réussi à laisser.

Dans le cadre de leur mariage, les Gardiner ressuscitaient certains aspects des conflits relationnels que ni l'un ni l'autre n'avaient pu résoudre individuellement. Ces conflits, *situés dans la psyché de chacun des conjoints* et imposés à leur relation, ont fini par se muer en conflits irrésolus *entre eux*. Cela s'était produit tout naturellement, parce que les problèmes que chacun d'eux avait apporté dans le mariage depuis leurs familles fondatrices s'ajustaient parfaitement les uns aux autres, se complétaient.

Comme bien d'autres partenaires intimes, Katherine et Philippe étaient, en ce sens, «faits l'un pour l'autre».

UNE PERTE FAMILIALE

Même si, inconsciemment, les Gardiner se ressemblaient beaucoup, ils venaient tous les deux de milieux ethno-socio-économiques fort différents. La famille de Philippe était arrivée en Amérique du Nord au xviie siècle, celle de Katherine, mi-irlandaise, mi-canadienne-française, appartenait à la première génération de Nord-Américains.

La famille de Philippe était de religion protestante congrégationiste, celle de Katherine, catholique («non pratiquante», comme elle le disait). Le père de Philippe était un homme d'affaires qui s'était hissé très haut dans l'échelle administrative de la compagnie qui l'employait; le père de Katherine était un pompier, un col bleu.

Katherine était l'aînée des trois filles Curran. Comme le démontrent toutes les études portant sur l'ordre de naissance et les caractéristiques de la personnalité, les aînés sont d'ordinaire des gens qui dominent et qui occupent spontanément des positions d'autorité, *à moins*, comme le fait observer Walter Toman, que l'aînée soit une fille suivie d'un garçon dans une famille qui valorise particulièrement les garçons. Dans de telles circonstances, on traite généralement l'aînée différemment, et elle a tendance à développer certains traits de personnalité que l'on associe habituellement aux deuxièmes enfants.

De l'avis de Katherine Gardiner, ses parents avaient désespérément voulu un garçon. Quand elle avait 13 ans, ils avaient réussi à avoir le fils qu'ils désiraient, mais celui-ci avait vécu à peine quelques jours. Pour toute la famille Curran, la naissance puis la mort du petit frère avait été «catastrophique».

Même au moment de nos entrevues, 31 ans plus tard, Katherine avait du mal à aborder le sujet sans bouleversement.

«C'était *traumatisant*, déglutit-elle. Vous savez, ma mère avait bien des problèmes de santé: elle souffrait d'arthrite rhumatoïde juvénile depuis qu'elle avait 15 ans, et elle était aussi hémophile. Le simple fait de porter l'enfant causait bien des problèmes. Quand est venu le temps de la naissance du bébé, elle a eu un placenta praevia. Je me souviens...»

Katherine grimaça, s'arrêta, et prit une longue inspiration, comme si elle avait besoin de se fortifier avant de poursuivre son récit.

Longtemps avant la naissance, sa mère était devenue incapable de monter et de descendre l'escalier.

«Nous avions transformé la salle à manger en chambre à coucher, et je me souviens m'être levée pour me rendre à l'école un matin, avoir regardé dans la pièce et... aah!... du sang *partout*! Elle était en hémorragie, c'était *épouvantable*.»

Les yeux de Katherine étaient grands d'émoi; sa peau était d'un blanc d'albâtre, comme si le sang s'était retiré tout à coup de son visage.

Elle frémit d'horreur, ajouta que l'ambulance était arrivée peu après.

«J'avais 13 ans, et j'étais *très* impressionnable. Mes parents devaient énormément vouloir ce bébé, précisa-t-elle, une note chagrine dans la voix. C'était... Il... était leur seul garçon, et je pense qu'ils trouvaient très important d'avoir un garçon. Je ne crois pas qu'ils se seraient donné la peine d'avoir un enfant, étant donné les problèmes de santé de ma mère, à moins d'attendre énormément de cette grossesse. Et ils ont eu *tellement* de chagrin quand il est mort, geignit-elle, le visage endeuillé. Ma mère a failli en mourir elle aussi.»

Toute la famille prit le deuil de l'enfant perdu. Il y avait eu des funérailles et un minuscule cercueil.

«Je n'y suis pas allée, et mon père a dû traverser cette épreuve tout seul.»

À cause de ce deuil familial, elle avait dû s'occuper de la maison.

Quand elle est rentrée de l'hôpital, sa mère convalescente était loin d'être guérie. Compromise par l'arthrite, la santé de sa mère ne s'était jamais complètement rétablie. La grossesse et la perte du bébé lui coûtaient très cher, autant sur le plan physique que sur le plan mental. Katherine, l'aînée de la maisonnée, était ainsi devenue la «mère substitut» de la famille Curran. Elle avait conservé ce rôle jusqu'à son départ pour l'université et jusqu'à son mariage.

En examinant le génogramme des Gardiner, je remarquai une coïncidence étrange entre leurs côtés respectifs de la page. Les deux partenaires Gardiner avaient vu leur parent du même sexe (la mère de Katherine et le père de Philippe) souffrir d'une maladie grave à peu près au même moment de leur vie (à 13 ans).

UNE FEMME FORTE

Les parents de Katherine étaient décédés. Sa mère était morte quelque 13 ans plus tôt, à 49 ans. De l'avis de sa fille, elle avait été une femme extrêmement *forte*.

«*Très* forte, réitéra-t-elle, et très belle, je pense. Elle s'était entièrement dévouée à mon père et à ses enfants. C'était aussi *une femme coriace.*»

Sa courte description avait commencé et pris fin sur l'affirmation énergique de la force et de la coriacité de sa mère.

Katherine employait-elle le mot «coriace» au sens négatif ou au sens positif? Quand je la lui posai, la question suscita chez elle un sourire impie, défiant.

«Durant mon adolescence, je l'utilisais au sens négatif. Je trouvais ma mère *durrre*, grasseya-t-elle, donnant au mot une longueur et une émotivité très profonde. Mais il existe bien des significations, précisa-t-elle tout de suite. Parce qu'elle était si malade, et parce que je ne l'ai jamais — sauf en de très rares occasions — entendue se plaindre, j'*admirais* sa coriacité, je la trouvais positive. Elle avait de très hauts standards qu'elle nous imposait sans discussion: des standards moraux, des standards sociaux, des standards d'apparence.»

Le père de Katherine était mort du cancer trois ans plus tôt. Il ressemblait très peu à sa femme; il se tenait en fait au pôle opposé par rapport à sa femme si exigeante, si forte. Quand je demandai à Katherine de le décrire un peu plus, sa bouche esquissa un sourire songeur.

«Chaleureux et gentil, répliqua-t-elle gaiement, d'une voix animée, voire gaie, avec une petite lueur dans les yeux. J'aurais tendance à dire maintenant qu'il était plutôt passif... ajouta-t-elle sans enthousiasme. Ma mère avait l'habitude de se fâcher contre lui parce qu'il ne défendait pas ses droits... Il y avait un sujet particulier chez nous: très jeune, mon père avait passé un examen pour devenir chef des pompiers et il avait obtenu les meilleures notes. Malgré ça, il n'avait pas été *nommé* chef, et ma mère en était *furieuse*», raconta-t-elle, en riant à l'évocation de ce souvenir.

Elle secoua la tête. Aux yeux de sa mère, son père était un homme trop réservé, qui ne s'affirmait pas suffisamment. Malgré tout, Katherine croyait que le mariage de ses parents avait été très heureux.

«Je pense qu'on ne peut pas en douter — et mes soeurs partageaient cette opinion: ils étaient très amoureux l'un de l'autre, fit-elle d'une voix basse, respectueuse. Ce qui ne veut pas dire que le mariage allait toujours bien, lança-t-elle en levant la main, comme pour prévenir toute conclusion hâtive de ma part. Je me souviens entre autres d'une très grosse dispute — qui m'a *terrorisée*, comme tous les enfants devant une querelle. Quant au reste, je me rappelle qu'ils étaient très solidaires l'un de l'autre, murmura-t-elle, l'air romantique. Quand nous étions adolescentes, poursuivit-elle, l'air tout à coup amère, ma mère nous a dit *clairement* qui comptait pour elle... Une fois — et je ne l'oublierai jamais —, elle m'a dit: «Ne confonds pas, Katherine, si je devais choisir entre votre père et vous, je choisirais toujours *votre père*!»

Très vite, la description de la relation de ses parents avait glissé: Katherine avait commencé par décrire avec envie la relation amoureuse de son père et de sa mère pour ensuite dénoncer énergiquement l'exclusion, par sa mère, d'elle et de ses soeurs. La colère de Katherine contenait assurément une petite pointe oedipienne, et je ne pus m'empêcher de songer à Katherine, à l'âge de 13 ans, comme au substitut maternel, rôle qu'elle avait dû jouer après la mort de son frère et la maladie de sa mère.

Au moment où, normalement, l'adolescente ressent de la compétition et de l'angoisse, Katherine avait été promue partenaire de son père (en ce qui avait trait à l'entretien ménager), devenant ainsi une pseudo-mère pour ses soeurs et la compagne de son père en regard des tâches domestiques. Que de pouvoir pour une adolescente! Cela constituait la réalisation partielle du Désir et de la Crainte de la femme adolescente.

Le Désir, c'est de supplanter la mère dans l'affection du père, et la Crainte, c'est de perdre l'amour de la mère dont elle dépend encore tellement. La déclaration de la mère de Katherine ne voulait-elle pas dire qu'il y avait tout de même certains aspects du mariage auquel jamais l'enfant n'aurait accès? Ne signifiait-elle pas que la porte de la chambre parentale ne s'ouvrirait jamais pour Katherine, peu importe qu'elle s'acharne à y frapper ou non.

«Qu'est-ce qui avait donné à votre mère l'idée qu'elle pourrait avoir à choisir entre son mari et ses enfants?

— Tout ce dont je me souviens, raconta Katherine en secouant la tête, c'est que nous étions en auto et que je me suis dit, après coup: «Eh bien, Katherine, c'est on ne peut plus clair!» Je me suis aussi rendu compte que je ne l'oublierais jamais, au grand jamais, cette déclaration, ajouta-t-elle en laissant fuser un rire bref, dur. Entre mon adolescence et mon mariage, je ne me suis pas entendue avec ma mère... précisa-t-elle dans un haussement d'épaules, comme pour balayer un problème que nous ne pourrions, de toute évidence, ni comprendre ni résoudre.

— Après votre mariage, vous vous *entendiez*? demandai-je.

— Nous avions des relations fort distantes, fit-elle, l'air forcé. Avant sa mort, c'est-à-dire quand nous avions fondé notre propre famille, j'ai eu la chance de trouver un peu d'affection... Par contre, je n'ai pas eu le loisir de lui dire: «Maman, je suis désolée d'avoir été si vache.»

En quelles circonstances avait-elle donc été «vache»?

UN PRÉCÉDENT

Même si la mère et le père de Katherine habitaient à proximité de chez leurs parents (dans un rayon de cinq kilomètres), il n'y avait pas eu de lien étroit entre leur famille et celles des grands-parents.

Les grands-parents de Katherine n'avaient jamais pardonné à ses parents de s'être mariés en cachette, ce qu'ils avaient fait quand la mère de Katherine était en dernière année de secondaire.

«Étant donné la maladie de ma mère, mes parents n'avaient pas beaucoup d'amis, raconta Katherine. Ils n'avaient personne, à part nous, les enfants.»

Ce qui m'étonnait, comme je lui déclarai, c'est que, une fois le mariage concrétisé et une fois sa mère devenue si malade, la querelle entre les grands-parents maternels et ses parents n'avait pas trouvé à s'apaiser.

«Les parents de votre mère n'ont jamais changé d'idée? Ils ne lui sont jamais venus en aide? demandai-je à Katherine. Comprenez-vous pourquoi?

— Le père de ma mère était un homme très *faible*, répondit-elle, avec colère, menton pointé. Sa femme, une femme d'affaires prospère, le dominait. Elle n'avait pas de temps à perdre avec une fille malade. Je veux dire que si elle avait pris le temps de venir en aide à ma mère, fit-elle ironiquement, elle n'aurait pas pu s'occuper de ses affaires ou suivre le cours de sa très active vie sociale!»

J'examinai rapidement le génogramme partiellement tracé de la famille Curran. Dans le système élargi de Katherine, la dyade femme forte — homme faible semblait revenir sans arrêt. C'était là encore une fois, inscrit en toutes lettres, du moins du côté de sa mère. Qu'en était-il de la mère de son père? Cette grand-mère-là avait, je le savais déjà, été très fâchée du mariage à la sauvette de son fils. J'ignorais, par contre, que c'était le genre de relations qu'elle avait avec son mari.

Ma question fit grimacer Philippe.

«On ne peut pas dire qu'elle *avait* un mari! Vous ne le savez pas, mais le grand-père paternel de Katherine vivait dans le sous-sol de la maison.

— Il vivait où? m'écriai-je, étonnée, avant de me tourner brusquement vers Katherine. Qu'est-ce que cette histoire?»

Philippe et elle avaient commencé à rire. Katherine leva la main pour dire que c'était une histoire trop insensée pour qu'elle se donne le mal de la raconter. Mais Philippe s'entêta à expliquer.

«Le père de son père vivait dans le cellier. Il n'habitait pas *dans* la maison avec la grand-mère de Katherine.

— Mon grand-père... vivait... dans le cellier!»

Entrecoupée d'éclats de rire, sa déclaration répétait et confirmait ce que Philippe venait de dire. Elle nous fit tous rire de bon coeur.

«Juste à côté de la fournaise, ajouta Philippe. Et il le gardait bien propre! Parfois, précisa-t-il, pince-sans-rire, il était même invité *en haut*...

— Quand elle *voulait* quelque chose! interrompit sa femme, riant de plus belle. Quand elle *voulait* quelque chose, reprit-elle, elle ouvrait la porte et criait: «Robert! ROBERT PATRICK!»

L'imitation de Katherine donnait à sa grand-mère une voix de basse autoritaire. Les époux Gardiner riaient tellement qu'ils ne pouvaient plus placer un mot.

«C'est une famille *bizarre*», admit enfin Katherine, en essuyant du doigt les larmes au coin de ses yeux.

Elle semblait réjouie de voir Philippe si amusé, si heureux, si *solidaire*.

«En effet», acquiesçai-je, en lui adressant un sourire.

La vague de rires qui nous avait secoués un instant auparavant se mourait. Nous étions plus sérieux; lorsque je repris la parole, je le fis en hésitant.

«Quelque chose me *frappe*, commençai-je d'une voix troublée. C'est que Robert Patrick soit allé vivre à la cave et Philippe, au grenier.»

Ils me fixèrent comme s'ils croyaient que j'étais tout à coup devenue folle.

Katherine secoua ensuite la tête, recommença à rire, comme si une nouvelle blague venait d'être lancée.

«C'est arrivé dans la famille *de Katherine*, répliqua en riant Philippe, tout de même visiblement troublé. Mon déménagement à l'étage *était mon idée*. Dans le cas de ton grand-père, demanda-t-il en se tournant vers sa femme, c'était la décision *de l'épouse*, n'est-ce pas?

— Qui sait? répondit-elle, mal assurée.

— Pourtant, *elle* l'a bel et bien banni, n'est-ce pas? la supplia-t-il.

— Tout ce que je sais, c'est que, d'aussi loin que je me souvienne, il a toujours été dans la cave, répondit-elle dans un haussement d'épaules. Et aussi qu'il était beaucoup plus gentil qu'*elle*.»

Dans leur univers, les hommes étaient généralement «gentils» et les femmes «puissantes» («dures», «tyranniques», «hystériques»:

tous synonymes de «puissantes» quand il était question de ces femmes). Ni l'un ni l'autre ne savaient vraiment si le grand-père paternel de Katherine avait été exilé dans la cave, ou s'il avait choisi de quitter sa femme pour y mener une existence plus paisible.

Comme Philippe l'avait fait plus tard, Robert Patrick avait pu quitter sa femme sans partir de la maison. Il n'était cependant pas étonnant que ni Katherine ni Philippe ne parviennent même à concevoir l'idée d'un lien potentiel entre une situation familiale passée et une situation contemporaine. Nombre de cliniciens ont commenté l'extraordinaire *résistance* qu'offrent la plupart des gens à l'idée d'une interrelation entre eux et d'autres membres du système familial, qu'il soit proche ou étendu.

Notre désir intense d'individualité et d'unicité peut expliquer la force de cette résistance. Très souvent, il nous arrive de ne pas remarquer que notre manière de chercher à résoudre un problème est précisément celle que nous avons rencontrée chez d'autres, plus tôt dans notre vie.

«Il n'arrive pas très souvent que les gens se séparent et continuent de vivre dans la même maison, me contentai-je de dire, en haussant légèrement les épaules. C'est pourtant arrivé deux fois déjà dans votre famille.»

Le déménagement de Philippe au troisième plancher était, en un sens, une manoeuvre typiquement adolescente, une façon de se donner de l'espace sans quitter tout à fait le contexte familial. Dans un autre sens pourtant, il testait une manoeuvre adaptative déjà connue. Dans la famille, l'homme faible avait ainsi trouvé un moyen de quitter la femme dominatrice: il se séparait d'elle et restait en même temps dans le système émotif.

LE DÉPART

Cet échange particulier, survenu au cours de notre troisième rencontre, laissa Katherine perplexe. Elle garda le silence pendant un certain temps, et puis elle secoua la tête, comme pour chasser une idée intolérable (et pénible), un instant considérée.

«J'entends ce que vous dites, murmura-t-elle enfin en se tapant sur la tête, mais ça ne me rentre pas dans le crâne...»

Elle protesta: l'idée qu'elle et Philippe aient pu recréer (ou même être influencés par) un modèle familial était simpliste et elle ne pouvait admettre cette hypothèse. Elle poursuivit son explication: la raison majeure qui faisait que cette idée-là lui paraissait tirée par les cheveux et sans rapport avec ce qui les affectait était qu'elle-même avait quitté très brusquement sa famille.

«Du point de vue émotionnel, je n'ai jamais dépendu de mes parents depuis que j'ai 20 ans», dit-elle d'une voix ferme et assurée.

Elle croyait en outre, ajouta-t-elle, qu'elle avait bien mieux réussi la séparation d'avec ses parents que l'une et l'autre de ses soeurs.

Nora, sa soeur cadette, par exemple, avait épousé un homme de 16 ans son aîné («un homme qui s'était marié plusieurs fois déjà»), commenta Katherine, les lèvres serrées d'une désapprobation qui n'avait pas trouvé à s'exprimer verbalement.

«Je pense qu'encore aujourd'hui Nora n'a pas résolu certains sentiments qu'elle éprouve vis-à-vis de ma mère et de mon père et qu'elle se trouve incapable d'articuler. Chaque fois qu'elle avait des ennuis, elle appelait toujours *papa* à la rescousse», fit-elle avec un dédain marqué d'une pointe d'envie.

Voilà que, sur le génogramme, surgissait encore une autre similitude de traits des familles Curran et Gardiner: la soeur cadette avait épousé un homme de plusieurs années son aîné. Il ne s'agit, soi dit en passant, que d'un détail mineur, mais il semble que ces deux jeunes épousées aient convolé avec des partenaires qui, en vertu de leur âge, étaient autant des pères que des maris.

«Quant à Anne, celle qui me suit, elle ne parle jamais de papa comme d'un lien que nous partageons! s'enflamma Katherine. Non! Elle dit toujours: «*mon* père a fait ceci», «*mon* père a fait cela»... avec elle, c'est toujours «*mon* père», «*mon* père», «*mon* père»!... J'ai appris récemment que ça a créé tout un problème dans le mariage d'Anne et qu'ils viennent tout juste de commencer à le résoudre, après 20 ans et bien des ennuis, ajouta-t-elle, moins passionnée, après avoir pris une longue inspiration.

Visiblement, elle éprouvait de la sympathie pour sa soeur. Elle montrait pourtant aussi qu'elle considérait que l'instinct territorial mesquin de sa soeur à propos de leur père avait été bien puni.

«J'ai, pour ma part, bien *mieux* réussi que mes soeurs à me réconcilier avec mes parents, reprit-elle après un instant de silence; elles pourraient corroborer mes dires. Pour elles, mon père a toujours constitué un *modèle* — et ça continue, même si ça fait presque trois ans qu'il est mort. Il n'est assurément *pas* un modèle pour moi, ajouta-t-elle pour ensuite préciser qu'elle pourrait dire exactement à quel moment son père avait cessé d'en être un.

— Il est toujours très important pour ses enfants, intervint doucement Philippe. C'est probablement moins fort chez toi, ajouta-t-il immédiatement, que chez Nora et Anne. Mais il représente tout de même un idéal pour toi.

— Quel sorte d'idéal représente votre père? demandai-je à Katherine en croisant son regard.

— De bonté, avec un b minuscule, convint-elle, le rouge envahissant ses joues, sur un ton qui disait son plaisir et sa satisfaction; de bonté chaleureuse. As-tu... vois-tu quelque chose d'autre?

— De dévouement», répondit-il tranquillement.

Comme il disait cela, je songeai que la qualité que préférait Katherine chez Philippe était son dévouement: il *était là pour elle.* Chaque fois qu'elle avait rompu avec un autre homme par le passé, il avait été là, *fidèle,* tout comme le père de Katherine avait été présent à sa mère tout au long des années de maladie et d'isolement vis-à-vis de leurs familles indifférentes et rancunières.

Comme Katherine Curran avait dû s'identifier, en grandissant, avec une mère malade et dépendante, avec une femme «forte», il était important pour elle de trouver un partenaire qui serait toujours *là* pour elle, qui n'abandonnerait pas le navire quand la tempête ferait rage. Choisi pour sa fiabilité, Philippe manifestait bien d'autres qualités, mais pas celle-là.

«Pourquoi pensez-vous que vos soeurs ont eu plus de mal que vous n'en avez eu à quitter vos parents, particulièrement votre père?»

Elle répéta qu'elle ne pouvait pas répondre à cette question. En revanche, elle pouvait très bien préciser le moment et l'incident qui avaient donné lieu à la séparation.

«J'étais pensionnaire et j'étais revenue à la maison pendant les vacances, raconta-t-elle. Ma mère était très *très* mal en point, et mon père avait essayé de trouver une aide familiale à domicile. Étant donné l'état des finances familiales, il n'avait pas la tâche facile. Parce que nous n'avions pas beaucoup d'argent, il n'a pu trouver personne. Alors un après-midi où j'étais dans la cuisine, occupée à repasser et à préparer mes choses pour retourner à l'école, mon père m'a demandé de rester à la maison à la fin de l'année scolaire pour prendre soin de ma mère pendant un an. Et j'ai dit: «Non! Pas question!», s'indigna-t-elle en reprenant le ton qu'elle avait employé avec son père. «J'ai ma vie à vivre. C'est *ta* femme, *tu* en es responsable!»

Sa soeur Anne était déjà mariée, expliqua-t-elle. Aussi Katherine mit-elle son père en garde contre la tentation d'enrôler la cadette, Nora.

«Si tu as l'intention de lui demander la même chose, fit-elle en s'adressant encore une fois à son père, les yeux tout petits, impitoyables et durs, *je* reviendrai à la maison, mais tu n'as pas le droit de *lui* demander ça. Je te préviens: «Ne fais pas ça!»

Son père avait retiré sa demande (je n'en fus pas surprise) et fini par trouver une femme pour aider aux soins à la malade et à l'entretien de la maison. Katherine avait vu cette requête comme un effort ultime pour l'empêcher de quitter la maison.

«C'était un essai *de sa part*, pas de la mienne. Pour moi, c'était la fin, *le départ.*»

L'INVISIBLE USINE DE LOYAUTÉ

Pour elle, cet acte de défi avait signifié qu'elle venait de traverser le Rubicon. Dans le sillage de l'affirmation de son indépendance vis-à-vis de ses parents — et de bien d'autres manières significatives —, elle n'était jamais revenue. L'ancienne relation avec sa mère — l'affection qu'elles partageaient avant l'adolescence de Katherine — ne revint jamais. Quels devaient être les *sentiments* de la fille qui quitte de la sorte la maison familiale?

Katherine, qui avait pris soin de sa mère pendant tellement d'années et qui en était devenue responsable, n'avait pas pu se séparer de ses parents sans s'adresser des reproches ou se blâmer. Katherine n'avait pas pu abandonner sa mère, me semblait-il, sans se sentir profondément *coupable*. Dans le grand livre des comptes de l'amour familial, elle était au débit, un débit presque incalculable.

Comme le fait remarquer le psychiatre Ivan Boszormanyi-Nagy:

Dans les familles, la loyauté est faite de fibres invisibles mais solides qui tissent les morceaux compliqués du comportement relationnel... Pour comprendre les interrelations des individus d'un groupe, il est capital de savoir qui est lié à qui par la loyauté, et ce que signifie la loyauté pour eux. Chaque individu fait ses comptes à partir de sa perception des comptes à payer et à recevoir du passé, du présent et du futur. Ce qui a été «investi» dans le système par le biais de la disponibilité et ce qui a été retiré sous forme de soutien reçu ou de l'exploitation des autres restent inscrits dans la colonne des obligations.

Dans notre être s'est tramé un sens de la dette pour tout ce que nous avons reçu, dit encore le docteur Boszormanyi-Nagy, ce qui constitue une «invisible usine de loyauté» qui parcourt l'histoire des générations des membres de la famille.

À cause de sa culpabilité inconsciente et de son impression d'avoir violé ce que le philosophe Martin Buber a appelé la «justice humaine», Katherine devait croire et craindre de payer un jour chèrement son manque de loyauté. Comme elle n'avait pas su honorer la dette d'amour et de loyauté à ses parents, elle devait s'attendre à en être punie.

Était-il «juste», dans cette perspective, que celle qui avait abandonné (au sens moral), soit à son tour celle que l'on abandonne? Je songeai aussi aux paroles qu'elle avait lancées à son père: «C'est *ta* femme; *tu* en es responsable». Katherine aurait tout aussi bien pu ajouter: «C'est aussi ma mère», mais elle avait ignoré (ou oublié) cet aspect de la réalité biologique. À cette occasion, la vivacité de sa colère laissait croire que des conflits oedipiens fort agressifs et compétitifs étaient à l'oeuvre, que le triangle oedipien brillait de tous ses feux et brûlait toujours. Le récit qu'elle avait fait laissait entendre que son père, comme sa mère, avait choisi entre sa femme et ses enfants. Alors, elle lui disait qu'il n'avait qu'à s'en prendre à lui-même: il était coincé avec celle qu'il avait choisie.

LA FUITE

D'une certaine façon, on aurait dit que l'objet de la colère de Katherine avait été la relation intime de ses parents, une relation dont elle était exclue à jamais. Au lieu d'affronter directement cet épineux problème du développement (à ce moment-là ou plus tard), Katherine avait choisi la fuite. Parce qu'elle avait été forcée de préparer en toute hâte sa valise émotionnelle, des aspects importants de son être intérieur avaient été mis de côté et abandonnés.

Parce qu'ils lui permettaient, entre autres, de partir, les facettes fortes et coriaces de la mère (que Katherine désapprouvait et détestait pourtant) ont été emballées et apportées. Dans le drame de son départ, elle oublia complètement son identification avec sa mère en tant que femme fragile, malade et faible. Trop effrayants pour qu'elle puisse les incorporer dans son moi intérieur, Katherine chassa de sa conscience et nia tout à fait ces aspects de sa mère.

Dans l'esprit de Katherine, sa mère était forte, «une femme coriace», comme elle l'était elle-même. Cette mère-là était puissante et exigeante et Katherine, prisonnière de la rivalité oedipienne, en concevait de la jalousie et de l'envie. Si tel n'avait pas été le cas, Katherine aurait pu réfléchir à la proposition de son père, qui était fondée sur des besoins réels, et qui ne voulait pas nécessairement l'enchaîner à la maison à jamais.

En fait, elle aurait pu rester à la maison et s'occuper de sa mère pendant un certain temps (elle aurait dû négocier les limites temporelles de cet engagement) sans compromettre obligatoirement son individualité et son intégrité. L'impression qu'elle ressentit voulait que Katherine fuie en toute hâte la fusion émotionnelle qui menaçait de l'envelopper et de la faire prisonnière du monde de son enfance.

Pour devenir quelqu'un, pensait Katherine, elle devait partir au plus vite, trancher le plus nettement possible tous les liens. Elle devait couper le lien émotif, parce que la compétition avec sa mère était manifestement une guerre qu'elle ne pourrait jamais gagner. Ainsi, elle était partie, et considérait la finalité de la séparation comme une réussite saine.

LA FORCE SOUS-JACENTE DE LA FUSION

Ce n'était pourtant pas sain. Si le Scylla du délicat processus de la séparation de l'adolescence est le lien émotif trop intense et l'incapacité de partir, le Charybde est justement le départ précipité de Katherine (furieuse, en abandonnant nombre de problèmes relationnels irrésolus). Comme l'a justement observé le théoricien Murray Bowen, nous payons d'ordinaire très chèrement la rupture brutale de nos relation précoces.

Tout le monde n'a pas nécessairement résolu tous les liens émotionnels du passé avec ses parents, écrit le docteur Bowen; mais «plus la rupture avec le passé est brutale, plus l'individu court le risque de voir, dans son mariage, le problème ressurgir plus aigu, et plus ses enfants, dans la génération subséquente, courent le risque de couper encore plus brutalement les liens avec lui».

«Du strict point de vue émotionnel», affirme Bowen, la personne qui fuit sa famille fondatrice «est aussi dépendante que celle qui ne quitte jamais la maison». La séparation saine ne s'occupe pas de géographie; elle parle plutôt de la *transformation* des liens amoureux du passé en quelque chose de moins chargé, de moins déterminant, de moins pressant. Quand on est vraiment détaché de ses parents, on a la capacité d'être *différent* d'eux et de ne pas vivre cette séparation et cette différenciation comme une perte ou une trahison de ce qui a été. L'individu peut être séparé et différencié et habiter tout près de chez ses parents; par ailleurs, il peut aussi vivre à l'autre bout du monde sans jamais avoir quitté les siens (au sens psychologique).

Comme Katherine avait quitté brusquement son passé en laissant bien des questions sans réponses, elle courait le risque de remettre en scène, dans son mariage et avec ses enfants, les problèmes épineux qu'elle n'avait pas cherché à affronter ou qu'elle n'avait pas résolus. En d'autres mots, si elle avait pu se séparer plus adéquatement de sa mère, elle n'aurait pas eu besoin de *devenir sa mère*, de devenir la femme coriace mariée à l'homme passif et gentil.

Dans bien des cas, écrit la clinicienne Pauline McCullough, les individus qui se sont coupés de leurs parents ne réussissent pas à établir le parallèle entre les problèmes irrésolus dans leur famille fondatrice et les crises qui secouent leur existence... Ces individus font face à la fusion émotionnelle, c'est-à-dire à l'incapacité de développer une identité forte, en se séparant artificiellement de la famille. La pulsion sous-jacente de fusion est pourtant toujours là.

Katherine avait fait face aux passions de la romance familiale en quittant brusquement la maison et en claquant la porte derrière elle. Même si elle les ignorait, les sentiments de remords et la recherche des bonnes choses du passé (de son affection pour sa mère, par exemple) exclues, par la force des choses, du bagage émotionnel qu'elle avait trimbalé durant son voyage existentiel la minaient toujours.

«COMME SI JE N'ÉTAIS PLUS UNE FEMME»

C'est au cours d'une conversation à propos de la foi catholique de son enfance que l'hystérectomie de Katherine fit surface. Le mot «sang» avait servi de pont entre les deux sujets. De l'avis de Katherine, le protestantisme était une religion plus froide, moins mystérieuse, moins «exsangue» que le catholicisme (la religion à laquelle elle avait renoncé en épousant Philippe et vers laquelle ses pensées se portaient désormais).

Pour une raison ou une autre, la mention du «sang» contenue dans le vocable «exsangue» ramena à mon esprit la scène décrite plus tôt (la mère de Katherine, en pleine hémorragie, après la naissance désastreuse). Je le dis à Katherine. Pour une raison que j'ignore aussi, je lui demandai si le mot «sang» évoquait certaines associations dans son esprit.

Pendant quelques minutes, Philippe garda le silence; elle ne bougeait pas, parfaitement immobile, l'air ou bien embarrassée ou bien effrayée (je ne savais trop lequel des deux). Finalement, à voix basse, elle reconnut que le mot réveillait certains souvenirs particuliers. Il lui rappelait l'hystérectomie qu'elle avait dû subir, quatre ou cinq ans plus tôt, et qu'avaient précédé des saignements très abondants.

«Avant l'opération, mes menstruations n'étaient pas normales, expliqua-t-elle; c'était un torrent de sang, presque une hémorragie, que rien ne pouvait endiguer.»

On avait recommandé la chirurgie, et elle avait suivi le conseil. À sa grande surprise pourtant, l'opération lui avait causé un grand choc.

«C'était tout un problème pour moi, déglutit-elle en frissonnant; et je n'avais pas prévu ça. Parce que j'avais déjà eu mes enfants et que...»

Les mots lui faisaient défaut; elle secoua la tête, frissonna encore une fois.

«Émotionnellement, étiez-vous capable de vous fier à Philippe? demandai-je attentive. Pouviez-vous lui parler de ce que vous ressentiez à ce moment-là?»

Philippe s'agita dans son siège, changea de position, et se pencha vers elle, comme s'il voulait être le premier à entendre la réponse.

«Je me sentais très... se lamenta-t-elle en secouant la tête. Ah!... *déféminisée... désexualisée...* comme si, d'une certaine façon, je n'étais plus une *femme*. Je ne pense pas qu'il comprenait ce qui m'arrivait ou ce que cela signifiait pour moi..., hésita-t-elle. Pendant les deux années qui ont suivi, je ne pouvais même pas prendre un bébé dans mes bras sans pleurer.»

Elle haussa les épaules. Ce haussement signalait qu'elle était désormais parfaitement capable de se montrer objective et rationnelle à propos de l'hystérectomie, et qu'elle s'étonnait du désespoir et de la souffrance que la perte de son utérus lui avait occasionnés.

TENTATIVES DE RÉSOLUTION

Au moment où Philippe se débattait, luttait (et échouait) pour se faire élire, la féminité de Katherine avait subi un assaut terrible. Elle avait l'impression d'avoir perdu sa féminité au moment où Philippe subissait une cuisante défaite (le rêve, pour lequel il avait risqué toute sa carrière, ne se réaliserait sans doute jamais).

En outre, non seulement avait-il perdu l'élection, mais dans le sillage de sa défaite il s'était aussi retrouvé sans travail pendant un certain temps. Au moment où elle se sentait échouer en tant que femme, il devait avoir eu l'impression d'échouer en tant qu'homme. Ni l'un ni l'autre n'avaient pu donner à son partenaire le réconfort et le soutien dont il avait besoin. Les efforts individuels de Katherine et de Philippe pour résoudre leurs difficultés respectives avaient engendré des problèmes conjugaux.

Ainsi, tandis que Katherine poursuivait son mari pour obtenir l'assurance (de son affection pour elle, de sa séduction et de sa féminité), il se retirait, à la recherche d'un territoire personnel qu'il pourrait maîtriser et dont il pourrait prendre la responsabilité. Diminué après sa défaite, il sentait que son intimité avec elle menaçait de l'anéantir, tout comme l'intimité avait anéanti son père.

De son côté, elle avait réagi en intensifiant ses efforts pour se rapprocher de lui. Et il s'était enfui encore plus vite et plus loin d'elle. Dans la documentation en thérapie conjugale et familiale, on a souvent fait remarquer que les tentatives pour «solutionner» le problème deviennent souvent le problème lui-même.

UN SCÉNARIO PERSONNEL

Après son hystérectomie, Katherine avait eu l'impression de perdre sa féminité, et s'était trouvée vraiment moins femme. Des années plus tôt, sa mère avait presque saigné à mort et avait longtemps été malade, après avoir tenté de donner naissance à l'enfant garçon interdit et tellement désiré.

Il est possible que sa mère ait aussi subi une hystérectomie à cette époque. Quoi qu'il en soit, pour ce qui avait trait à la fertilité, elle avait été disqualifiée, mise au rancart. À ce moment-là, sa fille s'était mise de la partie, et avait pris sa place. Non seulement Katherine était-elle responsable de la routine de la maison, encore se tenait-elle, à 13 ans, au seuil de la fécondité que sa mère quittait si abruptement.

À quoi ressemblaient les relations *entre ses parents* durant cette si terrible période de leur existence? Est-ce que son père, déçu, avait subtilement dévalué sa mère qui n'avait pas réussi à lui donner le fils désiré? À cause de sa solitude et de son désir d'une partenaire en santé, s'était-il montré séducteur envers ses filles? Ou bien avait-il établi une relation extérieure, l'un de ces secrets de famille que tout le monde connaît *inconsciemment* sans en avoir, ouvertement, connaissance? Avait-il trouvé le moyen de dénicher tout seul, le réconfort dont il avait besoin?

Je songeai aux «torrents de sang» (celui de la mère et celui de la fille). Après l'hystérectomie, Katherine avait été, en pensée, *avec sa mère.* Elle avait fait la connaissance des aspects maladifs et vulnérables de sa mère, aspects qu'elle niait vigoureusement. J'eus l'impression que, peut-être, à ce tournant de sa vie, les sentiments de culpabilité de Katherine (parce qu'elle avait abandonné sa mère à l'aube de sa vie adulte) avaient fait surface. Pour la première fois, je sentis qu'elle avait pu, dans une sorte de transe, se comporter pour provoquer le retour du drame familier.

Vivre la même situation que sa mère, se trouver abandonnée à son tour, c'était une manière de rembourser la dette émotionnelle qu'elle avait contractée vis-à-vis de sa mère, et une façon de payer pour sa perte. Était-il possible qu'en se montrant excessivement jalouse, Katherine ait encouragé subtilement Philippe à jouer un rôle dans le scénario intérieur qu'elle avait écrit? Après son hystérectomie, elle avait, en effet, commencé à l'accuser de ne plus l'aimer et de ne plus se soucier d'elle. En ce sens, est-ce que «Je ne veux plus que tu m'aimes!» n'aurait pas mieux correspondu à l'ordre qu'elle lui donnait?

UNE RATIONALISATION FILIALE

En examinant le génogramme côté Curran, je remarquai que le père de Katherine, John, avait survécu à sa mère pendant plus de dix ans. S'était-il remarié?

«Oui. Il s'est remarié trois mois après la mort de ma mère» répondit-elle simplement, après avoir cligné des yeux plusieurs fois.

Je sourcillai: trois mois, c'est vraiment peu pour pleurer une longue relation amoureuse, surtout si on tenait pour acquis qu'il avait tout de même dû trouver le temps matériel de courtiser sa nouvelle femme avant de lui demander de l'épouser! Comment ses soeurs et elle avaient-elles réagi au remariage rapide de leur père?

«Je ne peux pas parler pour mes soeurs, fit Katherine, mais je peux le faire pour moi. Je pense — j'ai pensé — que, de bien des façons, c'était à la fois un compliment à l'intention de ma mère et une mesure de l'immensité de sa solitude. Il n'aurait pas pu vivre seul», acheva-t-elle d'une voix tendre et douce.

La fille rationalisait. Coincée comme elle l'était dans sa famille fondatrice, elle continuait de considérer son père comme un homme essentiellement bon, «gentil», et sa mère, comme une femme méchante, forte, exigeante et tyrannique. Le système polarisé qui avait été érigé dans le mariage de Katherine était justement celui qui existait déjà dans son esprit. Dans un système plus sain, elle aurait pu percevoir le bon et le mauvais chez ses *deux* parents, et le bon et le mauvais en elle et en son mari.

LE MODÈLE FAMILIAL INTÉRIEUR

La fantasme de Katherine voulait qu'elle devienne, comme sa mère, incapable et disqualifiée en tant que femme sexuée et séduisante. Le fantasme de Philippe voulait que, s'il restait marié, il souffrirait du coeur comme son père, et serait handicapé pour le reste de ses jours. Ils avaient bâti leur relation conformément à une tradition qui leur était familière, qui exigeait une femme dominatrice (mauvaise), et un homme soumis (bon).

L'idée qu'une femme puisse être à la fois forte et bonne, ou qu'un homme soit passif *et* mauvais, ne leur était apparemment jamais venue à l'esprit. Elle ne correspondait tout simplement pas au modèle intérieur avec lequel ils étaient tous les deux familiers. Dans un système intime comme celui que les Gardiner avaient établi, les choses *vont* comme elles *ont toujours été*.

À leurs yeux, le mariage était un arrangement mutuellement défensif. Ils interagissaient de manière à se protéger réciproquement des problèmes intérieurs. Katherine et Philippe avaient formé une coalition pour apercevoir, l'un dans l'autre, les aspects désavoués et projetés de leurs réalités intérieures. *Dans l'autre intime*, chacun d'eux avait perçu des aspects du moi dont il s'était complètement dissocié. Dans le système relationnel qu'ils partageaient, ils rejouaient les conflits irrésolus qu'ils n'avaient pu, ni l'un ni l'autre, attaquer individuellement.

Chacun d'eux protégeait l'autre, l'empêchait de faire directement face aux problèmes intérieurs douloureux qui les affectaient séparément. *Pour son partenaire*, chacun incarnait les aspects répudiés et rejetés de son être intérieur. Au moyen de ce troc d'attributs et de sentiments désavoués ils tentaient, chacun de son côté, de museler (en remettant en scène et en répétant les problèmes) les conflits individuels qu'ils avaient apportés dans la relation, depuis l'expérience acquise dans leur famille fondatrice.

LE PACTE

Les effluents émotifs que ni l'un ni l'autre des conjoints ne pouvaient récupérer ont été, en conséquence, déversés dans la relation qu'ils partageaient. Le conflit *intérieur* de Philippe contenait les figures archaïques de l'homme anéanti et de la femme puissante à apaiser. Il avait reconnu une partie du conflit (celle de l'homme faible, mais disqualifié); Katherine, pour sa part, s'était chargée de représenter l'autre partie. *À la place de Philippe*, elle avait endossé le rôle de la soignante dominatrice qui détenait le contrôle, prenait les décisions, et comblait le vide en lui.

Il trouvait sa femme exigeante et déterminée, et avait l'impression que sa force et son assurance le détruisaient. Il paraissait incapable d'admettre leur complicité mutuelle et, par-dessus tout, *le besoin qu'il avait de la voir agir de la sorte*. L'un des partenaires ne peut tout simplement pas assumer la majeure partie du pouvoir relationnel, des tâches et des responsabilités sans que l'autre ne l'ait *permis*.

Philippe *réussissait* aisément à reconnaître chez sa femme la force, la détermination et la colère qu'il n'arrivait pas à trouver en lui. Ces composantes moins «subjuguées», moins accommodantes, de son univers intérieur avaient été dissociées, réprimées, projetées sur Katherine qui, en acceptant la projection, était devenue encore plus forte, plus compétente et plus responsable.

Surchargée, elle était devenue plus critique et plus exigeante. Quoi qu'il arrive, il pouvait toujours se fier à elle pour exprimer la détermination et la colère du couple. Philippe pouvait ainsi condamner chez elle les attributs qui n'existaient pas (à sa connaissance) chez lui. Tant et aussi longtemps qu'elle exprimait l'agressivité du couple, il pouvait être le bon gars, le médiateur qu'avait été son père et continuer ainsi à s'acharner sur le conflit originel, toujours irrésolu.

Bien sûr, il ne s'apercevait pas que le conflit (engageant l'homme passif, faible, et la femme forte, émotive et active) se déroulait dans sa tête, il croyait plutôt à une guerre des tranchées entre Katherine et lui. La coalition le protégeait: elle l'empêchait de s'approprier consciemment ses propres aspects déterminés ou franchement agressifs, qu'un homme aussi gentil, aussi conciliant que lui n'aurait su éprouver.

S'il avait pu entrer en contact avec sa colère, Philippe aurait aussi connu les sentiments supprimés et pénibles contre lesquels la fusion émotive avec Katherine le prémunissait. S'il avait pu accepter qu'émanent de lui des sentiments hostiles, il aurait pu aussi passer outre aux critiques répétées de sa mère et faire face à ses sentiments de colère vis-à-vis de son père.

Il en voulait à son père de n'avoir pas su maintenir ses idéaux professionnels, d'avoir été malade et inadéquat, de n'avoir pas su montrer à son fils comment grandir et devenir un homme. Au sens propre, le jeune Philippe Gardiner avait été abandonné, laissé à s'empêtrer dans la vie d'homme adulte, tandis que le modèle masculin qui s'offrait à lui se défaisait sous ses yeux, entrait dans le monde anémié de la maladie et se laissait «étouffer» à mort.

UN CYCLE COMPORTEMENTAL BIEN ACTUEL

Si la colère existait quelque part, ce n'était pas dans l'univers de Philippe, mais bien dans celui de Katherine. Dans la relation qu'il partageait avec elle, il pouvait mener le combat de son père et lutter sans relâche, s'acharner à réécrire l'histoire de la vie de ses parents. S'il triomphait là où son père avait échoué, il aurait réussi à réécrire l'histoire et à faire de son père le genre de parent

---

qu'il avait toujours souhaité devenir. En s'acharnant ainsi à rejouer au présent le scénario familial, il tentait de modifier magiquement le script du passé.

Bien sûr, en réalité, la seule chose que l'on peut changer au présent, c'est le présent lui-même. Pour autant cependant que Katherine continue de jouer le rôle de la partenaire déterminée et exigeante, il pourrait se percevoir comme son pôle opposé: un homme aussi doux, aussi peu agressif que l'avait été son père. Avec l'aide de Philippe, il pouvait voir *en dehors* de lui le conflit qui faisait rage *en* lui (et se donner ainsi l'illusion qu'il pouvait échapper au conflit en échappant à sa femme!).

De son côté, en prenant le commandement de la maisonnée, Katherine protégeait son mari contre toute prise de conscience de ses émotions rageuses et permettait l'expression, entre eux, de son conflit intérieur. Elle le dominait comme il en avait besoin. Il lui était donc facile de devenir extraresponsable et extracompétente pour deux.

Après tout, Katherine n'avait-elle pas été une enfant — «parent»? Elle devait sacrifier ses besoins, ses faiblesses et sa vulnérabilité pour maintenir la relation; d'ailleurs, Katherine n'avait-elle pas acquis une longue expérience en ce domaine? La vie lui avait appris à renoncer à sa dépendance puérile et à ses désirs naturels de soutien et d'attention.

En elle, rien n'interdisait l'affirmation de soi, le sens de la responsabilité, l'expérimentation et l'expression des sentiments négatifs. Contrairement à son partenaire, elle pouvait aisément accepter sa compétence en tant qu'aspect légitime de sa réalité intérieure et de son comportement extérieur. En revanche, Katherine ne pouvait admettre en elle les sentiments d'impuissance, d'inadéquation, d'incertitude.

Même si ces sentiments-là existaient bel et bien en elle, elle avait dû les supprimer le plus possible, les chasser de sa conscience. Pour elle, le contact avec sa vulnérabilité aurait été épouvantablement menaçant et douloureux, parce qu'il l'aurait exposée aux facettes d'elle qui lui venaient de l'impuissance, de la maladie, de la «défectuosité» de sa mère (qui n'était plus, en ce sens, une femme «coriace»).

Katherine ne pouvait supporter la faiblesse et l'abandon de la femme malade qui avait eu besoin d'elle. Autrement dit, l'intégration des aspects malades de sa mère dans son identité féminine naissante avait été trop terrifiante. Ainsi, les composantes plus faibles, plus vulnérables du modèle maternel avaient été complètement niées et rejetées. La dépendance, la fragilité, l'impuissance et tous les autres aspects semblables ne pouvaient faire partie du monde intérieur de Katherine; elle n'aurait su les admettre.

Elle ne pouvait pas les voir en elle, mais elle pouvait fort bien les reconnaître à mesure qu'ils se manifestaient chez Philippe. En s'adaptant aux circonstances, en développant une identité féminine, Katherine n'avait intégré que les attributs de sa mère qui parlaient de sa force, de sa capacité de commandement, de son sens de la responsabilité. Cependant, son partenaire intime pouvait exprimer, pour le système relationnel qui les englobait tous les deux, l'ensemble des sentiments niés d'impuissance, d'incertitude et d'inefficacité.

Tout comme il lui avait permis d'exprimer à sa place sa détermination et sa colère, elle l'avait autorisé à exprimer pour elle les sentiments d'inefficacité et de vulnérabilité qu'elle ne pouvait pas, consciemment, reconnaître et admettre en elle. Leur quiproquo conjugal voulait qu'il porte la faiblesse, l'incompétence, l'irresponsabilité, la bonté et l'insouciance du système émotif global. Elle s'était chargée de la force, de l'entêtement, de la responsabilité, des problèmes, des contraintes et de la façon de leur faire face.

Elle déplorait les manques de son mari et son incertitude, facettes qui n'existaient si manifestement pas en elle, tandis qu'il se plaignait de son autorité et de la violation de ses droits. Qui aurait pu affirmer, dès lors, que Philippe Gardiner se montrait irresponsable pour que sa femme puisse se charger de responsabilités supplémentaires? Qui aurait pu déclarer que Katherine Gardiner avait pris le commandement et décidait de tout parce que son mari manquait d'assurance et avait tendance à faire preuve d'insouciance et d'inefficacité?

Le couple s'était enfermé dans un cycle comportemental où elle agissait comme elle le faisait parce qu'il se comportait comme il le faisait, parce qu'elle agissait comme elle le faisait... D'une certaine façon, une fois que ce cercle vicieux s'est mis en branle, ce qui l'a fait démarrer importe moins que le comportement des partenaires pour qu'il se perpétue et que survive le système. Dans les systèmes intimes comme celui des Gardiner, il est une règle fondamentale: chaque partenaire doit *s'empêcher d'agir autrement* qu'en vertu des projections de l'autre. Étant donné que chaque partenaire est responsable de la propriété et de l'expression des attributs et des sentiments niés de son conjoint, le seul fait de changer, de grandir, de devenir adulte constitue un manquement à son devoir, et une menace pour la relation elle-même.

LA COALITION

Le changement est, en fait, une forme de trahison. Il affirme la *différence* essentielle du partenaire en regard de la vision que l'autre a de lui. C'est pourquoi, dans les systèmes conjugaux de coalition, l'effort de l'un des partenaires pour changer sera généralement bloqué par l'autre, ou contrebalancé, pour restaurer l'équilibre habituel du système.

Si Katherine avait, par exemple, commencé à se montrer moins déterminée, moins responsable, Philippe aurait réagi de manière semi-réflexe. Il se serait montré encore plus incertain et encore moins efficace qu'à l'accoutumée pour l'obliger à reprendre la position de «force» qu'il avait besoin de la voir occuper. (En passant, il était très puissant quand il s'agissait de la *forcer* à occuper cette position-là!)

De la même manière, si Philippe avait commencé à se montrer plus fort, plus décidé, sa femme aurait tenté de le faire trébucher en en sachant plus que lui, en devenant plus coriace et plus dominatrice que jamais. Tout comme il avait besoin qu'elle exprime à sa place sa détermination et sa colère, elle avait besoin d'entrer en contact avec sa propre vulnérabilité, avec son propre manque d'assurance, par le biais du comportement de son mari.

Les relations de coalition, écrivent Ellen Berman, M.D., Harold Lief, M.D., et Ann Marie Williams, Ph.D., «sont généralement très étroites; même si elles sont très désagréables, chacun des partenaires a besoin que l'autre porte pour lui les éléments désavoués de sa personnalité. La douleur vient de l'impression *consciente*, en dépit de la coalition *inconsciente*, que l'autre s'oppose, qu'il se montre égoïste, «impossible.»

Le mariage, préconisent les auteurs, diffère des autres relations: dans le système conjugal, le comportement de l'individu peut se révéler beaucoup plus irrationnel qu'en dehors du système. La notion de coalition s'avance encore davantage pour en expliquer les raisons: «Ce n'est que dans le mariage qu'un individu choisit d'exprimer une partie polarisée du conflit et de projeter l'autre partie sur son partenaire. Il importe d'admettre que la plupart des gens ne projettent pas le même conflit intérieur sur tous les gens, mais bien sur la seule personne qui leur permet d'être intime.» Plus nous sommes proches d'une autre personne, plus notre folie (notre conflit intérieur irrésolu) est susceptible de faire surface dans la relation qui s'établit.

L'AMOUR DE LA COALITION

Quand il est question d'amour, nous nous posons certaines questions fondamentales: que se passe-t-il dans les relations? De quoi sont-elles faites? Que dois-je, par exemple, à mon partenaire? Est-ce que je suis forcée de faire tout ce que je peux (consciemment et inconsciemment) pour le délivrer de ses conflits intérieurs irrésolus, même s'il apporte ces conflits dans la relation et que je trouve que ces problèmes n'ont rien à voir avec moi?

C'est ici que se présentent deux possibilités très différentes. Ce sont des façons radicalement *différentes* de concevoir le lien intime, pas seulement dans la manière de le vivre, mais dans ce qu'il contient de la croissance et du développement individuel des partenaires.

En tant que partenaire du premier genre de système, le moins sain et le moins flexible, je me serais sentie obligée (pour autant que ma compréhension de l'amour concernée et aussi longtemps que je conçois mon amour comme un moyen de mériter celui de mon conjoint) de le mettre à l'abri de la douleur qu'auraient pu lui causer ses problèmes irrésolus, en me chargeant d'une partie de son conflit intérieur. Si, par exemple, il n'arrivait pas à vivre et à s'approprier des sentiments de colère, j'aurais pu me rendre responsable de l'expression de suffisamment de colère pour nous deux. Cela pourrait produire un quiproquo, parce que la coalition *contient toujours l'échange, l'arrangement mutuel.*

En nous rendant réciproquement service de la sorte, nous pourrions fort bien sembler avoir résolu nos problèmes individuels, cependant le prix à payer pour notre «résolution» serait énorme. En concluant cette entente inconsciente, nous aurions en effet décrété que 1. nos problèmes originels devaient se répéter dans notre mariage; 2. qu'ils ne pourraient jamais trouver de solution. Comment nos conflits individuels pourraient-ils se résoudre dans le cadre de la relation, étant donné qu'ils n'en provenaient pas?

Pris dans l'effort de changer le passé au présent, je pourrais me battre éternellement et ne jamais admettre que je lutte pour atteindre l'impossible. Peu importe ma ténacité, en tentant de modifier la personnalité ou le comportement de mon conjoint, je n'arriverai jamais à faire de mon père ou de ma mère les gens que j'aurais souhaités.

UNE AUTRE FAÇON D'AIMER

Il est une autre façon d'aimer beaucoup plus saine et très différente. Elle suppose que l'amour ne m'oblige pas à porter un aspect des problèmes irrésolus de mon partenaire; l'amour me demande plutôt de respecter son droit de régler ses problèmes à sa manière, du mieux qu'il le peut. Je peux le comprendre, sympathiser avec lui, soutenir ses efforts pour résoudre problèmes et difficultés. L'amour m'*interdit* toutefois de me charger d'une partie de sa peine intérieure et de supposer qu'il ne peut y faire face lui-même.

Dans ce genre de système émotif, chacun de nous est libre de se débattre avec ses problèmes intérieurs individuels, en apparence irrésolubles; chacun doit cependant le faire dans le cadre d'une relation avec un conjoint qui respecte la légitimité de la souffrance et qui ne confond pas les problèmes de l'autre avec les siens. C'est à partir de l'acceptation mutuelle du droit de chacun à chercher à solutionner *ce qui lui appartient* que la résolution des conflits individuels peut éventuellement apparaître — et pas au prix de la relation.

Je pourrais, par exemple, sympathiser avec les problèmes de mon conjoint en admettant ses sentiments de colère, mais je n'aurais pas besoin de l'aider en me mettant en colère à sa place. À son tour, il ne serait pas tenté de quitter le mariage parce que la rage qu'il perçoit *chez* moi et *en moi* le consterne et l'offense, même si je me sens forcée de l'exprimer pour nous deux.

Nul d'entre nous n'a grandi dans un environnement idéal où nous aurions appris à aimer de la manière la plus saine, la plus gratifiante. À un moment ou à un autre, nous avons tous dû faire face à des visions de l'amour très différentes de la nôtre. Au cours de nos expériences précoces, nous en sommes, pour la plupart, venus à croire que nous devons reporter notre souffrance intérieure sur notre partenaire. Philippe Gardiner comprenait aussi l'amour de cette façon.

Ainsi, au lieu de permettre à sa femme de chercher à résoudre le problème apparemment insoluble de la force et de la faiblesse simultanées, il s'était emparé de la faiblesse de Katherine. Au lieu de permettre à son mari de chercher à résoudre le problème du chic type enragé, Katherine avait, pour sa part, accepté de porter en elle cette partie du conflit de Philippe. Ils s'aimaient comme ils l'avaient appris: pour eux, c'était ça l'amour.

L'autre choix, la deuxième façon d'aimer, leur était inconnue; ni l'un ni l'autre n'avaient eu la chance de la vivre, de la goûter, de la sentir, de la voir ou d'avoir même conscience de son existence. C'est une toute autre façon d'établir une relation, une manière d'aimer où l'amour devient le synonyme de l'admission de l'individualité du partenaire et de son droit de porter la douleur et le conflit qui lui appartiennent et dont il est responsable.

L'ATTENTE

À mesure que les semaines passèrent, Philippe semblait renoncer à l'idée de laisser tomber la relation, mais il paraissait douter tout autant de son retour éventuel à la maison. Comme elle me le révéla, Katherine sentit qu'on la «tournait tout doucement dans le vent» en attendant de décider de son sort. Quoi qu'il en soit, elle découvrit qu'elle n'était pas aussi «unidimensionnelle» qu'elle ne le croyait.

«Philippe était le nourricier de notre famille, l'être aimant; moi, j'étais le préfet de discipline. Et même si je suis toujours le préfet de discipline, je peux constater que mes enfants m'aiment. Quand Philippe vivait avec nous, j'imagine que je ne voyais pas qu'ils *m'aimaient* vraiment...»

Elle découvrait qu'il lui était possible d'être nourricière et proche de ses enfants tout en prenant en charge la maisonnée et en instaurant la réglementation.

Avant la séparation, expliqua Katherine au cours d'une entrevue sans Philippe, elle s'était demandé si elle était ou non une bonne personne.

«J'ai grandi persuadée que j'étais mauvaise, dit-elle, parce que les attributs que Philippe et ma famille m'ont donnés ont toujours semblé porteurs de connotations négatives.

— Quels étaient exactement ces attributs?

— Ma mère... commença-t-elle, le regard vague, comme si elle fixait le passé. Ma mère disait toujours: «Tu es la juste». C'est un mot *dur*.

— Juste? demandai-je en souriant. Pourquoi est-ce dur?

— Parce que la justice est aveugle, s'écria-t-elle sans me rendre mon sourire; elle est rigide, elle n'est pas *joyeuse*! Elle ne contient, ajouta-t-elle, confuse, aucune des qualités de pardon que j'aimerais...

— Votre mère sentait-elle que vous la jugiez? finis-je par dire puisque sa phrase s'était arrêtée subitement et ne semblait pas vouloir reprendre son cours.

— Oh! J'en suis certaine, soupira-t-elle en haussant les épaules. Mais ma mère pensait toujours, en tout cas, elle disait toujours: «Tu es la juste». Quand il y avait une dispute entre mon père et mes soeurs, elle savait qu'elle pourrait savoir exactement de quoi il retournait en me demandant ce qui se passait.

— On dirait qu'elle vous tenait en très haute estime et qu'elle vous respectait énormément, fis-je en secouant la tête. Je n'y vois rien de négatif...

— Peut-être. Je pense que c'est vrai, mais, murmura-t-elle d'une voix si basse que j'eus du mal à l'entendre, il n'y a pas de *douceur* dans ça.»

Katherine était-elle en train de dire que le mot «justice» empêchait toute association avec «féminité»?

«Voulez-vous dire qu'on vous accordait un trop grand pouvoir?

— Oui, acquiesça-t-elle; trop de pouvoir, trop de détermination.

— Trop d'emprise, ajoutai-je en hochant la tête.

— Trop d'emprise, trop d'agressivité, continua-t-elle, tout ce qui est *dur*... Philippe avait l'habitude de dire: «Je t'aime parce que tu es tellement forte», précisa-t-elle avec amertume. Tout ce qui n'est pas féminin. On ne m'a jamais attribué une qualité féminine, sauf récemment. Récemment, j'ai... commença-t-elle avant de s'arrêter pour rire. J'ai eu des compliments, lança-t-elle tout à coup. Je me sens... vous savez... *belle* pour la première fois de ma vie, d'aussi loin que je me souvienne.»

UNE POINTE D'AUTONOMIE

Quand je lui parlai seule à seul, Philippe, dans son ambivalence, résistait à son retour à la maison et à sa famille et restait tout de même très proche d'eux.

«La période au cours de laquelle je me suis très lentement aperçu de ce qui se passait a duré extrêmement longtemps, et elle a mené à ce que j'appellerais la «suffocation». Je crois qu'il faudrait que nous nous connaissions bien tous les deux, bien mieux qu'avant, pour ne pas reprendre nos vieilles habitudes relationnelles. En ce moment, je ne me sens pas à l'aise quand j'y songe. Je ne peux pas dire que je pourrais m'arrêter de déraper sur cette voie-là pour...»

Il s'interrompit. Je savais qu'il s'apprêtait à dire «pour aller m'écraser».

«Quand je pense à retourner, j'ai peur. J'ai peur de m'ensevelir, et je me dis: «Fais pas ça!» Tout ce que je sais en ce moment, c'est que je me sens mieux. Pas quand je songe à la relation; je me sens pourri et égoïste quand je pense aux enfants. Mais lorsque j'envisage mon retour dans le mariage, et j'y réfléchis... beaucoup, j'ai peur... Pendant longtemps, j'ai senti que je ne valais rien, et je ne veux plus jamais avoir cette impression-là. C'est peut-être ce que mon père voulait, mais je ne veux pas *lui* ressembler.»

J'acquiesçai d'un signe de tête. Je lui dis que je comprenais la lutte qui se livrait en lui. J'ajoutai qu'en fuyant la relation comme il le faisait, au lieu de s'efforcer de négocier pour son propre compte une position différente, il ne livrait pas nécessairement bataille comme il le devait.

Il craignait de ne pas pouvoir négocier efficacement sa position.

«Si je commence à céder et à me rapprocher de Katherine, mon désir d'intimité augmentera et je renoncerai à certaines choses pour me trouver de plus en plus proche. Et je me retrouverai dans la même situation pas longtemps après.»

Son inquiétude portait sur le fait que, s'il se rapprochait de sa femme encore une fois, son peu d'autonomie s'éroderait complètement. S'il ne pouvait pas revenir au mariage, Philippe était tout aussi incapable de le quitter tout à fait.

CHANGEMENT DE PARTENAIRES

Dans mon esprit, les Gardiner s'aimaient profondément. Au cours de nos entrevues, j'avais vu chez eux tant de rires, tant d'inquiétudes, tant d'amour et d'attention quand ils s'écoutaient l'un et l'autre raconter leur vie. Ils étaient tellement *savoureux*! Katherine avait décrit à un moment donné l'excursion qu'ils avaient faite avec un autre couple. Philippe et elle s'étaient sentis follement excités et s'étaient arrangés pour perdre leurs amis pendant un certain temps. Ils s'étaient cachés derrière un buisson pour faire l'amour.

Cela allait-il prendre fin après tout ce temps, après toutes ces expériences communes?

Je ne le croyais pas. Au moment où nos conversations tiraient à leur fin, je ne m'étonnai pas d'entendre Philippe annoncer qu'il était prêt à suivre une thérapie conjugale. Il me semblait intensément pris dans la relation, mais paraissait craindre que sa reprise en provoque le retour à la normale, que les choses ne reprennent leur cours comme si rien ne s'était produit. La démarche thérapeutique était, à mon avis, un premier pas vers le retour à la maison. J'admets que lorsque je les ai quittés, j'espérais de tout coeur qu'ils résolvent leurs problèmes.

Je m'étais trompée.

Un an plus tard, les Gardiner s'étaient séparés et Philippe vivait avec quelqu'un d'autre. Quand je l'ai rencontré, il semblait détendu, sûr de lui: son affaire prospérait et sa vie personnelle était au mieux. Il s'inquiétait tout de même, me confia-t-il, parce que bien des choses qui s'étaient déjà produites dans sa relation avec Katherine commençaient à se manifester dans sa nouvelle relation. Il avait peut-être changé de partenaire, mais le conflit en lui restait le même: sa petite danse à deux ne pouvait donc pas se démarquer de l'autre. Il voulait une femme forte pour prendre sa vie en main, mais il trouvait intolérable qu'une femme forte s'empare ainsi de sa vie.

SIXIÈME PARTIE

APRÈS LES ENFANTS: LA RÉINTÉGRATION

18

Les querelles conjugales

À la fin de la quarantaine, les Sternberg avaient l'air jeunes. David était un homme dégingandé, ossu; il rejetait en arrière ses cheveux noirs ornés de mèches grises sur les tempes. Nancy, délicate et mince, arborait un nez aquilin, de grands yeux bleu-gris et des boucles blondes. Ils étaient juifs et vivaient dans une longue maison de briques et de bois de style ranch.

David, un homme d'affaires extrêmement prospère, possédait une compagnie de services industriels. Il avait mis cette affaire sur pied à partir de ses économies et d'un prêt de son père. Nancy était, à temps partiel, chercheuse dans le domaine médical et travaillait pour le compte d'un hôpital universitaire; elle jouait également un rôle actif dans l'affaire de famille.

«Je m'occupe de la facturation, des livres, des comptes, dit-elle. Je fais aussi l'étiquetage et bien d'autres choses. En fait, je possède 50 p. cent de la compagnie, ajouta-t-elle, et je tiens bureau dans la chambre à coucher pendant qu'il dort chez la secrétaire!» fit-elle en riant et en pointant son mari du pouce.

Les Sternberg avaient trois enfants: Jeff, 25 ans, enseignant dans une école privée; Carole, 22 ans, à l'emploi du ministère de la Justice; et Jacques, 20 ans, étudiant à l'université.

Durant toutes nos conversations, une aura de satisfaction, de chaleur et d'intérêt mutuel prononcé parut entourer Nancy et David. Ils déclarèrent tous les deux sentir qu'ils avaient retrouvé l'intimité, la beauté et la valeur du partenaire et de la relation qu'ils avaient perdues de vue au cours des années d'éducation des enfants.

«Je sais fort bien que je l'aimais, expliqua Nancy, mais j'avais des enfants — *nos* enfants — qui avaient besoin de moi. Il se montrait injuste envers eux, *follement* injuste, surtout vis-à-vis de notre fils aîné, Jeff. Une fois, il devait avoir cinq ou six ans, Jeff était assis sur les genoux de son père. Il donna un coup de pied malencontreux à la jambe de David. Celui-ci s'est mis en rogne, l'a jeté à terre et a commencé à le battre. C'était — je ne sais pas — complètement *irrationnel*. À cet instant-là, j'avais souhaité que Dieu le fasse périr sur-le-champ.»

Ça avait été, se hâta-t-elle d'ajouter, le «plus sale moment de notre mariage». Désormais, elle avait l'impression qu'ils étaient tous les deux bien différents, dans une relation tout aussi différente.

«Je ne sais pas comment j'ai pu être aussi idiot, commenta David d'une voix soumise, en évitant mon regard. C'était *stupide* de ma part», répéta-t-il avec chagrin et regret.

Même au moment où nous nous parlions, il n'arrivait pas à comprendre pourquoi il s'était montré si hostile à son aîné.

«Peut-être parce que je croyais que Jeff était plus intelligent que moi — il est très intelligent — et ce, depuis sa naissance. Peut-être qu'il était plus beau, avec ses cheveux blonds. Je ne sais pas. J'ai beau essayer, je n'arrive pas à comprendre.»

Ce que David savait par contre, c'était qu'il cherchait l'attention de sa femme, son amour, et qu'il avait l'impression que leur fils aîné lui volait tout ça.

«À l'époque, je ne réalisais pas que son amour pour lui et son amour pour moi étaient deux choses différentes, aussi différentes que des pommes et du gâteau au fromage.»

Il sourit, l'ait honteux, s'éclaircit la gorge et répéta qu'il avait du mal à croire qu'il avait pu agir avec tant de jalousie et d'autoritarisme.

À l'époque, il était un homme traqué, un homme en compétition avec son père.

«J'étais juif, j'étais bien élevé, et je provenais d'une famille riche; je travaillerais très fort, j'aurais une grosse maison, j'aurais *tout*, je deviendrais millionnaire.

— Par-dessus tout, coupa sa femme, il allait montrer à son père ce que c'était que la *prospérité*!

— C'est vrai, admit David. Si mon père était là, fit-il en plaçant sa main au niveau de ses yeux, moi, je me trouverais là, ajouta-t-il en remontant sa main d'une soixantaine de centimètres. J'en ferais plus que lui! S'il avait acheté une maison, j'en achèterais deux! S'il en avait acheté deux, j'en aurais quatre! *J'aurais TOUT* ! lança-t-il d'une voix où pointait la colère, dans un haussement d'épaules.

— David était un homme obnubilé dans ce temps-là, expliqua Nancy qui avait bien saisi l'intonation colérique. Je ne parvenais pas à comprendre ce qui le rendait si fanatique. Il ne poursuivait pas du tout les mêmes buts que moi: je ne suis pas matérialiste. Les vêtements, les clubs sociaux, ce genre de choses ne m'intéressent pas. Lui, il occupait trois emplois, et il était parfois d'un voisinage désagréable... *très* désagréable! Injuste envers les enfants. Il n'était pas facile de vivre avec lui.

— Moi, je ne me trouvais pas injuste, rétorqua David en secouant la tête. Je me voyais autrement, comme un homme bon, surchargé de travail, qui faisait du mieux qu'il pouvait pour le bien-être de sa famille.»

Il ne savait pas qu'il était si malheureux; il ignorait à quel point ses attentes vis-à-vis de lui-même étaient incompatibles avec son comportement. (Il croyait qu'il était fondamentalement bon, juste; qu'il luttait pour assurer à sa femme et à ses enfants la meilleure vie possible.)

Une crise cardiaque avait ralenti David, l'avait forcé à se ranger. Jusqu'à ce moment-là, il n'avait jamais pris le temps de s'arrêter et de penser à ce qu'il faisait.

«J'ai commencé à me voir comme quelqu'un de différent de l'homme que j'imaginais, quand j'étais cloué au lit, en convalescence. Et quand je me suis bien regardé dans le miroir et que j'ai vu qui j'étais vraiment, je me suis dit: «Eh bien! mon vieux, tu n'es pas exactement ce que tu croyais être!» Quelqu'un d'autre était là, qui me regardait. Et ce n'était pas un chic type... Je rendais tout le monde malheureux autour de moi... Pour la première fois, précisa-t-il après un instant de silence en se penchant vers moi pour s'assurer que j'entendais bien, j'ai compris que je ne tirais pas de la vie tout ce que je croyais en tirer plus jeune, quand j'avais 22 ou 23 ans et que je suis devenu amoureux de Nancy que j'aime toujours. J'ai vu que, dans ma relation avec elle et avec les enfants, je faisais des choses méchantes, insensées.»

Il s'était rendu compte qu'il avait commis certaines erreurs majeures. Mais il ignorait complètement comment les corriger.

«POURQUOI NOUS DISPUTONS-NOUS?»

Dans l'existence des Sternberg, la crise la plus sérieuse était survenue au moment du départ de Jeff pour l'université (sept ans avant nos entrevues, et dix ans après la crise cardiaque de David). Pendant des années, Jeff avait été l'«enfant problème» du couple. Sans ses éternels problèmes désormais, David et Nancy durent affronter leurs propres difficultés.

«Nous avons commencé à nous disputer âprement, quand Jeff est parti, raconta Nancy. David est devenu hypersensible et irritable. Je ne pouvais pas exprimer le moindre désaccord, à *quelque propos que ce soit*, sans le plonger dans une rage folle.»

Je me tournai vers lui pour poser les questions qui s'imposaient: son comportement ressemblait-il à celui qu'il avait connu dans sa famille fondatrice? Est-ce que l'un de ses parents semblait perpétuellement en colère? Les deux, peut-être?

Un petit sourire ironique releva les coins de sa bouche au moment où je lui posai ces questions. Il hocha la tête.

À son point de vue, son père, décédé depuis peu, avait été un homme extrêmement tendu et très combatif. Son propre comportement, poursuivit-il, «ressemblait» à celui de son père «sous certains rapports». Il n'irait toutefois pas jusqu'à comparer sa relation avec Nancy à celle de son père et de sa mère: il y avait entre leurs relations des différences marquées. Son père avait un tempérament beaucoup plus explosif que le sien, et sa mère ne se défendait pas. *Contrairement* à Nancy.

«C'est parfaitement vrai, interrompit-elle. Je me suis défendue et ça a été *affreux*. Pour régler les choses, on ne peut pas dire que nous étions là. À l'époque, ni l'un ni l'autre n'étions capables de nous affronter directement, de négocier, de travailler à notre relation... Pendant tellement longtemps, nous avions reporté nos problèmes sur Jeff. Nous nous *servions* de lui, et il jouait notre jeu. D'après ce que j'en sais maintenant, il tentait de nous protéger en écartant l'urgence de *nos* problèmes pour garder notre attention sur lui et sur ses problèmes.»

Ces trois individus s'étaient enfermés dans un triangle émotif. Et voilà que tout à coup l'un des côtés du triangle s'était détaché pour aller à l'université. Sans leur échappatoire habituelle qui leur permettait de faire face à leur anxiété, leur système s'était enrayé, puis complètement déstabilisé. Sans les problèmes de Jeff, Nancy et David étaient forcés de *se* quereller à propos de *leurs problèmes*. De l'avis de Nancy, dans la maison, les tensions s'étaient tellement élevées qu'elles avaient atteint un niveau sans précédent.

«Nous étions tous les deux; les plus jeunes étaient encore à la maison. Carole était en secondaire III et Jacques, en secondaire I. Et tout à coup, que s'est-il passé? demanda-t-elle. Nous nous en sommes pris à *eux*! J'ai vu ça venir : c'était tellement évident. Nous nous servions des autres enfants dont nous ne nous étions pourtant jamais servis de la sorte auparavant! lança-t-elle d'un air effrayé. Notre fille était en troisième année de secondaire, et il y avait oh!... un climat explosif entre elle et son père. Carole est une fille indépendante et intelligente qui sait très bien ce qu'elle veut et qui elle est... C'est une jeune femme très dynamique, et je pense que David a des problèmes avec des femmes comme ça. Elles l'attirent. Et elles lui portent sur les nerfs, même s'il n'a jamais aimé les femmes minaudières ou pots de colle... Je ne sais vraiment pas pourquoi nous avons commencé à nous en prendre à elle... Et puis, ça a été le tour de *Jacques*! s'écria-t-elle en se tapant la tempe, comme pour souligner qu'ils avaient osé l'incroyable et l'impossible. *Jacques*! L'enfant le plus aimable, le plus adorable qui soit! Il est absolument merveilleux, on ne peut presque rien lui reprocher!... C'est-à-dire que sa chambre est en désordre permanent et qu'il ne faisait pas ses devoirs, précisa-t-elle en haussant les épaules.

— Mais personne n'avait jamais rien remarqué *jusque-là*. Tout à coup, les autres enfants étaient prisonniers du système, pris dans le processus de triangulation, convint David. Et puis Nancy... elle a remarqué que quelque chose de bizarre était en train de se produire, et elle m'a dit qu'elle croyait que nous devrions consulter quelqu'un... J'hésitais, je n'aimais pas l'idée», ajouta-t-il, comme avec une arrière-pensée.

Il arrêta de parler; son regard croisa celui de sa femme qui, après un instant, reprit le cours de l'histoire. Selon Nancy, la situation s'était dégradée à tel point qu'elle s'était crue obligée de servir un ultimatum à David: ou bien il l'accompagnait chez le thérapeute, ou bien elle le quittait.

«Je lui ai dit», rapporta-t-elle d'une voix légèrement tremblante: «Je sais que nous pourrions avoir une bien meilleure vie! Je t'aime. Tu m'aimes. Nous avons eu une existence merveilleuse pendant des années. Notre engagement, l'un vis-à-vis de l'autre, est solide. Mais nous nous *disputons* tout le temps.»

Après le départ de Jeff, leur existence était devenue intolérable. L'atmosphère s'était chargée d'une angoisse empoisonnée que la plus petite étincelle pouvait faire exploser à tout moment.

«La moindre peccadille prenait assez d'importance pour détruire toute une fin de semaine», se rappela Nancy.

Ils s'aimaient, mais ils ne parvenaient ni à arrêter de se quereller, ni à comprendre pourquoi ils se chamaillaient ainsi.

QUERELLES FONCTIONNELLES, QUERELLES DYSFONCTIONNELLES

Selon le psychiatre Larry B. Feldman, *l'estime de soi blessée ou diminuée des deux partenaires donne lieu aux problèmes psychodynamiques nodaux sous-jacents au conflit conjugal destructeur.* «La vulnérabilité narcissique se trouve au coeur de presque tous les mariages conflictuels. La vulnérabilité de chacun des conjoints se ressemble, même si ses manifestations apparentes peuvent souvent différer énormément.»

De la sorte, même si l'un des partenaires *peut sembler* plus sain et plus compétent que l'autre, les différences superficielles cachent des similitudes fondamentales profondes remarquables. Ils luttent tous les deux pour maintenir une estime de soi, précaire au mieux, avance Feldman.

Quelle différence y a-t-il entre les disputes «fonctionnelles» et les disputes «dysfonctionnelles»? Dans la querelle conjugale (dans toute querelle, aussi bien) «fonctionnelle», on peut identifier assez aisément les problèmes sur lesquels portent le conflit. On ne les perd jamais de vue, il n'est pas devenu impossible de les reconnaître, parce qu'ils se seraient dilués et perdus dans une généralisation vague. Autrement dit, la différence entre la querelle «fonctionnelle» et la querelle «dysfonctionnelle» se situe précisément entre la communication claire d'un problème particulier («je voudrais que tu sortes les ordures», par exemple) et l'accusation plus générale, plus diffuse («tu ne m'aides jamais; tu ne penses qu'à toi!»).

Les déclarations qui contiennent «jamais» et «toujours» sont d'ordinaire celles qui entraînent plus de disputes que d'éclaircissements. On ne peut résoudre les problèmes quand on les enterre sous un amas d'accusations hors de propos, de grande envergure.

Les bonnes querelles productives contiennent un minimum d'éclats vains, ou bien les grandes déclarations s'y limitent au début du conflit.

Au cours de la dispute constructive, chaque opposant écoute *attentivement* le point de vue de l'autre. Il ne reste pas assis en attendant que sa partenaire, par exemple, aie fini de parler pour ensuite placer sa propre diatribe. Quand se produit un scénario de ce genre, écrit Feldman, les plaintes des partenaires ne font que s'entrecroiser: chacun des conjoints parle à l'autre, qui est incapable d'absorber ce qu'il entend.

Si ni l'un ni l'autre ne sont en position de recevoir le message du partenaire, il y a peu de possibilités qu'ils arrivent à identifier les difficultés, encore moins à négocier tout changement. Quand elle ne s'accompagne pas de la capacité d'écoute, l'expression de son sentiment est une manière dysfonctionnelle d'entreprendre une querelle. *Par définition*, l'est aussi toute dispute qui contient des éléments de violence physique (gifles, coups de pied, objets lancés ou brisés, vitres cassées ou *menaces* de frapper le — ou la — partenaire).

Tout comportement de ce genre est fondamentalement malsain et improductif, tout comme les batailles qui contiennent des éléments de violence verbale ou l'écrasement de l'autre («sale ivrogne!», «lèche-cul!», «t'es encore plus vache que ta mère!», etc.).

Les partenaires intimes qui s'injurient de la sorte ou qui se maltraitent physiquement peuvent bien se quereller jusqu'à la Saint-Glinglin ou jusqu'à épuisement: quand ils s'effondreront, leurs difficultés seront encore loin d'être résolues. Après la tempête, l'atmosphère sera aussi lourde et engluée qu'avant l'éclatement, lorsque les tensions s'accumulaient entre les partenaires pour atteindre un point culminant.

On s'en doute bien, l'ouragan a eu beau passer, le climat conjugal est resté exactement le même. On ne saurait négocier des changements positifs quand chacun des partenaires n'a pas pu exprimer sa position ou découvrir celle de son vis-à-vis, c'est-à-dire, quand chacun des partenaires n'a pas parlé et écouté efficacement.

La version modifiée de la tâche 1 (voir le chapitre 11, «Les tâches») peut parfois aider énormément à transformer un conflit destructeur en querelle productive qui engendre des changements positifs. Dans cette version de l'exercice, adaptée au sujet qui nous occupe, la guerre qui semble aller nulle part s'interrompt sur un cessez-le-feu, tandis que les partenaires prennent l'un après l'autre les rôles d'auditeur et d'orateur décrits au chapitre 11.

Le premier à prendre la parole fait part à l'autre en 15 minutes de son expérience subjective et de sa compréhension de ce qui se passe, pendant que son conjoint l'écoute *sans interruption*. Comme dans la tâche 1, celui qui parle et celui qui écoute changent ensuite de rôle.

La plupart des querelles, peu importent leur virulence et leur amertume, auront du mal à survivre à ce genre de traitement. Le dialogue promu est sain; il clarifie les désaccords fondamentaux entre deux individus différents, qui voient tout naturellement les choses différemment.

DE BONNE GUERRE

Le bon différend prend fin sur la compréhension accrue, le compromis mutuel, négocié, et le mouvement réaliste vers la résolution du problème. Le mauvais conflit (la querelle dysfonctionnelle) s'éternise et ne trouve jamais de solution. Ce genre d'altercation, comme le sport intérieur le plus brutal, occasionne des blessures psychologiques ou physiques sans que le jeu ne prenne jamais fin. Du point de vue narcissique, chacun des opposants dans ce genre d'algarade se sent blessé par le comportement de cruauté et de rejet de l'autre.

L'estime de soi de chaque être humain n'est jamais tout à fait à l'abri des coups du sort et des insultes. D'un point de vue narcissique, nous sommes tous plus ou moins vulnérables. Comme le fait observer le docteur Feldman, les problèmes narcissiques existent à différents degrés d'intensité. L'estime de soi des personnes les plus affectées réagit au moindre signe de désapprobation ou de rejet (réel ou imaginaire) en subissant une baisse énorme. En l'absence de réactions positives de la part du partenaire, les individus ainsi affligés perdent littéralement leur identité et ont l'impression de tomber en morceaux.

À l'opposé, se situent les personnes qui réagissent peu à la critique et aux autres stimuli négatifs du partenaire: elles ne subissent qu'une légère diminution de leurs bons sentiments à leur propre endroit. Quoi qu'il en soit, la plupart des gens se situent quelque part au milieu du spectre: ils ne sont pas maladivement troublés et ne souffrent pas d'une atteinte narcissique sérieuse, même si leur estime de soi s'en trouve quelque peu compromise et incertaine.

Les individus vulnérables ont tendance à dépendre de leur partenaire pour maintenir leur équilibre intérieur. C'est parce que leur dépendance fondamentale, écrit Feldman, «suscite la création d'attentes narcissiques conscientes et inconscientes»; ils attendent de l'autre une attention et une admiration constantes et inconditionnelles. Un peu à la manière d'une transfusion sanguine, la réaction positive du partenaire maintient à la hausse les bons sentiments à l'égard de soi, et contient les anticorps pour contrôler l'émergence de sentiments *négatifs*.

Dans les relations de ce genre, les partenaires s'attachent l'un à l'autre surtout pour l'attention ou l'admiration dont ils bénéficient. Tous les deux présentent des *problèmes narcissiques* que chacun essaie de résoudre à sa manière.

Dans le premier cas, celui qui cherche l'attention du partenaire demande le souci attentif et l'attention vigilante d'un parent aimant fort et compréhensif. Quand l'attention constante fait relâche (et c'est inévitable), la personne vulnérable se sent vide et abandonnée. Son estime de soi s'écrase, elle se sent mauvaise et coupable, punie. Bref, à moins que l'autre ne prenne soin d'elle constamment, cette personne est incapable de s'aimer.

Par ailleurs, l'individu qui cherche l'admiration dans une relation a besoin de voir ses capacités et ses accomplissements sans cesse applaudis. À moins que son partenaire ne souffle vers lui un courant continu d'admiration, son amour-propre gonflé est imminemment menacé d'effondrement, d'anéantissement. Sans le renforcement positif du partenaire, sans ses éloges perpétuels, l'individu sent monter en lui la culpabilité et le rejet. Pour combattre l'autocritique et le sentiment d'échec chez la personne dont le narcissisme est blessé, le partenaire doit émettre des signaux rassurants.

La plupart du temps (mais pas toujours), c'est l'épouse qui (pour traiter son manque d'estime de soi) s'attache à un partenaire idéalisé, fort, «parental» dont l'attention lui est nécessaire pour qu'elle continue de s'aimer. Généralement (mais, encore une fois, pas toujours), c'est le mari qui s'attache à une femme plus jeune, qui l'admirera et applaudira à ses réalisations. Sa magnanimité camoufle *son* manque d'estime de soi.

Quoi qu'il en soit, les deux partenaires font face au même problème: l'amour-propre manque et le nourrissement narcissique menace toujours de faire défaut. Parce que chaque personne s'acharne tellement à maintenir son estime de soi déjà flageolante, remarque le docteur Feldman, «elle ne perçoit pas l'autre comme un individu véritablement distinct, aux besoins et aux sentiments différents».

Dans la relation manque l'empathie (la capacité de s'identifier, sans les vivre, avec les pensées et les émotions de l'autre). Concentré sur ses propres sentiments d'inefficacité, celui qui recherche l'admiration ignore le besoin pressant de son partenaire de se faire entendre, comprendre et valoriser. Elle cherche son attention comme le diabétique a besoin d'insuline: son équilibre émotionnel et son fonctionnement adéquat ne sauraient s'en passer. Parce que sa façon de faire face au manque d'estime de soi de son partenaire diffère tellement du sien, l'épouse ne peut pas comprendre le besoin de son mari.

L'époux non plus n'y arrive pas: il a davantage besoin de l'*admiration* de sa compagne que de son attention amoureuse. Quand il se détourne d'elle, l'épouse perçoit son comportement comme de l'hostilité consciente, de l'égoïsme et du rejet. Il n'est pas rare qu'elle réagisse en s'en prenant à lui (parce qu'elle ne connaît absolument pas ses besoins fondamentaux très différents des siens). Il veut qu'elle le respecte, qu'elle lui rende hommage et qu'elle loue ses réussites et ses capacités; il n'a pas envie qu'elle l'écoute vraiment, qu'elle l'entende ou qu'elle le comprenne. Au contraire, il préférerait taire son identifé véritable, et il fait généralement du mieux qu'il peut pour éviter de se découvrir.

Pour maintenir une estime de soi de base, il a besoin qu'elle l'admire constamment, qu'elle le récompense et qu'elle fasse de lui un éloge rassurant. Il perçoit donc la colère et la condamnation de sa partenaire comme une interruption alarmante de son nourrissement narcissique essentiel.

Chaque conjoint, écrit le clinicien Feldman, se comporte d'une manière que l'autre trouve très menaçante... L'époux qui attend l'admiration se montre très souvent inattentif ou négligent. L'épouse qui attend l'attention critique et condamne souvent le comportement de son mari. Ces comportements atteignent la vulnérabilité narcissique des conjoints en plein coeur.

Conséquemment, chacun réagit avec angoisse et colère; il a l'impression d'avoir été volontairement, sinon méchamment, trahi.

LES SUJETS DE DISPUTE DES CONJOINTS

Rien n'est aussi bizarre que les sujets de dispute des couples mariés! Chez les Sternberg, la querelle favorite (qui pouvait prendre des proportions si énormes qu'elle pouvait durer toute une nuit) portait sur la propreté de la salle de bain, particulièrement sur celle de la cuvette des toilettes.

«Nous en avons justement eu une l'autre nuit, répondit Nancy en levant les yeux au ciel quand je lui demandai de me donner un exemple de leurs disputes typiques. C'est toujours la même chose! David prétend que l'entretien ménager n'a pas été fait, que les toilettes ont besoin de nettoyage. Moi, je suis occupée à classer et à vérifier les comptes recevables, la table de cuisine est jonchée de papiers. À la fin de la journée, monsieur s'amène et il lance, comme ça: «Je vois que tu n'as pas fait les toilettes», mima-t-elle d'une voix de stentor.

— Il était huit heures du soir! coupa son mari pour protester.

— Et j'ai dit, continua-t-elle sans s'occuper de lui: «Qu'est-ce que tu crois que j'ai fait toute la journée?»... Il était évident que j'avais été *occupée*!... Quand il m'impose ces tâches et que j'ai autre chose à faire, ajouta-t-elle après un court silence, j'ai l'impression que nous nous livrons une lutte de pouvoir.»

Je hochai la tête, puis je leur demandai si la requête de David pour que Nancy nettoie la salle de bain était une sorte de drapeau rouge, une invitation à la bagarre.

«C'est exactement ça. Vous savez sur quels boutons appuyer et vous ne vous gênez pas pour tenter votre chance. C'est à l'autre de réagir ou non... convint Nancy.

— Je pense que ce que Nancy a dit à propos de la lutte de pouvoir entre nous est vrai, commenta David. Quand elle ne nettoie pas la salle de bain — c'est une affaire de dix minutes — j'ai l'impression qu'elle me dit: «Je n'ai pas à le faire, si je n'en ai pas envie!»

— Exactement! brusqua-t-elle d'une voix basse où pointait tout de même la colère. Tu n'as pas le droit de me dire quoi faire!

— Je suis d'accord, lui répliqua tout de go David avant de se tourner vers moi. Je crois que je lui avais demandé. *Elle* a cru que je lui avais donné un ordre! Je ne lui ordonnais pas, je lui demandais. J'ai l'impression que j'étais gentil et que je demandais tout simplement quelque chose. Elle perçoit ces demandes — d'habitude, elles ont à voir avec le nettoyage — comme des ordres, fit-il sur un ton où montait de plus en plus l'irritation.

— Le matin, il a déclaré : «Aujourd'hui, je pense qu'il serait temps que tu passes l'aspirateur et que tu nettoies les salles de bain», rétorqua-t-elle.

— C'est ce que tu *as compris*, intervint-il.

— C'est ce que tu as *dit*, répliqua-t-elle vertement. Le matin, il a dit: «Aujourd'hui, je pense qu'il serait temps que tu passes l'aspirateur et que tu nettoies les salles de bain», s'indigna Nancy. C'est tout ce qu'il y a à comprendre. Pour qui me prends-tu? La bonniche? C'est justement ce que je devrais faire! ajouta-t-elle, sarcastique.

— Ainsi, fis-je dans un sourire, toute la journée, tandis que vous vous occupiez des comptes, vous saviez fort bien que vous n'en feriez qu'à *votre tête* et que...

— C'est ça! interrompit David. Voilà sa réaction!

— C'est ça, continuai-je. Et ça vous faisait suer.»

Elle se mit à rire, convint que si elle avait décidé de nettoyer les salles de bain, elle aurait probablement changé d'idée. Elle se tourna vers son mari.

«Je suis bien content que tu admettes que tu ne les aurais pas nettoyées, lui dit David, parce que nous savons tous les deux que c'est vrai.

— Ainsi, demandai-je à David, cette querelle-là commence quand vous levez le drapeau rouge qui dit: «Une petite guerre?»

Il rit brièvement, haussa les épaules et déclara que lorsque trop de choses le dérangeaient, il avait besoin de laisser fuser un peu de vapeur.

«C'est à ce moment-là que j'appuie sur le bouton, admit-il. En ce moment, à cause de la tension dans ma famille, avec l'héritage de mon père et le genre de testament qu'il a laissé, je me sens très tendu...

— Et moi, j'ai l'impression qu'il fait de moi son *bouc émissaire*», déclara Nancy.

David s'immobilisa, la fixa, songeur, et admit qu'il y avait une certaine part de vérité dans ce qu'elle venait de dire. Le jour de l'algarade, il avait senti qu'il avait besoin de se battre.

«J'avais besoin que quelqu'un m'en veuille», raconta-t-il lentement, l'air confus, comme s'il ne comprenait pas ce qu'il venait de déclarer.

Je songeai qu'il avait peut-être eu besoin que quelqu'un d'autre lui en veuille, avant que ses sentiments négatifs à son propre endroit, soulevés par l'héritage de son père, ne deviennent tout à fait intolérables ou ne l'anéantissent. En mettant Nancy en colère, il extirpait de son univers intérieur les émotions et les pensées d'autocritique et avait l'impression qu'elle lui *arrivaient de l'extérieur*.

SE DÉFENDRE CONTRE L'ASSAUT DES MAUVAIS SENTIMENTS

Contrairement au stéréotype masculin, dans le mariage des Sternberg, c'était David qui exprimait trop ses sentiments, qui exigeait, qui cherchait l'attention. Dans le domaine des affaires, il avait beau être un homme énergique, prospère, il dépendait tout de même de sa femme du point de vue émotif. Beaucoup plus réservée et objective que son mari, Nancy était capable, compétente et raisonnable. Après la crise cardiaque de David et après sa grave dépression subséquente (qui dura presque un an), elle s'était occupée de tout.

Dans leur relation, elle recherchait l'admiration. Elle pouvait tout faire: s'occuper du commerce, de la famille, poursuivre ses recherches. Elle pouvait tout, à la condition que ses capacités et son importance soient reconnues.

«Je m'occupe de tout, déclara-t-elle à un moment donné, comme ma mère et ma grand-mère avant moi. Je viens d'une lignée de femmes qui se sacrifient.»

En fait, elle était devenue amoureuse de son mari au cours d'un incident (au camp d'été où ils étaient tous les deux moniteurs): David était bouleversé et lui avait demandé de «le faire sentir mieux pour qu'il arrive à accomplir sa tâche».

Par ailleurs, il avait été attiré «pas seulement par sa beauté qui était et qui est toujours évidente», mais aussi par sa capacité de limiter sa nature trop expansive, trop enthousiaste. Le sérieux et l'attention que Nancy portait aux choses l'avaient aussi impressionné.

«Elle avait l'air de faire passer *mes* besoins avant les siens.»

Il n'avait jamais reçu le genre d'attention dont il avait tant besoin par le passé.

Sa relation avec sa mère avait été extrêmement distante. Non seulement le mariage de ses parents avait-il été malheureux et conflictuel, mais encore sa mère avait-elle trop pris soin d'une soeur aînée laide, perturbée et impopulaire. Dans la famille, on le trouvait facile à vivre, autonome, bien adapté: il était l'enfant qui pouvait très bien prendre soin de lui-même et qui ne demandait que peu d'attention, de souci et d'inquiétude de la part de ses parents.

La vulnérabilité narcissique, écrit le docteur Feldman, s'enracine dans la faiblesse relative du bon objet parental, dans l'image positive intériorisée du parent aimant qui accepte l'enfant, qui l'approuve et l'admire. Les images *négatives* intériorisées peuvent avoir une force encore plus grande. L'objet parental mauvais, indifférent, critique, se cache dans l'ombre de la citadelle de la conscience et menace de bondir dans la lumière à tout moment. Sans la gratification positive et constante du partenaire, les défenses contre ces images intérieures mauvaises s'affaiblissent.

Pour cette raison, celui qui cherche l'attention a peine à tolérer la frustration; tout arrêt momentané du courant d'acceptation ou d'admiration provoque l'angoisse et la rage narcissiques. Cette angoisse provient de la

...peur des images négatives de soi réprimées. Les images inconscientes de soi qui le veulent inférieur, indigne, pas aimable, répugnant, etc., menacent constamment l'individu vulnérable. La relation narcissique constitue en partie justement un moyen de faire face aux images de soi productrices de honte ou de se défendre contre elles.

Pour la plupart, nous nous soucions jusqu'à un certain point d'empêcher certaines images négatives de pénétrer notre conscience. En chacun de nous existent des images désagréables de soi que nous nous efforçons de garder enfouies, hors de notre conscience. Dans les mariages où l'estime de soi de chacun des conjoints est fragile toutefois, chaque partenaire attend que l'autre l'aide à ce faire. Ce dernier est censé fournir suffisamment de gratifications narcissiques à l'autre pour tenir les loups (les sentiments négatifs à l'égard de soi) éloignés du seuil de la conscience.

Quand ce mécanisme de défense fait défaut (c'est forcé) avec le temps, un second mécanisme de défense (l'identification projective) entre en action pour contrer les sentiments mauvais, inacceptables. Ce processus survient selon l'ordre d'apparition suivant: 1. Le partenaire qui doit, par exemple, accorder à l'autre son attention constante et vigilante (Nancy Sternberg devait laisser tomber ce qu'elle faisait, peu importe ce que c'était et mettre de côté les besoins des enfants pour nettoyer les salles de bain, quand David avait besoin d'attention) dit ou fait quelque chose qui menace la sécurité de l'autre (autrement dit, il manque à son devoir qui consiste à accorder à l'autre l'attention dont il a besoin). 2. En conséquence, les images intérieures négatives («Je ne vaux rien», «Je ne compte pas», «Je suis tout seul») commencent à remonter à la surface de la conscience. Ces sentiments, est-il besoin de le dire, rendent anxieux et mal à l'aise le partenaire qui recherche l'attention. 3. Pour combattre son malaise, il exécute une manoeuvre inconsciente, mais automatique: au lieu de percevoir comme émanant de lui les pensées négatives et potentiellement destructrices, il sent qu'elles *lui* viennent de l'*autre*. C'est *elle* qui croit qu'il n'a aucune importance et qu'il ne compte pas, c'est *elle* qui ne lui accorde aucune valeur! Elle est méchante, et il est sa bonne victime innocente. Non seulement la trouve-t-il indifférente, froide, hostile et méprisante, encore se *conduit-il* pour que cette perception se mue en prophétie autogratifiante. 4. Il «appuie sur un bouton» (comme David l'avait fait en ordonnant à Nancy de nettoyer les toilettes) qui fera de la partenaire intime l'ennemie égoïste, la délatrice dure et froide qu'elle est censée être. 5. Tout à coup, elle n'est plus le bon parent idéalisé, tolérant et attentif: elle est la mauvaise mère indifférente et haineuse. 6. Tout aussi brusquement, il n'est plus l'admirateur dépendant, aux yeux remplis d'étoiles. Elle n'arrive plus à se voir comme la nourricière compétente, adéquate, dont il a besoin et que l'on adule. Au contraire, elle est incapable désormais d'imposer des limites à ce jeunot irrationnel, explosif, qui fait sa crise. Lui, qui devait la respecter et l'applaudir, l'a rendue sotte et impuissante; il est terrible: impossible de traiter avec lui.

On dirait que le mauvais objet parental intériorisé de chaque partenaire, comme un diablotin de boîte à surprise, s'éjecte, de sous son couvercle, hors de son contenant répressif. D'ordinaire enfouie loin du regard, cette intolérable partie du moi doit bondir du monde intérieur. En conséquence, elle se trouve projetée sur l'autre intime, dont la colère grandissante et les reproches amers incarnent ce qui était intolérable en dedans. Dans un certain sens bien réel, chacun vit son cauchemar et, dans le processus, la relation se transforme à son tour en mauvais rêve.

LES MEILLEURES QUERELLES

Comme la querelle à propos de la salle de bain était répétitive, je demandai à David si elle lui était familière.

«Est-ce qu'elle se produisait dans la famille où vous viviez en grandissant? Avez-vous déjà vécu une querelle de ce genre avant de vous marier?

— Non, fit-il en secouant la tête. Ça ne vient pas de... À vrai dire, peut-être, ajouta-t-il après s'être arrêté pour me jeter un regard étrange. Ma mère était très, très méticuleuse à propos de l'ordre. Quand nous ne gardions pas la salle de bain — plus que toute autre pièce de la maison — à l'ordre, ça la rendait... Si nous ne faisions pas disparaître le cerne autour du bain ou que nous ne lavions pas les carreaux de la douche... raconta-t-il en riant, après avoir précisé que c'était la *seule* chose qui pouvait, à son souvenir, mettre sa mère en colère.

— Elle était ce qu'on appelle une «maniaque de la propreté», renchérit Nancy.

— Chez nous, la salle de bain était un fétiche, un point focal, lança-t-il en riant de nouveau. Je n'y avais jamais réfléchi, mais, quand j'y pense, c'était, entre toutes, *la* pièce que nous devions garder propre. Si nous ne nous occupions pas bien de la salle de bain, ma mère devenait carrément agressive, elle qui était surtout une femme passive-agressive.»

David, qui avait eu tant de mal à attirer l'attention de sa mère, avait appris qu'il pouvait réussir à capter l'attention recherchée en laissant la salle de bain dans un état déplorable. S'il est une bonne manière d'attirer l'attention d'une personne sur soi, c'est bien de lui chercher querelle, même si l'attention retirée s'avère négative! Même si ce n'est pas souvent le cas, il est préférable d'obtenir une attention négative que pas d'attention du tout!

Bien des années plus tôt, se rappela David, il lui aurait été tout à fait impossible d'admettre le rôle qu'il avait joué dans le début de la querelle, ou de comprendre, d'une manière ou d'une autre, le point de vue de Nancy.

«Je ne crois pas qu'avant notre année de thérapie nous aurions réussi à éviter le drame, la pagaille qui dure toute la soirée et même toute la nuit. Je sais que j'*aurais été* dans la salle de bain et que j'aurais hurlé que la pièce ressemblait au Forum, que les serviettes traînaient partout, que la cuvette des toilettes avait besoin d'un sérieux nettoyage!»

Il éclata de rire, puis se tourna vers Nancy qui rit à son tour, mais qui gardait tout de même un petit air effrayé.

Alors, poursuivit-il, il se serait précipité dans l'armoire de service, se serait emparé du nettoyant à cuvette. Nancy, serait accourue derrière lui, en pleurant: «Je vais le faire; laisse-*moi* faire!», mais il aurait refusé son offre avec colère et mépris.

«Je lui aurais seriné qu'il était trop tard, qu'elle n'avait qu'à le faire quand je le lui avais *demandé*, continua-t-il. Et elle aurait répondu qu'elle n'était pas la bonne, que si ça me dérangeait tant que ça, je n'avais qu'à le faire moi-même!»

Il grimaça, leva les yeux sur Nancy, qui approuvait de la tête.

Plus tôt dans leur mariage, la scène aurait atteint son point culminant lorsqu'il aurait lancé les contenants de nettoyage et les serviettes de bain sur le tapis de la salle de famille, devant elle.

«Je me serais époumonné, reprit David, j'aurais crié des choses comme: «Tiens, prends tout le maudit paquet et fais-en ce que tu veux, au moins je sais que, maintenant, je peux m'asseoir sur la toilette!» À partir de ce moment-là, l'altercation aurait pris de l'ampleur jusqu'à ce que nous soyons tous les deux furieux, emportés à en devenir complètement inaccessibles, et parfaitement incapables d'arrêter ce qui serait en train de se produire.»

Nancy continuait de hocher la tête, comme pour dire: «Il a raison; c'est comme ça que ça se passait.»

La dernière dispute avait été différente, fit observer David, parce qu'ils ne se querellaient plus comme avant. La guerre avait bien commencé et avait duré un certain temps, mais il avait fini par se dire: «Hé! Ça suffit! Tu deviens fou! Pourquoi devriez-vous vous disputer pour des cuvettes de toilettes?» Après avoir nettoyé l'une des salles de bain, il s'était contenté de laisser traîner les produits de nettoyage dans le corridor.

Avant d'aller se coucher, Nancy avait nettoyé les autres. Pourquoi, lui demandai-je, avait-elle fait cela?

«Oh! Probablement pour le calmer!» répliqua-t-elle, en repoussant une mèche de cheveux blonds et en haussant les épaules.

Elle avait été furieuse tout le temps qu'elle avait nettoyé, mais elle avait néanmoins senti qu'elle avait le choix.

«Mon choix, ça a été de ne pas m'en mêler. Je n'avais pas envie d'entreprendre une guerre à n'en plus finir et de passer une nuit blanche; ça n'en vaut pas la peine. Quand je l'ai vu lâcher les produits de nettoyage, quand j'ai vu qu'il me laissait tranquille, je me suis levée et je suis allée le faire.

— Étiez-vous calmé à ce moment-là, ou toujours furieux?» demandai-je à David en me tournant vers lui.

Il s'était senti apaisé, répondit-il, l'air satisfait.

«Et vous sentiez tous les deux que la bataille était terminée?» demandai-je encore en les regardant l'un après l'autre.

La querelle s'était trouvée en partie résolue ce soir-là, et avait définitivement pris fin le lendemain matin, répondit Nancy tandis que David marmonnait son accord.

Qu'est-ce qui avait fait que ce dernier conflit (tellement désagréablement familier aux Sternberg) avait pu être solutionné sans devenir incontrôlable, sérieusement vindicatif et destructeur? Il me semblait que les partenaires étaient désormais capables d'endosser la responsabilité qui leur incombait respectivement pour leur rôle dans le début de la dispute. De toute évidence, David pouvait se rendre compte de façon consciente qu'il s'était senti *tendu* avant le début de cette histoire. Pour cette raison, il savait qu'il «avait appuyé sur le bouton de la dispute». Comme elle l'admit, Nancy avait conscience que sa procrastination était une manière passive-agressive de refuser, et qu'elle aurait dû déclarer (et expliquer) son refus plus directement, plus clairement.

Au lieu de se chamailler jusqu'à épuisement, cela leur avait permis de faire sortir les *problèmes réels* (ceux de David avec le testament de son père, et les sentiments d'exaspération que cela commençait à engendrer) pour les étaler et en discuter. À ce moment-là, l'attention de Nancy redevint utile, réconfortante; elle cessa d'être blessante, méprisante. Comme elle me le déclara en riant, ils avaient même convenu que, puisque David était celui que la propreté des salles de bain dérangeait vraiment, il s'occuperait de les nettoyer. Il pourrait le faire lui-même ou engager quelqu'un, mais — et c'étaient là les termes de leur entente — elle ne s'en mêlerait plus.

Les meilleures disputes, songeai-je, sont celles qui prennent fin sur un compromis négocié pour un changement dans la bonne direction.

19

Cinq types de relation

Bien des conjoints se considèrent plus adultes que leur parte-naire, alors que, en réalité, quand il s'agit de choisir un compa-gnon de vie, nous avons tendance à opter pour les gens qui ont la même maturité et le même développement émotionnel que nous.

Quand deux personnes se marient, fait observer le théoricien et docteur Murray Bowen, le degré d'autodéfinition des parte-naires est en général remarquablement similaire. «Les gens choisissent des conjoints qui en sont au même niveau de diffé-renciation», écrit-il. Plus le niveau de différenciation et d'indivi-duation de chacun des partenaires est bas, plus la fusion émotive qui s'établit se fait intense et pénible.

L'un des conjoints peut devenir celui qui prend les décisions du moi commun, tandis que l'autre s'adapte à la situation. C'est là l'une des meilleures illustrations de l'emprunt et de l'échange de moi dans une relation intime. L'un des deux peut s'accapa-rer le rôle dominant et forcer l'autre à s'adapter, ou bien l'un peut jouer le rôle adaptatif et obliger l'autre à endosser le rôle dominant.

Peu importe ce qui se passe, ce transfert d'autonomie ne paraît pas se produire sans l'accord (inconscient) des deux parties. Le partenaire qui était une personne plus différenciée et plus indivi-duée ne semble pas établir de relation qui lui demanderait de renon-cer à certaines parties de son moi, ou de s'emparer des aspects désavoués du moi intérieur de l'autre.

On peut s'attendre que l'individu moins différencié, moins apte à «s'approprier» sa colère et à l'exprimer en toute conscience, se serve de son radar pour dénicher le partenaire intime suscepti-ble de se charger de certains aspects niés de son monde intérieur, de vivre et d'exprimer la colère *à sa place*. Pour réussir à ce faire, il doit trouver une personne qui partage son niveau de développement. Le conjoint potentiel suffisamment individué et différencié, qui parvient à distinguer son moi de celui de l'autre, n'accepte jamais la projection de ses sentiments de colère. Il ne les recevrait ni ne les percevrait comme siens, il ne les exprimerait pas pour l'autre, parce que les relations qui se fondent sur cette base lui sont complètement étrangères.

Son niveau d'autodifférenciation empêcherait tout simplement la relation de débuter. Si le partenaire potentiel refusait d'accepter et d'exprimer sa colère à sa place, il serait en effet coincé avec les sentiments qu'il s'efforce, avec tant d'acharnement, de désavouer. À moins d'être une personne qu'encombrent certaines parties d'elle-même, elle résisterait à l'établissement d'un lien qui exigerait qu'on se serve d'elle de cette manière.

Par contre, si les deux individus faisaient face aux mêmes problèmes de développement, ils pourraient aisément conclure une entente inconsciente. Elle ferait, par exemple, siens les sentiments hostiles et désavoués de son conjoint, et il prendrait les parties de son monde intérieur qu'elle a désavouées et qu'elle ne saurait, consciemment, reconnaître comme siennes.

Supposons, par exemple, qu'elle soit une personne qui se croit éminemment saine et raisonnable, mais qu'elle abrite (à la suite de l'identification avec un parent très perturbé et très irrationnel) une folie bien dominée et bien cachée dont elle est inconsciente. En échange des sentiments et de l'expression de sa colère, son conjoint pourrait s'emparer des aspects de son moi intérieur qui sont terrifiés, bizarres et illogiques. Il pourrait procéder de la sorte en faisant montre d'impulsion, de bizarrerie, chaque fois qu'elle lui laisse savoir (au moyen d'indices cachés) qu'elle a besoin qu'il le fasse pour elle. «Plus les conjoints sont différenciés, écrit le docteur Bowen, moins il y a de fusion émotive, et moins il y a de complications qui en résultent.»

Souvent, l'un des deux partenaires semble beaucoup plus normal, beaucoup plus équilibré, en meilleure santé mentale, que son conjoint ou sa conjointe. La partenaire sobre, stable et compétente d'un alcoolique instable et explosif; le partenaire au tempérament agréable, joyeux, d'une compagne dépressive; le mari qui est très sociable, qui se déplace beaucoup, d'une femme phobique et effrayée à l'idée de sortir seule illustrent tous ce qui paraît être différents niveaux de maturité entre les conjoints.

Les apparences sont pourtant parfois trompeuses. Même si tous les exemples cités plus haut représentent différents degrés d'une pathologie, le conjoint sain et robuste peut dépendre énormément de l'autre pour exprimer sa folie désavouée. L'épouse dépressive de l'administrateur superefficace peut porter les sentiments d'inefficacité, de vulnérabilité, de besoin, de deuil irrésolu de son mari; c'est pourquoi, comme on l'a vu plus tôt, l'amélioration de l'état de l'un des partenaires entraîne souvent le développement de symptômes chez l'autre et, possiblement, la rupture de la relation.

Pour les témoins du mariage, on dirait que le niveau de différenciation des partenaires est tellement étrangement disparate que leur relation paraît inconcevable. Lorsqu'il est question de maturité et de croissance pourtant, *c'est du pareil au même.* S'ils se sont choisis délibérément (si le mariage n'a pas été arrangé par les parents ou par un étranger), les niveaux de développement émotif des partenaires seront fondamentalement identiques.

LA DIFFÉRENCIATION DU MOI: QU'EST-CE QUE C'EST?

À quoi renvoie exactement le mot «différenciation»? Il n'est pas facile de définir ce terme. Le psychologue clinicien Mark Karpel, donne à ce propos l'explication la plus claire qu'il me soit arrivé de lire. L'individuation, dit-il, est le processus «par lequel une personne se différencie de plus en plus nettement du contexte relationnel passé ou présent.»

Ce processus englobe une multitude de changements intrapsychiques et interpersonnels qui vont dans une même direction. Dans des contextes relationnels différents, les changements spécifiques sont susceptibles de varier énormément. Ce peut être l'enfant qui se rend graduellement compte que la source de sa gratification est un objet, un corps, séparé du sien et qui devient pour lui «maman»; ce peut être la détermination d'un adolescent à violer une règle familiale tacite qui veut que la mère choisisse tous les vêtements des enfants; ce peut être le mari qui lutte pour se percevoir comme capable de survivre à la relation pénible qui existe entre sa femme et lui; ce peut être la mère qui admet que son enfant, en réalité, n'est pas si anxieux, si dépendant, si timide qu'elle ne l'était elle-même.

L'individuation contient les virages phénoménologiques subtils mais cruciaux par lesquels passe une personne pour se voir séparée et distincte de la relation dans laquelle elle s'est enracinée. *C'est la définition de plus en plus précise du «Je» à l'intérieur du «Nous».* [Les italiques sont de moi.]

Le niveau d'enracinement du «Je» de chacun des partenaires dans le «Nous» de sa famille fondatrice (asservi à *leur* programme émotif) déterminera la flexibilité, la gratification et le bien-être potentiels du mariage.

LES CINQ TYPES DE RELATIONS

Pour illustrer cette notion, permettez-moi de montrer des différences entre les relations, selon la différenciation du moi séparé et distinct de chacun des partenaires par rapport au contexte familial dans lequel le moi s'est développé. Le cadre ingénieux et extrêmement révélateur que j'utiliserai pour ce faire a été mis au point par le thérapeute familial et conjugal Stuart Johnson, pour la formation des cliniciens auxquels il enseigne.

En vertu du schéma de Johnson, il y a cinq types de relations possibles, dépendant toutes du niveau d'altérité et d'individuation atteint par les partenaires du couple.

NIVEAU CINQ: LE PARADOXE

En vertu de cette échelle de développement, le plus bas niveau de différenciation correspond au niveau cinq; c'est là que se trouvent les partenaires qui vivent dans un monde que Johnson appelle le «paradoxe». Dans cet univers, les deux besoins humains fondamentaux (être un moi séparé, et être lié émotivement aux autres êtres humains) ne peuvent être satisfaits, parce que le fait d'être proche de son partenaire et le fait de ne pas être proche sont des perspectives tout aussi terrifiantes.

Pour les individus aussi piètrement différenciés que ceux de ce niveau, l'intimité avec l'autre est la négation même de l'altérité de l'individu par rapport à cet autre. Dans le monde intérieur, le fait de se rapprocher de l'autre équivaut à se faire absorber par lui, à se faire avaler, jusqu'à ce que la relation efface complètement le moi distinct. L'intimité est une réunion et une fusion du moi et de l'autre, qui contient la menace de perdre sa personnalité propre. Chaque pas qui rapproche le moi de l'autre s'accompagne donc d'une angoisse terrible, parce que l'individu a l'impression qu'il fait un pas de plus vers l'auto-anéantissement.

Le mécanisme de défense naturel à ce genre de menace consiste à s'éloigner, à se sauver en courant, au sens psychologique. Puisque l'intimité nie l'altérité, l'éloignement rapide de l'autre figure à l'ordre du jour. Le retrait de l'intimité se fait automatiquement. Dans son sillage pourtant, une nouvelle difficulté fait son apparition, parce que la solitude et l'autonomie n'apportent pas non plus de solution. Au contraire, être seul équivaut à un vide épouvantable, à un abandon, à une éprouvante nullité, à un non-être.

L'autonomie importe moins que l'absence de la confirmation et de la validation nécessaires de son existence. *Paradoxalement, le mouvement vers la séparation a produit les mêmes résultats que celui vers l'intimité accrue: la menace de l'auto-anéantissement.* Conséquemment, le besoin de revenir au partenaire se manifeste de nouveau; et le cycle recommence.

Les gens qui se situent au plus bas échelon de l'échelle de différenciation ont des relations «yoyo». L'approche intime du partenaire est dangereuse puisqu'ils disparaîtront dans la relation. La fuite du partenaire l'est aussi: l'individu se dissoudra dans les espaces désertiques d'un monde indifférent. Chaque effort de résolution contient sa propre contradiction. Les deux besoins (d'être un moi séparé et d'être émotivement lié à un autre être humain) sont perçus comme désespérément ingratifiants.

Dans l'univers de ce genre d'individu, l'intimité est la négation de l'autonomie; l'autonomie est la négation de l'intimité. C'est un problème insoluble, et bien des gens de cette catégorie sont schizophrènes ou souffrent de troubles graves, à la limite de la schizophrénie. Leurs relations intimes tendent à être difficiles, passagères et instables. Comment pourrait-il en être autrement, puisque l'intimité et l'autonomie procurent *la même impression* de danger?

NIVEAU QUATRE: L'IDENTIFICATION PROJECTIVE

L'échelon suivant de l'échelle de différenciation s'appelle «identification projective», c'est le miroir relationnel dans lequel tant de partenaires mariés se sont mirés pendant très longtemps ou pendant toute leur vie à deux. On doit le préciser: il y a une grande différence entre les couples de ce niveau et ceux du niveau précédent. Au niveau cinq, les problèmes jumeaux de satisfaire aux besoins d'autonomie et d'intimité sont aussi insolubles l'un que l'autre. Au niveau quatre, le paradoxe a été partiellement résolu, mais pas de manière saine ni complète.

Les gens qui se situent à cet échelon de la différenciation peuvent s'approprier consciemment *la moitié* de la polarité intimité/autonomie. Ils peuvent être *ou* intimes *ou* autonomes, mais ils sentent que l'intimité et l'autonomie sont aussi exclusives l'une que l'autre. Dans leur système interpersonnel, il y a un choix bien net à faire: ou bien vous admettez et exprimez votre besoin de chaleur, d'ouverture et d'intimité avec votre partenaire, *ou bien* vous admettez et exprimez votre besoin de distance et d'espace personnel où développer votre moi distinct. Vous ne pouvez pas faire les deux. Comme les partenaires du niveau quatre luttent *tous les deux* contre un conflit intérieur (à propos de l'intimité et de la réalisation d'une identité individuelle distincte), ils font face à ce conflit en se le partageant. Chacun sépare, réprime et projette sur son partenaire l'aspect de la querelle intérieure qu'il a désavoué ou répudié.

Au niveau cinq, aucun des besoins ne peut être satisfait. Au niveau quatre, les partenaires peuvent admettre et exprimer l'un ou l'autre de ces besoins pour ensuite n'entrer en contact avec la partie réprimée de la controverse que par le biais de la pensée, des émotions et du comportement du partenaire. Ainsi, la personne qui est parfaitement consciente de ses besoins d'autonomie, mais qui a dévalué et rejeté ses besoins d'intimité, trouve un partenaire qui occupe la position complémentaire. Elle s'amourache de l'individu qui, pour des raisons personnelles, peut être intime, mais a du mal à reconnaître et à légitimer son besoin d'autonomie.

Imaginons que nous ayons affaire à une personne éduquée dans une famille traditionnelle quelque peu sexiste, grandement affectée par le mouvement féministe au cours de son adolescence et du début de sa vie adulte. Au moment de rencontrer l'homme qui deviendra son partenaire, elle se rebelle contre ce qu'elle considère comme le piège féminin, c'est-à-dire contre le fait de devenir la porteuse de l'intimité familiale. En observant sa mère et les autres femmes de la famille, elle a vu que ce pôle est ingrat et dévalué. En outre, elle a bien conscience des nouvelles possibilités qui s'offrent aux femmes comme elle.

La personne de ce genre serait bien, comme tous les individus de ce niveau le seraient, si elle n'avait pas à affronter les autres aspects plus accommodants, plus adaptés, plus à la recherche d'intimité de son moi intérieur, en les séparant, et en les réprimant définitivement. Le résultat de cette manoeuvre inconsciente est qu'elle perd le contact avec ses besoins intimes à tel point qu'elle ne sait même pas qu'elle les ressent, comme si elle était complètement autonome, du point de vue psychologique.

Le partenaire qu'elle choisit, ou par qui elle est choisie, devrait être quelqu'un qui occupe une position complémentaire. Comme sa partenaire, il devrait avoir été éduqué dans une famille relativement traditionnelle, où l'homme gagne sa vie et celle de sa famille, et occupe une position supérieure (tandis que la femme s'occupe de la maisonnée et a un poste de subalterne), mais a manqué de soutien en cours de route. Peut-être qu'on l'a fait sentir coupable de ses besoins, ou peut-être que sa mère, pour conserver son domaine de pouvoir, a essayé de le garder enfant et dépendant le plus longtemps possible. Peu importe la raison, il se perçoit comme un être dépendant, et il veut une femme autonome pour prendre soin de lui.

En conséquence, il applaudit à son autonomie, et la trouve très attirante. Dans le système émotif que ce couple a créé, le partenaire masculin recherche l'intimité tandis que son épouse exige l'autonomie pour leur couple. Elle assume *son besoin* d'autonomie et l'exprime à sa place. Il porte *le besoin* de chaleur pour elle, pour lui-même et pour la relation, parce que son besoin d'intimité avec la partenaire relève de son domaine de spécialisation. Inévitablement, s'instaure une relation de poursuivant — poursuivi, où chaque conjoint occupe l'un des pôles.

La frustration et la confusion sont obligatoires, parce que les règles du système font que ni l'un ni l'autre ne peut obtenir ce qu'il désire si ardemment...

À la vérité, celui qui cherche l'intimité a promis de pourchasser mais de ne jamais rattraper l'autre, tout comme celui qui cherche l'autonomie a promis de fuir l'autre, mais de ne jamais se laisser distancer par le poursuivant essoufflé et mécontent.

Dans le cadre de cette situation, imaginons qu'on offre à l'épouse un emploi qui lui demande de passer de longs moments loin de son mari. Dans le cours de son processus décisionnel, elle aurait tendance à reconnaître la primauté — et peut-être l'exclusivité — de ce besoin d'autonomie, tandis que son mari ne saurait que voir et admettre un autre aspect du conflit: les besoins compétitifs d'intimité émotive. En conséquence, ils se camperaient dans des positions opposées et se battraient plutôt que d'admettre qu'ils souhaitent tous les deux être intimes et qu'ils veulent tous les deux de la place pour développer leurs intérêts personnels et leurs talents individuels.

Le problème de chacun (un conflit intérieur portant sur la satisfaction de ses besoins d'autonomie et d'intimité) sera débattu en tant que conflit ouvert entre deux personnes, chaque opposant se tenant dans un coin opposé du ring conjugal. Tant qu'il recherchera l'intimité, elle passera outre au fait qu'elle ne ressent pas cet appel. À son tour, son partenaire n'aura jamais conscience (tant qu'elle luttera aveuglément pour son indépendance et son autonomie) qu'il pourrait aussi profiter d'un peu de distance dans la relation qu'ils partagent. En lieu et place, chacun tentera de l'emporter sur l'autre, de le forcer à accepter sa position ultrasimplifiée.

Au niveau quatre, la querelle que se livrent les partenaires a pour objet le fait que ni l'un ni l'autre ne peut faire face, intérieurement, au fait qu'il est un individu seul et différent, émotivement lié à un autre être humain. Pour ces couples, le problème principal, c'est que chaque partenaire est incapable de contenir, intérieurement, les deux aspects de la polarité autonomie/intimité. La polarisation de l'ambivalence des conjoints ne se limite jamais pourtant aux problèmes d'espace personnel et aux troubles d'intimité avec le partenaire. Même si cela constitue le coeur du problème, les partenaires peuvent et sont prêts à se battre à propos de toute question relationnelle imaginable: compétence/incompétence, logique/émotivité, martyre/tyrannie, force/faiblesse, furie/calme, irascibilité/douceur, gentillesse/méchanceté, etc. Si le problème peut se situer dans un espace-temps continu, les partenaires se camperont à chacune de ses extrémités.

Le premier des partenaires est ce que l'autre n'est pas; c'est du moins l'apparence de la relation. En profondeur toutefois, le moi et l'autre sont inextricablement liés. Quand les époux se servent de la projection pour entrer en relation l'un avec l'autre, il est impossible à l'un des partenaires de savoir si la colère émane de lui ou de l'autre.

Dans ces mariages, les filages souterrains des partenaires se sont emmêlés. La femme dépressive peut porter la vulnérabilité ignorée de son mari et pleurer à sa place tandis qu'il endosse sa santé désavouée parce que, dans un contexte antérieur, elle a appris qu'on ne pourrait l'aimer à moins qu'elle ne soit faible, nécessiteuse et dépendante. Les relations de niveau quatre se caractérisent toujours par des échanges inconscients semblables.

À ce niveau d'individuation, ni l'un ni l'autre des partenaires ne sont arrivés dans le mariage avec un sentiment de pouvoir décisionnel, d'autonomie, avec l'impression de pouvoir se tenir debout sur ses pieds, de fonctionner et de se lier émotivement avec un autre être humain tout aussi différent et autonome. Pour les époux, le problème majeur, c'est de reconnaître les limites de l'autre et les siennes propres. Tant que les projections continuent d'être échangées, le problème reste insoluble.

NIVEAU TROIS: LE PARTAGE CONSCIENT

On pourrait penser à cet échelon comme à un pont jeté entre deux mondes interpersonnels très différents qui existeraient au-dessus et au-dessous de la jetée. À ce niveau, pris dans un conflit conjugal, les partenaires auront tendance à se comporter comme les couples du niveau quatre, mais ils finiront, en se calmant, par admettre l'existence de leurs ambivalences intérieures.

Au niveau trois, la différence première, c'est que, même si les partenaires projettent l'un sur l'autre les pensées et les sentiments rejetés, ils n'entrent pas de plain-pied dans un processus inconscient. Quand la fumée se dissipe, chacun peut reprendre possession des aspects noirs, «dissociés» de son conflit intérieur, les besoins conflictuels d'être à la fois intime et autonome, bannis de la conscience et reconnus dans la pensée, les sentiments et le comportement de l'autre intime.

À ce niveau, les partenaires peuvent — et c'est ce qu'ils font — faire passer leur matériel indésiré par l'autre (en d'autres termes, régresser au niveau quatre), mais ils sont capables d'avoir une idée de ce qu'ils font. Un mari et une femme que j'interviewais, par exemple, racontaient une histoire qui illustre à la perfection les tendances du couple de niveau trois qui consistent à: 1. recourir à l'identification projective avec le partenaire intime; et 2. comprendre consciemment ce que l'un des deux a fait pour l'autre et comment il a procédé.

Ce couple, en phase de réintégration (après les enfants; ils entamaient la cinquantaine), était parti pour l'Italie à l'occasion de vacances de travail (pour lui) et d'un interlude de détente (pour elle). Une fois à Rome, le mari, qui possédait une corporation familiale prospère et songeait à fonder une filiale italienne, s'était engagé de plus en plus avant avec des collègues italiens.

Sa femme restait là, à fulminer, misérable, dans leur hôtel ou en visite, en lunch, et parfois même en souper solitaires. La tension entre eux s'accrut tant et aussi longtemps qu'elle exigea plus de temps et d'attention et qu'il soutint qu'elle devait se montrer plus tolérante à l'égard de son besoin de se consacrer — et de consacrer ses énergies — à ce qui s'offrait à lui. Désastreux, le voyage atteignit son point culminant avec une querelle dont ni l'un ni l'autre n'acceptèrent de discuter après coup.

Que s'était-il passé exactement? Pour commencer, le mari avait demandé à sa femme de l'accompagner, demande d'intimité de sa part. Le voyage à l'étranger constitue, pour un couple, une expérience d'intimité intense. Il a plus souvent d'occasions de nouer des contacts émotifs dans ces circonstances que dans le cours de la routine quotidienne. Apparemment, il avait réagi à ce qu'il percevait comme des demandes d'intimité en se retirant, en fuyant. Quelque chose, dans la situation, l'avait effrayé; sa réaction avait été d'affirmer son autonomie pour eux deux.

«C'est sûr: je savais bien que je voulais passer plus de temps avec elle, mais, dès notre arrivée, elle a commencé à me haranguer à propos des autres rendez-vous que j'avais pris. Alors, même si j'avais eu envie de me retrouver avec elle, elle ne m'a pas laissé beaucoup l'occasion de le faire! J'ai eu l'impression qu'elle me pourchassait avec tant d'ardeur que, si j'arrêtais jamais de courir, elle me mettrait le grappin dessus et je n'aurais plus une minute à moi!»

Dans le cours de leur interaction, ses besoins et ses désirs d'intimité avaient été complètement désavoués, bien qu'il pusse, en y réfléchissant, admettre qu'ils existaient efficacement en lui et qu'il était à l'origine de l'invitation initiale. Au niveau quatre, l'individu n'aurait pas pu entrer en contact conscient avec ces aspects réprimés, déniés de son moi.

L'épouse, on doit le dire, avait accompagné son mari avec de grandes réticences. Elle était psychologue clinicienne, et avait une pratique fort exigeante. Leur voyage à Rome lui avait demandé de délaisser pendant deux semaines son horaire surchargé, et d'aller faire le pied de grue dans un foyer d'hôtel alors qu'elle aurait pu rester à la maison où elle aurait été bien plus contente. Elle put cependant admettre qu'elle s'était montrée extraordinairement exigeante et irritable parce qu'elle détestait voyager et qu'elle n'avait pas vraiment souhaité l'accompagner.

Pourquoi donc était-elle allée? Dans un haussement d'épaules et un mouvement de tête brusques, elle répondit qu'elle avait décidé de l'accompagner parce qu'il avait l'air d'y tenir tellement! Étant donné l'enthousiasme de son mari, elle avait été incapable de refuser. Avant même de s'embarquer avec lui, elle portait bien haut le flambeau de l'intimité de la relation, et rejetait ses besoins et ses désirs personnels. Il n'est pas étonnant qu'elle se soit sentie provoquée par le retrait de son mari: elle avait sacrifié ses besoins et ses désirs personnels sur l'autel de leur intimité! Ils s'étaient polarisés au cours de leur séjour italien aux extrémités de la question de l'intimité et du retrait de l'intimité.

Rétrospectivement, chacun d'eux pouvait se rendre compte de la dissociation de son conflit intérieur (son désir supprimé d'autonomie et son souhait désavoué d'intimité). Les couples du niveau quatre ne peuvent pas faire cela. Ils ne peuvent pas admettre l'existence d'un conflit intérieur, parce que celui qui porte l'autonomie pense qu'il n'a pas de sentiments et que l'autre, celui — celle — qui s'est emparé de l'intimité se voit comme le porteur de la chaleur et de l'intimité. *Au troisième niveau, une conscience accrue de la complexité du problème qui existe en soi et chez le partenaire intime est introduite.*

Le niveau trois n'équivaut pas à un univers expérienciel en soi, comme le sont les autres niveaux décrits; il est plutôt un genre de mezzanine que surplombent et que soutiennent d'autres niveaux. On pourrait, en fait, considérer le troisième niveau comme une grande salle d'attente, où bien des couples font les cent pas, tandis que d'autres montent au niveau deux et d'autres encore descendent au niveau quatre.

Ceux qui arrivent du niveau quatre voient leur relation s'améliorer, parce qu'ils traversent le processus de la prise de conscience des aspects dévalués du moi qui ont été projetés sur le partenaire. À mesure que s'accroissent leurs capacités d'autonomie *et* d'intimité (pas l'une *ou* l'autre), les couples qui grimpent au niveau deux de notre échelle métaphorique deviennent aptes à négocier leurs désirs d'intimité et d'autonomie sans voir leurs limites personnelles envahies par l'autre.

Les couples qui descendent du niveau supérieur voient leur relation se dégrader et devenir moins fonctionnelle, à cause d'un grand stress ou de difficultés inhérentes au cycle de l'existence qu'ils traversent. Si leurs problèmes restent irrésolus, ce genre de couple peut poursuivre sa descente; la relation peut même s'effriter et se défaire. Après un certain temps à ce niveau, les partenaires peuvent, spontanément, reprendre l'escalier qui monte et revenir à l'univers transactionnel plus sain qui leur était déjà familier.

NIVEAU DEUX: LA TOLÉRANCE DE L'AMBIVALENCE

On appelle «tolérance» ce niveau, parce que chacun des partenaires peut retenir en lui et tolérer l'ambivalence, justement. À ce haut niveau d'individuation, les conjoints peuvent s'approprier consciemment les *deux* côtés de la médaille du conflit intérieur (être proche de l'autre et être indépendant de lui). Ils n'ont pas besoin d'opérer de dichotomie ou de simplifier à l'excès la situation intérieure pour que l'un d'eux demande toujours plus d'autonomie tandis que l'autre exige toujours plus d'intimité, comme le font les couples des niveaux inférieurs d'autodifférenciation.

L'individu du niveau deux vit la tension entre ses besoins d'autonomie et ses besoins d'intimité comme une lutte qui se livre *en lui*. Il est capable de soutenir les tensions générées par ce combat intérieur sans les rejeter hors de lui pour les transformer en combat entre son partenaire et lui. Il peut accepter la responsabilité de ses entrailles psychologiques, parce qu'il se considère autonome au dedans, comme une créature distincte et indépendante qui peut se tenir debout toute seule et continuer à fonctionner. En un mot, il se sent complet, c'est-à-dire qu'il est capable de prendre soin de lui-même et d'établir un lien intime avec un autre être humain.

Les couples qui ont atteint ce niveau de développement peuvent admettre relativement facilement les limites qui cernent leur territoire et le domaine de l'autre. Le mari furieux peut, par exemple, accepter la propriété consciente de son sentiment, savoir que la colère émane de lui et non de sa partenaire intime. L'épouse qui se demande si elle veut passer son dimanche à peindre ou à se promener dans les bois avec son mari est capable de *sentir* que ces désirs contradictoires proviennent d'un conflit *en* elle. Les gens qui habitent au niveau deux peuvent assumer la responsabilité de leurs sentiments, désirs, et besoins ambivalents.

Pour cette raison, ils peuvent endosser la responsabilité des deux côtés de leur conflit intérieur. Aux niveaux supérieurs d'individuation, la capacité des conjoints de tolérer l'ambivalence les rend aptes à s'engager dans un processus de négociation intime plus complexe, beaucoup plus riche.

Quand ils font face à la relation, ces couples ont tendance à régler les choses en vertu d'un processus à deux temps. D'abord, chacun des partenaires admet et accède à son ambivalence intérieure, les besoins contraires d'intimité et d'autonomie, vécus comme des forces ennemies en chaque être humain. Ensuite, au cours de la discussion, chacun fait part de l'état constant de son conflit à l'autre.

L'épouse qui se demande si elle restera à peindre dans son studio (activité autonome) ou si elle ira se promener avec son mari (activité intime) doit se soucier autant de ses propres besoins ambivalents que du conflit potentiel avec son conjoint. Si elle sent que son besoin d'intimité vient de *lui* (comme le ferait l'individu des niveaux quatre ou trois), elle peut accepter d'aller se promener tout en ayant l'impression d'être exploitée et dérangée, parce que son besoin «propre» la poussait à peindre, seule dans son studio. Au niveau deux, les deux partenaires consulteront vraisemblablement toutes les cartes de leur jeu intérieur et recourront à la transaction pour apprendre lequel de leurs besoins est le plus gratifiant.

Les partenaires des niveaux inférieurs de différenciation ont une propension à omettre la première étape cruciale de ce processus: ils oublient de s'occuper de leur conflit intérieur. Au lieu de prendre possession de leur ambivalence, ils s'en dissocient et en répriment une partie avant de projeter la part désavouée du moi sur l'autre intime. Pour donner un exemple, l'un des jeunes couples que j'ai rencontrés se disputait à propos de ce que le mari percevait comme un refus de la part de *sa femme* de recevoir des amis à leur appartement.

Le mari, un professeur d'anglais timide, pensait qu'ils devaient inviter un nouveau collègue célèbre chez eux et donner un dîner en son honneur. Au cours de nos conversations pourtant, il devint clair qu'il était fâché contre sa femme parce qu'il était persuadé qu'elle ne voulait pas recevoir son collègue, ce qui correspondait à la réalité.

Ses sentiments n'étaient pas toujours conscients, ils ne faisaient surface que lorsqu'ils se disputaient, à quelque propos que ce soit. Alors seulement il lui laissait savoir que son comportement le mettait hors de lui. Sa femme soutenait toutefois que, chaque fois qu'elle lui demandait de fixer la date du dîner, il la rabrouait. Pour une raison ou une autre, le moment présent ne convenait jamais.

Elle n'avait pas insisté — et elle l'admit volontiers — pour qu'il choisisse une date afin de recevoir un invité qu'elle connaissait à peine et qui ne l'avait pas particulièrement impressionnée. Par ailleurs, elle ne se sentait pas très sûre de sa cuisine, de son accueil, et elle avait saisi l'occasion de remettre l'invitation à plus tard, le plus tard possible. Ainsi leur négociation à ce propos avait tourné en rond: ils n'avaient pas décidé de donner ou non le dîner et restaient sur leur position. Cette indécision avait laissé le mari furieux contre sa femme, surtout parce qu'il n'avait jamais fait face à sa propre ambivalence à ce propos.

De son côté, il semblait éprouver des sentiments négatifs au sujet de cet individu, comme il put en convenir plus tard. En fait, il n'aimait pas beaucoup son nouveau collègue, mais il se sentait tout de même obligé, pour des raisons d'ordre politique, de l'inviter à dîner chez lui. Au lieu d'assumer la responsabilité de ses pensées et de ses émotions conflictuelles, il avait réussi à les affronter en persistant à dire (et en se persuadant) que c'était sa femme qui hésitait. Le si important premier pas de la négociation (l'admission du conflit intérieur) avait été omis avant le début de la discussion avec sa partenaire. Le conflit intérieur s'était répandu sur la relation.

Les partenaires les plus individués ne s'embourbent pas très souvent dans ce genre de problèmes parce que les limites entre le moi et celui de l'autre sont plus claires, plus nettes, plus définies. La transaction des gens du niveau deux se serait déroulée tout autrement. Le mari, par exemple, aurait admis d'abord l'existence du conflit en lui, et aurait pu dire à sa femme: «Je me sens frustré à ce propos. Je n'aime pas beaucoup le professeur X, mais je crois que je dois tout de même l'inviter. Je sais que c'est beaucoup te demander parce que tu n'aimes pas recevoir, mais, étant donné les circonstances, j'imagine que j'ai besoin de te demander ton aide.»

L'affirmation claire de ses sentiments conflictuels aurait permis à sa femme de partager avec lui ses sentiments ambivalents. Cela aurait constitué le premier pas en direction de la résolution acceptable pour les deux parties de leur problème. Dans le cadre d'un climat émotionnel sain, elle aurait pu réagir comme suit: «Tu as raison; je n'y tiens pas vraiment, mais je le ferai si tu sens que c'est important pour toi.»

Elle aurait pu, tout aussi bien, l'aider à explorer la question de recevoir ou non le professeur à dîner. Avait-il vraiment besoin de s'enliser dans la politique départementale? Était-ce véritablement important pour lui et pour sa carrière de courtiser ce collègue particulier? En d'autres termes, elle aurait pu admettre ses propres sentiments contradictoires intérieurs, y compris ses craintes de ne pas être une hôtesse à la hauteur, tout en l'aidant à prendre une décision qui *leur* aurait convenu.

La phase ultime de ce genre de transaction conjugale plus saine aurait consisté à se servir de la logique: le dîner aurait-il lieu durant la semaine ou au cours de la fin de semaine? Quelles autres personnes, susceptibles de rendre la soirée plus agréable, inviteraient-ils?

Dans la situation originale, le mari avait affirmé son besoin d'autonomie (d'amener chez lui un collègue de son univers extérieur, le monde du travail qui existe en dehors du mariage). L'épouse, repoussant son besoin au moyen d'un manque d'empressement, prenait le parti de l'intimité de leur relation (en lui faisant comprendre que c'était le monde du mariage qui comptait le plus). Bien moins différenciés que les gens du niveau deux, ces partenaires croyaient qu'ils devaient être autonomes *ou* intimes; ils habitaient une planète de pareil au même.

Plus les individus sont différenciés, plus ils sont aptes à exprimer *les deux* besoins et à s'approprier leur existence intérieure. Les individus intimes et autonomes ne se perçoivent pas, dans l'univers du niveau deux, comme faits de désirs et de besoins exclusifs. À ce niveau, l'expérience intérieure veut que l'autonomie et l'intimité coexistent dans un même espace. En se rapprochant du partenaire, en faisant l'amour avec lui, en l'écoutant parler de ses problèmes, on perd certes un peu d'autonomie, parce qu'on aurait pu rester bien au chaud, à la maison, à lire, à travailler, ou à converser avec un ami ou un collègue.

Au niveau deux, chaque centimètre gagné au profit de l'intimité demande le sacrifice du même centimètre d'autonomie. Contrairement aux niveaux trois et quatre, l'individu du niveau deux n'a pas l'impression qu'il doit choisir entre tout le mètre d'autonomie ou pas d'autonomie du tout, ou entre un mètre entier d'intimité ou pas d'intimité du tout.

Dans un système de niveau deux, les partenaires peuvent reconnaître en leurs besoins ambivalents d'autonomie et d'intimité avec le partenaire des forces conflictuelles qui existent dans l'esprit de chacun d'eux. Dans le monde relationnel de ces conjoints, on évalue à plus juste titre la complexité des besoins. Contrairement aux partenaires des autres niveaux moins différenciés, ils ne sont pas prisonniers de positions polarisées rigides, simplifiées à l'excès et inflexibles.

Les conjoints peuvent, à ce niveau de développement supérieur et plus fonctionnel, ressentir des émotions de paix et de colère, de compétence et d'incompétence; ils peuvent tous deux affirmer leurs faiblesses et leurs forces. Ils peuvent être à la fois bons et mauvais, tristes et gais, puérils et adultes. Ils peuvent — et toute la question est justement là — tolérer en même temps leurs besoins d'intimité et d'autonomie.

NIVEAU UN: L'INTÉGRATION

Au niveau un de l'échelle, l'«intégration», équivaut le paradis relationnel. C'est moins une réalité interpersonnelle qu'un idéal, affirme le thérapeute Johnson. Les couples qui planent à ce niveau olympien ne perçoivent désormais plus leurs besoins d'indépendance et d'autonomie comme des forces conflictuelles qui existent dans l'esprit de chacun des partenaires ou comme un conflit entre eux. *Ils vivent plutôt l'intimité et l'autonomie comme des aspects intégrés de la personnalité de chacun et de la relation qu'ils partagent.*

On pourrait penser à ce niveau de fonctionnement sain comme au niveau cinq à l'envers. Au niveau cinq, le plus bas niveau d'individuation, l'intimité et l'autonomie étaient toutes deux perçues comme également dangereuses: elles produisaient le même résultat. Au niveau un, les deux besoins se sont écrasés de la même manière, mais l'expérience intérieure des partenaires veut que l'intimité et l'autonomie soient aussi gratifiantes et aussi sécuritaires l'une que l'autre. Les deux désirs sont aussi valables l'un que l'autre en tout temps, et, entre eux, il n'y a pas de conflit qui attend sa résolution.

Dans cet univers interpersonnel, les partenaires doivent négocier les termes de l'activité à laquelle ils vont se livrer, pas le conflit intériorisé relatif à l'affirmation des besoins d'intimité de l'un ou les besoins d'autonomie de l'autre à un moment donné. Ainsi, quand un des partenaires veut regarder la télévision et que l'autre veut aller au lit et faire l'amour, les conjoints trouvent relativement facilement une solution.

Le partenaire qui regarde la télévision n'aura pas tendance à croire que l'autre le harcèle, qu'il essaie de limiter son autonomie (son choix de passer son temps comme il l'entend). Il pourrait déclarer à sa femme qu'il souhaite achever son acte d'autonomie, mais qu'il ne peut le faire et faire l'amour avec elle en même temps... Est-ce qu'elle pourrait attendre? Du moins, pourrait-elle attendre qu'il soit un peu plus intéressé lui-même? Le couple du niveau un trouvera facilement un compromis acceptable pour les deux partenaires, parce que l'un se sent complètement différent de l'autre — *il l'est* — et que ça ne le menace pas plus que ça ne le trahit.

Les couples qui ont atteint l'intégration relationnelle perçoivent l'autonomie et l'intimité comme des états, pas comme des positions statiques sur l'échelle de la distance ou de la proximité. Au niveau deux, l'intimité et l'autonomie se reliaient principalement *à ce que le partenaire faisait*. S'ils sont occupés à faire l'amour, chacun a sacrifié un certain degré de son autonomie et de son individualité. Si chacun se livre à une activité autonome, si l'épouse se trouve, par exemple, à la bibliothèque, tandis que son mari se promène avec leur fils au jardin zoologique, certains centimètres métaphoriques ont été perdus du point de vue de l'intimité.

Au niveau un, l'intimité et l'autonomie sont devenus des états intégrés, elles sont la relation même, elles ne relèvent pas de l'activité à laquelle se livrent les partenaires. Pendant qu'ils font l'amour, par exemple, l'un des partenaires peut se livrer à une activité très intime sans que son autonomie s'en trouve oblitérée ou niée. À ce haut niveau d'autodifférenciation, le partenaire n'a pas l'impression qu'au moment où il se trouve incapable d'exercer son autonomie, l'intimité avec son partenaire remet en question son individuation. Au contraire, il se sent plus capable d'être lui-même, d'*être qui il est vraiment*, en présence de l'autre. L'intimité avec le partenaire soutient l'individu autonome en lui.

À son tour, l'autonomie soutient l'impression d'intimité, parce que sa conjointe lui laisse savoir qu'elle admet sa différence essentielle et qu'elle se sent à l'aise face à elle.

Elle peut se sentir bien quand elle laisse tomber ses cheveux et quand elle est qui elle est, avec lui. Même quand elle rend visite à un membre proche de sa famille à l'autre bout du pays et qu'il reste à la maison, elle porte en elle ses sentiments d'intimité avec lui. L'intimité est un état intérieur : elle peut se sentir proche de lui peu importe où elle se trouve et ce qu'elle fait. Son encouragement et sa protection de ses besoins d'autonomie (comme d'effectuer cette visite) accroissent sa capacité d'intimité avec lui.

À ce niveau intégré de relation, les partenaires peuvent vivre parfaitement à l'aise avec leurs différences, même avec les différences que sous-tendent certaines croyances et valeurs profondément enracinées.

L'un des couples hautement fonctionnels que j'ai rencontrés, par exemple, approchait de la trentaine. Le mari était propriétaire d'une compagnie de vente et de réparation de radios d'automobile, et l'épouse travaillait au bureau du maire de leur petite municipalité. Ils avaient une petite fille. Entre eux, une importante différence religieuse: elle était une catholique dévote et il était un catholique qui ne pratiquait plus, que la religion n'intéressait pas du tout.

Elle regrettait, déclara-t-elle, qu'il ne partage pas une foi si importante à ses yeux, mais ils avaient convenu qu'il soutiendrait ses activités religieuses et qu'il ne chercherait pas à influencer leur enfant. De son côté, elle ne lui demanderait jamais de faire quoi que ce soit qui lui donnerait le sentiment de se compromettre ou d'être ridicule, pas plus qu'elle ne le noircirait ou entacherait sa réputation aux yeux de la génération montante (elle attendait incessamment la venue de leur deuxième enfant).

La négociation de cette différence capitale soutenait l'altérité et l'autonomie de chacun d'eux et leur permettait tous deux de vivre relativement facilement. Plus important: pour en arriver à négocier un arrangement, chacun avait dû non seulement comprendre *que le partenaire était une personne différente*, encore avait-il dû reconnaître chez l'autre les manifestations de la différence. Dans le cours de leurs négociations à propos de leur problème religieux, chacun d'eux avait dû demander à l'autre: «À quel point es-tu différent de moi? Comment te sens-tu par rapport à la question qui ne manquera pas de surgir?» Dans cette situation, l'admission de l'altérité du partenaire est une autre manière d'apprendre à le connaître. L'altérité nourrit l'intimité, et l'intimité nourrit la capacité d'être une personne différente de son partenaire.

Aux niveaux les plus élevés de l'individuation et de la différenciation, fait remarquer le clinicien Mark Karpel, la relation intime du couple prend plus la forme d'un *dialogue* entre êtres humains distincts que de la fusion interpersonnelle, comme celle qui se produit à des niveaux moins différenciés.

Le dialogue représente le stade adulte du développement humain dans lequel les pôles «Je» et «Nous» ont été intégrés, se nourrissent et s'abritent l'un l'autre.

L'individuation (le «Je» différencié) et le dialogue (le «Nous» différencié) composent les éléments complémentaires du processus général simultané d'autodélimitation des partenaires de la relation. (…) Le dialogue représente le mode de relation qui abrite l'individuation continue des partenaires. Contrairement à la fusion, où la différence s'anéantit, dans le dialogue, la différence est recherchée et s'affirme. Les partenaires ont pour objectif un idéal de réaction à l'autre en tant que personne entière et *autre*, et non en tant que partie de l'expérience individuelle.

Dans ces circonstances, l'autonomie et l'intimité sont des états de soutien de soi et d'autovalorisation mutuels.

«NOUS PRENONS DU BON TEMPS»

De l'avis de David Sternberg, son père avait «fait beaucoup d'argent» dans la vente au gros de produits laitiers. L'argent avait toujours fait partie des sujets de conversation dans la maison où il avait grandi. L'argent servait de prétexte à la domination, au contrôle, au pouvoir et, insidieusement, à l'amour.

«Son père était un immigrant illettré, rapporta Nancy d'une voix qui se voulait objective. C'est la personne la plus imbue d'elle-même que j'aie connue. Il ne parlait que de lui et d'argent. L'argent lui servait à dominer les gens de son entourage.»

Le contrôle, fit-elle observer, avait été la priorité absolue de son beau-père.

Sourcils relevés, je regardai David comme pour l'inviter à répliquer.

«Je savais que j'étais prisonnier de mon père et de sa folie pour l'argent, acquiesça-t-il cependant. Quand nous avons acheté notre première maison, par exemple, il nous a donné une partie de la mise de fonds — cinq mille dollars — pour ensuite prétendre que l'une des pièces lui appartenait. Ça lui appartenait! Ainsi, quand il nous rendait visite et qu'il voulait s'allonger, l'un de nous lui disait, par exemple : «Pourquoi n'allez-vous pas vous étendre dans la chambre de Jeff?» (La maison où nous nous trouvions n'était pas celle-là; c'était un tout petit cottage.) «Qu'est-ce que tu veux dire, la chambre *de Jeff*? demandait-il. C'est *ma* chambre. Je l'ai payée et j'ai la bonté de laisser Jeff s'en servir!»

— Ça c'était le signal convenu, coupa sa femme: à partir de là, ils devaient se sauter à la gorge. Je n'ai jamais su pourquoi David se laissait prendre chaque fois... Si son père voulait faire l'imbécile, je ne comprenais pas pourquoi *David* se sentait obligé de lui tenir compagnie!»

Deux jours avant la visite de ses beaux-parents, raconta-t-elle, David et elle commençaient déjà à se chamailler.

«Nous nous disputions à propos de notre fils Jeff ou à propos du nettoyage; David entreprenait de fouiller dans les tiroirs et les garde-robes en lançant des choses comme: «Veux-tu bien me dire d'où vient cette mite?»

Elle rit et secoua la tête, comme si elle se moquait de l'absurdité de David qui cherchait ses manquements de ménagère.

Les seules choses qui permettaient d'éviter les tensions au cours de ces visites étaient la maladie ou l'échec de quelque nature.

«Quand David était souffrant après sa crise cardiaque, expliqua Nancy, ou quand il avait des problèmes financiers, les choses étaient plus faciles.

— Ce que mon père aimait par-dessus tout, admit David, c'était d'entendre que je ne faisais pas d'argent, que je ne réussissais pas. S'il entendait ce genre de chose, il me laissait tranquille.

— Vous voyez, s'empressa Nancy, pour souligner ce qu'elle avait dit plus tôt, son père sentait qu'il avait le contrôle. L'argent, la maladie, n'importe quoi... il contrôlait tout ce qu'il pouvait dominer...

— Malgré tout, regretta David après un court silence, mon père était un homme remarquable! Tout l'intéressait: les nouvelles, la politique, tout ce qui se passait autour de lui! Il croyait à l'importance du travailleur, aux avantages sociaux, au salaire décent. Dans son entreprise, il donnait de bons avantages sociaux et des salaires décents, ce qui était fort rare chez les autres hommes d'affaires, ajouta David avec un enthousiasme qui croissait à mesure qu'il parlait. Il a donné beaucoup d'argent aux organismes de charité, juifs ou non. Et cet homme, qui est arrivé ici sans un sou en poche, l'orphelin de 15 ans, savait à peine lire! Sa mère — ma grand-mère, que je n'ai, bien sûr, pas connue — était morte en le mettant au monde. Son père avait à peine pris soin de lui et de son frère aîné. Et puis, lui aussi est mort; mon père n'avait pas encore 12 ans.»

Le père de David s'était fait très jeune. Les anecdotes relatant son enfance difficile provenaient de l'oncle, parce que son père n'avait jamais voulu parler de son enfance et de ses privations.

«Cet homme-là est arrivé ici et a travaillé assez fort pour bâtir sa propre compagnie, admira-t-il. Il comprenait le marché boursier et il y a fait de l'*argent*! Il connaissait le nom de chaque député — il savait qui il était, combien de votes il avait obtenu — et savait s'il favorisait ou non les intérêts des travailleurs! Mon père s'intéressait beaucoup à la justice sociale, et il était, d'une certaine façon, un homme compatissant. Mais il n'était pas... compatissant sur une base individuelle», finit-il par admettre dans un soupir.

Chez les Sternberg, on se disputait et on exigeait; chacun tirait la couverture de son côté.

«Personne ne se souciait jamais des autres, rapporta David, même si tout le monde venait se plaindre et chercher du soutien.»

C'est ce qui avait rendu, à ses yeux, la famille de Nancy tellement intéressante.

«Ils s'assoyaient tous ensemble, sans se sauter à la gorge, sans se battre. Ils étaient tous intéressés à entendre ce que les autres avaient à dire.»

L'ANGE ET LE DÉMON

Nancy avait grandi dans un milieu fort différent. Le père de Nancy Fein avait été vice-président d'une grosse firme de publicité, et elle avait poussé dans un milieu riche, pas très loin d'où les Sternberg vivaient au moment de nos rencontres. En vertu des standards des Sternberg, les Fein n'étaient pas riches.

«Mes parents avaient dû emprunter de l'argent à ma grand-mère et au frère de papa pour acheter la maison. Ils étaient à court d'argent bien souvent, mais je ne l'ai su que plus tard. Ça ne me dérangeait pas quand j'étais jeune: rien ne me faisait défaut, j'avais tout ce que je voulais et je n'avais pas l'impression de manquer de quoi que ce soit.»

Avant son mariage, la mère de Nancy avait été une artiste, très talentueuse au dire de sa fille. Elle avait sacrifié sa carrière à son mariage et à l'éducation de ses enfants. Et puis, quand ses enfants étaient devenus adultes et qu'elle avait eu une chance de reprendre l'exploration de ses intérêts artistiques, elle était tombée malade du cancer et en était morte à 51 ans.

Le père de Nancy, qui s'était remarié moins d'un an après le décès de sa femme, était mort d'une crise cardiaque plusieurs années plus tard. Dans sa famille, il ne lui restait personne, sauf son frère, de six ans son aîné, avec qui elle n'avait que peu de contacts. Il était scénariste à succès à Hollywood et, dit-elle, «habitait sur une autre planète».

Son manque de parents proches l'affectait, et elle souhaitait que ses parents vivent encore pour voir leurs petits-enfants devenir des adultes. Sa mère, relativement jeune au moment de sa mort, avait aimé les gens, la vie, et s'était ouverte à tout le monde.

«Mon père aussi était drôle; c'était un homme spirituel, courtois, très aimable. Ses amis avaient l'habitude de l'appeler «Viens-me-voir-Frankie», parce que toutes ses conversations se terminaient sur une invitation à prendre un verre, à jouer aux cartes, à discuter, le soir à la maison.»

Son père avait été extrêmement jaloux de sa relation avec sa femme. Pour cette raison, il avait détesté l'arrivée du frère aîné de Nancy.

«Il ne voulait *pas* d'enfant quand Roger est né. Il travaillait de nuit comme reporter à cette époque. D'après ce que j'en sais, il a toujours détesté mon frère... Quand *je* suis arrivée, commença-t-elle après avoir arrêté son monologue pour préciser que les choses s'étaient passées autrement dans son cas, j'étais *voulue* — et j'étais une fille —, alors j'ai eu un autre genre de père que Roger.»

L'environnement familial dans lequel on l'avait éduquée avait été calme, attentif, affectueux et très courtois, à l'exception des querelles qui opposaient son père et son frère, plus fréquentes au cours de l'adolescence de Roger et qui pouvaient parfois devenir violentes.

«Chaque fois que la bagarre éclatait, j'essayais de disparaître. Je me cachais dans ma chambre. Une fois, mon frère s'est précipité dans ma chambre pour se cacher dans l'armoire, et mon père l'y a poursuivi avec une raquette de tennis.»

Elle frissonna, pour montrer, aurait-on dit, la terreur qu'elle avait éprouvée.

Quelle position adoptait sa mère quand les deux rivaux se disputaient son attention? Nancy hésita avant de répondre, l'air songeuse.

«Elle était coincée dans le milieu, répondit-elle. Souvent elle s'alliait à mon frère, essayait de lui expliquer le comportement de mon père.»

En tentant de prêter main forte à son frère, la mère de Nancy n'avait jamais essayé de s'aliéner son mari.

«Et qui était *votre* allié dans la famille?

— Je n'avais pas besoin d'allié, répliqua-t-elle en toute hâte, parce que je n'avais pas d'ennemi. Le pire, c'était tout de même Roger; plus j'essayais de... c'est normal», grimaça-t-elle.

Dans sa famille fondatrice, il y avait eu un ange et un démon, ce qui n'est pas rare. Plus son frère jouait avec brio le rôle du mauvais garnement, plus elle se sentait poussée (ou condamnée) à interpréter celui de la bonne fille.

D'apparence plus intéressante, cette position dans le système émotif reste tout aussi irréaliste et exigeante que celle de hors-la-loi familial. Elle exige de la personne qui l'occupe de se conduire en ange à longueur de journée: il faut qu'elle soit l'opposé entièrement positif de son contraire, entièrement négatif, démoniaque.

Comme je l'imaginais, les choses n'avaient pas toujours été faciles pour Nancy, mais elles avaient tout de même l'air moins difficiles que pour son frère. L'ange de la maisonnée peut bien (ou *doit* bien) se montrer compétent, positif, accommodant, il est néanmoins forcé de nier et de désavouer, en lui et dans son comportement, ses sentiments de malheur, de rébellion, de tristesse, de désarroi.

«Elle avait peur, commenta David, comme s'il lisait dans ma pensée, que ses parents ne la prennent à partie un jour ou l'autre et commencent à la traiter comme ils traitaient Roger... Tu me l'as *dit*», ajouta-t-il après avoir lancé un coup d'oeil à sa femme, comme s'il s'attendait à une objection.

Nancy se contenta de hocher la tête et de hausser les épaules.

Elle avait peut-être été la fille idéale, mais la situation n'avait rien exigé de moins.

DEUIL IRRÉSOLU

De l'avis partagé de sa fille et de son beau-fils, Hélène, la mère de Nancy avait été une femme extraordinaire.

«Elle était — je me sens traître en disant cela — plus une mère pour moi que ne l'était ma *propre* mère, dit David, affectueusement et avec enthousiasme. Je suis quelqu'un qui... J'ai tendance à m'énerver, à laisser les choses me bouleverser, et la mère de Nancy me calmait à sa manière toute spéciale. Elle disait: «Mon garçon, je veux vider ce problème-là avec toi. Du début à la fin; peu importe le temps qu'il faudra. Deux têtes valent mieux qu'une; tâchons de comprendre ce qui se passe.» Et nous... ne parlions pas que de moi ou de ce qui occupait mon esprit, nous parlions d'elle, de sa vie, *de tout*. Aucun sujet n'était tabou avec elle!... Elle était quelqu'un de...» commença-t-il, les yeux mouillés de larmes, avant de s'arrêter, incapable de continuer.

Assise à côté de lui sur le canapé, Nancy avait les yeux secs, mais elle posa la main sur l'épaule de son mari, qu'elle pressa légèrement. L'agonie épouvantable d'Hélène (la tumeur cancéreuse au sein n'avait été diagnostiquée qu'après que les métastases se sont jetées dans d'autres parties du corps et devenues incontrôlables) s'était produite l'année de la crise cardiaque de David. En fait, David s'était effondré six semaines après la mort de sa belle-mère.

Comme ils le reconnurent tous les deux, à cette époque, David se conduisait comme un derviche tourneur: il lançait sa propre affaire, et occupait deux autres emplois à temps partiel. Il était frénétique; il avait l'impression que c'était le temps ou jamais de river le clou à son père, ou, tout au moins, de lui montrer qu'il pouvait l'égaler.

Des perturbations affectaient également sa famille, en plus de celle de Nancy. À cette époque, en effet, son père avait une liaison pour le moins tapageuse.

«Mon père n'avait jamais eu de temps pour ma mère, raconta David. C'était un homme bouillant, de tous les partys; elle était casanière, souffrait de migraines et d'insomnies.»

De son point de vue, ses parents n'allaient pas bien ensemble. D'ailleurs, sa mère avait toujours regretté de n'avoir pas accepté la demande en mariage d'un autre prétendant pour épouser son père. Mais son mari (comme elle l'avait soutenu plus tard) était entré dans sa vie et l'avait courtisée avec toute la fougue d'une tornade. C'était elle qui, pour finir, avait rejeté son mari (d'après l'histoire qui circulait dans la famille du père de David). Au début des années 1960, elle avait décidé qu'il était temps de mettre fin aux questions sexuelles de leur relation.

La réaction de son père, une grossière démonstration d'humiliation, avait été de parader devant tout le monde, de déclarer à qui voulait l'entendre que, puisqu'*elle* en avait fini avec le sexe, il avait le droit de trouver quelqu'un qui n'en avait pas fini. La femme qu'il avait choisie était mariée au frère de son épouse; le scandale qui s'ensuivit avait été énorme.

Au cours de cette période, David sortait à peine lui-même d'une liaison platonique. Il avait rencontré une jeune femme, fille d'un client, avec qui il partageait de longs déjeuners intimes.

«Elle était très aimable, très sensible, déclara-t-il; et j'avais désespérément besoin de quelqu'un à *qui parler*, une oreille, même si je me sentais coupable et que je croyais que ce que je faisais était mal.»

Préoccupée de ce qui arrivait à sa mère, Nancy semblait alors froide et inaccessible. Fidèle à la bonne fille qu'elle avait toujours été, au lieu d'entreprendre à l'avance le deuil épouvantable qui s'annonçait, Nancy se montrait, comme à l'accoutumée, positive, généreuse et compétente. Elle se comportait comme si elle avait été éduquée pour désavouer ce qui était douloureux, triste et désespérant, comme si elle ne pouvait pas intégrer le deuil qui l'affectait. Sa vie ne l'avait pas préparée à la douleur de cette épreuve. Les sentiments pénibles existaient bel et bien en elle, mais, étant donné qui elle était, elle ne pouvait faire autrement que de leur résister et de nier leur réalité.

Deux semaines avant la crise cardiaque de David et un mois après la mort de sa belle-mère, le flirt de David a atteint son point décisif. Les repas romantiques avec la fille de son client se passaient dans une petite municipalité où l'amenaient chaque semaine ses affaires. Un soir, alors qu'il restait passer la nuit, sa jeune amie vint lui rendre visite au motel.

«Je ne sais pas à quel point ça aura l'air vrai, me dit-il, l'air gêné, mais elle est arrivée et s'est invitée. Moi, je me sentais pris entre deux feux. J'avais 35 ans, presque 36, et je la trouvais très belle. À l'époque, elle devait avoir autour de 23 ans, rougit-il, tandis que je levais les yeux sur Nancy, qui n'avait pas l'air très à son aise. Elle avait apporté de l'alcool. Nous avons bu un verre ou deux et puis, avant que j'aie pu me rendre compte de quoi que ce soit, nous nous sommes retrouvés tous les deux déshabillés, au lit. Tout à coup, je me suis aperçu que je ne pourrais rien faire, parce que si je le faisais, je ne pourrais plus me dire que ce n'était pas ce que j'attendais de ma femme! Je ne pourrais plus exiger de Nancy ce genre de loyauté, d'engagement et de maîtrise de soi. Ce n'est pas que je ne voulais pas faire l'amour — je le voulais assurément! —, mais je savais que je ne pourrais plus jamais dire à Nancy: «Ne fais pas ça» ou prétendre que je ne l'avais jamais fait, ajouta-t-il en levant les épaules, pour montrer l'impasse dans laquelle il s'était trouvé, aurait-on dit.

— Il ne peut pas mentir, expliqua Nancy d'une voix qui trahissait son plaisir et son approbation. Il en est incapable; ça lui est impossible. Il a beau essayer, il n'y arrive pas...

— Naturellement, poursuivit-il, la jeune femme a pensé que j'étais fou, impuissant, ou les deux. Tout ce que j'ai pu dire, c'est: «Je ne peux pas, je ne peux pas.» Elle m'a demandé: «Qu'est-ce que tu me dis là? Je ne suis pas assez belle?» Elle portait, je me rappelle, de belles petites culottes, et je me sentais déchiré. L'instinct animal et l'instinct intellectuel, chacun tirant de son côté. Et puis, pour moi, il y avait la morale, en fin de compte le facteur décisif. Si je faisais l'amour avec elle, j'aurais brisé tout ce en quoi je croyais à propos des hommes et des femmes qui vivent ensemble... j'aurais bafoué la loyauté et la confiance.»

La relation avec la jeune femme avait pris fin sur cet incident; David avait néanmoins continué de se sentir bouleversé. Le flirt, même s'il n'avait pas été consumé du point de vue physique, avait longtemps été tenu secret. Même si la relation s'était terminée, David s'en sentait coupable et perturbé.

Enfin, il y avait eu la crise cardiaque. Malgré la perte récente de sa mère, Nancy s'était tout de suite précipitée pour prendre l'urgence en main. Elle mit tout de côté: elle s'occupa de la maison, des enfants, des affaires, de la santé et du bien-être de David. Durant cette période de crise, elle s'était comportée de manière exemplaire. Mais elle avait été incapable de vivre son deuil, d'intégrer la peine et la tristesse que lui causait la mort de sa mère aux fibres de sa compréhension et de son être.

«Je ne suis pas dépressive, admit-elle au cours de nos conversations. Je m'en fais, mais je ne déprime jamais. L'une des choses que j'ai apprises en thérapie, c'est que David porte la dépression pour moi. Il s'occupe de ce genre de problème à ma place, parce que j'ai trop de difficulté à le faire... Quand il s'est alité après sa crise cardiaque — c'était aussi après la mort de ma mère —, il l'a fait *pour nous deux*. Je l'encourageais en ce sens, le forçant à garder le lit longtemps, parce qu'il portait pour moi ce que je ne pouvais assumer moi-même.»

Elle se tut; pendant quelques minutes, personne ne dit un mot.

«Nancy, commença finalement son mari, a tendance à tout supprimer, à ne jamais admettre que quelque chose peut la troubler ou la déranger, tout comme j'ai tendance à trop parler, et même à devenir hypochondriaque. Ça vient de sa famille : «Ne te plains pas.» Sa mère se mourait et souffrait le martyre, et pourtant, on ne l'a jamais entendue se plaindre...»

Avec son émotivité à fleur de peau, David s'était porté volontaire pour exprimer les plaintes (et, jusqu'à un certain point, pour ressentir la douleur) à la place de sa femme. Pour qu'on l'aime, Nancy (c'est ce qu'elle croyait en son for intérieur) devait se montrer heureuse, en bonne santé, efficace et toujours optimiste. La sempiternelle bonne enfant n'avait jamais appris à reconnaître ou à endosser la responsabilité des aspects négatifs, torturés ou franchement dépressifs de son être intérieur. Mise au défi de le faire durant les mois d'agonie de sa mère, elle s'était révélée tout à fait incapable de vivre et d'exprimer le deuil englouti au fond d'elle comme une lourde pierre.

Tendu par le stress de *sa femme* et par sa peine à la suite de la mort de sa belle-mère, David ployait sous le fardeau de ressentir et d'exprimer son propre chagrin et celui de sa femme. Parce qu'il était trop engagé dans la lutte qui l'opposait à son père, un homme colérique et agressif, il était aussi assailli de pensées autocritiques, autodestructrices. Le message de son père était fort clair: tout acte d'indépendance, toute manifestation de succès seraient considérés comme un affront personnel. Pour se mériter l'amour de son père, il devait rester sous sa férule, ce qui signifiait, pour David adulte, tomber malade ou échouer.

En tant que fils, il avait eu besoin de s'identifier à son père, de l'égaler; cet homme, il l'admirait énormément, il aimait son souci des autres, il enviait sa réussite contre tout et contre tous, il applaudissait à son ingéniosité et à son courage. Pour David, être un homme signifiait faire ce que son père avait fait.

David avait cependant intériorisé l'épouvantable courant de reproches contre toute velléité d'indépendance, contre toute agressivité saine de sa part. Il ne pouvait pas réussir, devenir aussi compétent et prospère que son père sans évoquer la colère et la critique de ce dernier. Pour être aimé, il avait appris qu'il devait être dans le besoin, dépendant et dominé par l'autre partenaire de la relation. La force et la santé s'associaient, dans son esprit, à la culpabilité et aux reproches effrayants du moi.

En conséquence, ses besoins de dominer et de réussir chassaient de sa conscience la petite voix colérique et insatisfaite qui se faisait entendre en lui. Pour faire face à ses propres sentiments d'ambivalence incontrôlables, et pour trouver une prétendue solution à son conflit intérieur, David avait pris l'habitude de voir la colère *chez* Nancy. Quand il avait besoin d'un ennemi, il la provoquait, la poussait à tourner contre lui la rage du parent furieux. Il avait placé sa colère en elle, tout comme il lui avait confié sa santé et son sentiment d'efficacité.

Dans l'univers d'identification projective qu'ils habitaient auparavant, le rôle de Nancy consistait à représenter le bien-être et la compétence de la relation. David se chargeait quant à lui du désarroi, de la maladie, du désordre et de la sensiblerie. En démêlant leurs projections échangées au cours de la thérapie, *elle* avait appris à s'approprier la douleur qui vibrait en elle, et *il* avait appris à se percevoir comme un homme compétent sans reproche ni haine de soi.

En d'autres termes, les Sternberg avaient monté d'un niveau (même s'ils n'y vivaient pas encore en permanence). La psychothérapie, associée aux remarquables tâches béhaviorales décrites plus tôt (voir le chapitre 11, «Les tâches»), leur avaient permis cette élévation.

PASSER À L'ÉCHELON SUPÉRIEUR

Bien des facteurs peuvent occasionner la montée d'un couple à l'échelon supérieur. Cela peut se produire, comme chez les Sternberg, à cause de l'attention thérapeutique apportée à la relation. Cela peut encore se produire parce que l'*un* des partenaires est prêt à faire ce pas en avant (à la suite d'une thérapie individuelle, ou d'une poussée instinctive vers la croissance), à connaître une meilleure vie, et qu'il parvient à convaincre l'autre de le suivre dans ce voyage périlleux.

Le mouvement vers le haut peut par ailleurs provenir de circonstances nouvelles dans l'existence des partenaires; par exemple, au cours d'une phase où les conjoints se sentent particulièrement confiants, où la croissance personnelle semble aller de soi. Il peut encore s'agir du résultat de l'entente mutuelle de s'imposer des tâches béhaviorales soigneusement calibrées (comme celles du chapitre 11), destinées à *produire* des changements sur le plan des habitudes de transaction émotive.

De toute façon, les partenaires doivent se sentir relativement bien pour permettre aux changements de se produire dans leur mariage, *parce que ce dont nous avons le plus profondément besoin, c'est de prévisibilité dans nos relations.* Nous avons besoin de savoir quel geste fera vraisemblablement l'autre, même s'il est malade et nous rend malheureux la plupart du temps. C'est exactement pour cette raison que tout changement peut sembler si menaçant. Les conséquences des interactions différentes relèvent de l'imprévisible.

Pour Nancy Sternberg, les conséquences du changement en elle se sont avérées étonnamment agréables.

«Je pense que nous ne serions plus mariés à l'heure actuelle, me dit-elle sans détour au téléphone avant notre première rencontre, si ce n'était de tout ce qui a été résolu entre nous.»

Non seulement avaient-ils pu régler un tas de vieilles histoires, encore avaient-ils libéré bien des bonnes choses (les sentiments amoureux, par exemple) enterrées sous la suspicion et le manque de confiance.

Dans le mariage des Sternberg, les changements survinrent à tous les niveaux.

«L'argent, par exemple, déclara Nancy. Notre manière de faire actuelle tient du miracle, étant donné le milieu familial de David. Quand on pense que, dans sa famille, l'argent, c'était l'amour, et l'amour, c'était l'argent. L'une des plus grandes réussites de David en thérapie, ça a été, dans mon esprit, d'apprendre à dissocier les deux.»

Je savais, commentai-je en me tournant vers son mari, que l'argent avait été sujet de dispute entre son père et lui. Comment en était-ce devenu un entre sa femme et lui?

«Comment, exactement, le problème s'est-il manifesté?

— Je me servais de l'argent de la même manière que lui, fit-il en penchant la tête de côté. J'avais voulu que mon père me donne de l'argent, c'est-à-dire de l'amour, et je commençais à enseigner la même chose aux enfants: accumulez-le, *ayez*-le, mais ne vous en servez pas. Naturellement, mes enfants voyaient les choses comme je les avais vues: mon argent, c'était mon amour, que je leur distribuais parcimonieusement. Quand venait le temps de leur remettre leur allocation, je devenais aussi mesquin que mon père, je leur disais des choses comme: «Je te donne deux dollars d'allocation. Tu es très chanceux: tu en as plus que bien d'autres et tu ne fais absolument rien pour ça. Mais je te le donne parce que je t'aime.»

— Ou bien, intervint Nancy, les enfants exécutaient des travaux pour lesquels leur père leur avait promis de l'argent. Quand ils s'amenaient en disant: «Hé papa, c'est fait!», il leur répondait: «Très bien, je suis content que le travail soit fait.» Ça forçait l'enfant à dire: «Mais, papa, tu as promis que tu me paierais pour le faire!», ce à quoi David répliquait: «Penses-tu que mes clients me paient tout de suite? Penses-tu que je peux m'amener et obtenir mon argent aussitôt le travail accompli?» Il jouait à toutes sortes de jeu du même genre...»

Je levai les yeux sur David, qui hocha la tête pour approuver le témoignage de sa femme.

«Ensuite, continua-t-elle, l'enfant lui demandait son argent pour la troisième fois, le quatrième jour, et il répondait: «Tu me demandes encore cet argent-là! Pourquoi n'arrêtes-tu pas de me déranger à ce propos?» C'était *épouvantable*! acheva-t-elle, une note de colère dans la voix.

— Dans ma vie, tout tournait autour de l'argent. Tout se transformait en... commença David.

— C'était exactement la même chose entre nous, coupa Nancy. Il me disait: «Tiens. Voilà ton argent pour la semaine.» Il avait sa petite réserve et, chaque fois qu'il avait besoin de quelque chose, il allait y puiser. Mais quand j'en avais besoin, *je* n'avais pas le droit de le faire! Dieu merci, je n'ai jamais été coincée avec une voiture au réservoir vide! Mais je devais prélever la somme dont j'avais besoin du montant alloué à l'épicerie et retourner voir

David: «J'ai besoin de plus d'argent»... «Comment se fait-il que tu aies besoin de plus d'argent? Qu'en as-tu fait?», mima-t-elle d'une voix dure, dressée sur son siège.

— Ça a duré 15 ans, les 15 premières années de notre mariage, ajouta David, mal à l'aise.

— C'est un comportement très paternaliste, reprit Nancy. Ça me mettait en colère, parce que je suis tout aussi économe que lui. Je ne dépense pas d'argent pour des choses dont je n'ai pas besoin ou dont je ne veux pas; je ne l'ai jamais fait. Même petite fille, j'était économe.

— C'était pour moi une question de pouvoir et de culpabilité, admit son mari.

— Exactement! lança-t-elle avec un bref signe de tête.

— Je veux dire que c'était une question d'*amour* et de pouvoir, précisa-t-il. À ce moment-là, je suivais les traces de mon père et les deux choses s'étaient confondues dans mon esprit. Je me trouvais très humain, très bon, j'apprenais les valeurs à ma femme et à mes enfants... Je leur enseignais, ironisa-t-il. Je ne savais pas quelles ficelles je tirais.

— J'étais une femme adulte, une mère qui plus est, je m'occupais de la maisonnée et je connaissais parfaitement le prix des choses. Et il était là, à essayer de m'apprendre ce qu'il n'avait pas à m'apprendre! Je le savais de toute façon... Toute cette histoire a donné lieu à bien de la rancune. Quand nous avons réussi à négocier efficacement l'un avec l'autre — c'était en cours de thérapie —, nous avons convenu d'un endroit où placer l'argent de réserve, et nous avons décidé que nous y aurions tous les deux accès en cas de besoin.»

Une fois que David avait pu dissocier l'amour et l'argent, il trouva, entre lui et ses enfants, le même genre de problèmes auxquels il put, cette fois, apporter une solution facile. Désormais, l'argent ne posait plus problème dans la famille, comme ils en convinrent tous les deux.

Le même phénomène s'était produit pour les questions sexuelles, qui avaient déjà causé des problèmes.

«Si je n'avais pas envie de faire l'amour un soir, David réagissait tellement mal qu'on aurait dit que je le rejetais en tant que personne. Bien des fois, je sentais que je ne pouvais pas dire non parce qu'il réagirait trop violemment.»

Je demandai si cette quesion avait aussi trouvé sa solution en cours de thérapie.

«Oui, se hâta-t-elle de répondre. Ce n'étaient pas les relations sexuelles en elles-mêmes qui faisaient problème, c'était la question du pouvoir qu'elles contenaient. Pendant des années, quand David avait...

— Je vois, trancha-t-il, furieux. Quand nous abordons ce genre de sujet, que nous revenons en arrière, certains sentiments reviennent.

— Notre discussion le dérange, commenta sa femme, en l'interrogeant du regard.

— Oui, ça me dérange», admit-il.

Il y eut un silence.

«Eh! bien? finit par demander Nancy.

— C'est bon; continue, lui dit-il, avec un geste las de la main.

— J'ai oublié ce que j'allais dire, hésita-t-elle, nerveuse. Oh!... J'ai toujours eu l'impression d'un certain ressentiment chez David, à l'endroit des femmes fortes. Et pourtant, ce sont exactement celles qui l'attirent... Je pense qu'à ce moment-là les deux choses, l'argent, le sexe... et probablement les enfants aussi, avaient à voir avec son besoin d'être catégorique.

— Vous dites qu'il avait énormément besoin de contrôler?

— Contrôler..., répliqua-t-elle en clignant des yeux; c'est le bon mot. Il avait besoin de s'assurer qu'il détenait tous les atouts. Pouvez-vous *imaginer* le chemin que nous avons dû parcourir pour en arriver là où nous sommes aujourd'hui?

— Ce n'était pas une question de contrôle, répliqua David; c'était une question de rejet. Je sentais que... eh bien, j'ai toujours été très porté sur les relations sexuelles. C'est une partie agréable de ma vie, et j'ai toujours été, j'espère que je le serai toujours, exigeant en ce domaine. Alors, j'ai l'impression que si l'autre cherche des excuses, ça doit avoir quelque chose à voir avec moi. Ou bien elle me rejette parce que je ne suis pas un bon amant, ou bien je ne la satisfais pas, qu'importe! D'une certaine façon, les causes sont en moi, pas en elle!... J'avais aussi l'impression, continua-t-il pensivement, après un moment de silence, que c'était, pour une femme, la manière de mettre un homme en colère, d'afficher son pouvoir — et ça a tout à voir avec la question du pouvoir des femmes, je le sais. J'imagine que ça se passait comme ça chez mes parents, avec ma mère, parce que les relations sexuelles étaient... n'existaient pratiquement pas. J'ai l'impression que lorsque j'étais enfant, il y avait une guerre de nature sexuelle chez moi... la bagarre a pris fin quand mon père s'est tapé ma tante... C'est pourquoi je devenais livide, fit-il dans un haussement d'épaules comme pour signaler que la suite sautait aux yeux, quand Nancy voulait lire ou tricoter à neuf heures le soir alors que j'avais envie d'éteindre et de faire l'amour. J'avais l'impression que c'était sa façon de se venger du fait que je détenais le pouvoir sur tous les autres aspects, l'argent, par exemple. Elle détenait le pouvoir sexuel, parce qu'elle savait que je n'irais pas ailleurs. Quand j'y pense, lors de l'aventure que j'ai failli avoir avec la jeune femme, ce qui ressortait, c'était que je m'engageais avec quelqu'un qui voulait, contre quelqu'un à qui je devais demander la permission...

— C'est ce que tu croyais, riposta Nancy d'un ton acerbe.

— C'est ce que je croyais, convint-il. Je n'ai pas réalisé avant la thérapie qu'une bonne partie du problème venait d'une fausse interprétation. Je ne comprenais pas que nous étions deux personnes différentes. Si elle me dit qu'elle n'a pas envie de faire l'amour certains soirs, ça va, c'est correct! Elle peut bien me dire: «Pas comme ça», ou «Je n'ai pas vraiment envie», ou encore «Je n'en ai pas le goût, mais comme tu en as très envie, pourquoi pas?» Je peux honnêtement dire que ça ne me dérange pas; à elle de décider.

— D'habitude, il me fait changer d'idée pas mal vite», lança en riant Nancy qui se tourna vers moi.

À ce moment-là, je remarquai pour la première fois que la main de Nancy était glissée entre les deux mains de David.

Je trouvai que le moment était venu de poser la question que j'adresse à tous les couples à ce point de nos rencontres.

«Si vous pensiez à la sexualité et que vous vous posiez certaines questions à propos d'un aspect particulier, qu'est-ce qui vous viendrait à l'esprit? Une question comme : «À quelle fréquence les autres couples font-ils l'amour?» ou «Combien de femmes ont des orgasmes multiples?»

De surprise, ils se regardèrent, sourirent et puis se tournèrent vers moi pour me considérer d'un air déconcerté pendant un instant. Nancy choisit de me répondre en premier.

«Je ne crois pas que je poserais une question par rapport au fonctionnement. Je pense que j'ai une bonne connaissance du domaine physiologique. Mais ce que je demanderais, c'est... J'étais vierge quand je me suis mariée, et je n'ai jamais trompé mon mari... C'est ça?... Un partenaire pour toute ma vie? Qu'est-ce que ça ferait d'avoir une petite aventure? Est-ce que ce serait excitant?

— Est-ce que c'était excitant, jetai-je à David en riant; *presque* excitant, je veux dire?

— Ma mère a toujours dit que «presque» ne compte pas! contre-attaqua Nancy, en riant elle aussi. Il *n'a pas pu*!

— Mais s'il avait pu? lui demandai-je.

— Ce ne serait pas convaincant, dit-elle. Si j'avais assez besoin de vivre ça pour prendre le risque d'un lien émotif avec quelqu'un d'autre — alors que je suis très heureuse de celui que j'ai —, je devrais me demander si je veux vraiment faire quelque chose qui risquerait de compromettre l'équilibre, qui risquerait de créer plus de malheur que de bonheur. Alors, je suppose que mon désir de satisfaire ma curiosité ne suffit pas. Je ne suis pas assez curieuse pour risquer ce que j'ai... Ensuite, qu'est-ce qui se passerait? Que pouvez-vous faire? Les relations sexuelles, ça a une fin. J'ai l'impression que je serais déçue, étant donné que nous avons une vie sexuelle excitante et pleine... Je ne sais vraiment pas ce que ça pourrait me donner de plus. Sauf... grimaça-t-elle, que je pourrais dire: «C'est bon! j'ai eu plus d'un partenaire; je peux mourir en paix maintenant!»

Après avoir étudié la question, Nancy en avait tiré ses propres conclusions. Elle savait bien, ajouta-t-elle que certains couples ont un mariage ouvert, qu'ils ont convenu d'avoir d'autres partenaires sexuels même s'ils demeurent fidèles au lien émotif qu'ils partagent.

«Je ne sais pas jusqu'à quel point ça marche bien pour eux, lança-t-elle, dubitative, mais je sais que, pour nous, ça ne fonctionne-rait pas, étant donné le genre de personnes que nous sommes. Nous sommes tous les deux très conservateurs, très traditionnels...

— C'est de l'hypocrisie, grogna David.

— Ce serait de l'hypocrisie pour toi, répliqua-t-elle; mais il se peut que ça fonctionne pour *eux*. Je ne pense pas que ça pour-rait marcher pour moi, pour nous, parce que nous sommes loyaux...

— J'aimerais bien les entendre discuter du lien qui les unit et du genre de respect qu'ils ont l'un pour l'autre! renâcla-t-il en secouant la tête comme pour chasser l'idée. Et l'engagement sexuel: ils vont ailleurs et le vivent avec d'autres personnes! Hon-nêtement, je ne sais pas comment ils conçoivent l'acte sexuel. Est-ce comme une partie de baseball ou de basketball: tu rentres chez toi, tu te laves, tu dis que c'était une sacrée bonne partie, et ça y est? Je ne sais pas. Si c'est comme ça qu'ils voient les relations sexuelles, peut-être qu'il n'y a pas d'hypocrisie. Mais j'ai du mal à croire qu'on puisse le faire. À mon avis, ils chas-sent le rationnel du lien émotif qui existe entre eux.

— Et s'il n'y a pas de lien émotif, ce n'est qu'un exercice physi-que, convint Nancy. J'ai remarqué que, parfois, des gens mariés sortent de la relation pour établir des liens avec des partenaires de l'extérieur et qu'ils en discutent ensemble ensuite... Peut-être qu'ils n'auraient rien d'autre à se dire, autrement.

— J'ai bien du mal à comprendre qu'un couple puisse conver-ser gentiment à ce propos! s'emporta David. Je ne comprends pas qu'un couple n'arrive pas à se comprendre et à discuter des autres émotions profondes, la vie, la mort, la famille, l'argent, l'éducation, le racisme... Pour Nancy et moi, c'est ce qui nous *lie* l'un à l'autre; ce lien-là, c'est ce que nous pensons, c'est ce que nous ressentons! C'est ce que nous voulons que nos enfants retiennent de nous, ce que nous voulons qu'ils ressentent. Si la sexualité devait être notre seul sujet de conversation... ça me dépasse! Il y a si *peu* à dire! Mais je vois bien ça, admit-il enfin, c'est partout: dans les livres, à la télévision... La quantité de rela-tions sexuelles que ça demande... commença-t-il, avant de lais-ser sa phrase en suspens. Je sais bien que ce que je considère les joies essentielles de la vie: les relations avec les autres, les vraies relations... se reprit-il avant de s'arrêter encore une fois. Quant aux relations sexuelles, mes fantasmes diffèrent des siens.»

Leurs regards se croisèrent et ils se sourirent.

«Différents, comment?

— Mes fantasmes sont d'ordre technique; je ferais toutes sortes de choses. Mais, encore une fois, fit-il en levant la main comme pour m'empêcher de sauter aux conclusions, le facteur de risque est très, très élevé.

— Le facteur de risque?

— Bien sûr, intervint Nancy, parfaitement à son aise. Son fantasme, c'est qu'il ferait l'amour à deux femmes à la fois.

— *Au moins* deux, claironna David.

— Moi, je ne cherche qu'un seul homme», fit-elle remarquer.

Il se demandait — et ce serait sa question sur les relations sexuelles — si les hommes avaient plus de fantasmes sexuels que les femmes.

«Chaque fois que je fais l'amour, j'ai des fantasmes légèrement différents. Je pense que l'homme qui parlait de la luxure dans son coeur parlait pour bien des hommes. Je pense sincèrement qu'il était honnête et admirable: dans le coeur de bien des hommes, il y a de la luxure. Quand je vois une jeune fille, je me demande comment ce serait avec elle. Quelle différence y aurait-il? Comme je suis plus vieux, je me demande aussi quel genre d'expérience ce serait pour *elle*? Je ne m'attarde pas à ça, je peux y penser quand je passe devant un campus universitaire, mais ça me passe par la tête; c'est un fantasme, pas une réalité. Il n'y a pas de chance que ça devienne une réalité; c'est juste... une curiosité.»

Leurs réponses à ma question, remarquai-je, se ressemblaient beaucoup. Tout ce qui les intriguait, c'était ce que serait la relation sexuelle avec un autre partenaire.

«C'est vrai, répondit Nancy, songeuse. Je ne sais vraiment pas ce que nous pourrions nous demander d'autre. Je veux dire, si vous avez besoin de savoir à quelle fréquence les autres couples font l'amour, vous n'avez qu'à lire le rapport Kinsey... Il y a deux semaines, nous avons été à Washington, fit-elle ensuite, comme si elle changeait de sujet. Nous avons emmené Jacques et Carole. Nous avions loué une chambre à l'hôtel Marriott, qui surplombe la basse ville.»

Je hochai la tête, en attendant la suite.

«La dernière fois que nous y avions été, nous avions loué un véritable taudis. Nous détestions la vue. Nous étions en surplomb, dans le fond, comme si nous occupions une unité de motel cachée derrière l'hôtel. Alors, j'ai dit au préposé à l'accueil: «S'il vous plaît, ne nous donnez pas une chambre sur l'arrière; je veux une chambre dans l'aile principale de la bâtisse.» Il a dit: «Oh! vous avez eu une mauvaise expérience la dernière fois? Je vais vous arranger ça.» Il nous a donné la suite Marriott — pour le même prix: deux immenses chambres au dernier plancher. La vue panoramique donne sur Georgetown et sur Washington.

— Il y a un bar et trois télévisions, soupira David.

— Il y a un bar et trois télévisions, répéta-t-elle.

— Et un téléphone dans la salle de bain, ajouta-t-il, l'air ravi.

— C'était incroyable! admit Nancy. Nous avions un lit aussi grand que la pièce où nous nous trouvons, fit-elle en ouvrant tout grands les bras pour englober le vivoir où nous étions assis. Nous avons ouvert les rideaux pour voir toute la basse ville de Washington. Voilà comment... conclut-elle, nous avons passé toute la soirée... au lit.

— Je pensais que tu allais te lancer dans les détails, la taquina David, tandis qu'elle secouait la tête.

— Elle ne dit pas que nous nous trouvions juste devant le monument à George Washington, ricana David.

— C'est vrai ça, rigola à son tour Nancy, le grand symbole phallique. Nous étions là, juste en face! Nous sommes maintenant plus libres, plus dégagés; il n'y a pas de tensions entre nous à ce propos. Nous n'avons pas de problèmes sexuels. Nous avons bien du plaisir... J'avais apporté ma robe de nuit de satin à Washington, hésita-t-elle en croisant mon regard, l'air contente. C'est parce que, chez nous, je porte des pyjamas de flanelle.»

De son bras, David lui entoura l'épaule.

«Nous prenons du bon temps», dit-elle.
